二十五史藝文經籍志考補萃編

考補萃編

第二十三卷（上）

國史經籍志補
國史經籍志

王承略　劉心明　主編

清華大學出版社　北京

〔明〕焦竑　撰
陳錦春　許建立　整理
〔清〕宋定國　謝星纏　撰
陳錦春　張祖偉　整理

圖書在版編目（CIP）數據

二十五史藝文經籍志考補萃編：全2册．第23卷/王承略，劉心明主編．--北京：清華大學出版社，2014

ISBN 978-7-302-34180-2

Ⅰ.①二…　Ⅱ.①王…②劉…　Ⅲ.①中國歷史－古代史－紀傳體 ②《二十五史》－研究　Ⅳ.①K204.1

中國版本圖書館CIP數據核字（2013）第246346號

責任編輯：馬慶洲
封面設計：曲曉華
責任校對：劉玉霞
責任印製：楊　艷

出版發行：清華大學出版社
　　　　　網　　址：http：//www.tup.com.cn，http：//www.wqbook.com
　　　　　地　　址：北京清華大學學研大廈A座　　郵　編：100084
　　　　　社總機：010-62770175　　　　　郵　購：010-62786544
　　　　　投稿與讀者服務：010-62776969，c-service@tup.tsinghua.edu.cn
　　　　　質　量　反　饋：010-62772015，zhiliang@tup.tsinghua.edu.cn
印　刷　者：清華大學印刷廠
裝　訂　者：三河市金元印裝有限公司
經　　　銷：全國新華書店
開　　　本：148mm×210mm　　印　張：26　　字　數：574千字
版　　　次：2014年3月第1版　　　　　印　次：2014年3月第1次印刷
定　　　價：108.00元（上、下册）

產品編號：043552-01

目　　録

國史經籍志

國史經籍志補

國史經籍志

[明]焦竑 撰

陳錦春 許建立 整理

　　底本：《四庫存目叢書》影印明萬曆三十年
陳汝元函三館刻本
　　校本：《續修四庫全書》影印明徐象橒曼山
館刻本

序

　　自書契以來，靡不以稽古右文爲盛節，見於方策可考已。我太祖高皇帝伐燕，[①]首命大將軍收秘書監圖書及太常灋服、祭器、儀象、版籍。既定燕，復詔求四方遺書。永樂移都北平，命學士陳循輦文淵閣書以從。且輶軒之使，四出搜討。其時睿藻宸章，既懸象魏，而延閣、廣內之藏，如觸目琳瑯，莫可注視，何其盛也！累朝通集庫、皇史宬在所充牣，而宣德以來，世際昇平，篤意文雅，廣寒、清暑二殿及東西瓊島，游觀所至，悉置墳典。迨雞林、土蕃遣使求書，文教遠播，直與奎壁日月激衝光明，而宛委、羽陵之有，方之蔑如矣。繇此觀之，運殂則鉛槧息，[②]治盛則典策興。蓋不獨人主風尚繫之，而世道亦往往以爲候，可無志哉！劉歆《七略》類例精已，荀勗乃更著新錄，析爲四部，合兵書、術數、方伎於諸子，《春秋》之內別出《史記》，經、子、文賦一仍其舊，繇近世史籍猥衆，若循《七略》，多寡不均。故謝靈運、任昉悉以勗例銓書，良謂此也。今之所錄，亦準勗例，以當代見存之書統於四部，而御製諸書則冠其首焉。史官焦竑序。

---

① "伐"，徐象橒刻本（以下簡稱"徐本"）作"代"。
② "殂"，徐本作"徂"。

　　歲丁酉，元以國子生赴試京師，偶於薦紳家獲覯先生所輯
《國史經籍志》，元盥手展閱之，則見蒐羅之廣，而茂先、彦淵讓
其學；再閱之，則見類例之精，而孟堅、蔚宗謝其識；三閱之，則
見論譔之贍，而更生、子雲遜其才。誠哉藝苑南針，士林嚆矢。
何怪薦紳家轉相繕寫，而長安紙價爲之騰貴也。更數月，先生
奉璽書校士畿輔，元不才，謬荷先生甄拔，得稱門下士。而先生
以是冬南歸，不接豐範者累歲。壬寅春，謁先生於金陵。先生
提命之頃，出是編相示，則比京師時又加詳矣。元避席再拜，請
曰：“弟子心契是編，業非一日。與其藏之名山，曷執公之同志。
與其轉相繕寫之煩，孰若授諸剞劂氏，俾家喻而户曉也。”先生
曰：“此非不佞私書，迺國史中一志爾。向以職事攸關，勉强成
此。顧其間所載，僅予經目者，恐貽挂漏譏。且國史告竣無期，
而是編先布，毋乃不可乎？”元曰：“不然。夫史固非旦夕可成，
即成矣，而金匱石室之儲，豈閭閻可得覩也。玉軸牙籤之富，豈
寒素可得收也。國史昭祖宗功德之隆，是編表國家人文之盛。
合之則共成其美，分之則各擅其長。即先史而布，庸何傷？”於
是先生首肯，命元校讎而付之梓，凡五閱月而工訖。因附書數
語，以紀歲月云。會稽山陰門弟子陳汝元頓首謹識。

卷一

制書類　御製　中宮御製　勑修　記注時政

御製

高皇帝文集二十卷　又三十卷

又詩集五卷

皇明祖訓一卷

祖訓條章一卷

儲君昭鑒錄二卷

大明主壻一卷

昭鑒錄五卷訓親藩。

紀非錄一卷諭周、齊、潭、魯。

永鑒錄一卷訓親藩。

資世通訓一卷

大誥一卷

大誥續編一卷

大誥三編一卷

臣戒錄一卷

大誥武臣三十二篇

勑諭武臣一卷

武臣訓戒錄一卷

武臣鑒戒一卷

宣諭三卷

大明令一卷

大明律二十八卷

禮儀定式一卷

行移減繁體式一卷

洪武禮制一卷

孝慈録一卷

教民榜文一卷

注道德經二卷

注書洪範一卷

彰善癉惡録三卷

癉惡續録一卷

軍瀘定律一卷

操練軍士律一卷

逆臣録五卷

忠義録一卷 記擒逆將士。

集犯諭一卷 諭吏。

昭示姦黨録二卷

成祖皇帝　聖學心瀘四卷 訓東宮。

務本之訓一卷

文華寶鑑□卷

爲善陰隲十卷

孝順事實十卷

傳心妙訣一卷

仁宗皇帝文集二十卷

詩集二卷

體尚書二卷

外戚傳二卷

宣宗皇帝文集四十四卷

詩集六卷

帝訓四卷_{訓東宮。}

外戚事鑒五卷

歷代臣鑒三十七卷

官箴一卷

英宗皇帝　五倫書六十二卷

景皇帝　勤政要典一卷

憲宗皇帝詩集四卷

文華大訓二十八卷_{訓東宮。}

睿宗皇帝　恩紀詩集七卷

含春堂藁一卷

世宗皇帝　注書經三要三卷

注程頤四箴一卷

注范浚心箴一卷

鑒古韻語六十首

翊學詩一卷

火警或問一卷

祭祀記一卷

詠春同德錄一卷

宸翰錄一卷

白鵲贊和集一卷

勅諭錄一卷

詠和錄一卷

忌祭或問一卷

中宮御製

高皇后　内訓一卷

仁孝皇后　勸善書二十卷

詩集一卷

貞烈事實二卷

章聖皇太后

女訓一卷

慈聖皇太后

女鑒一卷

勑修

高皇帝實録二百五十七卷_{胡廣等撰。}

實訓十五卷_{詹同等撰。}

大明日曆一百卷

聖政記一卷_{宋濂撰。}

會要八十卷

國朝制作一卷_{王叔銘集。}

存心録十八卷_{吳沉撰。}

省躬録七卷_{劉三吾撰。}

醒貪録二卷_{命户部撰。}

律令直解□卷

精誠録三卷_{吳沉撰。}

祭祀禮儀六卷

大明清類天文分野書二十四卷

大明集禮五十三卷

書傳會選六卷劉三吾等撰。

春秋本末三十卷命孔克堅撰。

列女傳三卷

歷代公主錄二卷

公子書一卷

世臣總錄二卷

諸司職掌十卷

大明官制二十八卷

稽制錄一卷

永鑑錄二卷訓諸藩。

志戒錄二卷劉三吾。

洪武正韻十六卷

寰宇通衢書一卷

禮制集要一卷

稽古定制一卷

爲政要錄一卷

軍政條例五卷

成祖皇帝實錄一百三十卷

寶訓十五卷

聖政記三卷

永樂年表四卷

四書大全□□卷

易經大全十四卷

書傳大全十卷胡廣等撰。

詩傳大全二十卷胡廣。

春秋大全□□卷^①

禮記大全三十卷

性理大全二百四十八卷

直注古今列女傳三卷

永樂大典二萬二千二百十一卷

歷代名臣奏議三百五十卷

仁宗皇帝實録十卷

寶訓六卷

年表二卷

周易直指十卷<small>楊士奇。</small>

宣宗皇帝實録一百十五卷

寶訓十二卷

年表四卷

英宗皇帝實録三百六十一卷<small>陳文等撰。</small>

寶訓十二卷

憲綱一卷

大明一統志九十卷<small>李賢等撰。</small>

寰宇通志一百十九卷

憲宗皇帝實録二百九十三卷<small>劉吉等撰。</small>

寶訓十卷

續資治通鑑綱目二十七卷

孝宗皇帝實録二百二十四卷<small>李東陽等撰。</small>

寶訓十卷

類證本草三十一卷

詩海珠璣□卷

---

① “□□卷”，《四庫全書》著録作三十七卷，《續通志》、《續文獻通考》作七十卷。

武宗皇帝實錄一百九十七卷_{費宏等撰。}

實訓十卷

歷代通鑑纂要九十二卷_{李東陽等修。}

大明會典一百八十卷_{李東陽等撰。}

世宗皇帝實錄五百六十六卷_{張居正等撰。}

實訓二十四卷

大禮集議六卷

明倫大典二十四卷

祀儀成典□卷

郊禮通典二十七卷_{夏言撰。}

承天大志四十卷_{徐階等修。}

穆宗皇帝實錄七十卷

實訓八卷

紀注時政

吾學編六十九卷_{鄭曉。}

大政紀三十六卷_{雷禮。}

昭代典則二十六卷_{黃光昇。}

皇明政要二十卷_{婁性。}

洪武大記二十卷_{吳朴。}

開國事略十卷_{蔡于毅。}

憲章錄四十六卷_{薛應旂。}

兩朝憲章錄二十卷_{吳瑞登。}

皇明繩武編三十四卷_{吳瑞登。}

國朝謨烈輯遺二十卷

明初略二卷_{孫宜。}

國朝事蹟一百二十卷_{孫宜。}

皇明紀略四卷皇甫録^①

皇明泳化編一百三十六卷_{鄧球。}

徵吾録二卷_{鄭曉。}

今言四卷_{鄭曉。}

九朝野記四卷_{祝允明。}

鴻猷録八卷_{高岱。}

今獻彙言三十八卷

天潢玉牒□卷^②

皇明統宗繩蟄録十二卷

孝陵紀略一卷

剪勝野聞一卷_{徐禎卿。}

禮賢録一卷_{劉基。}

翊運録二卷_{劉基。}

興濠開基録一卷_{卞璪。}

明興雜記四卷

國初事蹟一卷_{劉辰。}

尊聞録二卷_{梁億。}

賢識録一卷_{陸釴。}

洪武輯遺二卷_{梁億。}

革除遺事六卷_{黃佐。}

建文事蹟一卷

備遺録二卷_{張芹。}

---

①　徐本無卷數。《續修四庫全書》影印民國二十九年商務印書館影印《元明善本叢書十種·歷代小史》本作一卷。

②　"□卷"，徐本同，《千頃堂書目》卷十、《明史·藝文志》著録並作一卷。

遺忠録二卷_{郁襄。}

革朝志十卷_{許相卿。}

遜國紀二卷_{睦欅。}

奉天刑賞録一卷_{袁裘。}

奉天靖難記四卷

前後北征録二卷_{金幼孜。}

北征記一卷_{楊榮。}

壬午功臣爵賞録二卷_{都穆。}

順命録一卷_{郁袞。}

平定交南録一卷_{丘濬。}

三朝聖諭録三卷_{楊士奇。}

正統臨戎録一卷_{楊銘。}

北征事蹟一卷_{袁彬。}

革書一卷_{劉濟。}

復辟録一卷

平夏録一卷_{黃標。}

平胡録一卷_{陸深。}

使北録一卷_{李實。}

否泰録一卷_{劉定之。}

天順日録一卷_{李賢。}

三患傳一卷_{劉定之。}

可齋筆記二卷_{彭時。}

西征石城記一卷_{馬文昇。}

平漢録一卷_{童承叙。}

撫安東夷記一卷_{馬文昇。}

病逸漫記二卷_{陸釴。}

瑣綴録八卷[①]尹直。

燕對録一卷李東陽。

平蕃始末一卷許進。

興復哈密記一卷馬文昇。

治世餘聞四卷陳洪謨。

震澤長語二卷王鏊。

醫閭漫記二卷賀欽。

後鑒録□卷[②]謝蕢。

北虜事蹟一卷王瓊。

西番事蹟一卷王瓊。

繼世餘聞四卷陳洪謨。

江海殲渠記一卷祝允明。

視草餘録二卷楊廷和。

召對録一卷李時。

諭對録一卷張孚敬。

宸章集録一卷費宏。

南巡録一卷陸深。

北還録一卷陸深。

雙溪雜記二卷王瓊。

大同紀事一卷韓邦奇。

雲中紀變一卷孫允中。

菽園雜記十五卷陸容。

俺荅前後志二卷馮時可。

平惠州事一卷方逢時。

---

① “瑣”，原誤作“鎖”，據徐本改。
② “□卷”，徐本同，《千頃堂書目》卷五、《明史·藝文志》著録並作三卷。

金臺紀聞一卷_{陸深}。

玉堂漫筆一卷_{陸深}。

松寇紀略一卷_{徐宗魯}。

海寇前後議二卷_{范表}。

孤樹裒談十卷_{李默}。

海寇後編一卷

大獄錄二卷_{張孚敬}。

庚申紀事一卷_{楊希淳}。

邊略五卷_{高拱}。

三封北虜始末一卷_{鄧林喬}。

雲中降虜傳一卷_{劉紹恤}。

上谷議略一卷_{方逢時}。

安慶兵變一卷_{查志隆}。

平曾一本敘一卷_{林廷機}。

病榻遺言一卷_{高拱}。

西南紀事二卷_{郭應聘}。

征南紀略一卷_{王尚文}。

西南三征記一卷_{郭子章}。

甘州紀變一卷_{曹子登}。

平夏紀事一卷_{曾偉芳}。

　　古之聖哲無意於文也，理至而文從之，如典、謨、訓、誥是已。然或臯、夔、旦、奭代為屬筆，蓋間有之。若梁武、唐文贍於辭學，至與寒畯之士競為雕蟲，何其小也。我聖祖投戈講藝，間有撰造，朝出九重，暮行四海，風動草偃，曉然如推赤心置於人腹中，竊伏而讀之，矗矗乎如家人父子提耳以命，唯恐其不盡也。如導師之於弟子，唯恐其不達也。《書》之贊敷言曰"天子作民父母，以為天下主"，嗟乎！此非真有父母之心者，孰能為之? 而文殆不足言矣。雖然,蹟其震越渾鍠,魁奇碩大,雖以凌跨百代,而軼駕三王,其何讓之有? 列聖代興,著作相望,今備列首篇。至於辭苑之編摩,一禀指授;私家之紀載,識其小大,莫不有文武之道焉。咸綴末簡,以資憲章。

卷二

經類<small>易　書　詩　春秋　禮　樂　孝經　論語　孟子　經總解　　小學</small>

易<small>古易　石經　章句　傳注　集注　疏義　論説　例　譜　考正　音　數　圖　讖緯</small>

連山十卷<small>夏易。</small>

歸藏三卷<small>商易。晋薛貞注。</small>

三皇太古書三卷<small>柴霖傳。</small>

　　　右古易

石經周易十卷

今字石經易篆三卷

一字石經周易一卷

　　　右石經

周易十卷<small>漢京房章句。</small>

周易十卷<small>漢孟喜章句。</small>

周易四卷<small>漢費直章句。</small>

周易十卷<small>漢馬融章句。</small>

周易五卷<small>漢劉表章句。</small>

　　　右章句

周易傳二卷<small>卜子夏。</small>

易傳三卷漢京房傳,吳陸績注。

周易傳一卷魏關朗撰,唐趙蕤注。

周易傳三卷唐陸希聲。

周易言象外傳十卷宋王洙。

毗陵易傳十一卷蘇軾。

易傳十二卷程頤。

易傳十四卷丁易東。

梁溪易傳十四卷李綱。

漢上易傳九卷

童溪易傳三十卷王宗傳。

易禆傳一卷林至。

易小傳六卷沈該。

易傳八卷張浚。

易傳十二卷鄭史。

易傳十卷王逢。

易傳二十卷楊萬里。

周易注十卷鄭玄。

周易注十卷王肅。

周易注十卷王弼。

周易注十卷吳姚信。

周易注九卷虞翻。

周易注十三卷陸績。

周易注十卷魏荀煇。

周易注十卷晉干寶。

周易注十卷梁何胤。

周易注十卷王凱沖。

周易注十卷任希古。

符祥注十卷宋龍昌期。

周易注六卷劉牧。

易補注三卷皇甫佖。

蔡淵　易傳訓解四卷　又　易象意言二卷

易繫辭二卷晋韓康伯。

吳園易解九卷張轘。

繫辭精義二卷吕祖謙。

易纂言十二卷元吳澂。

徂徠易解五卷石守道。

謙齋詳解二十卷李杞。

清令軒讀易編三卷陳深。

郭氏解八卷

蔡節齋易解四卷

易解二十卷田疇。

易解十卷張應珍。

逍遙公易解十卷李椿年。

易解一卷李舜臣。

經傳訓測十卷湛若水。

旁注十二卷朱升。

旁注四卷李恕。

易象解二卷劉濓。

　　　右傳注

集解周易十卷馬、鄭、二王四家。

集注周易十卷荀爽九家。

集二王注十卷楊氏。

集解周易十卷張璠。

集解周易十卷_{林栗。}

集解周易十卷_{唐李鼎祚。}

集注周易一百卷_{唐元載。}

大易粹言七十卷_{集程、張、游、楊、二郭説成之。}

周易義海一百卷_{房審權。}

周易義海撮要十二卷_{李衡。}

周易纂注十四卷_{董正卿。}

集傳十一卷

叢記一卷_{朱震。}

叢書十卷_{趙汝楳。}

大易粹言十卷_{曾穜。}

集傳二十卷_{紇石烈。}

周易集説十卷_{俞琰。}

古易詮二十九卷_{鄧伯羔。}

今易詮二十四卷_{鄧伯羔。}

　　右集注

周易講疏三十五卷_{梁武帝。}

周易講疏十六卷_{褚仲都。}

周易義疏十四卷_{蕭子政。}

周易講疏三十卷_{陳張譏}

周易義疏十六卷_{周弘正。}

周易文句義疏二十卷_{梁蕃。}

周易講疏十三卷_{何妥。}

周易文句義疏二十四卷_{陸德明。}

周易新傳疏十卷_{陰弘道。}

乾坤義疏一卷_{劉瓛。}

周易證義疏二十卷宋范諤昌。

周易義六卷魏徵。

周易要義十卷長孫無忌。

周易正義十四卷孔穎達。

周易新注本義十四卷唐薛仁貴。

易義五卷盧行超。

周易甘棠正義三十卷五代任貞一。

易義八卷皇甫佖。

易義一卷黃通。

易義二卷李貢。

易義一卷周孟陽。

周易口義二十卷宋胡瑗。

易叢十六卷葉良佩。

易義二十卷王安石。

易義二卷葉子長。

易本義二卷朱熹。

本義通八卷胡炳文。

易衍義八卷胡震。

易衍義二十二卷許復。

周易義略九卷張簡。

周易新義二卷沈季長。

周易總義二十卷易袚。

易象義五卷周滿。

易學義林十卷顏鯨。

繫辭義疏二卷劉瓛。

繫辭義二卷蕭子政。

大衍義二卷李覺。

周易釋序義三卷_{梁蕃。}

　　右疏義

周易論三卷_{僧一行。}

周易論三十三卷_{王昭素。}

周易論十卷_{陳臯。}

周易窮微論一卷_{王弼。}

通易象論三卷_{晋欒肇。}

大衍論三卷_{唐明皇。}

通易象論一卷_{宣聘。}

二阮難答論二卷_{阮長成、阮仲容。}

卦德統論一卷_{劉牧。}

制器尚象論一卷_{陳希亮。}

易卦正名論一卷_{劉不疑。}

廣論一卷

周易開題義十卷_{梁蕃。}

周易大義二卷_{陸德明。}

周易異議論十卷_{劉遵。}

周易外義三卷

周易玄品二卷

周易發揮五卷_{唐王勃。}

周易開玄關一卷_{唐蘇鶚。}

周易聖斷七卷_{鮮于侁。}

周易發題一卷_{張元。}

周易明疑録一卷_{張元。}

周易啓玄一卷_{張元。}

周易啟源十卷_{蔡廣成。}

辨劉牧易一卷_{陳希亮。}

王劉易辯二卷_{宋咸。}

易旨歸議一卷

周易玄談六卷

三易備遺十卷_{朱元昇。}

周易釋疑一卷

周易玄悟三卷

周易義學十卷_{陸秉。}

周易意蘊一卷_{徐庸。}

周易卦斷一卷_{丘鑄。}

周易口訣義六卷_{唐史證。}

周易口訣六卷_{王鎬。}

周易口訣七卷_{陸太易。}

周易微旨三卷_{陸希聲。}

李翱　易詮□卷^①

麻衣正易心灋一卷

易軌一卷_{蜀蒲虔觀。}

周易精微三卷_{皇甫佖。}

周易述聞一卷_{皇甫佖。}

隱訣一卷_{皇甫佖。}

補解一卷_{皇甫佖。}

易筌一卷_{阮逸。}

易訓三卷_{宋咸。}

易翼二卷_{鄭東谷。}

葉正則　易說一卷_{門人袁聘儒釋。}

---

①　徐本作一卷，《宋史·藝文志》作三卷。

大易忘筌二卷

程大昌　易原十卷

王炎　易筆記並總説九卷

孫坦　周易析藴二卷

易箍精義二卷

周易窺餘十五卷_{鄭剛中。}

易翼傳四卷_{鄭汝諧。}

周易精微三卷_{周鎮。}

温公易説二卷

横渠易説二卷_{張載。}

慈湖易説二十卷_{楊簡。}

趙南塘　易説三卷

周易義證總要二卷

易説啟蒙三卷_{朱熹。}　又　問答二卷

馮椅　厚齋易學□卷

周易絶筆書四卷_{龍昌期。}

周易發隱二十卷_{陳良獻。}

復齋易説六卷_{宋趙彦肅。}

易原三卷_{楊忱中。}

周易會通四卷

傳家易説八卷_{宋郭雍。}

準齋易説二卷_{宋吳如愚。}

童子問一卷_{歐陽修。}

童子問一卷_{陳宏。}

啟蒙通釋二卷_{胡方平。}

周易啟蒙翼傳四卷_{胡一桂。}

南軒易説四卷

讀易記十六卷_{方寔孫。}

九師遺説十六卷

易心三卷_{王愷。}

易學舉隅四卷_{易祓。}

學易紀九卷_{李簡。}

了齋易説一卷_{陳瓘。}

瀘象通贊七卷_{鄭滁孫。}

中天述考一卷_{鄭滁孫。}

述衍一卷_{鄭滁孫。}

周易發揮七卷_{元何基。}

繫辭發揮二卷_{元何基。}

讀易舉要四卷_{元俞琰。}

易外別傳一卷_{元俞琰。}

周易折衷三十三卷_{趙采。}

周易參義九卷_{梁寅。}

周易通六卷_{趙以夫。}

大易鉤玄三卷_{鮑恂。}

周易玩辭十六卷_{宋項安世。}

或問十卷_{姚麒。}

周易餘義八卷_{楊幅。}

吳沇　大易璿璣二卷

陳譜　易解四卷

易原奧義二卷

淙山讀易紀六卷

周方學　易説三卷

齊履謙　本説四卷

郭東山易説一卷_{郭昺。}

周易輯聞六卷_{趙汝楳。}

易雅一卷_{趙汝楳。}

易學四同八卷_{季本。}

圖文餘辯一卷_{季本。}

周易述説一卷_{詹一麟。}

大象述一卷_{王畿。}

易緼一卷_{劉采。}

周易贊義十七卷_{馬理。}

周易億四卷_{王道。}

讀易餘言五卷_{崔銑。}

讀易備忘四卷_{黃潛翁。}

浠南易説九卷_{程轍。}

讀易愚得一卷_{顧應祥。}

約説十二卷_{方獻夫。}

宗旨八卷_{甯欽。}

周易正蒙十卷_{史于光。}

古易世學十五卷_{豐坊。}

易辨一卷_{豐坊。}

周易參疑十二卷_{孫化光。}

説翼三卷_{呂柟。}

象旨決録七卷_{熊過。}

易象大旨八卷_{薛甲。}

學易記五卷_{金賁亨。}

　　右論説

周易統例十卷_{崔覬。}

周易略例一卷_{王弼。}

周易略例義一卷_{黃黎獻。}

略例疏一卷_{莊道名。}

略例一卷_{桂詢。}

周易編例十卷

周易義類三卷_{顧棠。}

卦類一卷

類纂一卷

　　　右類例

周易譜一卷

略譜一卷_{袁宏。}

周易譜一卷_{沈熊。}

易玄星紀譜一卷_{晁說之。}

　　　右譜

周易舉正三卷_{唐郭京。}

周易證墜簡二卷_{宋范諤昌。}

先儒遺事一卷_{劉牧。}

歷代因革一卷_{董正卿。}

易正誤二卷_{鄭亨仲。}

　　　右考正

周易卦象數旨一卷_{晋李顒。}

揲蓍灋一卷_{不爲子。}

易數二卷_{陳高。}

古占灋二卷_{宋程迥。}

蓍卦辨疑三卷

筮宗一卷_{宋趙如楳。}

蓍瀘別傳一卷_{國朝季本。}

易占經緯四卷_{韓邦奇。}

大衍索隱三卷_{丁易東。}

元包數義二卷_{宋張行成。}

先天易鈐一卷

太極寶局一卷_{宋牛師德。}

易數鈎隱一卷_{劉牧。}

　　右數

易傳纂圖三卷_{王弼。}

大衍玄圖一卷_{僧一行。}

鈎隱圖三卷_{劉牧。}

續鈎隱圖一卷_{黄黎獻。}

河圖洛書解一卷_{沈濟。}

伏羲畫卦圖一卷_{彭汝礪。}

周易乾生歸一圖十卷_{彭汝礪。}

易圖三卷_{宋朱震。}

卦氣圖一卷_{宋樂洪。}

荆定易圖一卷

八卦小成圖一卷

大易圖說二十五卷_{鄧錡。}

周易圖釋一卷_{劉定之。}

逢軒錢氏圖說三卷

易象圖說六卷_{張理。}

象數鈎深圖三卷_{張理。}

周易圖三卷張理。
　　右圖

周易音一卷晋李軌。
周易音訓二卷李恕。
周易並注音七卷陸德明。
讀易韻考七卷張獻翼。
　　右音

乾坤鑿度二卷鄭玄注。
易緯稽覽圖二卷鄭玄注。
易緯是類謀一卷
易緯辯終備一卷
易緯乾元敘制記一卷
易緯坤靈圖一卷
易卦通驗二卷
京房易鈔一卷
　　右讖緯

　　蜀張生有言："連山，天易也。歸藏，地易也。有瀍數而未有書。周易，人易也。始有書矣，而未詳於義也。"商瞿受《易》孔子，五傳而至田何。雖有異家，一以象數爲宗。自王弼之説出，陰陽占筮皆眂爲術數之流，而《易》晦矣。子曰"《易》有聖人之道四焉"，非直以其辭而已，盍嘗譬之。象數者，水之源，木之本也。卦有定名，則水出木生，而某水某木可知已。六爻，則其派與枝葉也。派之通塞，枝葉之華悴，則爻之吉凶也。辭則水之經，木之譜也。學者執經與譜，而不復尋其源本，謂學《易》，可乎？世儒王主理，鄭主象，二家局見，今古所同。顧承學左祖

王氏者爲多，繇象無筌蹄可尋，而理則管蠡可測。折楊黄華，嗑
然而笑，無足恠也。今並列於篇，以俟采擇。

書<small>石經　章句　傳注　疏義　問難　圖譜　名數　音　緯候</small>

三字石經尚書古篆三卷
今字石經鄭玄尚書八卷
今字石經尚書本五卷
一字石經尚書六卷
三字石經尚書九卷
　　　右石經

歐陽章句三十一卷
大小夏侯章句各二十九卷
尚書章句訓解十卷<small>尹洪。</small>
尚書句解十三卷<small>朱祖義。</small>
柯山句解三卷<small>李公凱。</small>
　　　右章句

伏生大傳三卷<small>鄭玄注。</small>
古文尚書十三卷<small>孔安國傳。</small>
書馬融注十一卷
書王肅注十一卷
書謝沈注十五卷
書范甯注十卷

書程頤説一卷

書王元度注十卷

書蘇軾傳十三卷

書孫覺解十三卷

張九成　書詳説五十卷

蔡沈　書傳六卷

書解二十四卷_{林之奇。}

書説十卷_{呂祖謙。}

書詳解五十卷_{陳經。}

書古文訓十六卷_{薛季宣。}

錢時　書傳八卷

吳棫　書裨傳十三卷

陳大猷　書傳會通十一卷

葉夢得　書傳十卷

陳師凱　書傳旁通六卷

王炎　書小傳十八卷

黃度　書説七卷

袁覺　家塾讀書記二十三卷

袁燮　家塾書鈔十卷

張震　書小傳□卷

蜀李舜臣　書小傳□卷^①

書經直指六卷

黃榦　書説□卷

王希旦　書説□卷

陳鵬飛　書解三十卷

---

① “□卷”，徐本同，《宋史·藝文志》著録作四卷。

蔡元度　書全解□卷

夏僎①　書詳解十六卷

李顒　書新釋三卷

王日休　書解□卷

王龜齡　書解□卷

陳傅良　書抄□卷

薛肇明　書解□卷

上官公裕　書解説□卷

張沂　書説□卷

鄭敷文　書説一卷

張景　書説□卷

趙汝談　書説三卷

潘衡　書説□卷

時瀾　書説三十卷

吳澂　書纂言八卷

讀書叢説六卷 許謙。

金履祥　書表注一卷

史仲才　書説□卷

陳梅叟　書説□卷

袁默　書解□卷

余九成　書説□卷

朱升　書旁注一卷

葛大紀　禹貢要略一卷

傅寅　禹貢説一卷

徐常吉　禹貢解一卷

---

① “僎”，原作“撰”，徐本同，據《宋史·藝文志》和《直齋書録解題》改。

劉向　洪範傳論十一卷

穆元休　洪範外傳十卷

胡瑗　洪範解一卷

王安石　洪範傳一卷

趙善湘　洪範統二卷

馮去非　洪範補傳一卷

曾鞏　洪範傳一卷

曾致　洪範傳一卷

楊簡　五誥解一卷

　　　右傳注

集解尚書十一卷_{李顒。}

集釋尚書十一卷_{宋姜道盛。}

尚書會解十四卷

梅教授書集解三卷

書集解□卷_{李子林。}

書四百家集解□卷^①_{蜀成申。}

書義元會四卷_{張國賓。}

書集解五十八卷_{林少穎。}

尚書纂注六卷_{董鼎。}

書集傳六卷_{陳櫟。}

王天與　纂傳十卷

書集解十三卷_{胡士行。}

尚書義粹二卷_{王若虛。}

---

　　① "□卷"，徐本同，明朱睦《授經圖義例》卷八著錄此書作五十八卷，云成申之撰。

禹貢集解二卷_{傅寅。}

鄒近仁　禹貢集説□卷

洪範會傳一卷_{宋孫諤。}

定正洪範集説一卷_{胡一中。}

　　右集解

尚書大義二十卷_{梁武帝。}

尚書述義二十卷_{劉炫。}

尚書正義二十卷_{孔穎達。}

尚書義疏十卷_{梁費甝。}

尚書義疏三十卷_{梁蔡大寶。}

尚書義疏七卷

尚書疏二十卷_{顧彪。①}

尚書義疏三十卷_{劉焯。}

義疏十卷_{梁巢猗。}

尚書廣疏□卷_{馮繼光。}

書精義三卷_{真德秀。}

書義要訣四卷_{倪士毅。}

黄倫　尚書精義六十卷

尚書義三卷_{梁巢猗。}

尚書義三卷_{隋劉先生。}

尚書釋義四卷_{伊説。}

尚書義注三卷_{吕文優。}

尚書文外義一卷_{顧彪。}

尚書大義二卷_{吴孜。}

---

① “顧”，原作“顔”，徐本同，據《隋書・儒林傳》改。

暢訓一卷_{漢伏勝。}

百篇義一卷_{劉炫。}

略義三卷_{劉炫。}

尚書要義二十卷_{魏了翁。}

尚書義宗三卷

尚書關言三卷_{黃君俞。}

略義一卷_{樂敦逸。}

胡伸　書解義□卷

書義十述一卷_{孫覺。}

尚書義十三卷_{王雱。}

尚書講義三十卷_{張綱。}

徐蘭　書經體要□卷

梁寅　書演義□卷

書九意一卷_{楊繪。}

黃存齋　尚書通考□卷

王耕野　讀書管見□卷

尚書日記十六卷_{王樵。}

禹貢論一卷_{程大昌。}

禹貢後論一卷_{程大昌。}

禹貢指南一卷_{毛晃。}

洪範論一卷_{張晦之。}

尚書斷章十三卷_{成伯璵。}

　　右疏義

尚書駁議五卷_{王肅。}

尚書釋問四卷_{王粲。}

尚書百問一卷_{顧歡。}

尚書百釋三卷巢漪。①
尚書釋問四卷鄭玄。
尚書通考十卷黄鎮成。
因問録□卷吕柟。
尚書糾繆十卷王玄感。
書義辨疑一卷楊時。
書辨譌七卷鄭樵。
書或問二卷陳大猷。
書疑九卷王栢。
余芑舒　讀蔡傳疑□卷
趙祀　尚書辨疑□卷
程直方　蔡傳辨□卷
洪範考疑一卷吴世忠。
田澤　洪範洛書辨一卷

右問難

河圖傳一卷李平西。
尚書治要圖一卷
禹貢圖一卷程大昌。
禹貢圖一卷王栢。
洪範圖論一卷蘇洵。
洪範圖解一卷韓邦奇。
禹治水譜一卷鄭瑶。
書譜二十卷程大昌。

右圖譜

---

① “漪”,徐本同,《隋書·經籍志》、《舊唐書·經籍志》並作“猗”,當據改。

尚書要記名數一卷

書經名數索至十卷方時發。

洪範九疇數解八卷熊宗立。

　　右名數

古文尚書音一卷徐邈。

今文尚書音一卷顔彪。

音義四卷王儉。

古文尚書釋文十三卷陸德明。

　　右音

尚書緯三卷鄭玄注。

尚書中候五卷鄭玄注。

　　右緯候

　　古者言爲《尚書》，事爲《春秋》，葢左、右二史分職之。秦置尚書禁中，通章奏；漢詔命在尚書，主王言，故秦、漢因以名官。《七略》曰“尚書，直言也”，而以爲上古之書者，失之矣。始伏生授晁錯《書》二十八篇，漢魏數百年間，諸儒所治僅此耳。至東晉梅賾增多二十五篇，即所稱壁藏書也。考《漢志》有《古經》十六卷，以其後出，別於經，不以相溷，其慎如此。唐人不能深考，猥以晚晉雜亂之書定爲義疏，而漢魏專門之學遂以蕩廢。近吳幼清《敘錄》一出，乃悉還伏生之舊。而趙子昂、歸熙甫之流，各著爲書，靡不懸合，葢渙然有當於心。夫古書殽於後人，至不可勝數。其文辭格制之異，固可望而知也。朱元晦嘗深疑之，而未及是正。今學官既有著令，學士大夫往往循習不辨，遂使唐虞三代之遺，掇拾於故老者，盡亂於僞人之手而不覺，可勝惜哉。故於臚列諸家，而特著其事，俟廣石渠、白虎之義者有所考鏡焉。

詩石經　故訓　傳注　義疏　問辨　統説　名物　圖譜　音　緯

一字石經魯詩六卷
今字石經毛詩三卷
　　　右石經

魯故二十五卷魯申公。
齊后氏故二十卷后蒼。
齊孫氏故二十七卷
韓故三十六卷韓嬰。
毛詩故三十六卷毛萇撰，鄭玄箋。
毛詩故四卷李恕。
廣川詩故四十卷董逌。
　　　右故訓

子貢傳一卷
韓嬰傳二十二卷薛氏章句。
毛萇傳十卷①
韓詩內傳四卷

―――――――――
①　"十卷"，徐本作"一卷"。

韓詩外傳十卷

齊后氏傳三十九卷

齊孫氏傳二十八卷

夾漈詩傳二十卷鄭樵。

錢氏詩傳二十卷錢文子。

潁濱詩傳二十卷蘇轍。

詩鮮于傳二十卷

詩傳遺說六卷朱鑑。

楊氏傳二十卷楊簡。

詩傳旁通十五卷梁益。

詩傳通釋二十卷劉瑾。

毛詩注二十卷王肅。

毛詩注二十卷葉遵。

毛詩注二十卷王元度。

詩總聞二十卷王質。

詩輯三十六卷嚴粲。

毛詩集注二十四卷崔靈恩。

毛詩集解三十卷段文昌。

詩說二卷程頤。

毛詩集解二十卷丘鑄。

毛詩集解十二卷李迂仲。

詩集注八卷朱熹。

逸齋補傳十二卷

詩解二十卷陳鵬飛。

詩詳解十二卷李樗。

詩解二十卷李少南。

詩序三十卷黃度。

詩學備忘二十四卷李簡。

　　右傳注

毛詩大義十一卷梁武帝。

毛詩大義三卷蘇子才。

毛詩正義四十卷孔穎達。

毛詩義疏二十卷舒援。

毛詩義疏二十八卷沈重。

毛詩述義四十卷劉炫。

毛詩章句義疏四十卷魯世達。

毛詩釋義十卷謝沈。

毛詩纂義十卷許叔牙。

張氏義疏五卷

毛詩本義十六卷歐陽修。

毛詩要義二十卷魏了翁。

毛詩義方二十卷林洪範。

毛詩折中義二十卷劉宇。

詩義二十卷王雱。

詩演義八卷梁寅。

詩傳疏義二十卷朱公遷。

　　右義疏

毛詩義問十卷劉公幹。

毛詩義駁八卷王肅。

毛詩駁五卷王基。

毛詩異同評十卷孫毓。

難孫氏毛詩評四卷陳統。

毛詩辨異三卷_{楊乂。}

毛詩異義二卷_{楊乂。}

毛詩雜答問五卷_{韋昭、朱育等。}

箋傳辨誤八卷_{周式。}①

毛詩餘辨四卷

毛詩釋疑一卷

毛詩正論十卷_{劉孝孫。}

詩辨疑一卷_{楊時。}

詩辨妄六卷_{鄭樵。}

趙德　詩辨疑十卷

諸儒疑問二卷

詩童子問二十卷_{輔廣。}

詩考五卷_{王應麟。}

詩地理考六卷_{范處義。}

詩考四卷_{梁寅。}

詩疑問六卷_{朱倬。}

詩釐正二十卷_{湛若水}

　　　右問辨

韓詩翼要十卷_{侯苞。}

毛詩奏事一卷_{王肅。}

毛詩拾遺一卷_{郭璞。}

毛詩解序義一卷_{顧歡等。}

毛詩序義二卷_{雷次宗。}

毛詩集小序一卷_{劉炫。}

---

①　“式”，徐本同，《宋史·藝文志》作“軾”，《經義考》云：“《紹興書目》軾作式。”

毛詩發題序義一卷梁武帝。

毛詩序義疏一卷劉瓛等。

毛詩誼府三卷元延明。

表隱二卷陳統。

毛詩指說一卷成伯璵。

毛詩斷章二卷成伯琰。

毛詩章疏二卷

毛詩題綱一卷

毛詩玄談一卷

毛詩別録一卷張邰。

毛鄭詩學十卷

毛詩外義二卷宋咸。

毛詩重文説七卷

判篇二卷劉泉。

別集正義一卷

毛詩正記一卷

詩統解序一卷

闕言二十三卷黃君俞。

讀詩記三十二卷呂祖謙。

詩解頤四卷朱善。

詩集傳音義會通□卷汪克寬。

續讀詩記三卷戴溪。

詩義集説四卷孫鼎。

詩傳纂疏□卷胡一桂。

毛詩十五國解一卷吳申。

詩說解頤八卷季本。

放齋詩說十卷

毛詩前説一卷_{項安世。}

魯詩世學十二卷_{豐坊。}

　　右統説

草木鳥獸魚蟲疏二卷_{陸璣。}

毛詩名物解十卷

毛詩物性八卷

毛詩名物解八卷_{蔡卞。}

詩集傳名物鈔八卷_{許謙。}

　　右名物

毛詩圖三卷

毛詩孔圖經十二卷

毛詩古賢聖圖二卷

毛詩草木魚蟲圖二十卷

小戎圖二卷

毛詩譜三卷_{鄭玄。}

毛詩譜三卷_{徐整。}

毛詩譜二卷_{太叔求。}

謝氏毛詩譜鈔一卷

詩譜補闕三卷_{歐陽修。}

　　右圖譜

毛詩箋音證十卷_{劉芳。}

毛詩音十六卷_{徐邈等。}

毛詩音二卷_{徐邈。}

毛詩注音八卷_{魯世達。}

鄭玄等諸家音十五卷

詩古音辯二卷_{鄭庠。}

毛詩音訓四卷_{李恕。}

右音

詩緯十八卷_{魏宋均注。}

右緯

《詩》三百十一篇，亡其辭者六。考之《儀禮》，皆笙詩也。笙詩有譜以記音節而無其辭，非軼之也。《春秋》諸侯卿大夫賦《詩》道志，率無所擇。至考其入樂，自《邶》迄《豳》，無一在數。享之用《鹿鳴》，鄉飲酒之笙《由庚》、《鵲巢》，射之奏《騶虞》、《采蘋》，靡匪雅與南也。然後知南、雅、頌之爲樂無疑矣，故曰：“以雅以南，以籥不僭。”季札觀舞《象箾》、《南籥》者。《南籥》，二南之籥也。箾，雅也。象舞，《頌》之《維清》也。《文王世子》又曰“胥鼓南”，則南之爲樂益明已。竊嘗論他經可以詁解，而《詩》當以聲論。後世不得其聲而獨辭之知，韓、毛諸家於鳥、獸、蟲、魚之細竭力以爭，而問其音節，不能解也。古者審聲以知治，作樂以成教者，其亦幾於絶矣。夫以聲感者於性近，而以義求者離性遠。學《詩》而不知此也，與耳食何異。今録其見存諸編，令學者與樂部類而觀焉。

春秋_{石經　左氏　公羊　穀梁　通解　詰難　論説　條例　圖譜　音　緯　外傳}

一字石經春秋一卷

三字石經春秋三卷
三字石經左傳古篆書十二卷
一字石經公羊傳九卷
　　右石經

春秋左氏解詁三十卷_{賈逵。}
春秋左氏傳解誼三十一卷_{服虔。}
春秋左氏傳三十卷_{王肅。}
春秋左氏經傳集解三十卷_{杜預。}
春秋左氏傳義略二十五卷_{沈文阿。}
續左氏傳義略十卷_{王元規。}
左氏鼓吹一卷_{吳元緒。}
春秋左氏傳立義十卷_{崔靈恩。}
春秋左氏義函傳十六卷_{干寶。}
春秋左氏達義一卷_{王玢。}
春秋左氏經傳解四卷_{王述之。}
春秋左氏區別三十卷_{何始真。}
左氏釋滯十卷_{殷興。}
左氏釋疑七卷_{裴安時。}
左氏指玄十卷_{楊希範。}
左氏補注十卷_{趙汸。}
春秋正義三十六卷_{孔穎達。}
左氏義疏六十卷_{徐文遠。}
左氏句解四十六卷_{林堯叟。}
左氏續說三十卷_{呂祖謙。}
左氏章指十七卷_{陳傅良。}
春秋左氏要義六十卷_{魏了翁。}

左氏直解十二卷_{郭登。}

左氏類解十二卷_{劉績。}

左氏附注五卷_{陸粲。}

左氏屬事二十卷_{傅遜。}

左氏國紀二十卷_{徐得之。}

左氏始終三十卷_{程公說。}　　又　分記九十卷

左氏始末十二卷_{唐順之。}

　　　右左氏

春秋公羊解詁十一卷_{王愆期。}

春秋公羊疏三十卷

公羊集解十四卷

　　　右公羊

春秋穀梁傳義十卷_{徐邈。}

穀梁傳十四卷_{段肅注。}

春秋穀梁疏十二卷_{唐楊士勛。}

穀梁集解十二卷_{范甯。}

　　　右穀梁

春秋伊川傳□卷

春秋傳十五卷_{劉敞。}

春秋傳三十卷_{胡安國。}

春秋石林傳二十卷_{葉適。}

春秋集解十二卷_{蘇轍。}

春秋集注十二卷_{高閌。}

春秋解十二卷_{楊簡。}

春秋集解三十卷_{呂祖謙}。

春秋會傳十六卷_{饒秉鑑}。

春秋集傳二十六卷_{張洽}。

春秋集注綱領十二卷_{張洽}。

春秋通訓十六卷_{張大亨}。

春秋後傳並左氏章旨四十二卷_{陳傅良}。

春秋集傳十五卷_{王沇}。

春秋集傳詳説三十卷_{家鉉翁}。

春秋集傳十五卷_{趙汸}。

春秋通説十三卷_{黃仲炎}。

春秋新傳十二卷_{余安行}。

春秋集傳三十卷_{楊時秀}。

春秋經筌十六卷_{趙鵬飛}

春秋要義三十卷_{胡瑗}。

春秋口義二十卷_{胡瑗}。

春秋經解十五卷_{孫覺}。

春秋經社要義六卷_{孫覺}。

春秋會義二十六卷_{杜諤}。

春秋纂疏三十卷_{汪克寬}。

春秋釋義十二卷_{汪克寬}。

春秋異義解十二卷_{王哲}。

春秋通義十二卷_{王哲}。

春秋集義五十卷_{李明復}。

春秋義略十四卷_{董敦逸}。

春秋新義十卷_{宋堂}。

春秋義二十卷_{王棐}。

春秋本義三十卷_{程端學}。

春秋纂要四十卷_{高重。}

春秋指掌義十五卷_{李瑾。}

春秋通解十二卷_{馮山。}

春秋集義五十卷_{王應夢。}

春秋纂言十五卷_{吳澂。}

春秋會元十二卷_{鄭昭慶。}

春秋明經四卷_{劉基。}

春秋易簡四卷_{湯鼎。}

春秋正傳三十七卷_{湛若水。}

春秋集傳釋義十二卷_{俞皐。}

春秋纂要十卷_{姜虔嗣。}

春秋私考三十六卷_{季本。}

春秋輯傳十五卷_{王樵。}

春秋諸傳會通二十四卷_{李廉。}

春秋三傳集義三十卷_{李堯俞。}

三家集解十一卷_{劉兆。}

三家經本訓詁十二卷_{賈逵。}

春秋訓義十一卷_{蔡芳。}

春秋大旨十卷_{魏謙吉。}

春秋備覽四卷_{魏謙吉。}

春秋王霸世紀三卷_{李琪。}

春秋諸國統紀六卷_{齊履謙。}

春秋諸臣傳三十卷_{鄭昂。}

列國諸臣傳贊五十二卷_{王當。}

　　右通解

左氏膏肓十卷_{何休。}

穀梁廢疾三卷何休。

公羊墨守十四卷何休。

公羊違義三卷劉寔。

春秋漢議十三卷何休。

駁何氏漢議二卷鄭玄。

春秋左氏膏肓釋痾一卷服虔。

駁何氏漢議十一卷服虔。

春秋議十卷何休。

春秋成長說九卷服虔。

春秋塞難三卷服虔。

春秋成奪十卷潘叔度。

春秋五辨一卷沈宏。

春秋辯證六卷

春秋或問十卷程端學。

春秋讞義十卷王元杰。

　　右詰難

春秋決事十卷董仲舒。

春秋比事二十卷沈棐。

春秋比事十卷程公說。

春秋說要十卷糜信。

春秋叢林十二卷李謐。

春秋深微十二卷馬駪。

春秋旨通十卷王述之。

春秋三傳論十卷魏韓益。

春秋經傳通論十卷潘叔度。

春秋左傳評二卷杜預。

公穀二傳評三卷_{江熙}。

春秋三傳評十卷_{胡訥}。

荀爽徐欽答問五卷

蕭邕問傳義三卷

春秋二傳異同十二卷_{李鉉}。

三傳旨要十五卷_{劉軻}。

春秋振滯二十卷_{王元感}。

春秋指玄十卷_{張傑}。

春秋摘微四卷_{盧仝}。

春秋透天關十二卷_{宋晏兼善}。

春秋折衷論三十卷_{陳岳}。

左傳注辨誤二卷_{傅遜}。

春秋集傳微旨三卷_{唐陸淳}。

春秋集傳辨疑七卷_{陸淳}。

春秋原要二卷_{王曉}。

春秋闡微纂類義統十二卷_{陸淳}。

春秋先儒異同三卷_{李鉉}。

春秋要論五卷_{馬擇言}。

皇綱論五卷_{王哲}。

春秋闢言十二卷_{黃君俞}。

春秋本旨四卷_{何涉}。

春秋碎玉一卷_{唐李瑾}。

春秋索隱五卷_{陳洙}。

春秋總論三卷_{孫復}。

春秋尊王發微十二卷_{孫復}。

春秋五論一卷_{呂大圭}。

春秋備忘四十六卷_{敬鉉}。

備忘續遺説三十卷_{敬鉉}。

續屏山杜氏遺説八卷_{敬鉉}。

春秋質疑四卷_{任桂}。

春秋正論三卷_{龍昌期}。

春秋復道論十五卷_{龍昌期}。

春秋意十五卷_{皮元}。

春秋褒貶志五卷_{劉襄}

春秋折衷義十一卷_{吳孜}。

三傳玄談一卷

春秋權衡十七卷_{劉敞}。

春秋意林二卷_{劉敞}。

春秋師説一卷_{趙汸}。

春秋金鑰匙一卷

春秋屬詞十五卷_{趙汸}。

春秋世學三十二卷_{豐坊}。

清令軒讀春秋編三卷_{陳深}。

春秋指南十卷_{張根}。

春秋説志五卷_{呂柟}。

春秋紀愚十卷_{金賢}。

春秋志疑三十卷_{胡寧}。

春秋正音一卷_{高拱}。

　　右論説

左傳條例九卷_{漢鄭衆}。

春秋釋例十五卷_{杜預}。

春秋條例十一卷_{晋劉寔}。

春秋左傳例苑十九卷_{梁簡文帝}。

春秋公羊謚例二卷何休。

公羊傳條例一卷何休。

穀梁傳例一卷　范甯

三傳總例二十卷韋表微

李氏三傳異同例十三卷

春秋集傳纂例十卷陸淳。

春秋通例三卷陸希聲。

公穀總例十卷成玄。

春秋總例十二卷周希聖。

春秋啖趙纂例四卷

春秋統例二十卷朱臨。

春秋演聖統例二十卷丁副。

春秋總例三卷吳澂。

春秋書瀇大旨十卷高允憲。

春秋釋例集說六卷元李衡。

春秋五禮例宗十卷張大亨。

明三傳例八卷敬鉉。

春秋提綱十卷陳則通。

春秋敘例一卷家鉉翁。

春秋本例二十卷崔西疇。

得瀇忘例論三十卷馮正符。

　　　右條例

春秋左氏圖十卷梁簡文帝。

春秋圖七卷漢嚴彭祖。

春秋圖五卷唐張傑。

春秋手鑑圖一卷

春秋圖鑑五卷

春秋明例隱括圖一卷_{王哲。}

春秋盟會地圖一卷_{漢嚴彭祖。}

春秋土地名三卷_{晉裴秀客、京相璠等撰。}

春秋釋例地名譜一卷_{杜預。}　　又一卷_{鄭樵。}

春秋年表一卷_{岳珂。}

春秋歷代郡縣地里沿革表二十七卷_{張洽。}

春秋列國圖一卷

春秋左氏諸大夫世族譜十三卷_{顧啟期。}

春秋世譜七卷

帝王歷紀譜二卷

春秋名號歸一圖二卷_{馮繼先。}

春秋名號歸一圖二卷_{岳本。}

小公子譜六卷_{杜預。}

春秋公子譜一卷_{吳楊蘊。}

春秋世次圖四卷_{鄭壽。}

春秋名字異同錄五卷_{馮繼先。}

春秋十二國年歷一卷

春秋宗族名謚譜五卷

春秋國君名例一卷

春秋謚族譜一卷

　　　右圖譜

春秋左傳音三卷_{魏嵇康。}

左傳音三卷_{李軌。}

左傳音三卷_{杜預。}

左傳音三卷_{徐邈。}

左傳音隱一卷

左傳音三卷_{王元規。}

左傳音三卷_{徐文遠。}

春秋音義六卷_{陸德明。}

公羊音二卷_{王儉。}

公羊音一卷_{陸德明。}

穀梁音一卷_{徐邈。}

穀梁音一卷_{陸德明。}

　　右音

春秋災異十五卷_{郗明撰。}

春秋災異應録五卷

春秋緯三十卷_{宋均注。}

春秋内事四卷

春秋包命二卷

春秋祕事十一卷

　　　右緯

春秋外傳國語二十卷_{賈逵。}

春秋外傳國語二十卷_{虞翻。}

春秋外傳國語二十卷_{韋昭。}

春秋外傳國語二十卷_{晋孔晁。}

春秋外傳章句二十卷_{王肅。}

國語補音三卷_{宋庠。}

國語音略一卷

　　　右外傳

　　孔子西觀周室，令子夏等十四人求周史記，得諸國寶書而《春秋》作焉。秦宓曰："書非史記、周圖，仲尼不采，其自謂'述而不作'也以此。"漢初，博士唯《公羊》一家。宣帝益以《穀梁》。至平帝時，《左氏》始立。大氐《左氏》傳事不傳義，是以詳於史而事未必覈。《公》、《穀》傳義不傳事，是以詳於經而義未必當。及乎後儒，保殘守陋，往往主傳而賓經，失乃彌甚。夫聖人之作經，豈冀有三子者爲之傳耶？無三《傳》，經遂不可明耶？善乎趙鵬飛之言，"學者當以無傳求《春秋》，不可以有傳求《春秋》"，得之矣。説經者總若干家，而余得並列於篇。

禮類　周禮　儀禮　喪服　二戴禮　通禮

周官禮十二卷 馬融傳。

周管禮十二卷 鄭玄注。

周官禮十二卷 王肅注。

周官禮十二卷 干寶注。

周官禮義疏四十卷 沈重。

周禮疏五十卷 唐賈公彦。

周禮新經義二十二卷 王安石。

周禮説十三卷 陳傅良。

周禮總義三十六卷 易袚。

周禮講義四十九卷 林之奇。

周禮集傳二十四卷 毛應龍。

周禮詳解四十卷 王昭禹。

周禮中義八卷 劉彝。

黄氏周禮説五卷黄度。

周禮要義三十卷魏了翁。

周禮集説十二卷元陳友仁。

周禮傳九卷王應電。

周禮全書六卷丘葵。

周禮訂義八十卷趙汝騰。

周禮集注七卷何喬新。

周禮句解十二卷朱申。

周禮互注十二卷張珝。

周禮綱目八卷

摭説一卷林椅。

周官論評十二卷傅玄。

周官禮駁難四卷孫略。

周官駁難五卷孫琦問,干寶駁。虞喜撰。

周禮義決三卷唐王玄度。

周禮辨疑一卷楊時。

周禮考疑七卷樂思忠。

周禮考注十七卷吳澂。

周禮定本三卷元丘葵。

周禮定本十三卷舒芬。

周禮復古編□卷俞廷春。

周禮全經釋原十四卷柯尚遷。

考工記解三卷林希逸。

周禮丘乘説一卷項安世。

鄭宗顔　周禮講義□卷

緱氏要鈔六卷

周官寧朔新書八卷司馬仙。

周官分職四卷

周官致太平論十卷李泰伯撰。

禮音三卷劉昌宗。

周禮纂圖二十卷陳祥道。

周官音訓三鄭異同辨二卷王曉。

周禮十五圖一卷王與之。

周官禮圖十四卷俞言。

周禮井田譜二十卷夏休。

　　右周禮

一字石經儀禮九卷

今字石經儀禮四卷

鄭玄　注儀禮十七卷

王肅　注儀禮十七卷

袁準　注儀禮一卷

陳詮　注儀禮一卷

李如圭　儀禮集注十四卷

李如圭　儀禮集釋十六卷

蔡超宗　注儀禮二卷

田僧紹　注儀禮二卷

儀禮義疏六卷

儀禮正義五十卷唐賈公彥。

儀禮集釋綱目　釋宮　共十七卷李如圭。

儀禮經傳通釋二十三卷朱熹。

續編二十九卷朱熹。

雲莊經解二十卷劉爚。

儀禮經傳集注十四卷

儀禮要義五十卷魏了翁。

儀禮注疏二十四卷楊復。

儀禮集説十七卷元敖繼公。

儀禮傳十五卷吴澂。

儀禮考注十七卷

儀禮音二卷鄭玄。

儀禮音二卷王肅。

儀禮音二卷李軌、劉昌宗。

儀禮圖一卷

儀禮旁通圖一卷

儀禮圖三十四卷楊復。

儀禮逸經六卷吴澂。

儀禮補逸十卷汪克寬。

　　右儀禮

喪服經傳一卷馬融。

喪服經傳一卷鄭玄。

喪服經傳一卷王肅。

喪服經傳一卷晋袁準。

略注喪服經傳一卷雷次宗。

喪服經傳一卷陳銓。

喪服傳一卷梁裴子野。

集注喪服經傳一卷晋孔倫。

集注喪服經傳一卷宋裴松之。

集注喪服經傳二卷宋蔡超宗。

集注喪服經傳二卷齊田僧紹。

喪服義疏二卷梁賀瑒。

喪服經傳義疏一卷_{梁何佟之。}

喪服文句義疏十卷_{陳皇侃。}

喪服經傳義疏四卷_{沈文阿。}

喪服義十卷_{陳謝喬。}

喪服要記一卷_{王肅。}

喪服要記十卷_{賀循。}

喪服世行要記十卷_{齊王逸。}

喪服古今集記三卷_{齊王儉。}

喪服要記五卷_{庾蔚之。}

喪服正要二卷_{孟洗。}

喪服要集二卷_{杜預。}

喪服要略一卷_{晉環濟。}

喪服鈔三卷_{王隆伯。}

喪服變除一卷_{戴德。}

喪服變除一卷_{葛洪。}

喪服答要難一卷_{袁折。}

駁喪服經傳一卷_{卜氏傳。}

喪服疑問一卷_{樊氏。}

喪服問答目十三卷_{皇侃。}

喪服發題二卷_{沈文阿。}

喪服極議一卷_{殷价。}

喪服儀一卷_{晉衛瓘。}

士喪禮儀注十四卷

喪儀纂要九卷_{張戢。}

喪服治禮儀注九卷_{何胤。}

喪服譜一卷_{鄭玄注。}

喪服譜一卷_{賀循。}

喪服制一卷_{龐景昭。}

喪服圖一卷_{王儉。}

喪服圖一卷_{崔逸。}

喪服君臣圖一卷

喪服圖一卷_{崔游。}

喪服天子諸侯圖一卷

喪禮五服圖七卷_{袁憲。}

五服圖□卷_{張薦撰。}

五服圖十卷_{仲子陵。}

五服志三卷

五服圖解□卷_{龔端禮。}

　　右喪服

大戴禮記十三卷_{漢戴德撰。}

大戴禮踐阼篇解一卷_{王應麟。}

大戴禮喬記八卷_{漢喬仁。}

禮記二十卷_{漢戴聖撰，鄭玄注。}

禮記二十卷_{漢盧植注。}

禮記三十卷_{王肅注。}

禮記三十卷_{魏孫炎注。}

禮記十二卷_{葉遵注。}

禮記新義疏二十卷_{賀瑒。}

禮記義疏九十九卷_{皇侃。}

禮記講疏四十八卷_{皇侃。}

禮記義疏四十卷_{沈重。}

禮記義疏四十卷_{熊安生。}

禮記義十卷_{何佟之。}

禮記大義十卷梁武帝。

禮記文外大義三卷褚暉。

禮記義記四卷鄭小同。

禮記正義七十卷孔穎達等。

禮記正義八十卷唐賈公彥。

禮記正義十卷王方慶。

禮記傳十八卷胡銓。

禮記精義十六卷李格非。

禮記外傳四卷成伯璵撰，張幼倫注。

禮記解十六卷呂大臨。

禮記要義二卷王安石。　又　發明一卷

禮記解二十卷方愨。

禮記解七十卷馬希孟。

禮記集說一百六十卷宋衞湜。

禮記解四十卷陸佃。

新說四卷陸佃。

禮記集說十六卷陳澔。

禮記講義二十四卷陳祥道。

禮記覺言八卷葉遇春。

禮記纂言三十六卷吳澂。　又　序次小戴記八卷

禮記章句八卷張孚敬。

禮記集注十六卷徐師曾。

禮記寧朔新書二十卷司馬伷撰，王懋約注。

禮記要抄十卷緩氏。

曲禮全經十五卷柯尚遷。

魏徵　次禮記二十卷

禮記評十卷劉巂。

禮記繩愆三十卷_{王玄感。}

禮記義證十卷_{劉芳。}

禮記評要十五卷

曲禮考注十卷_{吳澂。}

曲禮口義二卷_{戴溪。}

檀弓叢訓一卷_{楊慎。}

月令章句十二卷_{蔡邕。}

月令章句十二卷_{戴顒。}

月令疏二卷

月令解十二卷_{張慮。}

月令圖一卷_{王涯。}

少儀解一卷_{張九成。}

學記口義二卷_{戴溪。}

孔子閒居講義一卷_{楊簡。}

中庸傳二卷_{戴顒。}

中庸講疏一卷_{梁武帝。}

制旨中庸義五卷

中庸傳一卷_{胡瑗。}

中庸解一卷_{程顥。}

中庸解一卷_{游酢。}

中庸説六卷_{張九成。}

中庸解一卷_{楊時。}

中庸集解二卷_{石𡐔。}

中庸發明一卷_{宋王奎文。}

中庸章句一卷_{朱熹。}

或問二卷_{朱熹。}

中庸輯略二卷_{朱熹。}

中庸指歸一卷_{元黎立武。}

中庸提綱一卷

中庸説一卷_{劉駰。}

中庸發明要覽二卷_{陸琪。}

中庸章句詳説一卷_{劉清。}

中庸原一卷_{方獻夫。}

中庸凡一卷_{崔銑。}

中庸傳一卷_{張邦治。}

中庸測一卷_{湛若水。}

深衣考正一卷_{馮公亮。}

大學章句一卷_{朱熹。}

或問一卷_{朱熹。}

大學總會五卷_{周公恕。}

大學要略一卷_{許衡。}

大學古本注一卷_{王守仁。}

大學發微一卷_{元黎立武。}

大學億一卷_{王道。}

大學通旨一卷_{蔣文質。}

大學指歸一卷_{魏校。}

大學説二卷_{張九成。}

大學明解一卷_{李師道。}

大學千慮一卷_{穆孔暉。}

古大學測一卷_{湛若水。}

古大學義一卷_{蔣信。}

大學原一卷_{方獻夫。}

大學拾朱一卷_{李承恩。}

大學通指舉要一卷

大學衍義四十三卷_{真德秀}。

大學衍義補一百六十卷_{丘濬}。

大學格物通一百卷_{湛若水}。

庸學議一卷_{金賁亨}。

庸學通旨二卷_{黃潤生}。

禮記名數要記三卷

禮記名義十卷

禮記外傳名數二卷

禮記含文三卷

禮記音義隱二卷_{謝慈}。

禮記音義隱七卷

禮記音二卷_{徐妥}。

禮記音三卷_{徐邈}。

禮記音三卷_{曹耽}。

禮記音二卷_{李軌}。

禮記纂圖十四卷

　　右二戴禮

石渠禮論四卷_{戴聖}。

禮論三百卷_{宋何承天}。

禮論條牒十卷_{任預}。

禮論帖三卷_{任預}。

禮論鈔二十卷_{庾蔚之}。

禮論要帖十卷_{王儉}。

禮論要鈔一百卷_{賀瑒}。

禮論鈔六十九卷

禮論要鈔十卷

禮論六十卷_{李敬玄。}

禮雜鈔略二卷_{荀萬秋。}

禮統十二卷_{賀述。}

禮論要鈔十三卷

禮區分十卷

禮略十卷_{杜肅。}

禮志十卷_{丁公著。}

禮類聚十卷

類禮二十卷_{陸質。}

類禮義疏五十卷_{元行冲。}

禮書一百五十卷_{陳祥道。}

禮例詳解十卷_{陳祥道。}

禮論答問十三卷_{徐廣。}

禮問答六卷_{庾蔚之。}

禮答問三卷_{王儉。}

禮雜問十卷_{范甯。}

禮答問十卷_{何佟之。}

問禮俗十卷_{董勛。}

問禮俗九卷_{董子弘。}

答問雜義二卷_{杜預。}

禮義答問八卷_{王儉。}

禮疑義五十二卷_{梁周捨。}

禮義一卷_{何隆。}

禮疑六卷_{季本。}

三禮目録一卷_{鄭玄撰。}

三禮義宗三十卷_{崔靈恩撰。}

三禮宗略二十卷_{元延明。}

三禮大義十三卷

二禮經傳六十八卷湛若水。

二禮集解十二卷李黼。

丁丑三禮辨□卷李心傳。

三禮圖九卷鄭玄及後漢阮諶等撰。

三禮圖九卷張鎰。

三禮圖十二卷夏侯伏朗。

三禮圖二十卷聶崇義集。

三禮圖二卷劉績。

讀禮疑圖六卷季本。

四禮圖一卷張鯤。

五禮古圖一卷呂景蒙。

禮象十五卷陸佃。

周室王城明堂宗廟圖一卷祁諶撰。

王制井田圖一卷阮逸。

王制井田圖一卷徐希文。

唐禮圖等雜畫五十六卷

　　　右通禮

　　漢初，《禮經》出魯淹中，河間獻王得而奏之，乃高堂生獨傳十有七篇，即今之《儀禮》也。后蒼從堂講業，尋以授戴德兄弟及沛人慶普，後三家並微。鄭玄明小戴之學，自爲之注，書乃盛行。《喪服》一篇，相傳出於子夏。而獻王又從李生得《周官》書，以《冬官》闕，取《考工記》足成之，顧不知《冬官》未嘗闕也。蓋《冢宰》"六屬，屬六十"，今冬官之屬才二十八，而五官數各有羨。天官六十有三，地官七十八，春官七十，夏官六十九，秋官六十六，遺編斷簡，錯出乃爾。取其羨數，還之冬官，不獨百工得歸其部,而六官讔舛因可類考,亦足快矣。《儀禮》多軼,永樂中,御史劉有年劉沅朔人,見《一統志》。獻逸經十有八篇,時未加表章,旋就湮没。夫以古經出千百世之後,而不爲寶惜,劉歆所謂“杜道餘,滅微學”,寧獨漢人而已? 余深慨之,特附著於篇,令好古者有所聞焉。

樂類樂書　歌辭　曲簿　聲調　鐘磬　管絃　舞　鼓吹　琴

樂元起二卷漢桓譚。

樂社大義十卷梁武帝。

樂論二卷梁武帝。

樂論一卷蕭吉。

删注樂書九卷後魏信都芳。

古今樂録十二卷陳沙門智匠。

樂元二卷魏僧撰。

樂要一卷何妥。

樂略四卷元愻。

樂律義四卷沈重。

鍾律五卷沈重。

樂府志十卷蘇夔。

樂經三十卷李玄楚。

古今樂記八卷李守真。

樂書要録十卷唐武后。

新樂書十二卷張文收。

太樂令璧記三卷劉貺。

歷代樂儀三十卷徐景安。

教坊記一卷崔令欽撰。

聲律要訣十卷唐田琦。

樂府雜録一卷唐段安節。

大周正樂一百二十卷竇儼。

樂苑五卷陳游。

補亡樂書三卷房庶。

大樂演義三卷房庶。

樂儀三卷李上交。

樂說五卷和峴。

新纂樂書三十卷聶冠卿。

景祐大樂圖三十卷聶冠卿。

大樂圖義二卷宋祁。

三聖樂書一卷宋祁。

景祐廣樂記八十一卷馮元。

皇祐新樂圖記三卷阮逸、胡瑗。

樂論一卷沈括。

樂府記一卷李上交。

樂本書二十卷宋王箴。

元祐新定樂瀍一卷范鎮。

律管說一卷阮逸。

隆韶導和集一卷姚公立。

詩樂說三卷吳良輔。

大晟樂書二十卷劉炳。

樂書五卷吳良輔。

景祐大樂制度一卷

樂髓新經一卷

五音會元圖一卷

大晟樂府樂圖一卷

律呂新書二卷蔡元定。

蔡氏律呂本原一卷

樂書二百卷陳暘。

聲律關鍵八卷鄭起潛。

皇元韶舞九成樂補□卷

皇元中和樂經十卷

律呂成書□卷劉瑾。

大成樂譜二卷

大成樂舞圖譜二卷張鶚。

文廟樂編二卷潘鑾。

釋奠樂器圖一卷趙鳳儀。

苑洛志樂二十卷韓邦奇。

樂典三十六卷黃佐。

律呂直解一卷韓邦奇。

律呂新書私解一卷

律呂考注四卷李文利。

律呂元聲六卷李文利。

律呂別書一卷季本。

律呂纂要一卷季本。

律呂管見一卷何瑭。

律呂新書補注一卷李察。

興樂要論三卷李察。

古樂筌蹄九卷李察。

青宮樂調三卷李察。

樂經元義八卷劉濂。

樂律管見二卷_{黃積慶。}

古雅心談一卷_{張鶚。}

律吕解府雅樂燕樂二卷

　　　右樂書

大樂雜歌辭三卷_{晋荀勗。}

大樂歌辭二卷_{荀勗。}

新録樂府集十一卷_{謝靈運。}

樂府歌辭八卷_{隋鄭譯。}

翟子樂府歌詩十卷

埤翟子三調相和歌辭五卷

周優人曲辭二卷_{趙上交。}

歷代歌六卷

和樂府古辭一卷_{裴歷。}

齊三調雅辭五卷

三調相和歌辭五卷

奏鞞鐸舞曲二卷

陳郊廟歌辭三卷_{徐陵。}

樂府新歌十卷_{崔子發。}

樂府新歌二卷_{殷首僧。}

皇府三校歌詩十卷

魏燕樂歌辭七卷

晋燕樂歌辭十卷_{荀勗。}

宋太始祭高禖歌辭十一卷

古樂府十卷_{吳兢。}

玉臺新詠十卷_{徐陵。}

玉臺後集十卷_{李康成。}

樂府集一百卷_{元郭茂倩。}

古樂府十卷_{元左克明。}

古樂苑五十二卷_{梅鼎祚。}

樂府古題要解二卷_{吳兢。}

樂府古題解一卷_{劉餗。}

樂府詩目録一卷_{沈建。}

樂府古今題解三卷_{郗昂。}

樂府解題一卷

樂府題解十卷_{劉次莊。}

　　右歌辭

樂簿十卷

齊朝曲簿一卷

隋總曲簿一卷

正聲伎雜等曲簿一卷

太常寺曲名一卷

太常寺曲簿十一卷

歌曲名五卷

歷代樂名一卷

唐郊祀樂章譜二卷_{張説、王涇。}

歷代曲名一卷

外國伎曲三卷

樂府廣題一卷

太常太樂曲部並譜一卷

樂章記五卷

　　　右曲簿

樂府聲調六卷_{鄭譯。}

樂府聲調三卷_{鄭譯。}

推七音二卷_{并尺法。}

聲律指歸一卷_{元懿。}

律呂五澄圖一卷_{蕭吉。}

黃鍾律一卷

明堂教習音律一卷

無射商九調譜一卷_{蕭祐。}

　　右聲調

鐘磬志二卷_{公孫崇。}

鐘書六卷

寶鐘釋文一卷_{任之奇。}

樂懸一卷　又　樂懸圖一卷

　　右鐘磬

管絃記十卷_{凌秀。}

管絃記十二卷_{留進。}

琵琶譜一卷_{賀環智。}

琵琶録一卷_{段安節。}

當管七聲二卷_{魏僧撰。}

觱栗格三卷

胡笳録一卷_{蔡文姬。}

集胡笳辭一卷_{劉商。}

小胡笳十九拍一卷_{蔡翼纂。}

　　右管絃

樂舞新書二十六篇_{吳仁杰。}

歌舞式一卷

柘枝譜一卷

舞鑑圖三卷

採蓮舞譜一卷

　　　右舞

漢魏吳晉鼓吹曲四卷

鼓吹樂章一卷

羯鼓録一卷_{唐南卓。}

衙鼓吹格一卷

　　　右鼓吹

琴操三卷_{晉孔衍。}

琴操鈔二卷

琴譜四卷_{戴氏。}

琴曆頭簿一卷

琴譜二十一卷_{陳眛。}

琴敘譜九卷_{趙邪利。}

金風樂一卷_{唐明皇。}

琴書三卷_{趙惟眛。}

大唐正聲新徵琴譜十卷_{陳拙。}

廣陵止息譜一卷_{呂渭。}

廣陵止息譜一卷_{李良輔。}

東杓引譜一卷_{李約。}

琴雅略一卷_{齊嵩。}

琴調四卷_{陳康士。}

琴譜十三卷_{陳康士。}

離騷譜一卷

琴手勢譜一卷_{趙邪利。}

琴説一卷_{李勉。}

琴説一卷_{鄭文祐。}

三樂圖一卷_{榮啓期撰。}

琴箋一卷_{崔遵度。}

琴經一卷_{崔亮。}

琴訣一卷_{薛易簡。}

琴心三卷

徐門琴譜十卷_{宋徐于。}

太古遺音二卷_{袁均哲。}

琴義一卷_{劉籍。}

阮譜一卷

神奇秘譜三卷_{臞僊。}

琴阮啓蒙譜一卷_{臞僊。}

琴指圖一卷

進琴式一卷

廣陵秘譜一卷_{王世相。}

擘阮指瀍一卷

琴阮二弄譜一卷

琴筌十卷_{宋荀以道。}

阮咸譜一卷_{蔡逸撰。}

琴調十七卷

琴聲韻圖一卷

琴德譜一卷

沈氏琴書一卷

張淡　正琴譜一卷

琴式圖一卷

三樂譜一卷

琴史六卷_{朱長文。}

琴書正聲九卷

阮咸調弄二卷

阮咸金羽調一卷

降聖引譜一卷

阮咸譜二十卷

雅琴名錄一卷_{謝希逸。}

碧落子斷琴瀍一卷_{石汝礪。}

　　右琴

　　《漢志》以禮樂著之六藝，皆非孔氏之舊也。然今所傳三《禮》爲漢遺書，而樂六家者不可復覩矣。竇公《大司樂》章既見于《周禮》，河間獻王之《樂記》亦錄於小戴，則古樂已不復有書，而諸史相沿，至取樂府教坊琵琶、羯鼓之類以充樂部，而欲與聖經埒，可乎？雖然，今之樂猶古之樂也，儒者覩禮樂崩壞，痛爲惋惜，不知賈人之鐸，諧黄鍾之律。庖丁之刀，中桑林之舞。牧童之吹葉，閨婦之鳴砧，悉闇與音會，樂固未嘗亡也。宋李照、胡瑗改鑄鐘磬，冀還之古，蜀人房庶蓋深非之，謂上古氣與聲樸，後世稍稍更易，而其意自存。金石，鐘磬也，易爲方響，絲竹，琴瑟也，易爲箏笛匏，笙也，攢之以斗，塤，土也，變而爲甌，擊鼓而爲革，貫板而爲木，于用亦甚適已。泥者必指廟樂鑄鐘鑄磬爲正，而概謂胡部、鹵部爲淫，是欲反盃盂于俎豆，更榻桉爲簟席，亦何益哉。藉第令由今之器寄古之聲，去其流瀗靡曼，而一歸雅正，非識禮樂之情者不能也。語具《樂志》中。今備錄其書,以俟考定。

孝經_{古文}　傳注　義疏　考正　外傳　音　緯

古文孝經一卷_{孔安國傳。}
古文孝經述義五卷_{劉炫。}
古文孝經指解一卷_{司馬光。}
古文孝經説一卷_{范祖禹。}
古文孝經解一卷_{楊簡。}
古孝經集注二卷_{馮椅。}
　　右古文

鄭玄　孝經注一卷
王肅　孝經注一卷
劉劭　孝經注一卷
韋昭　孝經注一卷
孫熙　孝經注一卷
蘇林　孝經注一卷
謝方　孝經注一卷
虞盤佐　孝經注二卷
殷仲文　孝經注一卷
殷叔道　孝經注一卷
慧琳　孝經注一卷
玄宗　孝經注一卷
袁克己　孝經注一卷

尹知章　孝經注一卷

王元感　孝經注一卷

趙克孝　孝經傳一卷

呂惠卿　孝經傳一卷

張九成　孝經解四卷

袁廣微　孝經說三卷

吳澂　孝經章句一卷

許衡　孝經直說一卷

姜氏　孝經說一卷

王文獻　孝經詳解一卷

林椿齡　孝經全解一卷

沈處厚　孝經解一卷

項安世　孝經說一卷

袁甫　孝經說三卷

徐塾　孝經嘿注一卷

袁敬仲　集議孝經一卷

黃幹　孝經本指一卷

酸齋孝經直解一卷

成齋孝經說一卷

孝經集注三卷余本。

　　　右傳注

孝經義疏十八卷梁武帝。

孝經義疏一卷趙景韶。

孝經義疏三卷皇侃。

孝經講疏六卷徐孝克。

孝經義一卷梁太史叔明。

孝經敬愛義一卷_{蕭子顯。}

孝經私記二卷_{周弘正。}

宋大明講義疏二卷_{何約之。}

孝經發題四卷_{太史叔明。}

孝經新義十卷_{任希古。}

孝經疏三卷_{元行沖。}

孝經講義一卷_{張元老。}

孝經疏五卷_{賈公古。}

孝經指要一卷_{李嗣真。}

孝經正義三卷_{宋邢昺。}

孝經簡疏一卷_{張崇文。}

孝經解義二卷_{家滋。}

孝經義一卷_{趙湘。}

孝經通義三卷_{張師尹。}

孝經疏一卷_{蘇彬。}

孝經講疏一卷_{任奉古。}

孝經義一卷_{王安石。}

右疏義

孝經刊誤一卷_{朱熹。}

孝經刊誤一卷_{晏璧。}

孝經同異三卷_{王行。}

　　右考正

孝經外傳一卷_{汪直方。}

孝經外傳一卷_{揚起元。}

演孝經十二卷_{張正儒。}

廣孝經十卷_{徐浩。}

國語孝經一卷魏遷洛，未達華語，孝文命以夷言譯《孝經》教國人。

右廣義

孝經釋文一卷陸德明。

右音

孝經勾命決六卷宋均注。

孝經援神契七卷宋均注。

孝經內事一卷

孝經緯五卷宋均注。

孝經雜緯十卷宋均注。

孝經元命包一卷

孝經古秘援神二卷

孝經左右握二卷

孝經左右契圖二卷

孝經雌雄圖三卷

孝經分野圖一卷

孝經內事星宿講堂七十二弟子圖一卷

口授圖一卷

應瑞圖一卷

右緯

孔子爲曾子言孝道，門人錄之，謂之《孝經》。遭秦燔書，爲河間顏芝所藏。漢除挾書律，芝子貞始出之。長孫氏、江翁、后蒼、翼奉、張禹所說皆十八章，後復出古文二十二章。劉向比量二本，除其煩惑，仍以十八章爲定。五代兵燹，二本舊注多軼。周顯德中，新羅獻《別序孝經》。至邢昺，乃合元行冲所疏爲正義以行。顧聖言簡嚴易直，而天人之道備，非一家所能究也。

故並著之，而以緯書綴於篇末。

論語 古文　正經　傳注　疏義　辨正　名氏譜　音釋　續語　事紀　廟典

古文論語十卷鄭玄注。
古論語義注譜一卷徐氏。
　　右古文

蔡邕　今文石經論語二卷
　　右正經

鄭玄　論語注十卷
王肅　論語注十卷
盧氏　論語注七卷
李充　論語注十卷
梁凱　論語注十卷
孟釐　論語注九卷
袁喬　論語注十卷
尹毅　論語注十卷
張氏　論語注十卷
論語筆解十卷韓愈。
論語章句二十卷劉炫。
集解論語十卷何晏。
論語集注六卷衛瓘。
論語集義八卷晉崔豹。

論語集解十卷_{晋江熙。}

盈氏集義十卷

論語集解十卷_{晋孫綽。}

續注論語十卷_{史辟原。}

論語增注十卷_{宋咸。}

論語説十卷_{孔武仲。}

論語説一卷_{程頤。}

論語説二十卷_{范祖禹。}

重注論語十卷_{劉正容。}

論語解二卷_{楊時。}

論語解十卷_{尹焞。}

論語解二卷_{謝顯道。}

論語解十卷_{王令。}

論語解十　卷_{吕大臨。}

論語直解十卷_{汪革。}

論語説十卷_{王鞏。}

論語釋言十卷_{葉夢得。}

論語解十卷_{鄒浩。}

論語纂十卷_{蔡申。}

論語學十卷_{喻樗。}

論語解十卷_{陳祥道。}

論語解十卷_{王安石。}　　又　通類一卷

論語解十卷_{蘇軾。}

論語拾遺一卷_{蘇轍。}

論語解二十卷_{張九成。}

論語説十卷_{洪興祖。}

論語集注十卷_{朱熹。}

論語直解十卷_{朱震。}

論語傳十卷_{陳禾。}

魯論明微十卷_{張演。}　又　意原十卷

論語歸趣二十卷_{王汝猷。}

論語本旨一卷_{姜得平。}

論語解十卷_{張栻。}

論語傳一卷_{高端叔。}

論語集編十卷_{真德秀。}

論語旁通四卷_{杜瑛。}

論語續解考異説例共十二卷_{吳棫。}

論語意原三卷_{鄭汝諧。}

論語紀蒙六卷_{陳耆卿。}

論語句解十二卷_{元劉豈蟠。}

　　　右傳注

論語講疏文句義五卷_{徐孝克。}

論語別義十卷_{范廙。}

論語義疏十卷_{褚仲都。}

論語義疏十卷_{梁皇侃。}

論語大義解十卷_{崔豹。}

論語述義十卷_{劉炫。}

論語義疏八卷

論語義疏二卷_{張冲。}

論語述義二十卷_{戴詵。}

論語解義十卷_{黃祖舜。}

論語解義十卷_{葉隆古。}

論語口義十卷_{王雱。}

論語義十卷_{呂惠卿。}

論語義二卷_{曾幾。}

論語講義二卷_{陳儀之。}

論語要義二十卷_{魏了翁。}

論語集義三十四卷

論語口義二十卷_{史浩。}

論語口義四卷_{歐陽溥。}

論語大意二十卷_{卞圖。}

論語衍義十卷

論語講義十卷_{晁以道。}

論語正義□十卷_{宋邢昺。}

論語展掌疏十卷

論語集注纂疏十卷_{趙順孫。}

論語蔡覺軒集疏二十卷

　　　右疏義

論語難鄭一卷

論語標指一卷_{司馬氏。}

論語難問一卷

論語體略二卷_{晉郭象。}

論語旨序三卷_{晉繆播。}

論語品類七卷_{陳銳。}

論語知新十卷_{林栗。}

論語小學二卷_{薛季宣。}

論語釋疑三卷_{王弼。}

論語釋一卷_{張憑。}

論語釋疑十卷_{晉欒肇。}

論語駁三卷_{欒肇。}

論語集解辨誤十卷_{周武。}

論語摘科辨解十卷_{紀亶。}

論語陳説一卷_{魯贊寧}

論語樞要十卷_{馬總。}

論語指南一卷_{胡宏。}

論語義證二十卷_{倪思。}

論語探古二十卷_{章良史。}

論語感發十卷_{王居正。}

論語或問十卷

論語集注考證十卷_{金履祥。}

論語類考二十卷_{陳士元。}

石鼓論語問答三卷_{戴溪。}

論語刊誤二卷_{李涪。}

論語辨十卷_{周式。}

　　右辨正

論語孔子弟子目録一卷_{鄭玄。}

論語撰人名一卷

論語傳贊二十卷_{錢文子。}

論語纂圖二卷

論語世譜一卷

　　右名氏圖譜

論語音二卷_{徐邈。}

論語釋文十一卷

　　右音釋

孔叢子七卷孔鮒撰。

孔叢子釋文一卷宋咸。

孔志十卷梁劉被撰。

孔子家語二十一卷王肅注。

孔子正言二十卷梁武帝。

孔子集語二卷宋薛據。

先聖大訓八卷楊簡注。

　　　右續語

闕里祖庭記三卷孔傳。　又　東家雜記二卷

孔子世家補十二卷宋歐陽士秀。

孔氏編年□卷

孔氏實錄十二卷元施澤之。

孔聖圖譜三卷

孔氏全書三十五卷

聖門通考十五卷

聖門人物志十二卷

闕里志十三卷

孔子弟子贊傳六十卷李敗。

孔庭纂要□卷

　　　右事紀

歷代崇儒廟學典禮本末七十卷　　又八卷胡貫夫。

釋奠通載九卷元人。

文廟禮樂志六卷

　　　右廟典

《論語》，孔子應答弟子時人語，而柳宗元以爲曾子之門人記之者也。《物理論》曰：“《論語》，聖人之至教，王者之大化，砥行之卓范，造性之微言。《鄉黨》則有朝庭之儀，聘享之禮。《堯曰》則有禪代之事，亹亹乎無弗備矣。”漢初，有齊、魯二家。張禹本授《魯論》，晚講《齊論》，因合而考之，除去《齊論·問王》、《知道》二篇，從《魯論》二十篇爲定，當世重之。後有孔安國、馬融、鄭玄、陳群、王肅、周生烈、何晏之流爲注疏者數十家，近代疏解至不可殫述。蠡測管闚，時有所中，不可菲廢也。今悉著之，而他仲尼遺言類附於篇。

孟子

孟子十四卷趙岐注。

孟子七卷鄭氏注。

孟子七卷劉熙注。

孟子七卷綦毋邃注。

孟子七卷陸善經注。

孟子正義十四卷宋孫奭。

孟子五臣解十四卷范祖禹等撰。

孟子程氏解十四卷程頤。

孟子張氏解二十四卷張載。

孟子百家解十二卷

孟子王氏解十四卷王安石。

孟子拾遺一卷蘇轍。

孟子講義十四卷呂大臨。

孟子解義十四卷游酢。

孟子傳十四卷陳禾。

孟子尹氏解十四卷尹焞。

孟子張氏解十四卷張九成。

孟子解六卷蔣之奇。

孟子講義五卷王令。

孟子解十卷龔原。

孟子説十七卷張栻。

孟子集注十四卷朱熹。

孟子或問十四卷朱熹。

孟子精義十四卷

孟子衍義十四卷

孟子解義十四卷陳暘。

孟子石鼓答問三卷

孟子紀蒙十四卷陳壽老。

孟子要義十四卷魏了翁。

孟子纂疏十四卷趙順孫。

孟子蔡覺軒集疏十八卷

孟子雜記四卷陳士元。

孟子音義三卷張鎰。

孟子音義二卷孫奭。

孟子傳贊十四卷錢文子。

續孟子二卷唐林慎思。

删孟子二卷馮休。

孟子辨疑十四卷王汝猷。

疑孟子十卷司馬光。

翼孟三卷_{唐劉軻。}
翼孟二卷_{宋陸筠。}
尊孟辨七卷

　　孟子著書，崇仁義，敘萬類，趙岐所稱"帝王公侯遵之，可以致隆平，頌清廟。卿士大夫蹈之，可以尊君父，立忠信。守志厲操者儀之，可以崇高節，抗浮雲"，非虛也。前史夷於諸子，莫爲甄別。孝文時與《論語》、《孝經》、《爾雅》同置博士，其識卓矣，而旋即罷去。趙宋設科，《語》、《孟》並列，注疏之家常相表裏，學者咸尊曰孔孟，不能爲軒輊也。其外書四篇不能閎深，疑爲後人所假托，今廢不存。

經總解

四書語類八十卷_{朱熹。}
四書管見十三卷_{融堂。}
四書朱真注□卷
四書朱張注□卷
四書集注附錄□卷
四書通三十四卷_{胡炳文。}
四書集編二十六卷_{真德秀。}
四書類編二十四卷_{汪九成。}
四書管窺五卷_{史伯璿。}
四書纂疏□卷
四書輯語四十卷_{宋陳應龍。}

四書集略四十二卷盧孝孫。

四書集義一百卷盧孝孫。

四書集義精要三十卷元劉夢吉。

四書叢說二十卷許謙。

四書通義三十六卷

四書通證□卷

四書集成三十六卷

四書發明三十八卷

四書詳說十卷

四書提要□卷

四書輯釋三十六卷

四書釋要十九卷

四書通旨六卷

四書考異十卷元陳櫟。

四書章圖纂釋二十二卷程復心。

四書事文引證□卷河南何文淵。

四書因問六卷呂枏。

四書問辨錄十卷高拱。

四書人物考八卷薛應旂。

五經通義九卷劉向。

白虎通六卷班固等。

五經異義十卷許慎。

五經然否論五卷晉譙周。

五經鈞沉十卷晉王芳。

五經大義三卷戴逵。

五經咨疑八卷周楊思。

五經異同評一卷賀瑒。

五經大義十卷_{後周樊文深。}

經典大義十二卷_{沈文阿。}

五經大義五卷_{何妥。}

五經通義八卷_{劉炫。}

五經要義五卷_{雷氏。}

五經正名十二卷_{劉炫。}

五經析疑二十八卷_{邯鄲綽。}

五經宗略二十三卷_{元延明。}

五經雜義六卷_{孫暢之。}

長春義記一百卷_{梁簡文帝。}

五經通數十卷_{梁鮑泉。}

七經義綱略三十卷_{樊文深。}

七經論三卷_{樊文深。}

質疑五卷_{樊文深。}

經典玄儒大義序録十卷_{沈文阿。}

六藝論一卷_{鄭玄。}

聖證論十二卷_{王肅。}

鄭志十一卷_{鄭小同。}

鄭記六卷_{鄭玄弟子。}

五經對訣四卷_{趙英。}

五經要略□卷_{顏真卿。}

六説五卷_{劉迅。}

六經外傳三十七卷_{劉貺。}

五經微旨十四卷_{張鎰。}

九經師授譜一卷_{韋表微。}

微言集注四卷_{袁僑卿。}

經傳要略十卷_{高重。}

經史釋題二卷_{唐李肇。}

九經餘義一百卷_{宋黃敏。}

演聖通論六十卷_{胡旦。}

辨經正義七卷_{張沂。}

兼明書十二卷_{丘光庭。}

五經要旨五十卷_{齊唐。}

九經類義二卷

九經抄二卷

九經要抄一卷

敘元要抄一卷

九經釋難五卷

九經演義十卷

九經旨九卷

經典質疑六卷_{胡順之。}

詩樂說三卷

羣經索隱三十卷

河南經說七卷_{程頤。}

龜山經說八卷_{楊時。}

七經小傳五卷_{劉敞。}

經傳發隱七卷_{李景陽。}

九經要義類目六卷_{魏了翁。}

畏齋經學十二卷_{游桂。}

七經中義一百七十卷_{劉彝。}

項氏家說十四卷_{項安世。}

山堂疑問一卷_{劉光祖。}

西山讀書紀三十九卷_{真德秀。}

考信錄三十卷_{賈鑄。}

王應麟　六經去文編六卷

九經治要十卷元歐陽長孺。

九經要覽十卷

十一經問對十一卷

端本堂經訓要義十卷李好文。

五經稽覽疑六卷睦檉。

經典稽疑二卷陳耀文。

五經疑辨錄三卷周洪謨。

五經異文十一卷陳士元。

遺經四解四卷徐常吉。

六經圖七卷葉仲堪。

莆陽二鄭六經圖辨四卷

授經圖二十卷睦檉。

刊謬正俗八卷顏師古。

經典釋文序錄一卷陸德明。

羣經音辨七卷賈昌朝。

五經文字三卷張參。

九經字樣一卷唐元度。

九經三傳沿革一卷

六經正誤六卷毛居正。

九經韻補一卷楊嵒。

四書五經明音八卷王覺。

　　孔子手自刪述者，六秋而已。唐定注疏，始爲十三經，宋改九經。國朝罷《周官》、《儀禮》、《孝經》、《春秋》三《傳》不立，而以四子五經制詔頒行之，葢不欲以脫遺影響之文疑誤來者，而令歸雅正，厥意美矣。漢石渠、白虎大集名儒講議經術，時稱獨盛。我朝篤意儒雅，方駕漢代而不啻過之。《書》與《春秋》，聖祖親相指授，作爲成書。《書傳會選》、《春秋本末》。至永樂中，又悉爲《大全》，播於黌序。念北方書籍鮮至，時優賜之。文教彬彬，風行雷動，有不奮興於學者，非夫也，故諸經著述日新且盛。今與前籍既部分之，而貫穿羣言，難於離析者，別爲總解，以附此篇。

小學 爾雅　書　數　近世蒙書

爾雅三卷 漢樊光注。

爾雅七卷 孫炎。

爾雅三卷 劉歆。

爾雅三卷 漢李巡。

爾雅五卷 郭璞。

集注爾雅十卷 梁沈 。

爾雅注三卷 鄭樵。

爾雅注一卷 王雱。

爾雅圖十卷 郭璞。

爾雅圖贊二卷 江瓘。

爾雅正義十卷 邢昺。

爾雅兼義十卷

爾雅新義二十卷 陸佃。

爾雅貫義□卷 陸佃。

爾雅發題一卷

爾雅略義十九卷 危素。

爾雅音八卷 江瓘。

爾雅音一卷_{孫炎}。

爾雅音義一卷

爾雅音略二卷_{郭璞}。

音訓二卷

爾雅音略三卷_{蜀毋昭裔}。

廣雅四卷_{魏張揖}。

廣雅音四卷_{隋曹憲}。

博雅十卷_{曹憲}。

小爾雅一卷_{楚孔鮒撰,李軌注}。

續爾雅一卷_{劉伯莊}。

要雅二卷_{梁劉杳}。

蜀爾雅三卷_{李商隱}。

羌爾雅三卷_{劉溫潤}。

番爾雅三卷_{劉溫潤}。

埤雅二十卷_{陸佃}。

洪榮祖　爾雅翼□卷

爾雅翼三十三卷_{羅願}。

程端蒙　大爾雅□卷

博雅志十三卷_{李文成}。

駢雅七卷_{朱謀㙔}。

訓林十二卷_{睦檸}。

昆蟲草木略二卷_{鄭樵}。

釋俗語八卷_{劉霽}。

稱謂五卷_{後周盧辨}。

俗説三卷_{沈約}。

俚言解二卷_{陳士元}。

古今訓十一卷_{張顯}。

釋名八卷_{劉熙。}

辨釋名一卷_{韋昭。}

方言十三卷_{揚雄撰，郭璞注。}

方言十四卷_{王浩撰。}

方言釋音一卷_{吳良輔撰。}

河洛語音一卷_{王長孫。}

列郡雅言一卷

　　　右爾雅

三蒼三卷_{郭璞撰。}

蒼頡訓詁二卷_{杜林注。}

埤蒼三卷_{張揖。}

三蒼訓詁三卷_{張揖。}

廣蒼一卷_{樊恭。}

急就章一卷_{史游。}

急就章二卷_{崔浩注。}

急就章一卷_{顏之推注。}

急就章三卷_{豆盧氏撰。}

急就章一卷_{顏師古注。}

吳章二卷_{陸機。}

在昔篇一卷_{班固。}

太甲篇一卷_{班固。}

凡將篇一卷_{司馬相如。}

黃初篇一卷

小學篇一卷_{晉下邳內史王義。}

少學篇九卷_{楊方。}

始學一卷

勸學一卷蔡邕。

幼學篇一卷朱嗣卿。

始學篇十二卷項峻。

小學篇一卷王羲之。

發蒙記一卷晉束晳。

啟蒙記三卷晉顧愷之。

詁幼文三卷顏延之。

廣詁幼三卷荀楷。

幼學二卷朱育。

千字文一卷蕭子雲。

次韻千字文一卷梁周興嗣。

演千字文五卷

古今字詁三卷張揖。

雜字指一卷後漢郭顯卿。

字指二卷晉李彤。

小學總録二卷

古今字圖雜録□卷曹憲。

説文二十卷漢許慎纂，唐李陽冰刊定。

説文十五卷宋徐鉉刊定。

説文解字繋傳三十八卷徐鍇。

補説文字解三十卷僧曇域。

説文音隱四卷

説文韻譜十卷徐鍇。

説文字源一卷唐李騰集。

説文補義十二卷包希曾。

梁有　演説文□卷

吾衍　説文續解□卷

字林七卷_{晋吕忱。}

字林音義五卷_{宋吴恭。}

古今字書十卷

字書十卷

字統二十一卷_{楊承慶。}

玉篇三十一卷_{顧野王。}

像文玉篇三十卷_{唐釋隱力。}

玉篇解疑三十卷_{趙利正。}

類篇四十五卷_{司馬光等。}

字類敘評三卷_{侯洪伯。}

要字苑一卷_{謝康樂。}

括字苑十三卷_{馮幹。}

要用字苑一卷_{葛洪。}

常用字訓一卷_{殷仲堪。}

字屬篇一卷_{賈魴。}

要用雜字三卷_{鄒里。}

周才　字録□卷

曹產　字苑□卷

文字要記三卷_{王義。}

解文字七卷_{周成。}

文字集略六卷_{梁阮孝緒。}

字宗三卷_{薛立。}

文字譜一卷

釋文十卷_{江邃。}

御覽字府□卷

庾元威　字府□卷

文字志三卷_{王愔。}

文字要説一卷_{王氏。}

難字要三卷

覽字知源三卷

字源偏旁小説三卷_{東林生解。}

字旨篇一卷_{郭訓。}

桂苑珠叢一百卷_{諸葛穎。}

桂林珠叢略要二十卷

俗語難字一卷_{隋王劭。}

雜字要三卷_{隋李少通。}

雜字書八卷_{僧正度。}

文字整疑一卷

正名一卷

篆文三卷_{何承天。}

篆要六卷_{顏延之。}

文字釋疑一卷

今字辨疑三卷_{李少通。}

宋世良　字略一卷

文字指歸四卷

字海一百卷_{唐武后。}

干禄字書一卷_{顏元孫。}

廣干禄字書一卷_{婁機。}

佩觿三卷_{郭忠恕。}

稽正辨訛一卷

龍龕手鑑四卷_{燕僧智光。}

文字釋訓三十卷_{梁僧誌。}

李行中　字源□卷

開元文字音義三十卷_{唐明皇。}

張有　復古編二卷

學古編二卷_{吾衍。}學古編二卷 吾衍。

偏傍小説□卷 林罕。

倪鏜　六書類釋□卷

汪藻　古今雅俗字□卷

許謙　假借論一卷

六書正譌四卷 周琦。

經典分毫正字一卷 唐歐陽融。

王球　嘯堂集古録二卷

六書本義十三卷 趙撝謙。

聲音文字通十二卷 趙撝謙。

六書故三十三卷 戴侗。

字鬻博義二十六卷

六書統二十卷 楊桓。

六書泝原十三卷 楊桓。

從古正文六卷 黃諫。

六書精蘊六卷 魏校。

六書索隱五卷 楊慎。

六書練證五卷 楊慎。

六書總要五卷 吳元滿。

諧聲指南一卷 吳元滿。

六書略五卷 鄭樵。

古俗字略七卷 陳士元。

同文備考□卷 王應電。

音書考源一卷

聲韻四十一卷 周研。

聲類十卷 魏李登。

韻集十卷

韻集六卷_{晉呂靜。}

四聲韻林二十八卷_{張諒。}

韻集八卷_{段弘。}

羣玉典韻五卷_{段弘。}

文章音韻二卷_{王該。}

韻略一卷_{陽休之。}

修續音韻決疑十四卷_{李槩。}

纂韻抄十卷

四聲指歸一卷_{劉善經。}

四聲一卷_{沈約。}

四聲韻略十三卷_{夏侯詠。}

韻篇十三卷_{趙氏。}

音譜四卷_{李槩。}

韻英三卷_{釋靜洪。}

切韻五卷_{陸慈。}

音韻二十卷_{蕭鈞。}

唐韻五卷_{孫愐。}

韻銓十五卷_{唐武元之。}

韻英五卷_{明皇。}

韻海鏡源三百六十卷_{顏真卿。}

切韻十卷_{唐李舟。}

切韻指掌圖一卷_{司馬光。}

五音類聚篇海十五卷_{金韓孝彥。}

貫珠集八卷

玉鑰匙門瀘一卷

辨體補修加字切韻五卷_{唐僧智猷。}

唐廣韻五卷張參。

唐切韻五卷

李韻要略一卷李邕。

雍熙廣韻一百卷宋句中正等詳定。

集韻十卷丁度等修。

禮部疑韻二十卷

宋朝重修廣韻五卷陳彭年。

五音廣韻五卷吳鉉。

景祐韻五卷

五聲韻譜五卷張有。

五書韻總□□□卷高衍孫。

禮部韻略五卷王洙等修。

書學正韻三十六卷楊桓。

雜文字音七卷王延。

押韻釋疑五卷歐陽德弘。

正字韻綱四卷宋魏溫甫。

書林韻會一百卷蜀孟昶。

古今韻會舉要三十卷黃公紹。

韻譜三卷宋楊俊。

韻會定正四卷元孫吾與。

辨嫌音一卷陽休之。

異字同音一卷

證俗音三卷張推。

證俗音略一卷顏愍楚。

器用名目韻五卷薛尚功。

韻補五卷吳棫。

轉注古音略五卷楊慎。

古音餘五卷_{楊慎}。

古音附録五卷_{楊慎}。

古音叢目五卷_{楊慎}。

古音獵要五卷_{楊慎}。

古音略例一卷_{楊慎}。

古文韻語二卷_{楊慎}。

奇字韻五卷_{楊慎}。

韻林原訓二卷_{楊慎}。

五音切韻樞三卷_{柳曜}。

切韻指玄論三卷_{王宗論}。

切韻指元疏五卷_{僧鑑言}。

歸字圖一卷_{劉守錫}。

三十六字母圖一卷_{僧守溫}。

四聲等第圖一卷_{僧宗彥}。

定清濁韻一卷_{僧行慶}。

音訣八卷_{郭逸}。

古文官書一卷_{衛恒}。

古文奇字二卷_{郭顯卿}。

汗簡八卷_{郭忠恕}。

纂古一卷_{崔希裕}。

尚書古字一卷

李商隱　古字略一卷

裴光遠　集綴古文一卷

趙婉章　古字略一卷

張揖　集古文一卷

義雲章一卷

禹碑一卷

石鼓文一卷

鄭樵　注石鼓文一卷

王應麟　注石鼓文一卷

蘇軾　注石鼓文一卷

嶧山碑一卷

秦望山碑一卷

天發神讖碑一卷

碧落碑一卷

詛楚文一卷

張平子碑一卷

古文字訓二卷

集古四聲韻五卷_{夏竦。}

廣古四聲韻五卷_{趙克繼。}

古篆分韻二十五卷

籀史二卷_{翟耆年。}

隸釋二十七卷_{洪适。}

隸續十卷_{洪适。}

隸纂十卷_{洪适。}

薛尚功　鍾鼎欵識二十卷

薛尚功　廣鍾鼎韻七卷

薛尚功　象形奇字一卷

鍾鼎篆韻三卷_{王楚。}

楊鈞　鍾鼎篆韻五卷

古篆禮部韻五卷_{釋守隆。}

吾衍　周秦刻石釋音一卷

吾衍　鍾鼎韻一卷

宣和博古圖三十卷

呂大臨　考古圖十卷

趙明誠　金石録三十卷

四體書勢一卷晋衛恒。

雜體書九卷釋正度。

古今篆隸雜字體一卷蕭子政。

漢隸字源六卷

隸釋十卷劉球。

古今篆隸訓詁名録一卷

古今字圖雜録一卷隋曹憲。

楊鵬　篆隸宗源二卷

聖章草一卷蔡邕。

飛龍篇篆草勢合三卷崔瑗。

瀘書目録六卷虞龢。

五十二體書一卷蕭子雲。

書品一卷庾肩吾。

筆墨瀘一卷顏之推。

麁紙筆墨疏一卷

書後品一卷李嗣真。

書譜一卷徐浩。

古蹟記一卷徐浩。

書斷三卷張懷瓘。

書則一卷張景玄。

書指論一卷褚長文

瀘書要録十卷張彦遠。

裴行儉　草書雜體一卷

王氏八體書範四卷王方慶。

書祖一卷張懷瓘。

書瀘藥石論一卷_{張懷瓘。}

六體論一卷_{張懷瓘。}

御製評書一卷_{唐太宗。}

有唐名書評一卷

臨書關要一卷_{僧應之。}

字學要錄一卷

授筆瀘一卷

古文篆隸體書記二卷

辨字圖一卷

敘書四卷

懷素傳一卷_{陸羽。}

書禁經一卷

傳授記一卷

纂髓六卷_{鄭惇方。}

飛白書錄一卷

金壺記三卷_{僧適之。}

隸書決疑賦一卷

書品十卷

王逸少　筆勢圖一卷

續書評一卷_{呂總。}

瀘書一卷_{蔡希綜。}

古今書人優劣評一卷_{梁武帝。}

述書賦三卷_{竇永撰，竇泉注。}

古來能書人名一卷_{王僧虔。}

隸書正字賦一卷_{石懷德。}

張長史筆瀘十二意一卷

蔡氏口訣一卷

書隱瀘一卷

墨藪五卷

古今書瀘苑十卷宋周越。

書評一卷

筆體論一卷虞世南。

筆瀘要訣一卷李陽冰篆。

筆瀘一卷羊欣。

筆經一卷

海嶽書史一卷米芾。

書瀘鉤玄四卷蘇子啟。

書譜一卷孫過庭。

續書譜一卷姜夔。

寶章待訪録一卷米芾。

翰墨志一卷宋高宗。

字學新書一卷劉惟志。

東觀餘論十卷黃伯思。

廣川書跋十卷董逌。

書學會編四卷

寶真齋瀘書贊六十卷岳珂。

瀘帖譜系雜説二卷曹士冕。

瀘帖釋文十卷石蒼舒。

瀘帖釋文十卷劉次莊。

　　　右書

九章算術二卷徐岳、甄鸞重述。

算術十六卷杜忠。

算術二十六卷許商。

綴術六卷_{祖沖之。}

九章算術十卷_{劉徽。}

九九算術二卷_{楊淑。}

九章別術二卷_{徐岳、甄鸞。}

算經二十九卷_{岳鸞。}

九章六曹算經一卷_{劉徽。}

九章重差圖一卷_{劉徽。}

九章重差一卷_{劉向。}

九章算述九卷_{徐岳。}

九章算經九卷_{甄鸞。}

九章雜算文一卷_{劉祐。}

九章算術注九卷_{李淳風。}

要略一卷_{李淳風。}

算經三卷_{謝察微。}

緝古算術四卷_{王孝通。}

五經算術二卷_{甄鸞注。}

九章推圖經澷一卷_{張峻。}

算經要用百澷一卷_{徐岳。}

孫子算經二卷

趙畋　算經一卷

夏侯陽　算經一卷

張丘建　算經二卷　又三卷_{李淳風。}

數術記遺一卷_{徐岳。}

五經算術二卷_{李淳風注。}

算經易義一卷_{張續。}

張去斤　算疏一卷

黃鍾算澷三十八卷

算律吕澄一卷

衆家算陰陽澄一卷

董泉　三等數一卷

五曹算經五卷甄鸞。　又五卷韓延、夏侯陽。

韓延　夏侯陽　算經一卷

九經術疏九卷宋泉之。

海島算經一卷劉徽。　又一卷李淳風。

七經算術通義七卷陰景愉。

周髀算經二卷李淳風。

五曹孫子等算經二十卷李淳風。

算經表序一卷

一位算澄二卷江本。

得一算經七卷陳從運。

心機算術括一卷

龍受益　算澄二卷

周易軌限算一卷

新易一澄算軌九例要訣一卷龍受鎰。

乘除算例一卷

澄算細歷一卷

量田要例算澄一卷

穎陽書三卷邢和璞。

求一指蒙玄要一卷李紹穀。

周髀算經音義一卷李籍。

求一算澄九例一卷

謝經　算術三卷

九章算經音義一卷李籍。

算澄敦古集二卷賈憲。

楊輝　九章一卷

算術百顆珠一卷

算灋透簾草一卷

通原算灋二卷

數學九章九卷宋秦九韶。

測圓海鏡十二卷元李冶。

益古衍段三卷李冶。

句股等六論一卷唐順之。

婆羅門算灋三卷

婆羅門陰陽算歷一卷

婆羅門算經三卷

　　　右數

少儀外傳二卷呂祖謙。

童蒙訓一卷呂祖謙。

弟子職五書一卷張時舉。

蒙訓四十四卷王應麟。

小學紺珠十卷王應麟。

小學四卷朱熹。

小學集說六卷程愈。

小學集成十卷

小學通義十卷

小學注疏十卷四十三圖附。

小學資講十二卷夏熙。

小學纂疏四卷元李成己。

小學纂釋十卷吳懋談。

小學句讀六卷陳選。

小學章句四卷王雲鳳。

古文小學九卷湛若水。

小學啟蒙十卷

養正羣書一卷元熊大年。

養蒙大訓十二卷熊大年。

六藝綱目一卷舒天民。

啟蒙宏綱二卷徐橐。

童子習一卷朱以貞。

蒙求三卷唐子瀚。

蒙求補注八卷徐子光。

事類蒙求九卷黎獻。

名物蒙求一卷方逢辰。

續蒙求八卷宋舒津。

左氏蒙求三卷宋王舜俞。

兩漢蒙求十卷劉班。

十七史蒙求二卷王令。

宋蒙求二卷范鎮。

南北史蒙求十卷

班左誨蒙三卷程俱。

家塾蒙求二十五卷孫應符。

宗室蒙求三卷孫應符。

幼學須知五卷孫應符。

　　右近世蒙書

　　古者八歲入小學,習六甲四方與書數之藝,成童而授之經,迨其大成也,知類通達,靡所不晰,而小學始基之矣。《爾雅》津涉九流,標正名物,講藝者莫不先之,於是有訓故之學。文字之興，隨世轉易，譌舛日繁，《三蒼》之說始志字瀦，而《説文》興焉，於是有偏傍之學。五聲異律，清濁相生，孫炎、沈約始作字音，於是有音韻之學。保氏以數學教子弟，而登之重差夕桀，句股與九章並傳，而鄉三物備焉，於是有算數之學。葢古昔六藝乘其虛明，肆之以適用，而精神心術之微寓焉矣。古學久廢，世儒采拾經籍格言，作爲小學以補亡。夫昔人所嘆，謂數可陳而義難知。今之所患，在義可知而數難陳。孰知不得其數，則影響空疎，而所謂義者可知已。顧世所顯行不能略也，今悉次於篇，以備小學。

卷三

史類正史　編年　霸史　雜史　起居注　故事　職官　時令　食貨　儀注　法令
　傳記　地里　譜牒　簿錄

正史史記　漢　後漢　三國　晋　宋　齊　梁　陳　後魏　北齊　後周　隋　唐
　五代　宋　遼　金　元　通史

史記八十卷宋裴駰注。

史記一百三十卷許子儒注。

史記一百三十卷王元感注。

史記一百三十卷陳伯宣注。今存八十七卷。

史記一百三十卷徐堅注。

史記一百三十卷李鎮注。

續史記一百三卷唐韓琬撰。

史記音義十二卷宋徐廣。

史記音三卷梁鄒誕。

史記音三卷許子儒。

史記義林二十卷李鎮。

史記索隱三十卷司馬貞。

史記纂訓二十卷裴安時。

史記地名二十卷劉伯莊。

史記正義三十卷唐張守節。

史記名臣疏三十四卷竇羣。

史要十卷衛颯。

史記正傳九卷張瑩。

　　右史記

漢書一百二十卷_{顏師古注。}

漢書集解音義二十四卷_{應劭。}

漢書集注十三卷_{晉灼。}

漢書注一卷_{陸澄。}

漢書續訓三卷_{韋稜。}

漢書注四十卷_{恭播。}

漢書訓纂三十卷_{姚察。}

漢書集解一卷_{姚察。}

漢書敘傳五卷_{項岱。}

漢書正義三十卷_{唐僧務靜。}

漢書古今集義二十卷_{顧胤。}

漢書音訓一卷_{服虔。}

漢書音義七卷_{韋昭。}

漢書音二卷_{梁劉顯。}

漢書音二卷_{夏侯泳。}

漢書音義十二卷_{蕭該。}

漢書音義九卷_{孟康。}

漢書音一卷_{諸葛亮。}

漢書音十七卷_{晉灼。}

漢書音義二卷_{崔浩。}

孔氏漢書音義鈔二卷_{孔文祥。}

漢書音義二十六卷_{劉嗣等。}

漢書律歷志音義一卷_{陰景倫。}

漢書音義十二卷_{恭播。}

論前漢事一卷_{諸葛亮。}

漢書駁義二卷_{晉劉寶。}

定漢書疑二卷姚察。

漢書決疑十二卷顏游秦。

漢書辨惑三十卷李喜。

漢書問答五卷沈遵。

前漢考異一卷

漢尚書一十卷孔衍。

　　　右漢書

東觀漢記一百四十三卷起光武,至靈帝。劉珍等撰。

後漢書一百三十卷無帝紀。吳謝承撰。

後漢記一百卷晉薛瑩。

續漢書八十三卷司馬彪。

後漢書九十七卷華嶠。

後漢南記五十八卷張瑩。

後漢書一百一卷袁山松。

後漢書九十七卷宋范曄。

後漢書五十八卷梁劉昭補注。

後漢書一百二十二卷范曄本,劉熙注。

後漢書一百卷章懷太子賢注。

後漢書音義二十七卷韋機。

後漢書音一卷後魏劉芳。

後漢音訓三卷陳臧兢。

後漢外傳十卷謝沈。

後漢音三卷蕭該。

後漢尚書六卷孔衍撰。

三史刊誤四十五卷宋余靖。

　　　右後漢

魏書四十八卷_{晋王沈。}

魏尚書八卷_{孔衍。}

吳書五十五卷_{韋昭。}

吳書實録三卷

魏國志三十卷_{陳壽。}

蜀國志十五卷_{陳壽。}

删補蜀記七卷_{王隱。}

吳國志二十一卷_{陳壽。}

魏志音義一卷_{盧宗道。}

論三國志九卷_{何常侍。}

三國志評三卷_{徐爰。}

三國志序評三卷_{王濤。}

　　右三國

晋書九十三卷_{晋王隱。}

晋書五十八卷_{虞預。}

晋書三十六卷_{謝靈運。}

晋中興書七十八卷_{何灤盛。}

晋書一百十卷_{齊臧榮緒。}

晋史草三十卷_{梁蕭子顯。}

晋書一百三十卷_{唐太宗命羣臣撰。}

晋書一百一十卷_{徐堅。}

注晋書一百三十卷_{高希嶠。}

晋書鴻烈六卷_{張氏。}

晋書音義三卷_{唐何超。}

晋諸公贊二十二卷傅暢。

　　右晋

宋書六十五卷宋徐爰。

宋書六十五卷齊孫嚴。

宋書一百卷梁沈約。

齊書六十卷蕭子顯。

齊紀十三卷劉陟。

齊紀二十卷沈約。

齊史十卷吳兢。

梁書四十九卷梁林吳。

梁史五十三卷陳許亨。

梁書帝紀七卷姚察。

梁書五十六卷姚思廉。

梁史十卷吳兢。

陳書三卷顧野王。

陳書三卷傅縡。

陳書四十二卷陳陸瓊。

陳书三十六卷姚思廉。

陳史五卷吳兢。

　　右宋齊梁陳

後魏書一百三十卷後齊魏收。

後魏書一百卷隋魏彥深。

元魏書三十卷裴安時。

北齊書二十卷張太素。

北齊書五十卷李百藥。

後周書五十卷令狐德棻。

周史十卷吳兢。

隋書三十二卷張太素。

隋書八十五卷長孫無忌。

隋史二十卷吳兢。

　　　　右後魏北齊後周隋

唐書一百卷吳兢。

唐書一百三十卷韋述。

舊唐書二百卷劉昫、張昭等。

唐書直筆新例一卷呂夏卿。

唐書釋音二十五卷董氏。

新唐書二百二十五卷歐陽修、宋祁。

新唐書糾繆二十卷吳縝

　　　右唐

淳化太祖紀十卷張洎。

景德修太祖太宗兩朝史百二十卷胡旦。

三朝國史一百五十卷呂夷簡。

仁宗英宗兩朝史□□卷

元豐兩朝正史一百二十卷王珪。

淳熙四朝正史一百八十卷

淳熙東都事略一百十三卷王稱。

宋史四百九十六卷脫脫。

宋史新編二百卷國朝柯維騏。

宋史略四卷梁寅。

　　　右宋

遼史一百十六卷_{脱脱。}

金史一百三十五卷_{脱脱。}

元史二百十卷_{宋濂。}

元史補遺十二卷

元朝秘史十二卷

元平宋錄十卷

元史外聞十卷

元史續編十六卷_{胡粹中。}

元史節要二卷_{張美和。}

庚申外史二卷

　　　右遼金元

通史六百二卷_{梁武帝撰。起三皇，訖梁。}

古史考二十五卷_{晋譙周。}

南史八十卷_{李延壽。}

北史一百卷_{李延壽。}

高氏小史一百二十卷_{高峻。}

劉氏洞史二十卷_{劉權，晏曾孫。}

史儁十卷_{唐鄭暐撰，紀南北朝事。}

統史三百卷_{姚康復。}

令史二十卷_{蕭肅。}

古史六十卷_{蘇轍。}

五代史一百五十卷_{宋薛居正。}

五代史記七十四卷_{歐陽修。}

路史五十卷_{宋羅泌。}

諸史會編一百十二卷_{金濂。}

十八史略八卷曾先之。

史纂左編一百四十二卷唐順之。　　**史纂右編□卷**①

函史一百二卷鄧元錫。

正史削繁十四卷阮孝緒。

史要二十八卷王延秀。

續史雋二十卷張伯玉。

十七史詳節二百八十三卷呂祖謙。

柳氏釋史一卷

史通二十卷劉知幾。

史通析微十卷李璨。

正史雜論十卷蜀陽九齡。

史例三卷唐劉餗。

　　右通史

　　古天子諸侯必有國史，以紀時事。孔子西觀周室，論史記舊聞，興於魯而作《春秋》，其蹟可考已。嬴秦史職放絕，漢興，馬《記》、班《書》始變編年之體，後之爲史者祖之。顧二子皆因父業，緒而成書。況遷既收功於商、毅，固仍丐馥於逵、歆。語云："千金之裘，非一狐之腋。"非虛言也。繼是作者代興，勝劣互異，然莫不鉤深故府，囊括辭林，一代興衰，賴以考見。儻謂遷、固亡而無史學，不亦謬乎？漢志秕文，原無史部，但以列於《春秋》。近世史籍日多，述作異體，總之成一家之言，難於附載也。輒依其世次，敘而綴之，以備正史。

---

①　"□卷"，徐本作"十卷"，《明史·藝文志》作四十卷。

編年古魏史　兩漢　魏　吳　晋　宋　齊　梁　陳　後魏　北齊　隋　唐　五代
　　宋　運歷　紀録

紀年十四卷《汲冢書並竹書同異》一卷。

　　　右古魏史

漢紀三十卷荀悦。

漢紀三十卷應劭。

漢紀音義三卷崔浩。

漢表十卷袁希之。

漢皇德紀三十卷侯瑾。

後漢紀三十卷袁宏。

後漢紀三十卷張璠。

後漢略二十五卷張緬。

後漢靈獻二帝紀六卷劉艾。

後漢獻帝春秋十卷袁曄。

山陽公載紀十卷樂資。

漢春秋十卷孔衍。

後漢春秋六卷孔衍。

漢春秋一百卷宋胡旦。

漢春秋問答一卷胡旦。

　　　右兩漢

漢魏春秋九卷孔舒元。

蜀漢本末三卷趙居信。

蜀鑑十卷宋李文子。

魏氏春秋二十卷孫盛。

魏陽秋異同八卷孫壽。

魏武本紀年歷五卷

魏紀十二卷魏澹。

魏略五十卷魚豢。

吳紀十卷晉環濟。

吳歷六卷胡冲。

吳錄三十卷張勃。

吳書實錄三卷

　　右三國

漢晉陽秋五十四卷習鑿齒。

晉紀四卷陸機。

晉紀二十三卷干寶。

晉紀十卷曹嘉之。

晉紀十一卷王粲。

晉陽秋三十二卷孫盛。

晉紀二十五卷宋劉謙之。

晉紀十卷王紹之。

晉紀四十五卷徐廣。

續晉紀五卷郭季產。

續晉陽秋二十卷宋檀道鸞。

晉史草三十卷蕭景暢。

晉春秋略二十卷唐杜延業。

晉後略五卷荀紀。

漢魏晉帝要紀三卷賈匪之撰。

宋略二十卷裴子野。

宋春秋二十卷王琰。

宋春秋二十卷鮑衡卿。

宋紀三十卷_{王智深。}

齊春秋三卷_{梁吳均。}

齊典五卷_{王逸。}

梁典三十卷_{劉璠。}

梁典三十卷_{陳何之先。}

梁撮要三十卷_{陳陰僧仁。}

梁後略十卷_{姚最。}

梁太清紀十卷_{梁蕭韶。}

梁典三十九卷_{謝昊。}

梁承聖中興略十卷_{劉仲威。}

後梁春秋十卷_{蔡允恭。}

陳王業歷二卷_{陳趙齊旦。}

　　右六朝

後魏紀三十三卷_{盧彥卿。}

魏國紀十卷_{梁祚。}

魏典三十卷_{元行冲。}

三國典略二十_{唐丘悅以關中、鄴都、江南爲三國，記南北朝事。}

北齊紀三十卷_{崔子發。}

北齊志十卷_{王劭。}

　　右北朝

隋後略十卷_{張太素。}

隋記二十卷_{呂才。}

隋記十卷_{丘啓期。}

　　右隋

宋紀三十卷 王智深。

齊春秋三卷 梁吳均。

齊典五卷 王逸。

梁典三十卷 劉璠。

梁典三十卷 陳何之先。

梁撮要三十卷 陳陰僧仁。

梁後略十卷 姚最。

梁太清紀十卷 梁蕭韶。

梁典三十九卷 謝昊。

梁承聖中興略十卷 劉仲威。

後梁春秋十卷 蔡允恭。

陳王業歷二卷 陳趙齊旦。

　　右六朝

後魏紀三十三卷 盧彥卿。

魏國紀十卷 梁祚。

魏典三十卷 元行冲。

三國典略二十 唐丘悅以關中、鄴都、江南爲三國，記南北朝事。

北齊紀三十卷 崔子發。

北齊志十卷 王劭。

　　右北朝

隋後略十卷 張太素。

隋記二十卷 呂才。

隋記十卷 丘啓期。

　　右隋

唐歷四十卷_{唐柳芳。}

續唐歷二十二卷_{韋澳。}

唐春秋三十卷_{吳兢。}

唐春秋二十卷_{韋述。}

唐春秋六十卷_{陸長源。}

唐統紀一百卷_{陳嶽。}

唐朝年代紀十卷_{唐焦潞。}

唐紀四十卷_{宋陳彭年。}

唐年歷一卷_{唐劉軻。}

唐年補錄六十五卷_{賈緯。}

唐餘錄六十卷_{王皞。}

唐年統略十一卷_{郭俊。}

續唐錄一百卷_{宋敏求。}

唐典七十卷_{王彥威。}

唐錄政要十二卷_{凌璠。}

唐鑑十二卷_{范祖禹。}

唐鑑五卷_{石介。}

　　　右唐

五代通錄六十五卷_{宋范質。}

五代史一百五十卷_{盧多遜。}

開皇紀三十卷_{鄭向。}

五代春秋二卷_{尹洙。}

　　　右五代

九朝通略一百六十八卷_{熊克。}

中興小歷四十一卷_{熊克。}

國朝編年政要四十卷蔡幼學。

中興遺史六十卷趙甡之。

丁未録二百卷李丙。

國紀五十八卷徐度。

續通鑑長編一百六十八卷李燾。

續通鑑長編舉要六十八卷李燾。

思陵大事記三十六卷李燾。

阜陵大事記一卷李燾。

建炎以來繫年要記二百卷李心傳。

建陸編一卷陳傅良。

皇朝編年舉要三十卷陳均。

備要三十卷陳均。

中興編年舉要十四卷陳均。

備要十四卷陳均。

三朝北盟集編二百五十卷徐夢莘。

集補五十卷徐夢莘。

續宋編年十八卷李燾。

續宋中興編年十五卷元劉時舉。

　　　右宋

王氏五位圖十卷唐王起。

廣五運圖十卷

五運録十二卷唐曹圭。

正閏位歷三卷唐柳璨。

歷代帝王正閏五運圖一卷

五運歷一卷

運歷圖六卷宋龔穎。

五運紀年志一卷

五運甲子編年歷三卷劉蒙叟。

三五歷紀二卷徐整。

渾天帝王五運歷年紀一卷

通歷三卷徐整。

通歷十卷馬總。

續通歷十卷孫光憲。

許氏千歲歷三卷

帝王年歷五卷陶弘景。

分王年歷五卷羊璿。

國志歷五卷孔衍。

年歷六卷皇甫謐。

共和以來甲乙紀年一卷盧元福。

古今年代歷一卷唐賈欽文。

建元歷二卷唐張敦素。

帝王歷數歌一卷唐劉軻。

古今年號錄一卷唐封演。

嘉號錄一卷唐韋美。

兩漢至唐年紀一卷唐李康乂。

唐至五代紀年記二卷

歷代君臣圖三卷

歷代年號一卷李昉。

帝王年代圖一卷郭伯邕。

古今類聚年號圖一卷杜光庭。

年號歷一卷

歷代年譜一卷徐鍇。

編年手鑑一卷周韻。

帝王歷數圖十卷_{路惟衡。}

歷代統紀一卷_{章寔。}

視古圖一卷_{侯利建。}

古今通系圖一卷_{魏森。}

帝王鏡略一卷_{劉軻。}

帝王事蹟相承圖三卷_{牛檢。}

紀年指歸五卷

唐聖運圖二卷_{薛璠。}

編年通載十五卷_{宋章衡。}

帝王經世圖譜十卷_{唐仲友。}

疑年譜二卷_{劉恕。}

帝系譜二卷_{唐張愔。}

歷代紀年纂要一卷_{元察罕。}

　　　右運歷

帝王世紀十卷_{皇甫謐。起三王，盡漢魏。}

帝王世紀音四卷_{虞綽。}

帝王本紀十卷_{來奧。}

續帝王世紀十卷_{何茂林。}

洞紀四卷_{韋昭。起庖犧，至漢建安十七年。}

續洞紀一卷_{臧榮緒。}

帝王要略十二卷_{環濟。}

先聖本紀十卷_{劉紹。}

帝王世錄一卷_{甄鸞。}

華夷帝王紀三十七卷_{楊曄。}

年歷帝紀三十卷_{姚恭。}

歷代記三十二卷_{庚和之。}

帝録十八卷_{諸葛耽。}

十代記十卷_{熊襄。}

帝王編年録五十一卷_{盧元福。}

洞歷記九卷_{周樹。}

帝王紀録三卷_{褚無量。}

三國春秋二十卷_{員半千。}

六代略三十卷_{李吉甫。}

稽古典一百三十卷_{唐穎。}

史略三十卷_{杜信。}

廣轅本紀三卷_{王權。}

通歷七卷_{李仁實。}

通歷十卷_{馬總。}①

續通歷十卷_{孫光憲。}①

東海三國通歷十卷

古今通要四卷_{苗台符。}

紀年通譜十二卷_{宋庠。}

續補通歷十五卷_{王叔。}

資治通鑑二百九十四卷_{司馬光。}

舉要歷八十卷_{司馬光。}

稽古録二十卷_{司馬光。}

通鑑紀事本末四十二卷_{袁樞。}

通鑑綱目五十九卷_{朱熹。}

資治通鑑外紀十卷_{劉恕。}

外紀目録三卷_{劉恕。}

通鑑源委八十卷_{宋趙完璧。}

----

　① 　此兩條已見前《運歷》類。

編年紀事十一卷_{劉攽。}

通鑑前編十八卷_{金履祥。}

通鑑續編二十四卷_{陳桱。}

通鑑長編□卷

續通鑑長編□卷

皇王大紀八十卷_{胡宏。}

經世紀年二卷_{張栻。}

通鑑問答五卷_{王應麟。}

大事記二十六卷_{呂祖謙。}

解題十二卷_{呂祖謙。}

通釋一卷_{呂祖謙。}

世史正綱三十二卷_{丘濬。}

讀書譜一卷_{陳傅良。}

通鑑要略□卷

續通鑑要略十卷_{宋章衡。}

紀年備遺一百卷_{朱黼。}

歷代帝王纂要譜括二卷_{孫應符。}

南北征伐編年二十三卷_{吳曾。}

　　右紀録

　　述史者體有不一，而編年、紀傳其檠也。編年者，以年繫事，詳一國之治體，葢本《左氏》。紀傳者，以人繫事，詳一人之事蹟，葢本史遷。大較各有所長，而編年爲古矣。何者？紀、表、志、傳自爲篇章，不無煩複，故蕭穎士謂子長創爲不合典訓，嘗深非之。然《左氏》依經爲傳，而《國語》一書，國別事殊，或越數十年而竟其義，亦知事詞散出，難於綴屬，而自相錯綜如此矣。荀悦、袁宏、干寶、褚裒之著作，一程《春秋》。乃若《通鑑》

一編，通羣哲之歸趣，總百代之離詞。雖其涉津九流，鈐鍵六藝，而實王侯之龜鏡，經濟之潭奧也。今取其體裁相近者，並列於篇，以具當代得失之林焉。

霸史

華陽國志十二卷晋常璩。

漢之書十卷常璩。

蜀李書九卷

漢趙紀十卷和苞。

趙書二十卷田融。

二石傳二卷晋王度。

二石僞治時事一卷王度。

燕書二十卷燕范亨。

南燕録五卷燕張銓。

南燕録六卷燕王景暉。

南燕書七卷遊覽先生。

燕志十卷後魏高閭。

秦書八卷何仲熙。

符朝雜記一卷田融。

秦紀十卷魏姚和都。

秦紀十一卷宋裴景仁撰，梁席惠明注。

涼紀八卷燕張諮。

涼書十卷涼劉昞。

西河記二卷喻歸。記張重華事。

涼記十卷段龜龍。記吕光事。

涼書十卷高道讓。

拓跋涼録十卷

燉煌實録十卷劉昞。

吐谷渾記二卷段國。

桓玄僞事二卷

鄴洛鼎峙記十卷

天啓記十卷記梁元帝子謫事。

十六國春秋一百二十卷魏崔鴻。

三十國春秋三十卷蕭方等撰。起漢建安,訖晉元熙。

三十國春秋一百卷武敏之。

戰國春秋二十卷李槩

吳越備史十五卷宋范坰、林禹。記錢氏事。

忠懿王勳業志三卷錢儼。

錢氏戊申英政録一卷錢儼。

錢氏家話一卷錢易。

吳録二十卷徐鉉。記楊行密事。

沘上英雄小録二卷吳信都鎬。記楊行密入廣陵將吏五十人。

邗溝要略九卷記楊行密據淮南事。

吳楊氏本紀六卷吳陳濤。記楊氏始終。

吳將佐録一卷記楊行密功臣三十九人事。

江南録十卷徐鉉、湯悅。記江南李氏三主事。

江南別録四卷陳彭年。

高帝過江事實一卷記吳李昪還金陵事。

烈祖開基録十卷唐王顔。記李昪據金陵事。

江南李氏事迹一卷

江表志三卷鄭文寶。

南唐書十八卷陸游。

南唐書三十卷馬令。

江南野史十卷_{龍衮。}

江南餘載二卷

吴唐拾遺録十卷_{許氏。}

南唐近事二卷_{鄭文寶。}

唐餘紀傳二十一卷_{陳霆。}

前蜀王氏紀事二卷_{毛文錫。記王建事。}

前蜀書四十卷_{李昊。記王氏本末。}

後蜀孟先主實録三十卷_{李昊。記孟知祥事。}

後蜀孟後主實録八十卷_{李昊。記孟昶事。}

後蜀孟氏紀事二卷_{董淳。記孟昶事。}

廣政雜録三卷_{何光遠。記王孟據蜀事。}

廣政雜記十五卷_{蜀浦仁裕。}

蜀檮杌十卷_{張唐英。}

劉氏興亡録一卷_{敍漢劉氏四主事。}

三楚新録三卷_{周羽冲。紀湖南馬殷、周行逢、荆南高李興事。}

湖湘馬氏故事二十卷_{曹衍。}

荆湘近事十卷_{陶岳。}

閩中實録十卷_{蔣文懌。紀王氏據閩事。}

閩王審知傳一卷_{唐陳政雍。}

渤海行年記十卷_{曾顏。}

陰山雜録四卷

十國紀年四十二卷_{劉恕。紀五代十國事。}

九國志四十九卷_{曾顏。記五代事。}

五國故事二卷_{記吴、唐、蜀、漢、閩五國事。}

天下大定録十卷

　　右霸史

　　孔子卜陽豫之卦，刳心著作，集百二十國書而成《春秋》。然則古者國皆有史，不獨天子矣。《周禮》"外史掌四方之事，達四方之志"，諸侯之書，則書國中之事，以達於王朝者也。而天子又時巡，以內之內史以董之，故列國之史多藏周室。孔子觀於周而論次史記，其采擷者弘已。後世史學中絕，唯一統之代率修闕文，備觀聽。至於羣雄割據，多未暇皇纂述之事也。然或推奉正朔，或假竊名號，其匡定之偉略，制馭之密謀，不無可觀者。當時方聞之士，私相綴述，以示勸戒，蓋往往有之。通人達士，必博采廣覽，以酌其要，故備而存之，謂之霸史。

雜史_{古雜史　兩漢　魏　晋　南北朝　隋　唐　五代　宋　金元}

越絕書十六卷_{袁康、吳君平撰。}

春秋前傳十卷_{何承天。}

春秋前傳雜語十卷_{何承天。}

春秋後傳三十一卷_{晋樂資。}

魯後春秋二十卷_{劉允齊。}

吳越春秋十三卷_{趙曄。}

吳越春秋削繁五卷_{楊方。}

吳越春秋傳十卷_{皇甫遵。}

吳越記六卷

南越志八卷_{沈氏。}

十二國史四卷

春秋時國語十卷_{孔衍。}

春秋後國語十卷_{孔衍。}

聖賢事迹三十卷_{蘇易簡。}

閱古堂名臣贊一卷韓琦。

　　右古雜史

楚漢春秋九卷陸賈。

九州春秋十卷司馬彪。記漢末事。

九州春秋抄一卷劉孝標注。

史漢要集二卷王蔑。

漢表十卷袁希之。

漢末英雄記十卷王粲。

後漢雜事十卷

後漢文武釋論二十卷王越客。

　　右兩漢

魏晉世語十卷晉郭頒。

魏末傳二卷

呂布本事一卷毛范。

晉武平吳記二卷

　　右魏晉

宋中興伐逆事二卷

宋拾遺十卷梁謝綽。

王霸記三卷潘傑。

宋齊語錄十卷孔思尚。

五代新記二卷唐張絢古。記梁、陳、北齊、周、隋事。

金陵樞要一卷王豹。記六朝事。

六朝採要十卷

齊梁相繼事迹一卷

乘輿龍飛記二卷鮑衡卿。

淮海亂離志四卷蕭世怡。敘梁末侯景之亂。

東宮新記二十卷蕭子顯。

　　　　右南北朝

隋開業平陳記十二卷裴矩。

隋平陳記一卷稱臣悦，亡其姓。

大業拾遺一卷唐杜寶。

大業略記三卷唐趙毅。

大業拾遺録一卷

大業雜記十卷杜寶。

隋季革命記五卷唐杜儒童記。

河洛行年記十卷唐劉仁軌。起大業，盡武德三年。

朝野僉載二十卷張鷟。記周隋以來事迹。

　　　　右隋

唐聖述一卷裴烜之。

今上王業記六卷溫大雅。

太宗建元實迹一卷

太宗正典三十卷李延壽。

高宗承祚實迹一卷裴烜之。

唐書備闕記十卷吳兢。起太宗，至明皇。

明皇政録十卷李康。

明皇雜録三卷鄭處晦。

天寶亂離西幸記一卷溫畬。

幸蜀記一卷宋巨。

開天傳信記一卷鄭棨。記開元、天寶事。

開元天寶遺事六卷_{王仁裕。}

天寶艱難記十卷

河洛春秋二卷_{唐包諝。記祿山、史朝義事。}

祿山事迹三卷_{姚汝能。}

邠志一卷_{凌準。}

大唐新語十三卷_{劉肅。起武德，訖大曆。}

奉天記一卷_{徐岱。記德宗幸奉天事。}

奉天錄四卷_{趙元一。}

德宗幸奉天錄一卷_{崔光庭。}

建中西狩錄十卷_{張讀。}

文宗朝備問一卷

國史補三卷_{唐李肇。記開元至長慶事。}

補國史六卷_{林慎思。}

唐朝綱領圖一卷_{南卓。}

逸史三卷_{大中時人作。}

闕史三卷_{唐高彦休。記大曆至乾符事。}

唐書純粹一百卷_{林瑀。}

唐機要三十卷_{劉直方。}

唐小記一卷

玉泉子見聞真錄五卷_{記懿宗至昭宗時事。}

封氏見聞記五卷_{唐封演。}

天祚承歸記一卷_{蕭叔和。記睿宗即位。}

唐末見聞八卷_{紀僖、昭兩朝事。}

金華子雜編三卷_{劉桑遠。記大中、咸通事。}

燕南記三卷_{谷況。}

唐故事稽疑十卷_{崔立。}

平蔡錄一卷_{鄭澥。記李愬平吳元濟事。}

平淮西記一卷路隋。記吳元濟始末。

河南記一卷薛圖存。記元和中平李師道事。

元和辨謗録三卷李德裕。

太和摧兇記一卷記太和李甘露事。

乙卯記□卷李潛用。記太和李訓甘露事。

次柳氏舊聞一卷李德裕記。

開成承詔録二卷李石。記文宗朝與鄭覃奏對事。

文武兩朝獻替記三卷李德裕記。

唐録備闕十五卷歐陽炳。記武宗、僖宗事。

上黨紀叛一卷劉從諫事。

貞陵遺事二卷令狐澄。

會昌伐叛記一卷記德裕相武宗破回鶻、平劉稹事。

壺關録三卷韓昱。述李密、王世充事。

續貞陵遺事一卷柳玭。

太和野史十卷公沙仲穆。

平剡録一卷鄭吉。記太和擒盜事。

東觀奏記三卷裴庭裕。記宣、懿、僖三宗事。

彭門紀亂三卷鄭樵。記懿宗朝徐州龐勛事。

咸通解圍録一卷張雲。記咸通中雲南蠻寇成都。

南楚新聞三卷尉遲樞。記寶曆至天祐事。

廣陵妖亂志三卷郭廷誨。記高駢鎮廣陵至楊行密事。

中朝故事三卷尉遲樞。記宣、懿、昭三宗事。

唐補紀二卷程柔。記宣、懿、僖三宗事。

會稽録一卷記唐末越州董昌叛。

雲南事狀一卷記唐末羣臣奏招輯雲南蠻事。

譚賓録卝卷胡據。雜載唐事正史遺者。

金鑾密記一卷韓偓。記昭宗幸華州事。

三朝革命録三卷_{徐廣。載隋唐事，盡天祐。}

南部新書十卷_{錢希白。}

　　右唐

汴水滔天録一卷_{五代王振。記梁太祖事。}

汴州記一卷_{記梁太祖鎮汴州事。}

梁太祖編遺録三十卷_{梁敬翔。}

梁列傳十五卷_{周張昭遠。}

後唐列傳三十卷_{周張昭遠。}

莊宗召禍記一卷_{後漢黃彬。}

晉朝陷蕃記四卷_{范質。}

陷虜記三卷_{周胡嶠陷虜，歸記其事。}

周世宗征淮録一卷_{記征壽州劉仁瞻事。}

入洛私書十卷_{周江文秉。記同光至顯德事。}

後史補三卷_{周高若拙。雜記唐及五代事。}

備史六卷_{賈緯。記晉末之亂，每事作一詩系之。}

五代史初要十卷_{歐陽顯。}

王氏見聞集三卷_{王仁裕。記前蜀事。}

續皇王寶運録十卷_{韋昭度。}

五代史補五卷_{陶岳。}

五代史闕文一卷_{王禹偁。}

皮氏見聞録十三卷_{皮光業。記唐乾符至五代事。}

玉堂閑話十卷_{漢王仁裕。}

耳目記二卷_{記唐末五代事。}

北夢瑣言三十卷_{孫光憲。}

　　右五代

宋世龍飛故事一卷

仙源積慶圖一卷

宋十朝綱要二十五卷_{李壆。}

太宗潛龍事迹一卷_{王延德。}

光聖録一卷_{錢儼。}

三朝逸史一卷_{陳湜。}

三朝聖政録三卷_{石介。}

宋朝政録十二卷

三朝訓鑒圖十卷_{李淑。①}

淳化太平雜編二卷_{張齊賢。}

太平故事二十卷

三朝聖政略十四卷

三朝寶訓三十卷_{呂夷簡。}

兩朝寶訓二十卷_{林希。}

仁宗政要四十卷

寶訓要言十五卷

邇英聖覽十卷_{丁度。}

神宗聖訓録二十卷_{林彪。}

宋朝事實三十卷_{沈攸。}

熙寧奏對目録一百卷_{王安石。}

熙豐政事十五卷

太平紀要二十卷

太平盛典五卷

三朝經武聖略十五卷_{王洙。}

治平經費節要三卷

———————

① "淑",原誤作"叔",據徐本改正。

皇猷錄一卷錢信。記太平興國以後事。

嘉祐名臣傳五卷張唐英。

仁宗兩朝列傳二十卷

皇祐平蠻記二卷馮炳。

征南錄一卷

儂賊入廣州事一卷霍建中。

征蠻錄一卷

元祐分疆語錄一卷游師雄。

本朝要錄一卷

水洛城記一卷李格非。

靖康傳信錄三卷李綱。　又　**建炎進退志四卷**　又　**建炎時政記三卷**

平燕錄一卷

南歸錄一卷沈琯。

孤臣泣血錄一卷丁時起。

燕翼貽謀錄五卷王林。

亂華編三十三卷劉苟。

　　　右宋

歸潛志十四卷金劉祁。

平宋錄十卷元伯顏。

　　　右金元

　　前《志》有雜史，蓋出紀傳編年之外，而野史者流也。古天子諸侯皆有史官，自秦漢罷黜封建，獨天子之史存。然或屈而阿世，與貪而曲筆，虛美隱惡，失其常守者有之。於是巖處奇士，偏部短記，隨時有作，冀以信己志而矯史官之失者多矣。夫良史如遷，不廢羣籍，後有作者，以資采拾，奚而

不可。但其體製不醇，根據疎淺，甚有收摭鄙細而通於小説
者，在善擇之而已。

起居注<small>起居注　實錄　時政記</small>

穆天子傳六卷<small>郭璞注。</small>

漢武禁中起居注一卷

顯宗起居注一卷<small>馬后撰。</small>

漢獻帝起居注一卷

晋泰始起居注二十卷<small>李軌。</small>

晋咸寧起居注十卷<small>李軌。</small>

晋太康起居注二十二卷<small>李軌。</small>

晋元康起居注一卷

晋建武大興永昌起居注九卷

晋咸和起居注十六卷<small>李軌。</small>

晋咸康起居注二十二卷

晋建元起居注四卷

晋永和起居注十七卷

晋升平起居注十卷

晋太元起居注五十二卷

晋太寧起居注十卷

晋起居注三百二十卷<small>劉道會。</small>

流别起居注六百六十卷<small>梁徐勉。</small>

晋起居注鈔五十卷<small>何始真。</small>

晋起居注鈔二十四卷

宋永初起居注十卷

宋景平起居注三卷

宋元嘉起居注五十五卷
宋孝建起居注十二卷
宋大明起居注十五卷
宋泰始起居注十九卷
宋泰豫起居注四卷
齊永明起居注二十五卷
梁大同起居注十卷
後魏起居注三百三十六卷
陳永定起居注八卷
陳天嘉起居注二十三卷
陳天康光大起居注十卷
陳至德起居注四卷
後周太祖號令三卷
隋開皇起居注六十卷
南燕起居注六卷
三代起居注鈔十五卷王浚之。
大唐創業起居注三卷溫大雅。
開元起居注三千六百八十二卷
修時政記四十卷姚璹。
淳化崇政殿起居注□卷
真宗起居注三十卷程彬。
邇英延義二閣記注三卷賈昌朝。
　　　右起居注

梁皇帝實錄二卷周興嗣。
梁皇帝實錄五卷 謝昊。
梁太清實錄十卷

唐高祖實錄二十卷房玄齡。

太宗實錄四十卷許敬宗。

貞觀實錄四十卷長孫無忌。

高宗實錄三十卷劉知幾。

高宗實錄三十卷韋述。

則天實錄二十卷劉知幾。

中宗實錄二十卷劉知幾、吳兢。

睿宗實錄五卷吳兢。

開元實錄四十七卷

明皇實錄五卷元載。

明皇實錄二十卷張説。

玄宗實錄一百卷元載。

肅宗實錄三十卷元載。

代宗實錄四十卷令狐垣。

建中實錄十卷沈既濟。

德宗實錄五十卷裴珀。

順宗實錄五卷韓愈。

憲宗實錄四十卷路隋。

穆宗實錄二十卷路隋。

敬宗實錄十卷李讓夷。

文宗實錄四十卷李讓夷。

武宗實錄三十卷韋保衡。

宣宗實錄三十卷宋敏求。

懿宗實錄三十卷宋敏求。

僖宗實錄三十卷宋敏求。

昭宗實錄三十卷宋敏求。

哀宗實錄八卷宋敏求。

梁太祖實録三十卷_{梁郜象。}

後唐獻祖紀年録二卷_{趙鳳。}

後唐懿祖紀年録一卷_{趙鳳。}

後唐太祖紀年録十七卷_{趙鳳。}

後唐莊宗實録三十卷_{趙鳳。}

後唐明宗實録三十卷_{姚顗。}

後唐廢帝實録十七卷_{宋張昭、劉温叟。}

後唐愍帝實録三卷_{張昭。}

蜀高祖實録三十卷_{李昊。記孟知祥事。}

晉高祖實録三十卷_{漢竇貞固。}

晉少帝實録二十卷_{竇貞固。}

漢高祖實録二十卷_{漢蘇逢吉。}

漢隱帝實録十五卷_{張昭。}

周太祖實録三十卷_{張昭、劉温叟。}

周世宗實録四十卷_{宋王溥。}

宋太祖實録五十卷_{沈倫。}

太祖實録五十卷_{李沆。}

太宗實録八十卷_{錢若水。}

真宗實録一百五十卷_{王欽若。}

仁宗實録二百卷_{韓琦。}

英宗實録三十卷_{曾公亮。}

神宗實録二百卷_{呂大防。}

哲宗實録一百卷_{蔡京。}

哲宗後實録九十四卷_{蔡京。}

哲宗重修實録一百五十卷_{范冲。}

徽宗實録二十卷_{程俱。}

徽宗實録一百五十卷_{湯思退。}

欽宗實錄四十卷洪邁。

高宗實錄五百卷洪邁、袁説友。

孝宗實錄五百卷傅伯壽、陸游。

光宗實錄一百卷傅伯壽、陸游。

寧宗實錄□卷

　　　右實録

貞觀政要十卷吳兢。

太宗勳史一卷

開元政要十卷

唐錄政要十三卷凌璠。

咸平聖政錄二卷錢惟演。

唐通曆十卷馬總。

唐統紀一百卷陳嶽。

唐大統紀三十卷陳鴻。

唐統紀一百卷陳嶽。

周顯德日曆一卷扈蒙。

天僖聖政記一百五十卷

建隆日曆一卷趙普。

本朝政錄十二卷

三朝錄要十二卷

三朝紀十卷呂夷簡。

聖政記一百五十卷丁謂。

三朝聖政錄十卷富弼。

三朝寶訓三十卷李淑。

三朝訓鑒圖十卷李淑。

仁宗政要四十卷張唐英。

仁皇訓典六卷_{范祖禹}。

兩朝寶訓二十卷_{林希}。

神宗寶訓二十卷_{林慮}。

先朝政範一卷_{石介}。

尊堯錄八卷_{羅從彥}。

本朝事實三十卷_{李攸}。

皇朝治迹統類七十三卷_{彭百川}。

内治聖監二十卷_{彭龜年}。

高宗聖政草一卷_{陸游}。

高宗聖政五十卷

孝宗聖政五十卷

孝宗要錄初草二十卷_{李心傳}。

　　右時政記

　　史官記注時事，略有數等。書榻前之厝置，有時政記。載柱下之見聞，有起居注。類例則爲會要，粹編則爲實錄，總之以待異日之采擇，非正史也。昉於蕭梁，歷世靡缺。宜夫執簡而書，盡縣摭實，借箸之筴，無不目覩。而來鵠於此乃有三歎焉，謂宰臣密畫，史官不聞。次第周行，檢錄制奏，與冗吏同工而已。嗟乎，史者當國之龜鏡，萬載之眉目也。以彼雲諏波訪，勦編刊筆，猶難勝其任，而顧令失職如此哉？會要列於故事，三者舊自爲部，今合爲一，而先後仍以類從云。

故事

漢制叢錄三十三卷_{袁夢麟}。

漢制考一卷_{王應麟}。

西漢會要七十卷_{徐天麟。}

東漢會要四十卷_{徐天麟。}

秦漢以來舊事十卷

漢武故事二卷_{班固。}

韋氏三輔舊事三卷_{韋彪。}

建武故事三卷

永平故事二卷

建武律令故事三卷

漢官儀及禮儀故事一百三十六卷_{應劭。}

蔡邕　獨斷二卷

漢魏吳蜀舊事八卷

晉朝要事三卷

晉宋舊事一百二十卷

晉故事四十三卷

晉泰始太康故事八卷

晉朝雜事九卷_{庾詵。}

晉建武故事三卷

晉咸和咸康故事四卷_{孔愉。}

晉諸雜故事二十二卷

交州雜事九卷_{記士燮及陶璜炎。}

晉八王故事十二卷_{盧琳。}

晉四王起事四卷_{盧琳。}

沔南故事三卷_{應思遠。}

天正舊事三卷

華林故事名一卷

先朝故事二十卷_{劉道薈。}

魏永安故事三卷_{溫子昇。}

梁魏舊事三十卷_{蕭大圜。}

征南故事三卷_{應詹。}

皇典二十卷_{梁丘仲孚。}

南宮故事一百卷_{梁丘仲孚。}

鄴都故事十卷_{裴矩。}

唐年小録八卷_{馬總。}

唐典備對六卷_{趙氏。}

中朝故事一卷_{尉遲偓。}

唐政典三十五卷_{劉秩。}

唐會要四十卷_{蘇冕。起高祖，訖代宗。}

續會要四十卷_{崔鉉。起德宗，至大中間事。}

唐會要一百卷_{宋王溥。}

國朝舊事四十卷_{紀唐事。}

集説一卷_{記唐十五事。}

通典二百卷_{杜佑。}

理道要訣十卷_{杜佑。}

理典十二卷_{裴澄。}

聖典三卷_{楊浚。}

會粹四十卷_{鄭虔。}

唐典七十卷_{王彥威。}

孝和中興故事三卷_{張齊賢。}

南宮故事十二卷_{王方慶。}

南宮故事三十卷_{盧若虛。}

五代會要三十卷_{王溥。起梁，訖周。}

國朝會要一百五十卷_{章得象。}

國朝會要三百卷_{王珪。}

續會要三百卷_{盧允文。}

中興會要二百卷梁克家。

節國朝會要十二卷范師道。

中書總例四百十九卷宋綬。

續通典二百卷宋白。

國朝通典二百卷魏了翁。

朝制要覽五十卷宋咸。

春明退朝録三卷宋敏求。

輔弼名對四十卷劉顏。

元豐問事録二卷李德芻。

中書備對十卷畢仲衍。

蔣魏公逸史二十卷蔣之奇。

呂申公掌記一卷呂公著。

泰陵故事二十卷

皇朝事類樞要二百五十卷張和卿。

通志略二百卷鄭樵。

麟臺故事五卷程俱。

慶元條法事類九十卷

古今制度通纂二十卷

成憲綱要四十卷

文獻通考三百四十八卷馬端臨。

六曹法十二卷

政刑類要八卷

宗藩要例二卷

大元通制八十八卷

條例備考二十四卷

增修條例備考二十卷

問刑條例□卷

邦政條例二卷

武黃條例一卷

古今經世格要二十八卷_{鄒泉。}

　　古者百司政典藏於官府，各修其職守而弗忘。《周官》御史掌治朝之法，太史掌萬民之約契與質劑，以逆邦國之治。蓋賦事行刑，必問遺訓，而咨故實，史職尚已。漢建武初，政鮮成憲，朝無故老，識者慮之。獨侯霸明習故事，收錄遺文，一時倚以爲重。後世條流派別，制度漸廣，雖未必悉能經遠，而各有救於淪敝，亦一時之良也。惜隨代湮没，十不一存。今據所傳者部而類之，謂之故事。

職官

漢官解詁三卷_{漢王隆撰，胡廣注。}

漢官五卷_{應劭。}

漢官儀十卷_{應劭。}

續補一卷_{李㫤。}

漢官舊儀二卷_{衛宏。}

漢官典儀一卷_{漢蔡質。}

漢官儀式選用一卷_{丁孚。}

魏官儀一卷_{荀攸。}

魏晉百官名五卷

晉公卿禮秩故事九卷_{傅暢。}

晉官品一卷_{徐宣瑜。}

百官表注十六卷_{荀綽。}

晉惠帝百官名三卷_{陸機。}

晉百官名十四卷

晉官屬名四卷

晉過江人士目一卷

晉永嘉流士二卷衛禹。

登城三戰簿三卷

百官階次二卷范曄。

宋百官階次三卷苟欽明。

宋百官春秋六卷

魏官品令一卷

齊職官儀五十卷齊王珪之。

齊職儀五卷

梁新官品十六卷沈約。

職官要錄三十卷陶藻。

梁官品格一卷

百官階次三卷

官族傳十四卷何晏。

百官春秋五十卷王秀道。

百官春秋二十卷

梁尚書職制儀注四十一卷郭衍。

職令古今百官注十卷郭演。

職員舊事三十卷

陳太建十一年百官簿狀二卷

隋官序錄十二卷郭楚之。

職官要錄抄三卷上古訖隋。

具員故事十卷梁載言。

唐六典三十卷唐明皇撰，李林甫注。

具員事迹十卷

職該二卷唐杜英師。

官品纂要十卷_{任戩。}

元和國計簿十卷_{李吉甫。}

元和百司舉要一卷_{李吉甫。}

太和國計二十卷_{韋處厚。}

元和會計録三十卷

會昌中唐雜品一卷

唐百官職紀二卷

唐書官品志一卷

官班兩列一卷

歷代儀式一卷

寄録新格一卷

文昌損益二卷_{唐張之緒。}

唐百官俸料一卷_{何慶。}

職林二十卷_{楊侃。}

唐職林三十卷_{馬永錫。}

官職訓一卷

唐外典職官紀十卷_{杜佑。}

官制目録格子□卷

職官分紀五十卷_{孫逢吉。}

搢紳集三卷

朝官班簿一卷_{天聖四年修。}

叙官朝儀一卷

唐國要圖五卷

文武百官圖一卷_{萬當世。}

尚書考功簿五卷_{王方慶。}

尚書考功課續簿十卷_{王方慶。}

尚書科配簿五卷

梁選簿三卷_{徐勉。}

梁勳選格一卷

選譜十卷_{裴行儉。}

選舉志十卷_{沈既濟。}

舉選衡鑑三卷

占額圖一卷_{王彥威。}

隋吏部用人格一卷

唐循資格一卷_{天寶中修。}

唐循資格一卷_{王涯。}

梁循資格一卷_{後唐清泰中修。}

官制學制名一卷_{司馬光。}

祖宗官制舊典三卷_{蔡惇。}

國朝官制沿革一卷_{黃琮。}

職官記一卷_{張繽。}

官制新典十卷_{熊克。}

聖朝職略二十卷_{熊克。}

職源五十卷_{王益之。}

漢官考六卷_{徐筠。}

漢官總錄十卷_{王益之。}

百官中興題名五十卷_{何異。}

循資歷一卷

銓曹條例遠近一卷

百官公卿表一百四十五卷_{司馬光。}　又　續表二十卷_{蔡幼學。}

五省遷除二十卷。

唐宰相表三卷_{柳芳。}

宋輔相表十卷_{陳繹。}

熙豐宰輔年表一卷

鳳池録五十卷_{唐馬宇。}

輔佐記十卷_{賀蘭氏。}

中台志十卷_{唐李筌。}

國相事狀七卷_{韋琯。}

中書故事一卷_{尉遲渥。}

唐中書則例一卷

唐宰輔録七十卷_{蔣乂。}

唐宰相歷任記二卷

唐宰輔圖二卷_{起高祖，訖昭宗，宰相拜免年月。}

宰輔明鑑十卷_{吳張翼。}

宋宰輔拜罷録二十四卷_{范冲。}

大丞相唐王官屬記一卷_{溫大雅。}

宰相拜罷録一卷_{陳繹。}

宰相年表二卷_{陳繹。}

樞府拜罷録一卷_{陳繹。}

歷代宰相年表三十四卷_{李燾。}

宋宰輔編年録二十卷_{徐自明。}

天官舊事一卷_{劉昞。}

司徒儀注五卷_{晉干寶。}

南宮故事二十卷_{王方慶。}

集賢注記二卷_{韋述。}

史館故事録三卷_{後周史官注。}

翰林志一卷_{唐李肇。}

翰林内志一卷

翰林學士院舊規一卷_{唐楊鉅。}

翰林學士記一卷_{韋處厚。}

翰林盛事一卷_{張著。}

翰林故事一卷_{唐韋執誼。}

續翰林故事一卷_{申文炳。}

承旨學士院壁記一卷_{唐元稹。}

重修翰林壁記一卷_{丁居晦。}

蓬山志五卷_{宋羅畸。}

續翰林志二卷_{蘇易簡。}

次續翰林志二卷_{宋蘇耆。}

金坡遺事三卷_{錢惟演。}

別書金坡遺事一卷_{晁迥。}

翰林雜事抄一卷

金坡密記五卷_{韓偓。}

翰林雜記一卷_{李宗諤。}

中興館閣錄十卷_{陳騤。}

續中興館閣錄十卷

掖垣叢志三卷_{宋庠。}

玉堂雜記三卷_{周必大。}

舍人院題名一卷

掖垣續志一卷

翰林羣書及遺事共四卷_{洪遵。}

續史館故事一卷_{洪興祖。}

金門統例三卷

史官懋官志五卷_{宋趙鄰幾。}

宮鄉舊事一卷_{王方慶。}

春坊舊事一卷

東宮官屬一卷

陳新定將軍名一卷

御史臺雜注五卷_{唐杜易簡。}

御史臺記十二卷_{唐韓琬。}

御史臺記十卷_{唐韋述。}

御史臺故事三卷_{唐李搆。}

御史臺儀一卷

御史臺直廳雜儀一卷

御史臺儀制六卷_{張知白。}

御史臺彈奏格一卷_{宋李彌大。}

嘉祐御史臺記五十卷_{宋馮潔己。}

新御史臺紀□卷_{宋聖寵。}

天禧以來御史年表一卷_{李燾。}

諫官年表一卷_{李燾。}

右臺記一卷

憲臺通紀二十三卷_{元潘迪。}

南臺備紀二十九卷_{元索元岱。}

九寺三監録一卷

羣牧故事三卷_{王曉。}

養馬事宜一卷_{廖康。}

金牧圖一卷

州牧要一卷

牧宰政術一卷_{蕭秩。}

客省修例七卷

四方館儀一卷

外臺糺纏叙事一卷

鹽鐵轉運圖一卷_{夏侯頗。}

制置司指掌一卷

制置司備問一卷

廣州市舶録三卷_{趙思協。}

十七路轉運司圖一卷

景德會計録六卷丁謂。

皇祐會計録六卷田況。

慶曆會計録二卷

溉漕新書四十卷

縣法一卷呂惠卿。

縣務綱目二十卷劉鵬。

作邑自箴十卷李元弼。

金國官制一卷

大明官制二十八卷

吏部職掌四卷

户部職掌十三卷

百官述二卷鄭曉。

直文淵閣表一卷鄭曉。

典銓表一卷鄭曉。

國朝公卿年表二十四卷王世貞。

列卿表十卷雷禮。

殿閣詞林記二十二卷廖道南。

續殿閣詞林記□□卷

館閣漫録十卷張元忭。

翰林記二十卷黃佐。

詞林典故一卷

館閣類録二十二卷日本。

舊京詞林志六卷周應賓。

翰苑題名一卷

皇明漕船志一卷席書。　又　漕運録二卷

萬曆會計録四十三卷

清丈田糧録四卷

刑部事宜十卷

刑部文獻考八卷

工部條例十卷

通政司志六卷_{朱廷益。}

太常總覽六卷

太常紀二十二卷

光禄志四卷

茶馬類考六卷

營造正式六卷

梓人遺制八卷

營造法式三十四卷_{宋李誠。}

　　上世官修其方，故物不抵伏。後世弗安厥官，其方莫修，而職業舉以放廢。夫方者，書也。究其原本所思營者，悉書之。法術具焉，令居是官者奉以周旋，古之制也。《周官》三百六十屬官各有書。小行人適四方，則物爲一書至五書。蓋將有行也，舉必及三。惟始衷終依據精審，斯其厝置也無不當者。今史策中《漢官解詁》、《漢官儀》、《晋公卿禮秩故事》、《唐六典》皆其類也。但官曹名品撰録甚繁，其猥瑣鄙細者蓋多有之，特删其存而可覩者爲職官篇。

時令

夏小正一卷_{戴德。}

崔寔　四民月令一卷

孫氏千金月令三卷_{孫思邈。}

月令并時訓詩一卷_{李林甫。}

復月令奏議一卷

月令詩一卷_{杜仲連。}

秉輿月令十二卷_{裴澄。}

十二月纂要一卷

十二月鑑一卷_{任婉。}

保生月録一卷_{韋行規。}

齊民月令一卷

日書三卷_{譚融。}

國朝時令一卷_{丁度修。}

國朝時令十二卷_{賈昌朝。}

時鑑新書五卷_{劉安靖。}

四序總要四卷_{李彤。}

養生月録一卷_{姜蜕。}

養生月覽二卷_{宋周思忠。}

四時纂要五卷_{韓諤。}

四時記二十卷_{薛登。}

王氏四時録十二卷

四時總要十二卷_{李彤。}

續時令故事一卷

荆楚歲時記二卷_{梁宗懍撰，杜公瞻注。}

玉燭寶典十二卷_{杜臺卿。}

楚苑實録一卷

金谷園記一卷_{唐李邕。}

輦下歲時記一卷_{李綽。}

歲華紀麗二卷_{唐鄂。}

歲時廣記一百二十卷_{徐鍇。}

歲中記一卷

歲時雜録二十卷

節令要覽十卷

月令通纂四卷_{黃諫。}

歲時樂事二卷

四時氣候解四卷_{李泰。}

咸鎬故事一卷_{唐韋慎微。}

月令事紀四卷_{許仲譽。}

　　《禮》有之《夏時》，曰夏四時之書也。其存者，《夏小正》是已。《月令》雖晚出，而實古之遺法。蓋王政之施斂，民用之出藏，與夫攝養種植，隨俗嬉遊，亦可考見承平之遺風，故其書代有作者。嘗試丹青，衆言憑几以睇，四時物色，慘舒榮槁，粲然如將接之，而其宏鉅者，雖以磅礴天地呼吸陰陽，而成歲功可也。前史類入農家，顧諸籍鱗次，非專爲農設。今特立“歲時”一條，從《中興館閣》例云。

食貨_{貨寶　器用　酒茗　食經　種藝　豢養}

錢譜一卷_{梁顧烜。}

泉志四卷

錢圖一卷

續錢譜一卷_{唐封演。}

歷代錢志二卷

歷代錢式二卷

錢譜三卷_{張台。}

錢本草一卷_{唐張説。}

續錢譜一卷_{宋董逌。}

鑄錢故事一卷_{宋杜鎬。}

池州永豐錢監須知一卷

古鼎記一卷_{唐吳協。}

古今鼎録一卷_{隋虞荔。}

九鼎記四卷_{唐許康佐。}

古今刀劍録一卷_{陶弘景。}

同劍讚一卷

鑄劍術一卷_{出《道藏》。}

劍法一卷

偓實劍經二卷

古鑑記一卷_{隋王劭。}

錦譜一卷

繡法一卷

相貝經一卷_{嚴助。}

玉格一卷_{段成式。}

古玉圖一卷_{元朱德潤。}

雲林石譜三卷_{宋杜綰。}

鹽鐵論十卷_{漢桓寬。}

鹽筴總類二十卷

解鹽須知一卷

鹽池利害一卷

　　右貨寶

魯史欹器圖一卷_{隋劉徽。}

欹器銘一卷

燕几圖一卷_{黃伯思。}

器準圖一卷_{後魏信都芳。}

準齋几漏圖式一卷_{孫逢吉。}

墨苑三卷_{李孝美。}

墨譜一卷_{董秉。}

墨譜一卷_{蔡襄。}

硯錄一卷_{唐詢。}

端溪硯譜一卷

硯箋一卷_{高似孫。}

歙州硯譜一卷_{洪景伯。}

硯史一卷_{米芾。}

歙硯圖譜一卷_{唐積。}

文房四譜四卷_{蘇易簡。}

續文房四譜五卷_{李洪。}

文房四友除授集一卷_{宋鄭安晚。}

文房職官圖贊一卷_{林洪。}　又　續圖贊一卷_{羅先登。}

權衡記一卷_{祖暅。}

香方一卷_{宋明帝。}

香譜四卷_{沈立。}

新纂香譜二卷

天香傳一卷_{丁謂。}

香譜一卷_{洪芻。}

香嚴三昧十卷

龍樹菩薩和香法二卷

侯氏萱堂香譜二卷

南蕃香錄一卷_{葉廷珪。}

印格一卷_{晁克一。}

漢晉印章圖譜一卷_{王厚之。}

印藪六卷_{王常。}

印說一卷_{周應願。}

　　右器用

酒孝經一卷_{劉炫。}

貞元飲略三卷

醉鄉日月三卷_{皇甫松。}

醉鄉小略五卷_{胡節還。}

令圖芝蘭集一卷_{陽曾龜。}

酒録一卷_{竇常。}

酒經三卷_{宋朱翼中。}

小酒令一卷

庭萱譜一卷_{同塵先生。}

酒譜十卷_{唐鄭遨。}

酒譜一卷_{宋竇苹。}

酒史二卷_{馮時化。}

白酒方一卷

茶經三卷_{陸羽。}

茶記三卷_{陸羽。}

採茶録三卷_{温庭筠。}

煎茶水記一卷_{唐張又新。}

茶譜一卷_{蜀毛文錫。}

北苑茶録二卷_{宋丁謂。}

茶山節對一卷_{蔡宗顏。}

茶譜遺事一卷_{蔡宗顏。}

補茶經一卷_{周絳。}

北苑拾遺一卷_{劉异。}

北苑煎茶法一卷

品茶要録一卷_{黃儒。}

試茶録一卷_{蔡襄。}

茶苑總録十四卷_{曾伉。}

茶法易覽十卷

茶譜一卷_{孫大綏。}

東溪試茶録一卷_{宋子安。}

茶譜一卷_{顧元慶。}

茶具圖一卷

　　右酒茗

食經十四卷

崔氏食經四卷_{崔浩。}

馬琬　食經三卷

盧仁宗　食經五卷

竺暄　食經四卷

劉休食經十卷_{齊劉休。}

食饌次第法一卷

四時御膳經一卷

梁太官食經五卷

梁太官食法二十卷

家政方十二卷

羹臛法一卷

食圖四時酒要方一卷

藏釀法一卷

膟朒法一卷

北方生醬法一卷

會稽造海味法一卷

淮南王食經百六十五卷_{大業中。}

膳羞養療二十卷

膳夫經手録四卷_{唐楊曄。}

嚴龜食法十卷_{唐嚴龜。}

食目十卷

趙武　四時食法一卷

大官食方十九卷

食療本草三卷_{唐孟詵。}

食性本草十卷_{唐陳士良。}

食鑑本草一卷_{甯源。}

食物本草二卷_{陳全之。}

日用本草八卷_{吳瑞卿。}

食醫心鑑三卷_{咎商。}

蕭家法饌三卷

侍膳圖一卷

江飱饌要一卷_{宋黃克明。}

饌林五卷

古今食譜三卷

王易簡　食法十卷

諸家法饌一卷

珍庖備録一卷

續法饌五卷_{曹子休。}

老子禁食經一卷

皇帝雜飲食二卷

食治通說一卷婁居中。

　　右食經

南方草木狀三卷晋嵇含。

山家清供二卷宋林洪。

本心齋疏食譜一卷宋陳達叟。

竹譜一卷戴凱之。

竹記一卷

筍譜一卷宋僧贊寧。

樹萱錄一卷

菌譜一卷陳仁玉。

野菜譜一卷王磐。

橘錄三卷宋韓彥直。

園庭草木疏二十一卷王方慶。

四時栽接記一卷

禁苑實錄一卷

花目錄七卷宋張宗誨。

花品一卷宋僧仲休。

海棠記一卷

海棠譜三卷宋陳思。

梅花譜一卷范成大。

蘭譜一卷

郊居草木記一卷

荔枝新譜一卷蔡襄。

荔枝故事一卷蔡襄。

莆田荔枝譜一卷徐師閔。

增城荔枝譜一卷張宗閔。

洛陽花木記一卷周師厚。

洛陽牡丹記一卷_{歐陽修。}

牡丹花品一卷_{越僧仲林。}

洛陽貴尚錄十卷_{丘濬。}

洛陽花譜三卷_{張珣。}

揚州芍藥譜一卷_{宋王觀。}

菊譜二卷_{宋范成大。}

菊譜二卷_{宋劉蒙。}

百菊譜六卷_{宋史鑄。}

菊史補遺一卷_{史鑄。}

平泉山居草木記一卷_{李德裕。}

漆經三卷_{唐朱遵。}

種植法七十七卷_{唐諸葛穎。}

種樹書三卷_{俞貞木。}

忘懷錄三卷_{飲食、器用、種蓺之方。元豐中，夢上丈人。}

歲時種植一卷

種藝雜歷二卷

治圃須知一卷

　　　右種藝

治馬經三卷_{俞極。}

治馬經圖一卷

馬經孔穴圖一卷

伯樂相馬經一卷

相馬經三卷

周穆王相馬經三卷

相馬經二卷_{徐成等。}

相馬經六十卷_{諸葛穎。}

關中銅馬法一卷

周穆王八駿圖一卷晋史道規畫。

騏驥須知一卷

辨馬圖一卷

辨養良馬論一卷

辨馬口齒訣一卷

醫馬經一卷

景祐醫馬方一卷

安驥集八卷

馬經通玄方論六卷卜管勾集。

馬書十四卷楊時喬。

甯戚　相牛經一卷

高堂隆　相牛經一卷

牛經四卷

牛馬書一卷

醫牛經一卷

禽蟲述一卷袁達德。

浮丘公相鶴經一卷

淮南八公相鵠經一卷

鷙擊録二十卷堯須跋。

東川白鷹經一卷

鷹經一卷

鷹鶻病候一卷齊諸葛穎。

鷹鷂五藏病源一卷

范蠡養魚經一卷

猩猩傳一卷王綱。

禽經一卷師曠。

卜式養豬羊法二卷

卜式月政蓄牧栽種法一卷

相鴨經一卷

相鷄經一卷

相鵝經一卷

相貝經一卷

論馳經一卷

醫馳方一卷

治馬牛駝騾等經三卷

右豢養

《洪範》八政，食貨先之，非生人所至急乎？顧自養之資少，役生之路繁。風流波蕩，日以彌甚，於是明珠翠羽，無足而馳。異石奇花，飛不待翼。遠畜未名之貨，兢收罕至之珍。而一罹歲凶，卒無療於饑渴，則何益矣。昔醇人未漓，情嗜疎寡，奉生贍己，差不爲勞。一夫耕則餘餐委室，匹婦織而兼衣被體。雞犬聲聞，而老死不相往來，豈非聖人所深羨者乎？在投珠捐璧之主倡之而已。今編列諸籍，勸誡具存，謂之食貨篇。

儀注 禮儀 吉禮 凶禮 賓禮 軍禮 嘉禮 封禪 汾陰 諸祀儀 陵廟制 東宮儀 后儀 王國州縣儀 會朝儀 耕籍儀 車服 謚 國璽 家禮祭儀 射儀 舊儀

漢舊儀四卷 衞宏。

晉尚書儀曹新定儀注四十一卷 徐廣。

晉儀注三十九卷

晉新定儀注四十卷 傅瑗。

晋尚書儀曹事九卷

甲辰儀五卷_{江右撰。}

晋雜儀注二十一卷

宋尚書儀注三十六卷

宋儀注二卷

宋尚書雜注十八卷

南齊儀注二十八卷_{嚴植之。}

梁儀注十卷_{沈約。}

梁尚書儀曹儀注十八卷　又二十卷

雜儀注一百八十卷

陳雜儀注六卷

陳尚書雜儀注五百五十卷

後魏儀注五十卷_{常景。}

後齊儀注二百九十卷

雜儀注一百卷

新儀三十卷_{鮑泉。}

禮儀注九卷_{何點。}

齊典四卷_{王逸。}

要典三十九卷_{王景之。}

要典雜事五十卷

皇典五卷_{丘仲孚。}

五禮要記三十卷_{韋叔夏。}

隋儀注目録四卷

中禮儀注八卷_{王懋。}

隋江都集禮一百二十六卷_{牛弘、潘徽。}

大唐儀禮一百卷

永徽五禮一百三十卷

開元禮一百五十卷_{蕭嵩等。}

開元禮儀鑑一百卷_{蕭嵩。}

開元禮類釋二十卷

開元禮目録一卷

開元禮百問二卷

貞元新集開元後禮二十卷_{韋渠牟。}

唐禮纂要六卷_{柳郢。}

禮閣新儀二十卷_{韋公肅。}

元和曲臺禮三十卷_{王彥威。}

續曲臺禮三十卷

竇氏吉凶禮要二十卷

直禮一卷_{李宏澤。}

古今儀集五十卷_{王方慶。}

開寶通禮二百卷_{宋劉溫叟。}

通禮目録三卷

開寶通禮義纂一百卷_{盧多遜。}

義纂目録一卷

禮閣新編六十卷_{王皞。}

太常新禮四十卷_{賈朝昌。}

太常因革禮一百卷_{蘇洵。}

類儀一卷_{魏鄭公。}

政和五禮新儀二百四十卷_{鄭居中。}

五禮精義十卷_{韋彤。}

政和冠昏喪祭禮十五卷_{黃灝。}

歷代創制儀五卷

決疑要注一卷_{摯虞。}

禮樂集十卷_{顏真卿。}

國朝禮書四十一卷
　　右禮儀

晉尚書儀曹吉禮儀注三卷

梁吉禮十八卷明山賓。

梁吉禮儀注四卷

梁吉禮儀注十卷

陳吉禮一百七十一卷

陳雜吉儀注三十卷

隋吉禮五十四卷高穎。

吉書儀二卷王儉。

祭典二卷

雜制注六卷盧諶。

祀典五卷盧辨。

太清宮祠三卷劉智。

駕幸昭應宮儀注一卷
　　右吉禮

喪服儀一卷晉衛瓘。

新定喪禮一卷漢劉表。

凶禮一卷晉孔衍。

陳雜儀注凶儀禮十三卷

梁皇帝崩凶儀十一卷

梁皇太子喪禮五卷

梁王侯以下凶禮九卷

士喪禮儀注十四卷

梁皇帝皇后崩儀注一卷

梁太子妃薨儀注九卷

梁諸侯世子卒儀注九卷

梁陳皇帝崩儀注八卷

陳皇太子妃薨儀注四卷

陳皇太后崩儀注四卷

北齊皇太后喪禮十卷

喪禮纂要九卷張戩。

喪服治禮儀注九卷何胤。

晉修復山陵故事五卷車灌撰。

崇豐二陵集禮二卷裴瑾。

　　　右凶禮

梁賓礼一卷賀瑒。

梁賓禮儀注十三卷賀瑒。

陳賓禮六十五卷

陳賓禮儀注六卷張彥。

　　　右賓禮

梁軍禮四卷陸璉。

陳軍禮六卷

　　　右軍禮

梁嘉禮三十五卷司馬褧。

嘉禮儀注四十五卷

陳嘉禮一百二卷

冠婚儀四卷

　　右嘉禮

古封禪羣祀二十二篇

封禪議對十九篇

漢封禪羣祀三十六篇

封禪儀六卷

東封記一卷韋述。

封禪録十卷孟利貞。

皇帝封禪儀六卷令狐德棻。

神岳封禪儀注十卷裴守真。

祥符封禪記五十二卷丁謂。

　　　右封禪

祥符祀汾陰記五十二卷丁謂。

汾陰后土故事三卷

　　　右汾陰

晉明堂郊社議三卷孔晁等。

明堂儀一卷張大頤。

明堂儀注三卷姚璠等。

大享明堂儀注二卷郭山惲。

明堂序一卷李襲譽。

明堂新禮十卷李嗣真。

明堂記紀要二卷

皇祐大享明堂記二十卷文彥博。

元豐郊廟禮文三十卷宋楊完。

駕幸玉清昭應宮儀注一卷

魏氏郊丘三卷

南郊記圖一卷

大唐郊祀録十卷_{王涇。}

梁南郊儀注一卷

梁祭地祇陰陽儀注三卷

南郊圖一卷

天禧大禮記五十卷_{王欽若。}

元豐釋奠祭社稷風雨師儀注三卷

諸州縣祭社稷儀一卷

紀風雨雷師儀注一卷

釋奠儀注一卷

祈雨雪法一卷

郊廟奉祀禮文三十卷_{楊全等。}

　　右明堂郊祀社稷釋奠風雨師儀注

晉七廟議三卷_{蔡謨。}

親享太廟儀注三卷

四季祠祭文一卷

列國祖廟式一卷_{梁隱。}

三品官祔廟禮二卷_{王方慶。}

仁宗山陵須知一卷

　　右陵廟制

晉東宮舊事一卷_{張敞。}

東宮新記二十卷_{蕭子雲。}

宋東宮儀記二十三卷_{張鑑。}

東宮雜事二十卷_{蕭子雲。}

東宮典記七十卷<small>宇文愷。</small>

皇太子方岳亞獻儀二卷

青宮懿典十五卷<small>宋王純臣。</small>

　　右東宮儀注

王后儀範三卷

坤儀令一卷<small>蜀王衍。</small>

　　右后儀

諸王國雜儀注十卷

雜府州郡儀十卷<small>范王。</small>

縣令禮上儀一卷<small>李淑。</small>

　　右王國州縣儀注

閤門儀制十卷<small>陳彭年。</small>

景祐閤門儀制十二卷<small>李淑。</small>

閤門儀制六卷<small>梁顥。</small>

寶元二年閤門儀制十二卷

內東門儀制五卷<small>宋綬修。</small>

熙寧閤門儀制十卷

正旦朝會儀注十卷

至道合班儀并追封條一卷

朝堂須知一卷

奉朝要錄一卷

朝制要覽十五卷<small>宋咸。</small>

　　右會朝儀

雍熙籍田故事二卷

耕籍田儀制五卷

恭謝籍田儀注三卷

州縣打春牛儀一卷

　　　　右耕籍儀

大漢輿服志一卷魏董巴。

車服雜注一卷徐廣。

禮儀制度十三卷王逡之。

古今輿服雜事二十卷梁周遷。

古今輿服雜事二十卷蕭子雲。

陳鹵簿儀二卷

陳鹵簿圖一卷

晉鹵簿圖一卷

齊鹵簿儀一卷

大駕鹵簿一卷

鹵簿圖三卷王欽若。

天聖鹵簿記十卷宋綬。

隋諸衛左右廂旗圖樣十五卷

二儀實錄一卷劉孝孫。

二儀實錄衣服名義圖一卷袁郊。

服飾變古元錄三卷袁郊。

內外親族五服儀二卷裴菾。

北蕃冠帽巾髻牌信制度一卷

　　　　右車服

謚別十卷沈約。

謚灋四卷_{賀琛。}

續古今謚灋十四卷_{王彥威。}

嘉祐謚灋三卷_{蘇洵。}

謚録三十五卷_{蘇洵。}

六家謚灋二十卷_{周沆。}

集謚總録一卷_{孫緯。}

賜謚類編三卷_{陳思。}

政和修定謚灋六卷_{蔡攸。}

鄭氏謚灋三卷_{鄭樵。}

謚灋考六卷_{王世貞。}

國朝臣謚類抄一卷_{鄭汝璧。}

　　右謚灋

玉璽譜一卷_{紀僧真。}

傳國璽十卷_{姚察。}

玉璽正録一卷_{徐令言。}

國寶傳一卷

秦傳玉璽譜一卷

玉璽雜記一卷

國璽記一卷_{嚴士元。}

續國璽記一卷

國璽傳一卷

　　右國璽

家禮集說五卷_{馮善。}

家禮會通十卷_{湯鐸。}

家禮儀節八卷_{丘濬。}

家祭儀一卷_{唐徐潤。}

家祭禮一卷_{孟詵。}

寢堂時享禮一卷_{唐范傳式。}

祠享儀一卷_{唐鄭正則。}

祭録一卷_{唐周元陽。}

家祭禮一卷_{唐賈頊。}

孫氏祭享儀一卷_{唐孫日用。}

家儀一卷_{徐妥。}

婚儀祭儀二卷_{崔浩。}

杜氏四時祭享禮一卷_{杜衍。}

新定寢祀禮一卷_{陳致雍。}

韓氏古今家祭式一卷_{韓琦。}

張氏祭禮一卷_{張載。}

古今家祭禮二十卷_{朱熹。}

　　　右家禮祭儀

射禮集解一卷_{朱緝。}

射禮集要一卷_{陳鳳梧。}

鄉射禮圖注一卷_{王廷相。}

飲射圖解一卷_{閆人銓。}

射禮儀注易覽一卷_{林文奎。}

　　　右射儀

內外書儀四卷_{謝玄。}

書儀二卷_{謝超。}

書筆儀二十一卷_{謝朏。}

宋長沙檀太妃薨吊答書十二卷

吊答書儀十卷<small>王儉。</small>

書儀疏一卷<small>周捨。</small>

皇室書儀十三卷<small>鮑行卿。</small>

吉書儀二卷<small>王儉。</small>

文儀二卷<small>梁修端。</small>

書儀十卷<small>唐瑾。</small>

言論儀十卷

婦人書儀八卷<small>唐瑾。</small>

僧家書儀五卷<small>僧曇瑗。</small>

書儀二卷<small>謝允。</small>

童悟十三卷

大唐書儀十卷<small>裴矩、虞世南。</small>

書儀三卷<small>裴茝。</small>

書儀二卷<small>鄭餘慶。</small>

裴度　書儀二卷

杜有晉　書儀二卷

新定書儀二卷<small>劉岳。</small>

吉凶書儀二卷<small>胡瑗。</small>

書儀八卷<small>司馬光。</small>

　　右書儀

　　孔子之適周也，於柱下史學禮焉。歎曰："大哉，聖人之道洋洋乎。禮儀三百，威儀三千。"而與弟子言仁也，曰："克己以復禮。"蓋宮室得其度量，鼎得其象，味得其時，樂得其節，車得其式，鬼神得其饗，喪紀得其序，辯說得其黨，官政得其施。凡眾之動得其宜，禮備而仁在矣。後世禮教放失，遺經出魯淹中者，什不得一。然明君察相，因時立制，制定而民安之，即謂禮至今存可也。漢興,叔孫通、曹褒雜定其儀,唐宋以來,斟酌損益,代有不同,而適物觀時,類有救於崩敝,亦何必身及商周,揖讓登降於其間,乃爲愉快乎哉?故具列而敘之。其諡法、國璽原出他部,余以謂禮之類也,特改而傅著於篇。

瀘令_{律 令 格 式 勅 總類 古制 專條 貢舉 斷獄 法守}

律本二十一卷_{賈充、杜預。}

漢晉律序注一卷_{晉張裴。}

雜律解二十一卷_{張裴。}

晉宋齊梁律二十卷_{蔡法度。}

齊永明律八卷_{宗躬。}

梁律二十卷_{蔡法度。}

陳律九卷_{范泉。}

後魏律二十卷

北齊律十二卷

周律二十五卷_{趙肅等。}

隋律十二卷_{高穎等。}

隋大業律十八卷

唐武德律十二卷

貞觀律十二卷

永徽律十二卷

永徽法經十卷

律略論五卷_{劉邵。}

律疏三十卷

律音義一卷_{宋孫奭。}

律鑑一卷

律令手鑑一卷唐王行先。

四科律心要訣一卷

金科玉律二卷

金科易覽一卷趙綽。

律文十二卷宋孫奭。

唐律疏義十二卷劉惟謙。

律解附例八卷

大明律分類目録四卷陳廷璉。

讀律瑣言□卷

大明律讀法書□卷孫存。

讀律私箋二十四卷王樵。

律解辨疑三十卷

　　　右律

晋令四十卷賈充、杜預。

梁令三十卷

北齊令五十卷

北齊權令二卷

陳令三十卷范泉等。

隋開皇令三十卷牛弘。

隋大業令三十卷

唐令三十卷宋璟。

唐武德令三十一卷張公無忌。

貞觀令二十七卷

永徽令三十卷

宋淳化令三十卷

天聖令三十卷

元豐令五十卷

元祐令二十五卷

熙寧編勅赦降附令二十二卷_{王安石。}

慶元令五十卷_{京鐘。}

嘉祐驛令三卷_{張方平。}

　　右令

梁科三十卷

陳科三十卷

麟趾格四卷

唐格十八卷

留司格一卷

留本司行格十八卷

散敗天下格七卷

永徽留本司格後十一卷

垂拱格十卷

新格二卷

散頒格三卷

留司格六卷

太極格十卷

開元前格十卷

開元後格十卷

開元格抄一卷

開元新格十卷_{李林甫。}

開元詳定格十卷_{狄兼謩。}

梁格十卷

朱梁格目錄一卷

後唐長定格一卷

傍通開元格一卷

宋乾德長安格十卷陶穀。

開寶長定格三卷盧多遜。

慶元格三十卷京鐘。

元豐賞格五卷

　　右格

周大統式三卷蘇綽。

唐式二十卷宋璟。

唐武德式十四卷

貞觀式三十三卷

永徽式十四卷

式本一卷

垂拱式二十卷

開元式二十卷

式苑四卷唐元泳。

梁式二十卷

併贓折杖式一卷

慶元式三十卷京鐘。

熙寧支賜式一卷

　　右式

開元格後長行敕六卷

太和格後敕四十卷

大中刑法總要格後敕六十卷

元和格敕三十卷

元和删定制勅三十卷

雜勅三卷_{唐大中至昭宗朝詔勅。}

天成雜勅三卷_{後唐詔勅。蜀人編。}

天福編勅三十卷

天福編勅一卷

宋朝建隆編勅四卷_{竇儀與法官編。}

太平興國編勅十五卷

咸平勅十二卷_{柴成務等編。}

咸平勅目一卷

大中祥符編勅三十卷_{陳彭年與法官編。}

諸路宣勅十二卷_{天聖中刊正祥符勅。}

舉明自首勅一卷

天聖編勅十二卷_{呂夷簡。}

景祐刺配勅五卷

慶曆編勅二十卷_{韓琦。}

熙寧續降勅二十卷

元豐勅二十卷

慶元勅十二卷_{京鏜。}

隨勅申明十二卷_{京鏜。}

元祐勅二十卷

　　　　右勅

漢建武律令故事三卷

大中刑律統類十二卷_{唐張戣。}

江南刑律統類十卷_{吳天祚中，姜虔嗣撰。}

顯德刑律二十卷_{周張昭。}

顯德刑統目一卷

開寶刑統三十卷_{竇儀與法官蘇曉等修。}

刑統釋文三十卷_{范遂良。}

唐開元格令科要一卷_{裴光庭。記律令科目。}

刑法要録十卷_{唐盧紓。}

唐格式律令事類四十卷_{李林甫。}

五刑纂徑二卷_{唐黃克昇。雜抄律令格式。}

法鑑八卷_{唐李崇編。律令格式條目。}

楊吳刪定格令五十卷_{楊行密時所修。}

後唐統類目一卷_{後唐滕起。}

江南刪定條三十卷_{唐李氏刪定。}

唐趙仁本法例二卷

唐崔知悌法例一卷

刑統三十卷_{宋竇儀。}

刑法總曆七卷_{張善言。}

元豐諸司總統要目一卷

元豐勑令格式七十卷

元豐廣案二百卷

元豐刑部叙法通用一卷

元祐勑令格式五十六卷

元符勑令格式一百三十二卷

崇寧申明勑令格式二卷

政和勑令格式一百三十四卷

紹興勑令格式一百卷

類刑賦一卷_{王言。}

刑統賦二卷_{傅霖。}

叙法二卷

五刑旁通圖一卷_{路仁恕。}

儀制赦書德音十卷_{陳彭年。}

養賢録二十二卷_{王日休。總勅令、格式、禄秩、條法類編。}

　　右總類

漢朝議駁三十卷_{應劭。}

漢名臣奏事三十卷

廷尉決事二十卷

廷尉駁事十一卷

廷尉雜詔書二十六卷

晉雜議十卷

晉彈事十卷

南臺奏事二十二卷

魏王奏事十卷

魏名臣奏四十卷_{陳壽。}

晉駁事四卷

晉雜制六十卷

陳新制六十卷

後魏六條一卷_{蘇綽。}

　　右古制

晉刺史六條制一卷

度支長行旨五卷_{李林甫。}

諸路轉運司編勑三十卷_{陳彭年。}

皇祐審官院勑一卷_{賈壽。}

三司編勑二卷_{宋索湘。}

三司咸平雜勑十二卷_{林特。}

景德農田勑四卷_{丁謂。}

元豐司農敕令式十五卷
嘉祐禄令十卷
熙寧常平敕三十卷
元豐江湖鹽令敕六卷
熙寧八路差官敕一卷
元祐新修差官出使條三卷
一司一務敕三十卷
兩浙轉運須知一卷
元祐廣西衙規一卷
茶法易覽一卷
嘉定吏部條法總類五十卷
役法撮要一百八十九卷京鏜。
常平役法一卷
茶法總例一卷。

右專條

熙寧貢舉敕三卷
元祐貢舉敕三卷
貢舉條制五卷
貢舉事目一卷
元祐新修制科條一卷
崇寧通用貢舉法十二卷
崇寧州學制一卷
御製八行八刑條一卷
大觀州縣學法十卷
大觀新修學制三卷
大觀學制敕令格式三十五卷

禮部考試進士勅一卷宋晁迥。

紹興貢舉法五十卷万俟卨。

紹興監學法二十六卷秦檜。

科場條貫一卷陸深。

　　右貢舉

熙寧法寺斷例八卷

元祐法寺斷例十二卷

紹興斷例四卷

大理寺例總要十二卷

六贓論一卷

疑獄集三卷後晉和凝。

續疑獄集二卷凝子㟭。

續疑獄集六卷國朝張景。

斷獄指南一卷

繩墨斷例三卷

斷獄立成三卷

許公辨正案問録一卷許長卿。

決獄龜鑑二十卷鄭克。

案前決遣二卷

折獄比事十卷

棠陰比事一卷宋桂萬榮。

洗冤録一卷宋慈。

平冤録二卷東甌王氏。

　　右斷獄

仕途守法二卷

元豐仕途守法二卷

作邑自箴十卷

呂觀文縣法十卷

牧宰政術二卷唐蕭佚。

公侯政術十卷唐人撰。

仁學規範四十卷宋張鎡。

吏學指南八卷

　　右法守

　　漢初，蕭何定律令，張蒼制章程，叔孫通定儀法，一代之制粲然矣。晋令甲九百餘卷，杜預、賈充刪采其要，有律，有令，有故事，各還官府。儻所云章程者非乎？國家創制立法，莫重於此。史稱魏相明經有師法，好觀漢故事，及便宜章奏，故知前事不忘，後事之師也。其可忽諸？舊史有刑法一目，而漢名臣奏事、魏臺雜訪、貢舉、監學、役法參錯其間，近於不倫。今更名法令，以律令爲首，而諸條皆檢括之。其職官儀注，又以其重大別出云。

傳記著舊　孝友　忠烈　名賢　高隱　家傳　交游　列女　科第　名號　冥異　祥異

三輔決錄七卷趙岐撰，摯虞注。

海內先賢傳四卷魏明帝時撰。

四海耆舊傳一卷韋氏。

海內士品錄三卷魏文帝。

海內先賢行狀三卷李氏。

諸國先賢傳一卷

兖州先賢傳一卷

徐州先賢傳九卷_{王義度。}

徐州先賢傳贊九卷_{劉義慶。}

江表傳三卷_{虞溥。}

京口耆舊傳四卷

鎮江先賢録一卷

海岱志二十卷_{齊崔蔚祖。}

魯國先賢傳三卷_{晋白褒。}

東萊耆舊傳一卷_{王基。}

陳留耆舊傳二卷_{漢圈稱。}

陳留耆舊傳一卷_{魏蘇林。}

陳留先賢像贊一卷_{陳英宗。}

陳留人物志十五卷_{晋江敞。}

濟北先賢傳一卷

廬江七賢傳二卷

廣陵烈士傳一卷_{華隔。}

襄陽耆舊傳五卷_{習鑿齒。}

汝南先賢傳五卷_{魏周斐。}

會稽先賢傳七卷_{謝承。}

會稽後賢傳記二卷_{鍾離岫。}

會稽典録二十四卷_{虞豫。}

會稽先賢像贊四卷_{賀氏。}

會稽記四卷_{朱育。}

會稽太守像贊二卷_{賀氏。}

吳氏賢傳四卷_{吳陸凱。}

吳先賢像贊三卷

吳郡錢塘先賢傳五卷_{吳均。}

東陽朝堂像贊一卷_{晋留叔先。}

豫章舊志三卷_{熊默。}

廬陵先賢録一卷

廣信先賢録一卷

豫章烈士傳三卷_{徐整。}

零陵先賢傳一卷

長沙舊傳贊三卷_{晋劉彧。}

武昌先賢志二卷_{宋郭緣生。}

楚國先賢傳十二卷_{晋張方。}

荆州先賢傳三卷_{高範。}

山陽先賢傳一卷_{仲長統。}

交州先賢傳三卷_{晋范瑗。}

廣州先賢傳一卷_{陸胤志。}

廣州先賢傳七卷_{劉芳。}

百粵先賢志四卷_{歐大任。}

桂陽先賢畫贊五卷_{吳張勝。}

益部耆舊傳十四卷_{陳壽。}

續益部耆舊傳三卷

錦里耆舊傳八卷_{勾延慶。}

續錦里耆舊傳十卷_{蜀張彭。}

幽州古今人物志三十卷_{陽休之。}

閩川名士傳三卷_{黃璞。}

臨川聖賢名蹟傳三卷

南陽先民傳二十卷_{王襄。}

莆川人物志三卷_{林紘。}

釣臺耆舊傳三卷

渚宮故事十卷_{余知古。}

金陵人物志六卷_{陳鎬。}

忻慕編二卷_{陳鳳。}

中州人物志十六卷_{睦㮲。}

吳中往哲記一卷_{楊循吉。}

檇李往哲傳一卷_{戚元輔。}

續吳先賢讚一卷_{劉鳳。}

吳興名賢錄□卷

吳興名賢續錄六卷_{王道隆。}

　　右耆舊

孝子傳十五卷_{晉蕭廣濟。}

孝子傳八卷_{師覺授。}

孝子傳贊三卷_{王韶之。}

孝子傳十卷_{宋鄭緝之。}

孝子傳二十卷_{宗躬。}

孝子傳三卷_{徐廣。}

孝德傳三十卷_{梁元帝。}

孝友傳八卷_{申秀。}

孝子傳三十卷_{梁武帝。}

友義傳十卷_{崔元暐。}

友悌錄十五卷_{王方慶。}

孝行志二十卷_{趙珫。}

兄弟傳三卷_{裴懷貴。}

忠孝圖贊二十卷_{李襲譽。}

孝子後傳三十卷_{郎餘令。}

唐孝悌錄十五卷_{宋樂史。}

孝悌錄二十卷_{樂史。}

孝史五十卷謝諤。

孝行録三卷胡訥撰。瑗父。

廣孝新書五十卷樂史。

孝子拾遺七卷宋危皋。

古今孝悌録二十四卷王紹圭。

孝女傳二十卷唐武后。

孝感義聞録三卷曹希達。

二孝子傳一卷耿定向。

　　右孝友

顯忠録二十卷梁元帝。

忠臣傳三十卷梁元帝。

自古忠臣傳二十卷武謹。

功臣録三十卷自太公至郭子儀。

武成王廟配享事迹三十卷宋乾德三年修，自太公及張良以下七十三人。

凌烟功臣故事四卷令狐德棻。

廉吏傳十卷費樞。

義士傳十五卷崔元暐。

異域歸忠傳三卷李德裕。起由余，至尚可孤。

丹陽尹傳十卷梁元帝。

良吏傳十卷鍾岏。

民表録三卷宋胡訥。録循吏事。

東平忠靖王傳一卷張巡。

忠烈圖一卷吳徐溫客。記安金藏等二十六人。

中興十三處戰功録一卷李璧。

中興忠義録三卷龔頤正。

呂忠穆勤王記一卷臧梓。

英雄録一卷記秦漢至唐佐命功臣。

劉氏傳忠録三卷劉翰。

盡忠録八卷陳東。

遜國臣記三十卷

革朝遺忠事略九卷

顯忠録二卷記黃觀事。

忠介公行實一卷

愍忠録四卷記楊繼盛事。

右忠烈

海內名士傳一卷

正始名士傳三卷袁宏。

江左名士傳一卷劉義慶。

竹林七賢論二卷晉戴逵。

七賢傳五卷孟氏。

高才不遇傳四卷後齊劉晝。

烈士傳二卷劉向。

上古以來聖賢高士傳贊三卷周續之。

高識傳十卷傅奕。

英雄録一卷

先儒傳五卷

英藩可録事三卷張萬賢。

六賢圖贊一卷李渤。

梁四公子傳四卷唐盧詵。

續高識傳十卷

文林館紀十卷鄭悦。

文士傳五十卷

益州文翁學堂圖二卷

文館詞林文人傳一百卷許敬宗。

續文士傳十卷裴朏。

景龍文館記十卷李嶠等二十四學士。

唐十八學士真贊一卷

悼善列傳四卷

元祐黨籍列傳譜述一百卷龔頤正。

紹興正論小傳二十卷樓昉。記不附和議人事。

春秋列國名臣九卷孫敏。

玄晏春秋三卷

訪來傳十卷來奧。

雜傳三十六卷任昉。

雜傳四十卷賀縱。

雜傳十九卷陸澄。

雜傳六十九卷

嘉祐名臣傳五卷張唐英。

先賢濟世錄一卷諸葛興。

八朝名臣言行錄二十四卷朱熹。

典刑錄十二卷吳宏。

近世厚德錄四卷李元綱。

東方朔傳八卷

揚雄別傳一卷晁迥。

毋丘儉記□卷

管輅傳三卷管辰。

李固別傳七卷

梁冀傳二卷

何顒傳一卷

桓玄傳二卷

陶潛傳一卷昭明太子。

陶弘景傳一卷

昭明太子事實二卷趙彥博。

列藩正論三十卷章懷太子。

李密傳三卷賈閏甫。

衛公平突厥事二卷李仁實。

魏文貞傳四卷敬播。

文貞故事八卷張人業。

文貞事錄六卷劉禕之。

狄仁傑傳三卷李邕。

張巡姚誾傳二卷李翰。

英國貞武公故事四卷劉禕之。

高氏外傳一卷郭湜。

顏公傳二卷殷亮撰。顏杲卿事。

段公別傳二卷馬宇撰。段秀實事。

自古諸侯王善惡錄二卷魏徵。

諸葛亮隱没五事一卷郭冲。

諸葛武侯傳一卷張栻。

永寧公輔梁記十卷王諸。

尚書故實一卷唐李綽。錄張延賞事。

韓文公歷官記一卷張敦頤。

許國公勤王錄三卷唐李巨川撰。記韓建迎昭宗東幸事。

郭元振傳一卷

宋名臣言行錄七十五卷朱熹。

周延禧傳一卷

种太尉傳一卷

陳明遠傳一卷_{瞿慶。}

王文正公言行録三卷_{弟皡。}

鄭畋事迹一卷

趙康靖日記一卷_{趙槩。}

劉忠肅公行年記一卷_{劉摯。}

嘉祐名臣傳五卷_{張唐英。}

范太史遺事一卷_{子沖。}

呂忠穆遺事一卷　又　逢辰記三卷

王魏公遺事四卷_{子素。}

安定先生言行録二卷

韓莊敏遺事一卷_{子宗武。}

豐清敏遺事一卷_{李朴。}

曹武惠王言行録四卷

崔清獻公言行録二卷

寇萊公遺事一卷

魏公別録四卷_{王嵓叟。}

韓魏公遺事一卷_{强至。}

范忠宣言行録二十卷

宗忠簡公遺事三卷

歐公本末四卷_{呂祖謙。}

葉丞相行狀一卷_{楊萬里。}

謝修撰行狀墓誌一卷_{黃通。記撰其師謝師稷事。}

尹和靖言行録四卷

朱侍講行狀一卷_{黃榦。}

趙丞相行實附録共三卷_{趙崇憲。}

慈湖先生行狀一卷_{錢時。}

倪文節言行録三卷

國朝名世類苑四十六卷_{凌迪知。}

國初功臣録三十四卷_{黄金。}

靖難功臣録□卷

皇明名臣録贊二卷_{彭韶。}

皇明名臣言行録四卷

近代名臣言行録十卷_{徐咸。}

名臣言行録新編三十四卷_{沈應奎。}

理學名臣録二卷_{楊廉。}

國朝名臣琬琰録五十四卷_{徐紘。}

獻徵録三百六十卷

内閣行實八卷_{雷禮。}

列卿傳一百四十四卷_{雷禮。}

今獻備遺四十二卷

維風編二卷_{耿定向。記近代名公事。}

宋濂歷官記一卷

陽明先生年譜十卷

心齋年譜二卷

霍文敏公年譜八卷

趙文肅公年譜四卷

袁柳莊行實二卷

舒梓溪傳一卷

劉忠宣言行録一卷

天全先生遺事一卷

薛文清公行實二卷

楊公清政録二卷

天臺先生年譜二卷

　　右名賢

聖賢高士傳贊三卷嵇康。

高士傳十卷晉皇甫謐。

逸士傳一卷皇甫謐。

逸民傳七卷張顯。

逸人傳七卷鍾離儒。

高士傳二卷盧盤佐。

高道傳十卷賈善翊。

至人高士傳贊二卷晉孫綽。

高隱傳十卷阮孝緒。

真隱傳二卷袁淑。

續高士傳七卷周弘讓。

止足傳十卷齊竟陵王子良。

陰德傳二卷范晏。

大隱傳三卷徐堅。

遺士傳一卷

高士外傳一卷鄭湜。

六賢圖贊一卷唐李渤撰。前代夫婦偕隱者六人。

隱逸傳二卷薛應旂。

貧士傳二卷黃姬水。

　　　右高隱

太原王氏家傳二十三卷

王朗王肅家傳一卷

褚氏家傳一卷褚顗。

薛常侍家傳一卷

江氏家傳七卷江祚。

漢南庾氏家傳三卷_{庾斐。}

裴氏家傳四卷_{裴公之。}

虞氏家記五卷_{虞賢。}

曹氏家傳一卷_{曹毗。}

范氏世傳一卷_{范汪。}

紀氏家紀一卷_{紀友。}

韋氏家傳一卷

何顒使君家傳一卷

明氏家訓一卷_{燕衛尉炭。}

明氏世録六卷_{梁明粲。}

陸史十五卷_{陸煦。}

王氏江左世家傳二十卷_{王褒。}

孔氏家傳五卷

崔氏五門家傳三卷_{崔氏。}

暨氏家傳一卷

周齊王家傳一卷_{姚氏。}

爾朱家傳二卷_{王劭。}

周氏家傳一卷

令狐氏家傳一卷

何妥家傳二卷

裴若弼家傳一卷

令狐家傳一卷_{令狐德棻。}

燉煌張氏家傳二十卷_{張太素。}

狄梁公家傳三卷_{李邕。}

汾陽王家傳十卷_{陳雄。}

顏氏家傳一卷_{殷亮。記杲卿事。}

鄴侯家傳十卷_{李繁。}

李趙公行狀一卷王起。

河東張氏家傳三卷張茂樞。

遠祖越國公行狀一卷鍾紹京。

顏氏行狀一卷殷亮。記魯公事。

家王故事一卷錢惟演。記父事。

戊申英政錄一卷錢惟演。記兄傚事。

魏公桑維翰傳三卷宋范質。

曹武惠別傳一卷曾孫偃。

韓魏公家傳二卷子忠彥。

呂忠穆家傳一卷孫昭問。

桐陰舊話十卷韓元吉。記家世舊事。

張公行狀一卷張宗益。

章氏家傳慶德編一卷

劉鄜王家傳一卷劉光世。

　　右家傳

懷舊志九卷

知己傳一卷盧思道。

賓佐記二卷杜佑。

交游傳二卷鄭世翼。

官宦記七十卷李義府。

幕府故吏錄一卷哥舒翰。

成都幕府石幢記二卷記賓佐姓名，起貞元，訖咸通。

龍城錄一卷柳宗元。

　　右交游

列女傳十五卷劉向撰。曹大家注。

列女傳七卷_{趙毋注}。

列女傳頌一卷_{曹植}。

列女傳頌一卷_{劉歆}。

列女傳贊一卷_{繆襲}。

列女後傳十卷_{項原}。

列女傳六卷_{皇甫謐}。

列女傳七卷_{綦毋邃}。

女記十卷_{杜預}。

后妃記四卷_{虞通之}。

王嬪傳五卷_{王方慶}。

貞潔記一卷_{諸葛亮}。

列女傳略七卷_{魏徵}。

王氏女記十卷_{王方慶}。

美婦人傳六卷

妒記二卷_{虞通之}。

續妒記五卷_{王方慶}。

曹大家　女誡一卷

内訓二十卷_{辛德原、王劭等}。

婦人訓誡集十卷_{徐湛之}。

娣姒訓一卷_{馮少胄}。

女則要錄十卷_{唐長孫皇后}。

鳳樓新誡二十卷

誡女書一卷_{李大夫}。

女論語十卷_{尚宮宋氏}。

女孝經一卷_{鄭氏}。

女誡一卷_{王摶妻楊氏}。

女議一卷

續大家女訓十二章_{薛蒙妻韋氏。}

古今女規新類一卷

賢惠錄三卷_{宋胡納。}

彤管懿範七十卷_{王欽若編后妃事。}

飛燕外傳一卷_{伶玄。}

楊貴妃外傳二卷_{樂史。}

綠珠傳一卷_{樂史。}

表烈外史一卷_{王祖嫡。}

　　右列女

科第錄十六卷_{唐姚康。}

唐制舉科目圖一卷

唐顯慶登科記五卷_{崔氏。}

唐登科記二卷_{李奕。}

唐登科記十五卷_{洪适。}

重定科第錄十卷_{宋樂史。}

諱行錄一卷_{唐由進士中第者姓名,起貞元,訖中和。}

五代登科記一卷

宋朝登科記一卷_{建隆至景祐。}

宋朝登科記三十卷_{樂史。}

重修登科記三十卷_{樂史撰。起唐,訖五代。}

江南登科記一卷_{樂史。}

五代登科記一卷_{趙修修。}

登科小錄二卷_{文嵩。}

大遼登科記一卷

周顯德二年小錄一卷

唐取士詔科目一卷

唐文場盛事一卷

唐代衣冠盛事録一卷蘇持。

唐衣冠盛事圖五卷竇氏。

文場内舉人儀則一卷蜀禮部考試儀式。

宋登科記三十二卷洪适。

宋狀元考十二卷

中興登科小録并姓類四卷李椿。

唐宋科名分定録三卷

宋朝衣冠盛事一卷錢明逸。

制舉編事八卷

制舉備對二卷

皇明貢舉考八卷張朝瑞。

明狀元考四卷

南國賢書四卷張朝瑞。

皇明進士登科考十二卷俞憲。

皇明浙士登科考十卷陳汝元。

　　　右科第

同姓名録一卷梁元帝。

同姓名譜六卷

南北傳小名録一卷

歷代古人小字録四卷

小名録五卷唐陸龜蒙。記秦漢至隋人。

侍兒小名録一卷洪少蓬。

補侍兒小名録一卷王銍。

續補侍兒小名録一卷溫豫。

侍兒小名録拾遺一卷張邦基。

名賢姓字相同録一卷丘光庭。

歷代鴻名録八卷蜀李遠。記帝王稱號。

名字族十卷楊知揮。

同字録一卷楊薀。

歷代聖賢名氏録十五卷

異號録二十卷馬永錫。

　　右名號

黃帝内傳一卷

漢武内傳二卷

神異經二卷東方朔。

宣驗記十三卷劉義慶。

應驗記一卷宋傅亮。

冥祥記十卷王琰。

列異傳三卷魏文帝。

感應傳八卷王延秀。

古異傳三卷宋袁王壽。

甄異傳三卷晉戴祚。

述異記十卷祖冲之。

異苑十卷宋劉敬叔。

志怪二卷祖台之。

志怪四卷孔氏。

神録五卷劉之遴。

搜神記三十卷干寶。

搜神後記十卷陶潛。

搜神秘覽三卷章炳文。

靈鬼志三卷荀氏。

幽明録二十卷劉義慶。

補續冥祥記一卷王曼穎。

漢武洞冥記一卷郭氏。

研神記十卷蕭繹。

旌異記十五卷侯君素。

近異録二卷劉質。

鬼神列傳二卷謝氏。

集靈記二十卷顏之推。

冤魂志三卷顏之推。

因果記十卷劉泳。

冥報記二卷唐臨。

王氏神通記十卷王方慶。

大唐奇事記十卷李隱。

窮神祕苑十卷焦潞。

傳奇三卷裴鉶。

還魂記一卷戴少平。

靈怪集二卷張薦。

集異記三卷薛用弱。

纂異記一卷李玫。①

獨異志十卷李元。

博異志三卷谷神子。

玄怪録十卷牛僧孺。

續玄怪録五卷李復言。

宣室志十卷唐張讀。

瀟湘録十卷唐柳祥。

---

① "玫"，原誤作"玖"，據徐本改正。

紀聞十卷_{唐牛肅。記釋氏、道家異事。}

通幽記三卷_{唐陳劭。}

古異記二卷

卓異記一卷_{唐李翱。}

續卓異記一卷_{唐裴紫芝。}

廣卓異記三卷_{宋樂史。}

集異記三卷_{陸勳。}

錄異記八卷_{杜光庭。}

括異記十卷_{張師正。}

祖異志十卷_{聶田。}

周子良冥通錄三卷_{梁隱士周子良與神僊感應事。}

補江總白猿傳一卷_{記梁歐陽紇妻事。}

感應類從譜一卷_{狐剛子。}

通籍錄異二十卷_{劉振。}

湖湘神僊類異三卷_{曹衍。}

聞奇錄三卷

異僧記一卷

離魂記一卷_{陳元祐。記張氏女事。}

妖怪錄五卷_{皮光業。}

冥洪錄一卷

稽神錄七卷_{徐鉉。}

睽車志五卷_{歷陽郭象。}

洛中紀異十卷_{宋秦再思。}

新纂異要一卷_{唐段成式。}

黃靖國再生傳一卷_{廖子孟。}

感應書一卷

甘澤謠一卷_{唐袁郊。}

録異誡一卷_{童蒙亨。}

書周文襄見鬼事一卷

回生傳一卷

拾遺録二卷_{秦王子年。}

王子年　拾遺記十卷

杜陽雜編三卷_{唐蘇鶚。}

前定録一卷_{唐鍾輅。}

知命録一卷_{唐劉愿。}

定命論十卷_{唐張自勤。}

定命録二卷_{唐呂道生。}

報應録三卷_{後唐王轂。}

廣前定録一卷_{唐鍾輅。}

古今前定録二卷_{尹國均。}

吉凶影響録十卷_{岑象求。}

警誡録五卷_{蜀周珽。}

奇應録三卷_{夏侯六珏。}

續定命録一卷_{唐溫畲。}

感定命録一卷

科名定分録七卷_{宋張君房。}

　　右冥異

嘉瑞記三卷_{陸瓊。}

祥瑞記三卷

符瑞記十卷_{許善心。}

祥瑞録三卷_{魏徵。}

符瑞圖十卷_{陳顧野王。}

符瑞圖目一卷_{顧野王。}

稽瑞一卷劉賡。

二十二國祥異記三卷宋張觀撰。起西晉包孫吳，訖林邑國。

祥瑞圖八卷侯亶。

張掖郡玄石圖一卷孟衆。**又一卷**高堂隆。

瑞應圖記三卷孫柔之。

瑞應圖贊三卷熊理。

祥瑞圖十卷顧野王。

皇隋靈感志十卷王劭。

皇隋瑞文十四卷許善心。

災祥一卷京房。

祺祥記一卷

醴泉記一卷

瑞應翎毛圖一卷

祥瑞格式一卷

獮豸記一卷顏師古。

　　右祥異

　　古者史必有法，大事書之策，小則簡牘而已。至於流風遺
蹟，故老所傳，史不及書，則傳記興焉。如先賢、耆舊、孝子、高
士、列女，代有其書。即高僧、列僊、鬼神怪妄之說，往往不廢
也。夫以六經之文，皎如日月，諸家異學，說或不同，況乎幽人
處士巖居川觀，而以載當世之務者乎？然或具一時之所得，或
發史官之所諱，旁搜互證，未必無一得焉。列之於篇，以廣
異聞。

　　雜史、傳記皆野史之流，然二者體裁自異。雜史，紀志、編年之屬也，紀一代若一時之
事。傳記，列傳之屬也，紀一人之事。外此，若小說家與此二者易溷，而實不同，當辨之。

地里地里　都城宮苑　郡邑　圖經　方物　川瀆　名山洞府　朝聘　行役　蠻夷

地理書一百五十卷陸澄。

地記二百五十二卷梁任昉。

隋諸州圖經集記一百卷郎蔚之。

周地圖一百三十卷

雜記十二卷

三代地理志六卷

職方記十六卷

晉太原土地記十卷

太康三年地記六卷

元嘉六年地記三卷

輿地志三十卷顧野王。

括地志五百五十卷

長安四年十道圖十三卷

開元三年十道圖十卷

元和郡縣圖志五十四卷李吉甫。

十道志十六卷梁載言。

賈耽地圖十卷

古今郡國縣道四夷述四十卷

文括九州要略三卷劉之推。

十三州志十四卷闞駰。

太康州郡縣名三卷

太康國照圖一卷孫結。

圖照十卷曹臻。

太平寰宇志二百卷樂史。

九域志十卷宋王存。

方輿記一百三十卷_{徐鍇。}

洽聞記三卷_{唐鄭常。記郡國舊事。}

九域圖三卷_{王曾。}

方岳志五十卷_{晏殊。}

貞觀郡國志十卷

開元分野圖一卷

唐新集地里志九卷

十道四蕃志三卷_{梁載言。}

九州郡縣名七卷

皇祐方域圖志五十卷_{王洙。}

九州要記四卷

諸州雜記八卷

天下郡縣目一卷_{朱梁人作。}

巨黿記六卷

元魏諸州記二十一卷

世界記五卷_{釋僧祐。}

地理指掌圖一卷_{蜀稅安禮。}

六合掌運圖一卷

方輿勝覽七十卷_{祝穆。}

輿地廣記三十八卷_{歐陽忞。}

職方機要四十卷_{政和中修。}

歷代疆域志十卷_{吳澥。}

古今地譜二卷

輿地紀勝二百卷_{宋王象之。}

輿地圖十六卷_{王象之。}

元康六年户口簿記三卷

方域志二百卷_{宋王希先。}

元一統志一千卷

歷代地理指掌四卷桂萼。

輿地略十一卷蔡汝楠。

郡縣地里沿革十五卷吳龍。

　　右地理

順天府志六卷

北平志四卷

宛署雜記二十卷

保定府志四十卷

河間府志二十八卷

真定府志三十三卷

順德府志四卷

廣平府志十六卷

大名府志二十八卷

永平府志十卷

北平八府圖總目一卷

南畿志六十四卷陳沂。

應天府志三十二卷

建康志十卷宋史正志。

續建康志十卷宋吳琚。

景定建康志五十卷宋周合。

金陵新志十五卷元張鉉。

六朝事蹟二卷宋張敦頤。

建康實錄□卷

南朝宮苑記二卷

南徐州記三卷山謙之。

丹陽記二卷

金陵地記一卷黃元之。

秣陵記二卷

江左記一卷張參。

上元縣志十二卷

江寧縣志十卷

金陵世紀四卷陳沂。

三輔黃圖一卷

漢宮閣簿三卷

洛陽宮殿簿三卷

歷代宮殿名一卷宋李昉。

南朝宮苑記二卷

洛陽圖一卷晉楊佺期。

西京記三卷薛冥。

洛陽記一卷陸機。

洛陽記一卷戴延之。

後魏洛陽記五卷

京師錄七卷

關中記一卷潘岳。

雍錄十卷程大昌。

長安圖記一卷呂大防。

兩京新記五卷韋述。

東都記三十卷鄧世隆。

東都記二十卷韋機。

兩京道里記三卷唐。記洛陽至長安道路事。

隋朝移洛都記一卷

十國都城記十卷顧野王。

河南志二十卷宋敏求。

長安志十卷宋敏求。

洛陽類事一卷王正倫。

洛陽名園記一卷李格非。

東京記三卷宋敏求。

東京夢華錄一卷孟元老。

汴京遺蹟志二十四卷李濂。

商略十六卷任慶雲。

天下至京地里圖一卷

唐太極大明興慶三宮圖一卷

洛陽京城圖一卷

長安京城圖一卷

東京宮禁圖一卷

唐園陵記一卷

昭陵建陵圖一卷

聖賢冢墓記一卷李彤。

城冢記一卷

後園記一卷

廟記一卷

治平八廟圖一卷

學士院新撰目一卷宋初改軍鎮及宮殿名。

武林舊事二卷

宋洛陽宮室記一卷

宋汴京宮室記一卷

宋汴都宮室記一卷元楊奐。

宋行宮考一卷徐一夔。

元故宮遺録一卷
　　右都城宮苑

山西通志三十二卷
山東通志四十卷陸釴。
河南通志四十五卷
陝西通志四十卷馬理。
雍大記三十六卷何景明。
浙江通志七十二卷
江西通志三十七卷林庭㭿。
湖廣總志九十八卷
楚紀六十卷廖道南。
四川總志八十卷
八閩通志□□卷①
廣東通志七十卷黃佐。
廣西通志六十卷周孟中。
雲南通志十七卷
貴州新志十七卷
中都志十卷柳瑛。
廬陽志十三卷潘鏜。
維揚志三十八卷
寧國府志十卷李默。
泗州志十二卷汪應軫。
姑孰志五卷林桷。
新安志十卷羅願。
新安文獻志一百卷

---

①　《明史・藝文志》著錄黃仲昭《八閩通志》八十七卷。

秋浦志八卷胡兆。

秋浦新志十六卷王伯大。

吳陵志十卷萬鍾。

高郵志二集十三卷孫祖義。

合肥志四卷唐錡。

淮郡文獻志二十六卷潘塤。

和州志八卷劉禹錫。

永陽志三十五卷龔惟蕃。

無爲志三卷宋宜之。

安慶府志三十一卷胡纘宗。

鄴都故事二卷馬溫。

魏永安記三卷溫子昇。

鄴城新記二卷劉公銳。

鄴中記二卷晉陸翽。

相臺志十二卷陳申之。

彰德府志八卷崔銑。　　又　續志三卷郭朴。

許州志三卷邵寶。

唐關中隴右山南九州別錄六十卷

武功縣志三卷康海。

華陽風俗錄一卷唐張周封。

九隴記一卷王韶。

耀州志十一卷喬世寧。

成都記五卷唐盧求。

益州理亂記三卷唐鄭暐。

續成都記一卷杜光庭。

成都古今集注三十卷趙抃。

續成都古今記二十二卷王剛中。

益州記三卷_{隋李充。}

臨卭記十四卷

蜀記二卷_{唐鄭暐。}

蜀志一卷_{後漢韋寬。}

三巴記一卷_{譙周。}

梁益志一卷_{任弁。}

吳興統記十卷_{左文質。}

吳興志二十卷_{談鑰。}

吳興記三卷_{山謙之。}

吳興雜録七卷_{唐張文規。}

吳興掌故集十七卷_{徐獻忠。}

吳地記一卷_{齊陸道瞻。}

吳都記一卷_{張勃。}

吳地記二卷_{唐陸廣微。}

姑蘇志六十卷_{王鏊。}

吳邑志十六卷_{楊循吉。}

吳郡志五十卷_{范成大。}

會稽土地記一卷_{朱育。}

會稽記一卷_{賀循。}

古杭夢遊録一卷

吳會須知一卷_{魏羽。}

四明志二十一卷_{羅璿。}[①]

四明文獻志十卷_{李堂。}

毗陵志十二卷_{鄒補之。}

---

　① "羅璿"，徐本誤作"羅廥"，《文獻通考》、《直齋書録解題》並作"羅濬"，《四庫全書總目提要》云當爲宋羅濬撰，"《文獻通考》作羅璿，蓋傳寫誤也"。

鎮江志三十卷_{盧憲。}

荆溪外紀二十五卷_{沈敦。}

京口記二卷_{宋劉捐。}

南兖州記一卷_{阮敘之。}

會稽志二十卷_{施宿。}

會稽續志八卷_{張淏。}

永嘉譜二十四卷_{曹叔遠。}

永寧編十五卷_{陳謙。}

東陽志十卷_{洪遵。}

括蒼志七卷_{曾貫。}

括蒼彙記十五卷_{何鏜。}

溫州府志八卷_{張孚敬。}

蘭谿志五卷_{章懋。}

南雍州記三卷_{鮑堅。}

荆州記二卷_{郭仲産。}

荆南地志二卷_{梁元帝。}

荆州記三卷_{宋盛弘之。}

辰州風土記六卷_{田渭。}

渚宮故事十卷_{唐余知古。}

廣梁南徐州記九卷_{虞孝恭。}

陳留風俗傳三卷_{圈稱。}

夷門記一卷_{王權。}

祥符文獻志十七卷_{李濂。}

徐地録一卷_{劉芳。}

三齊記一卷_{李朏。}

徐地記二卷_{晏模。}

齊乘六卷_{元于欽。}

青州府志十八卷馮惟訥。

齊州記四卷李叔布。

兗州府志五十二卷于慎行。

鄱陽記一卷王仲通。

零陵總記十五卷陶岳。

零陵録一卷韋宙。

淮南記一卷

燉煌新録一卷唐李延範。

巴陵古今記一卷范致明。

恩平郡譜三卷楊備。

豫章記三卷雷次宗。

南康志八卷朱瑞章。

豫章職方乘十五卷趙子直。

潯陽志十二卷晁百揆。

宜春志十卷童宗説。

旴江志二集二十卷童宗説。

潯陽記二卷張僧監。

九江新舊録三卷唐張容。

湘川記一卷羅含。

湘中記一卷張謂。

湘中新録七卷周衡。

襄沔記三卷唐吳從政。

隨州志二卷顏木。

岳陽風土記一卷范致明。

岳紀六卷陳士元。

襄陽志四十卷劉宗。

沔陽州志□□卷^①童承敘。

房州圖志三卷陳宇。

長沙志五十二卷

武昌土俗編二卷薛季宣。

中岳潁州志五卷樊文深。

西河舊事一卷

并州入朝道里記一卷蔡允恭。

趙記十卷

河東記三卷

代都略記三卷

晉陽事蹟雜記十卷唐李璋。

汾州志八卷孔天胤。

宣府志十卷馬中錫。

東都記三十卷鄧行儼。

南越記一卷陳承韜。

南越志五卷宋沈懷遠。

邕管雜記一卷宋范旻。

珠崖傳一卷燕蓋弘。

交廣二州記一卷王範。

嶺外代答十卷周去非。

桂林風土記三卷唐莫休符。

廣州府志二十二卷黃佐。

桂林虞衡志二卷范成大。

廣西要會五卷張田。

全州志七卷謝少南。

---

① "□□卷"，《明史·藝文志》作十八卷，《浙江通志》作十六卷。

安南會要一卷

番禺建立城池一卷

番禺記一卷_{王德璉。}王德璉。

閩中記一卷_{唐林諝。}唐林諝。

泉南録一卷_{僧洞源。}僧洞源。

重修閩中記十卷_{林世程。}林世程。

莆陽文獻志七十四卷_{鄭岳。}鄭岳。

續莆陽文獻志二十卷_{柯維騏。}柯維騏。

戎州記一卷_{唐李仁實。}唐李仁實。

滇載記一卷_{楊慎。}楊慎。

南詔通紀十卷_{楊鼐。}楊鼐。

葉榆檀林志八卷_{吳懋。}吳懋。

　　　右郡邑

大明輿地指掌圖一卷_{桂萼。}桂萼。

輿地圖四卷_{羅洪先。}羅洪先。

周地圖記一百九卷

冀州圖經一卷

幽州圖經一卷

金陵圖考一卷_{陳沂。}陳沂。

江寧府圖經六卷

隋諸州圖經集一百卷_{郎蔚之。}郎蔚之。

潤州圖注二十卷_{孫處玄。}孫處玄。

唐劍南地圖二卷

開封府圖經十八卷

畿内諸縣圖經十八卷

河北三十四郡地圖一卷

京東路圖經九十八卷

京西路圖經四十六卷

河北路圖經一百六十一卷

陝西路圖經八十四卷

河東路圖經一百十四卷

淮南路圖經九十卷

江南路圖經一百十四卷

禹穴陽明洞天圖經一卷

兩浙路圖經九十五卷

四明洞天丹山圖詠集一卷

吳郡圖經六卷_{李宗諤。}

吳郡續圖經三卷_{朱長之。}

越中圖經九卷_{李宗諤。}

荆湖南路圖經三十九卷

荆湖北路圖經六十三卷

川陝路圖經三十卷

益州路圖經八十二卷

利州路圖經六十三卷

夔州路圖經五十二卷

梓州路圖經六十九卷

廣東路圖經五十七卷

廣西路圖經一百六卷

嶺南輿圖二卷^①_{湛若水。}

福建路圖經五十三卷

南劍州圖經六卷

---

①　"南"，原誤作"海"，據徐本改。

吉州圖經九卷

四鎮三關圖□卷

九邊圖論三卷_{許論。}

萬里海防圖論二卷_{鄭學曾。}

　　右圖經

山海經二十三卷_{郭璞注。}

山海經圖贊二卷_{郭璞。}

山海經圖十卷_{宋舒雅。}

山海經音二卷

異物志一卷_{後漢楊孚。}

南州異物志一卷_{吳萬震。}

發蒙記一卷_{束皙。}

交州異物志一卷_{楊孚。}

扶南異物志一卷_{朱應。}

隋土俗物產志一百五十一卷

京兆方物志二十卷

方物志二十卷_{許善心。}

臨海水土異物志一卷_{隋沈瑩。}

劍南方物略圖贊一卷_{宋祁。}

涼州異物志一卷

南方異物志一卷_{房千里。}

嶺南異物志一卷

嶺表錄異記三卷_{劉恂。}

晉江海物異名記三卷_{唐陳致雍。}

番禺紀異集五卷_{馬拯。}

異魚圖五卷

異魚圖贊一卷楊慎。

青城山方物志五卷句台符。

　　右方物

水經三卷桑欽撰，郭璞注。

水經注四十卷酈道玄。

四海百川水源記一卷晋僧道安。

江圖一卷張氏。

江圖二卷劉氏。

江記五卷庚仲雍。

浙江論一卷潘洞。

漢水記五卷庚仲雍。

尋江源記五卷

删水經十卷李吉甫。

水飾圖二十卷

江行備用圖一卷

太虛潮論一卷

燕肅海潮論三卷

丘光庭　海潮論一卷

海濤志一卷竇叔蒙。

海塘記一卷黄光昇。

靈異治水記一卷

吳中水利錄一卷單鍔。

姑蘇水利一卷剌正甫。

三吳水利錄四卷歸有光。

三吳水利考十卷

三吳水利論一卷伍餘福。

濟水圖一卷

岷江渠堰譜十卷張璿。

吐蕃黃河録四卷

導江形勝書三卷李聖。

問水集一卷劉天和。

古今大河指掌一卷

治河通考三卷劉隅。

修河録一卷張鼎。

坤壤記一卷黃閔。記榮陽山水。

永初山川古今記二十卷齊劉澄之。

甘水儦源録十卷見《道藏》。

司州山川古今記三卷劉澄之。

諸導山河地名要略九卷唐韋澳。

六路水陸地里記一卷

大禹治水玄奧録一卷

海道經一卷

海運編二卷崔旦。

河防通議一卷沈立。

濬復西湖録一卷楊孟瑛。

　　右川瀆

遊名山記一卷謝靈運。

山居志一卷謝靈運。

遊名山記六卷都穆。

名山記十七卷何鏜。

遊名山記四卷陳沂。

牛首山志二卷盛時泰。

獻花巖志一卷陳沂

攝山志二卷金鑾。

栖霞小志一卷盛時泰。

茅山記一卷宋陳倩。

茅山新小記一卷

茅山志三十三卷見《道藏》。

九嵕山記二卷①唐王方慶。

嵩山記一卷盧鴻。　又　一卷張景儉。

廬山雜記一卷張密。　又　記五卷陳令舉。

廬山紀事一卷桑喬。

續廬山記四卷馬玕。

黃山圖志四卷

齊雲山志七卷方漢。

武林山記一卷

九華山總録十八卷程大古。

九華山新録一卷滕宗諒。

九華山録一卷釋應物。

西山圖一卷蔣炳。

五嶽諸山記一卷

五嶽圖一卷

五嶽記一卷

龍角山記一卷見《道藏》。

齊山記一卷

顧渚山記一卷陸羽。

鴈蕩山記一卷

---

① “二卷”，徐本同。《通志·藝文略》不録卷數。《陝西通志》作一卷。

豫章西山記二卷_{李上交。}

九疑山圖記一卷

王屋山新記一卷_{唐李歸一。}

四明山記一卷

青城山記一卷_{杜光庭。}

玉笥山記一卷_{唐令狐見堯。}

清溪山記一卷_{法琳。}

武夷山記一卷_{劉夔。}　　又　一卷_{杜光庭。}

天台山記一卷_{唐徐靈府。}

九疑山圖一卷

金華赤松山志一卷_{見《道藏》。}

會稽洞記一卷_{賀知章。}

閣皁山記一卷_{楊申。}

南嶽衡山記一卷_{宋居士。}

西嶽華山志一卷_{見《道藏》。}

南嶽小録一卷_{李仲昭。}

南嶽總勝集一卷_{見《道藏》。}

李氏　宜都山川記一卷

湘中山水記三卷_{晉羅含。}

西湖遊覽志二十四卷_{田汝成。}

十洲記一卷_{東方朔。}

洞庭譜一卷

金山志一卷_{楊循吉。}

幪皁山記一卷_{葛洪。}

五臺山志一卷_{喬世寧。}

太和山志十五卷_{彭簪。}①

羅浮山記一卷_{郭之美。}

羅浮山志四卷_{黎民表。}

嶽續福地圖一卷

福地記一卷

玄中記一卷

瀨鄉記一卷_{崔氏。}

桃花源集二卷_{姚孳。}

名山洞天記一卷

洞天集五卷_{王正範。}

十大洞天三十六小洞天記一卷

右名山洞府

聘遊記三卷_{劉師知。}

朝覲記六卷

魏聘使行記五卷

聘北道里記三卷_{江德藻。}

遣使錄一卷_{陸贄}

皇華四達記十卷_{賈耽。}

接伴語錄八卷

接伴入國館伴錄□卷

林內翰　北朝國信語錄二卷

接伴北使回答土物錄一卷

點戞斯朝貢圖十卷_{呂述。}

---

①　"彭簪",徐本無此二字。《千頃堂書目》、《明史·藝文志》錄彭簪《衡岳志》八卷,又錄《太岳太和山志》十五卷,云"洪熙中道士任自垣編"。《四庫全書總目提要》錄《太岳太和山志》十七卷,云明田玉撰。《文淵閣書目》卷一著錄《太和山志書》一部二冊,不著撰人姓氏及卷數,未知孰是。

富韓公入國語録一卷

奉行別録一卷_{富弼。}富弼。

余襄公奉使録一卷

陳襄奉使録一卷

賀正人使例一卷

南北國信記一卷

使遼圖抄一卷_{沈括。}沈括。

遼庭須知一卷

西夏須知一卷

乘軺録一卷_{路振。}路振。

西行録一卷_{劉渙。}劉渙。

松漠紀聞二卷_{洪皓。}洪皓。

北轅録一卷_{宋周煇。}宋周煇。

西征記一卷_{盧襄。}盧襄。

使遼見聞録二卷_{李罕。}李罕。

宣和使金録一卷_{連鵬舉。}連鵬舉。

奉使雜録一卷_{何鑄。}何鑄。

隆興奉使審議録一卷_{雍堯佐。}雍堯佐。

攬轡録一卷_{范成大。}范成大。

北行日録一卷_{樓鑰。}樓鑰。

乾道奉行録一卷_{姚憲。}姚憲。

使燕録一卷_{余嶸。}余嶸。

高麗海外使程記三卷_{昇元中録。}昇元中録。

使韃日録一卷_{鄒伸之。}鄒伸之。

宣和高麗圖經四十卷_{使臣徐兢。}使臣徐兢。

西蕃會盟記三卷

錢王貢奉録一卷

四夷朝貢録十卷_{唐高少逸。}

于闐進奉記一卷

職貢圖一卷_{梁元帝。}

職貢圖三卷

古今貢録一卷

輶軒事類三卷_{編《春秋》及史傳奉使之辭。}

星槎勝覽一卷_{費信。}

海槎餘録一卷_{顧玠。}

　　　右朝聘

南中行記一卷_{陸賈。}

張騫出關志一卷

江表行記一卷

封君義行記一卷

序行記十卷_{姚最。}

李諧　行記一卷

南嶽勝遊録一卷_{僧文政。}

周秦行記一卷_{韋瓘。}

輿駕東行記一卷_{隋薛泰。}

巡撫揚州記七卷_{諸葛潁。}

北伐記七卷_{諸葛潁。}

宋武北征記一卷_{戴氏。}

郭緣生　述征記二卷

戴祚　西征記二卷

姚最　述行記二卷

河朔訪古記十二卷

隋王入沔記一卷_{宋沈懷文。}

諸道行程血脉圖一卷_{馮敬寔。}

張氏　燕吳行役記二卷

雲南行記一卷

韓琬　南征記十卷

李德裕　南遷錄一卷

丁謂　南遷錄一卷

平蜀記一卷

李氏朝陵記一卷_{李遵勗朝永熙陵撰。}

平蔡錄一卷_{鄭斖。}

江行雜錄一卷_{宋廖瑩中。}

入洛記十卷_{周王仁裕。}

王氏東南行記一卷

王仁裕　南行記一卷

李昉　南行記一卷_{遺祠南岳。}

蜀程記一卷_{唐韋莊。}

峽程記一卷_{唐韋莊。}

遊蜀記一卷_{宋李用和。}

使西日記二卷_{都穆。}

西域行程記二卷_{陳誠。}

西遷注一卷_{張鳴鳳。}

茂邊紀事一卷_{朱紈。}

停驂錄一卷_{陸深。}

續停驂錄一卷_{陸深。}

六詔紀聞一卷_{彭汝寔。}

殊域咨諏錄二十四卷_{嚴從簡。}

炎徼紀聞一卷_{田汝成。}

使琉球錄二卷_{蕭從業。}

使朝鮮賦一卷_{倪謙。}

遼海編四卷_{倪謙。}

使朝鮮錄四卷_{龔用卿。}

輶軒錄三卷_{黃洪憲。}

　　　右行役

咸賓錄四卷

交州以南外國傳一卷

日南傳一卷

交趾事迹一卷

諸蕃風俗記二卷

突厥所出風俗事一卷

別國洞冥記四卷_{漢郭憲。}

大隋翻經婆羅門法師外國傳五卷

外國傳五卷_{釋曇景。}

西域圖三卷_{裴矩。}

西域道里記三卷_{程士章。}

西域國志六十卷

大唐西域記十二卷_{唐僧玄奘。}

西域記十二卷_{唐僧辨機。}

諸蕃國記十七卷

北荒風俗記一卷

男女二國傳一卷

真臘風土記一卷_{元周達觀。}

高麗風俗一卷_{裴矩。}

新羅國記一卷_{顧愔。}

渤海國記三卷_{張建章。}

諸蕃記一卷_{戴氏。}

海南諸蕃行記一卷_{達奚通。}

日詢手鏡一卷_{王濟。}

蠻書十卷_{樊綽。}

雲南記一卷_{袁滋。}

北荒君長録一卷_{李繁。}

雲南別録一卷_{竇滂。}

南詔録三卷_{徐雲虔。}

投荒雜録一卷_{房千里。}

赤土國記三卷_{常駿。}

中天竺國行記十卷_{王玄策。}

佛國記一卷_{釋法顯。}

遊行外國傳一卷_{釋智猛。}

歷國傳二卷_{僧法盛。}

慧生行傳一卷

北户雜録三卷_{段公路。}

契丹録一卷

北庭會要一卷

聚米圖經五卷

陰山雜録六卷_{趙至忠。}

燕北雜記三卷

契丹夏州事迹一卷

平戎記五卷_{裴肅。}

西戎記二卷

大理國行程一卷

蒙韃備録一卷_{宋孟珙。}

蒲甘國行程略一卷

邕管溪洞雜記一卷_{譚掞。}

于闐國行程記一卷_{平居誨。}

邊陲利害三卷_{薛向。}

西使記一卷_{元劉郁。}

日本圖纂二卷_{鄭若曾。}

日本考略二卷_{薛俊。}

日本考四卷_{李言恭。}

西洋朝貢典録一卷_{黃省曾。}

朝鮮雜志三卷_{錢溥。}

　　右蠻夷

　　古郡國計書上於蘭臺，葢地志之屬往往在焉。《尚書》九州之志謂之九丘，丘，聚也，言九州所有皆聚此書也。《周官》別山川，分圻界，條物産，辨貢賦，六卿分掌之，而總於冢宰。太史以典逆冢宰治其書，葢昔之史職如此。漢承百王之末，壤地變改，劉向始略言其分域。丞相張禹，使屬潁川朱贛條其風俗而宣究之，後世地志之濫觴也。摯虞《畿服經》至百七十卷，可謂備矣，而世罕傳。後人因其所經，自爲纂述，即未必成一家之體，而夷險之蹟，區域之界，土風之宜，星經之分，考覽者率有資焉。悉次左方，以補圖經之闕。

譜系_{帝系　皇族　總譜　韻譜　郡譜　家譜}

世本二卷_{劉向。}

世本四卷_{宋衷。}

帝譜世本七卷_{宋均。}

世本王侯大夫譜一卷

世本譜二卷_{王氏注。}

漢氏帝王譜三卷

帝系譜二卷_{張愔。}

帝王系譜一卷_{吳達。}

尚書血脉一卷

宋譜四卷

齊帝譜屬十卷

梁帝譜十卷

後魏譜十卷

齊高氏譜六卷

周宇文氏譜一卷

大唐皇室新譜一卷_{唐李衢。}

唐皇室維城録一卷_{唐李衢。}

天潢源派一卷_{唐李匡文。}

宋僊源積慶圖一卷

宋維城録一卷_{天聖十八年。}

　　右帝系

齊永元中表簿六卷

梁大同表簿三卷

齊梁宗簿三卷

國親皇太子親傳三卷_{賈冠。}

梁親表譜五卷

後魏宗族譜四卷

後魏辨宗録二卷_{元暉業。}

魏孝文列姓族牒一卷

後齊宗譜一卷

南族譜二卷

唐玉牒一百一十卷李衢等。

皇室維城録一卷李衢。

唐偕目譜一卷李匡乂。紀高祖至昭宗中宮及太子、諸王、公主名號封拜出降年月。

玉牒行樓二卷李匡乂。

皇孫郡王譜一卷李匡乂。

元和縣主譜一卷李匡乂。

唐書總紀帝系三卷

宗室齒序圖一卷

僊源類譜一卷王鞏

僊源積慶圖三卷

元豐宗室世表三卷趙彥若。

皇族具員一卷

皇親故事二卷宋李至。

　　　右皇族戚里附。

族姓昭穆記十卷晉摯虞。

百家集譜十卷王儉。

十八州士族譜七百十二卷南齊賈淵。

續百家譜四卷梁王逡之。

百家譜拾遺一卷

百家譜三十卷王僧孺。

百家譜二十卷賈執。

百家譜十五卷傅昭。

百家譜世統十卷

百家譜鈔五卷賈執。

百家譜二十卷徐勉。

姓氏英賢譜一百卷_{賈執。}

姓苑十卷_{何承天。}

複姓苑一卷

氏族要狀十五卷_{賈希鑑。}

官族傳十五卷

諸姓譜一百十六卷_{王儉。}

唐氏族志一百卷

姓氏譜二百卷_{呂才。}

唐姓族系録二百卷_{柳冲。}

唐十四家貴族一卷_{吴兢。}

衣冠譜六十卷_{路敬淳。}

著姓略記二十卷_{路敬淳。}

姓氏實論十卷_{王玄感。}

姓苑略一卷_{崔日用。}

開元譜二十卷_{韋述。}

天寶雜譜一卷_{明皇。}

唐宰相甲族一卷_{韋述。}

百家類例三卷_{韋述。}

唐新定諸家譜録一卷_{李林甫。}

天下郡望氏族譜一卷_{李林甫。}

姓氏雜録一卷_{孔全。}

唐官姓氏記五卷_{李利涉。}

編古命氏三卷_{李利涉。}

永泰新譜二十卷_{柳芳。}

續譜十卷_{柳璟。}

臣寮家譜一卷_{宋人撰。}

姓史四卷

氏族譜一卷

唐譜傳引一卷

姓解三卷邵思。

百族譜四卷宋丁繼皋。

熙寧姓纂六卷錢明逸。

千姓編一卷吳可幾。

古今姓氏書辯證四十卷鄧名世。

氏族志五十七卷鄭樵。

氏族略六卷鄭樵。

姓源珠璣六卷楊信民。

登科姓輯五卷許澣。

萬姓統譜一百五十卷凌廸知。

　　　右總譜

姓氏韻略六卷柳璨。

姓源韻譜四卷曹大宗。

姓源韻譜三卷张九齡。

系纂七卷唐竇從一。

郡史姓纂韻谱六卷黄邦先。

元和姓纂十卷李林寶。

姓林五卷唐陳湘。

五姓證事二十卷

元和姓纂抄一卷

　　　右韻谱

新集諸州譜十二卷王儉。

梁武帝總責境内十八州譜七百十二卷王僧孺。

益州譜四十卷

關東關北譜三十三卷

冀州姓族譜二卷

洪州諸姓譜九卷

吉州諸姓譜八卷

江州諸姓譜十一卷

諸州雜譜八卷

袁州諸姓譜八卷

揚州譜鈔五卷

天下姓望郡譜一卷

　　　右郡譜

孔子系葉傳二卷黃恭之。

孔聖真宗録五卷

孔子家譜一卷

闕里世系一卷孔宗翰。

司馬氏世家三卷

京兆韋氏譜二卷

韋氏譜十卷

謝氏譜十卷

謝氏家譜一卷

楊氏血脉譜二卷

楊氏家譜狀并墓記一卷

楊氏譜一卷楊侃。

北地傅氏譜一卷

蘇氏譜一卷

裴氏家牒二十卷裴守真。

王氏家牒十五卷_{王方慶。}

家譜二十卷_{王方慶。}

王氏著録十卷

劉氏譜考三卷

劉氏家史十五卷

劉氏大宗血脉一卷_{劉復禮。}

河南劉氏傳一卷

劉輿家譜一卷

劉晏家譜一卷

南華劉氏家譜一卷

趙郡東祖李氏家譜二卷

李氏房從譜一卷

李用休家譜二卷_{唐李用休。}

李匡文家譜一卷

蔣王惲家譜一卷_{惲，太宗第七子。}

紀王慎家譜一卷

南陽李英公家譜一卷

李韓王家譜一卷

東萊李氏家譜一卷

薛氏家譜一卷

顏氏家譜一卷

虞氏家譜一卷

孫氏家譜一卷

吳郡陸氏宗系譜一卷_{唐陸景獻。}

徐氏譜一卷

徐義倫家譜一卷

徐詵家譜一卷

新定徐氏譜圖四卷_{唐徐商。}

周長球家譜一卷

周氏大宗血脉譜一卷

施氏家譜一卷

萬氏家谱一卷

滎陽鄭氏家譜一卷

竇氏家譜一卷_{唐竇澄之。}

鮮于氏家譜一卷

唐氏譜略一卷

沈氏衣冠集一卷_{藥玩。}

京兆杜氏家譜一卷

曲江張氏家譜一卷

錢氏慶系圖二十五卷

錢氏慶系譜一卷

符魏王譜一卷

歐陽公族譜二卷

蘇明允族譜一卷

濂溪先生家譜一卷

安定先生世系述一卷

高文簡譜一卷

潯陽陶氏家譜一卷

建安章氏家譜一卷

建陽陳氏家譜一卷

范陽家志五卷_{盧藏用。}

楊文敏公集譜四卷

洪洞韓氏譜略一卷

靈寶許氏族譜一卷

華容劉氏族譜四卷

秀川羅氏族譜五卷_{羅洪先。}

黄山焦氏族譜四卷

李氏族譜一卷_{李夢陽。}

喬氏族譜一卷_{喬世寧。}

黄安耿氏族譜八卷

四明槎湖張氏族譜一卷_{張時徹。}

右家譜

古爲《春秋》學者，有年歷、譜諜。桓譚云"太史公《三代世表》旁行衺上，并效《周譜》"，則譜系所從來矣。古小史主次序先王之世，昭穆之繫，述其德行。矇瞽主誦詩若世系，以戒勸人君，故《國語》曰："工史書世，宗祝書昭穆。"宗廟之有昭穆，以次世之長幼，等胄之親疏。若此者，凡以教之世，而爲之昭明德，廢幽昏，其意遠矣。江左以來，譜籍漸盛。太元中，賈弼篤好簿狀，廣集諸家，撰十八州，百十六郡，合七百十二卷，凡諸大品，略無遺闕，斯爲獨備。嗣後，劉湛、王儉、王僧孺、路敬淳、柳冲、韋述，世多稱之。大氏周漢之敝，智役愚。晋魏之敝，貴役賤。甚至三公之子，傲九棘之家。黄散之孫，蔑令長之室。即權力如文皇，不能夷崔幹于寒畯，他可知也。迨至中葉，此風都廢，公靡常産，士無舊德，冠冕輿皁，混然莫分，則又甚矣。夫氏族勳恪，史之流例，故區而列之，以備覽焉。

簿録_{總目　家藏總目　文章目　經史目}

七略別録二十卷_{劉向。}

七略七卷_{劉歆。}

晉中經簿十四卷_{荀勗。}

晉義熙新集目録三卷_{丘深之。}

宋秘閣書目四十卷_{殷淳。}

宋元徽四部書目録四卷_{王儉。}

令書七志七十卷_{王儉。}

梁天監四部書目四卷_{殷鈞。}

梁東宮四部目録四卷_{劉遵。}

梁文德殿四部目録四卷_{劉孝標。}

古今四部書目五卷

七録十二卷_{阮孝緒。}

魏闕書目録一卷

陳壽安殿四部目録四卷

陳德教殿四部目録四卷

陳承香殿經史目録二卷

陳秘閣圖書法書目録一卷

隋開皇四年四部目録四卷_{牛弘。}

開皇八年四部目録四卷

開皇二十年書目四卷_{王劭。}

香厨四部目録四卷

隋大業正御書目録九卷

四部書目序録三十九卷_{殷淳。}

唐羣書四録二百卷_{殷踐猷。}

古今書録四十卷_{唐毋煚。}

唐集賢書目一卷_{韋述。}

唐四庫搜訪圖書目一卷

開元四庫書目四十卷

唐秘閣書目四卷

蜀王建書目一卷

紫微樓書目一卷

崇文總目六十六卷王堯臣。

秘閣四庫書十卷

史館書目二卷張方平。

嘉祐訪遺書詔并目一卷

景德太清樓書目二卷

乾德新定書目四卷

紹興求書闕記七卷

紹興羣玉會記三十六卷①

中興館閣書目七十卷

內府經廠書目二卷

秘閣書目二卷馬愉。

文淵閣書目十四卷楊士奇。

國子監書目一卷

南雍總目一卷

古今書刻目四卷

行人司書目一卷

靈寶經目序一卷陸修靜。

隋道藏總目四卷

唐道藏音義目錄一百十三卷

宋明道宮道藏目六卷

宋三洞四輔部經目錄七卷王欽若。

修真秘旨事目歷一卷司馬道隱。

大明道藏目錄四卷

___

① "玉",徐本作"王"。

唐貞觀内典録十卷

續内典録一卷_{僧智昇。}

内典目録十二卷_{唐王彦威。}

開元釋教録二十五卷

歷代三寶記十五卷

大藏法寶標目十卷

至元法寶總目十卷

大明三藏聖教目録三卷

　　右總目

吳氏西齋書目一卷_{唐吳兢。}

新集書目一卷_{唐蔣彧。}

東齋籍二十卷_{唐杜信。}

都氏書目一卷

沈諫議書目三卷_{沈立。}

沈少卿書目二卷

李正議書目三卷_{李定。}

荆南田氏書目六卷_{田鎬。}

籯金堂書目三卷_{吳良嗣。}

慶善樓書目三卷_{台州陳氏。}

李氏邯鄲書目三十卷_{李淑。}

漳浦吳氏藏書目四卷_{吳興。}

方作謀　萬卷樓書目一卷

廣川藏書志二十六卷_{董逌。}

晁公武　讀書志四卷

續讀書志四卷

余衛公萬卷藏書目一卷

歐陽參政書目一卷

西亭萬卷樓書目十六卷

晁氏寶文堂書目三卷

李蒲汀書目二卷

臨潁賈氏書目二卷

王文莊書目二卷

百川書志二十卷古涿高儒。

金陵羅氏書目四卷羅鳳。

顧尚書書目六卷顧璘。

四明范氏書目二卷范欽。

存石草堂書目十卷沈啓原。

韓氏寄傲堂書目四卷

陳氏書目一卷

忻賞齋書目六卷

忻賞齋金石刻目二卷

　　　右家藏總目

文章家集敘十卷荀勗。

文章志四卷摯虞。

宋世文章志二卷沈約。

文選著作人名目三卷唐韋寶鼎。

文樞秘要目七卷唐尹桓。

羣書麗藻目録五十卷唐朱遵度。

上清文苑目二卷

　　　右文章目

史目三卷唐楊松珍。

經史釋題二卷_{唐李肇。}

十三代史目十卷_{唐宗諫。}　**又　三卷**_{殷仲茂。}

唐列聖實録目二十五卷_{唐孫玉汝。}

河南東齋史目三卷_{杜信。}

唐書敍例目録一卷

十九代史目二卷_{宋舒雅。}

太祖實録目二卷

太宗實録目二卷

太宗新修五代史目二卷

歷代史目十五卷

高氏小史目一卷

史鑑目三卷

經史目録七卷_{楊九齡。}

經史目録三卷

唐餘録目一卷_{宋敏求。}

羣書備檢録七卷

漢書敍例目一卷

　　　右經史目

　　《記》有之，進退有度，出入有局，各司其局。書之有類例，亦猶是也。故部分不明則兵亂，類例不立則書亡。向、歆剖判百家，條綱粗立，自是以往，書名徒具，而流別莫分，官縢私楮，喪脱幾盡，無足恠者。嘗觀老、釋二氏，雖歷廢興，而篇籍具在，豈盡其人之力哉？二家類例既明，世守彌篤，雖亡而不能亡也。古今簿録勝劣不同，鄭樵彈射不遺餘力，而倫類溷殽，或自蹈之。目論之譏，誰能獨免？今備列之，而別爲《糾謬》一卷，以附末篇。

卷四上

子類儒家　道家　釋家　墨家　名家　法家　縱橫家　雜家　農家　小説家　兵家　天文家　五行家　醫家　藝術家　類家

儒家

顏子五卷延祐李純仁編。

曾子二卷寶祐趙汝騰編。

子思子七卷

漆雕子十三篇

言子三卷嘉熙王爚編。

宓子十六篇

董子一卷周董無心著，宋吳秘注。

世子二十一篇名碩，陳人，七十子弟子。

魏文侯六篇

李克七篇子夏弟子，魏文侯相。

公孫尼子一卷七十子弟子。

荀卿子十二卷

荀子二十楊倞注。

非荀二十八篇吳申。

削荀一卷陳之方。

芊子十八篇齊人芊嬰，七十子之後。

甯越一篇

王孫子一篇

公孫固一篇

李氏春秋二篇

弟子四篇_{秦羊百章。}

徐子四十二篇_{宋外黃人。}

魯仲連子五卷

虞氏春秋十五篇_{虞卿。}

新語二卷_{陸賈。}

劉敬三篇

賈子十卷_{賈誼。}

秦子三卷

何子五卷

賈山八篇

春秋繁露十七卷

兒寬九篇

公孫弘十篇

終軍八篇

吾丘壽王六篇

新序十卷_{《錄》一卷。劉向。}

說苑二十卷_{劉向。}

太玄經十卷

范氏太玄經解十卷_{范望。}

說玄一卷_{唐王涯。}

宋惟幹　太玄解十卷

徐庸　太玄解十卷

太玄經注十四卷_{章詧。}

太玄疏三十卷_{章詧。}

太玄淵旨一卷

太玄經疏十八卷_{郭元亨。}

太玄集注十卷_{司馬光。}

太玄釋文一卷

太玄音解四卷_{許翰。}許翰。

玄歷一卷許翰。

演玄一卷陳漸。

易玄星紀圖一卷晁迥。

太玄集注十二卷胡次和。

翼玄十二卷張行成。

楊子法言十三卷李軌注。

楊子法言六卷侯芭注。

楊子法言十卷宋衷注。

楊子法言十三卷柳宗元注。

楊子法言十三卷司馬光集注。

桓子新論十七卷桓譚。

潛夫論十卷漢王符。

申鑒五卷荀悅。

魏子三卷漢魏朗。

牟子二卷漢牟融。

典論五卷魏文帝。

徐氏中論六卷魏徐幹。

萬機論八卷蔣濟。

王子政論十卷王肅。

去伐論三卷王粲。

杜氏篤論四卷魏杜恕。

述政論十三卷裴亢。

誓論三十卷張儼。

顧子新語十二卷吳顧譚。

新言五卷裴元。

新義十八卷劉廞。

新略十卷章道孫。

文禮通語十卷

正訓十卷陸機，

典訓十卷陸景。

譙子法訓八卷譙周。

譙子五教志五卷

古今通論二十卷王嬰。

周生烈子五卷

袁子正論二十卷袁準。

袁子正書二十五卷

孫氏成敗志三卷孫毓。

新論十卷晋夏侯湛。

物理論十六卷晋楊泉。

太玄經十四卷楊泉。

新論十卷晋華譚。

芻蕘語論五卷鍾會。

志林新書二十卷虞喜。

後志林新書十卷虞喜。

顧子義訓十卷晋顧夷。

正言十卷干寶。

立言十卷干寶。　又　十卷蘇道。

閔論二卷晋蔡韶。

諸葛武侯集誡二卷　又　天機子一卷

正覽十卷晋呂竦。

要覽三卷陸機。

正覽六卷梁周捨。

劉子三卷_{梁劉勰。}

衆賢誡十三卷

綦毋氏誡林三卷

顏氏家訓七卷

典言四卷_{後魏李穆叔。}

典言四卷_{後齊荀士遜。}

百里昌言二卷_{王潺。}

崔子至言六卷

典墳三十卷_{范辯。}

典墳數集十卷_{范謐。}

讀書記三十三卷_{王劭。}

文中子　中說五卷

張鼎臣　中說解十卷

中說考七卷_{崔銑。}

正訓二十卷_{辛德源。}

唐太宗序志一卷

帝範四卷_{唐太宗。}

天訓四卷_{唐高宗。}

百寮新誡五卷

少陽政範三十卷

列藩正論三十卷

嚴尤三將軍論一卷

皇太子諸王訓十卷_{丁公著。}

春宮要錄十卷_{章懷太子。}

修身要覽十卷_{章懷太子。}

帝王集要三十卷_{崔氏。}

君臣相起發事三卷

魏徵諫事五卷

自古諸侯王善惡録二卷魏徵。

平臺百一寓言三卷張太玄。

君臣政理論三卷楊相如。

五經妙言四十卷李襲譽。

六經法言二十卷

諸經纂要十卷崔鄲。

經史要録二十卷鄭澣。

續説苑十卷劉貺。

百行章一卷杜正倫。

前代君臣事迹十四篇唐憲宗。

維城典訓二十卷

維城前軌一卷裴光庭。

諫苑二十卷于志寧。

諫林五卷齊何望之。

諫林二十卷王方慶。

聖典三卷楊浚。

千秋金鑑録五卷張九齡。

唐次辨謗略二卷

元和辨謗略十卷令狐楚。

太和新修辨謗略三卷

格論三卷李仁實。

王政三卷趙冬曦。

正録十卷馮中庸。

賈子一卷開元藍田尉。

正論十五卷儲光羲。

理源二卷牛希濟。

君臣圖翼二十五卷_{陸質。}①

古今説苑十一卷

康教論一卷_{丘光庭。}

元子十卷_{元結。}

浪説七篇_{元結。}

漫説七卷_{元結。}

元和子二卷_{杜信。}

仲蒙子三篇②_{唐林慎思。}

冀子五卷_{冀重。}

傅子五卷_{晋傅玄。舊有百二十卷。}

皇王大政論一卷_{朱粱孝琪。}

鱀子一卷_{趙隣幾。}

前朝君臣正論二十五卷_{晋趙瑩。}

帝王指要三卷_{徐融。}

資理論三卷_{宋朱昂。}

本説十卷_{宋刁衎。}③

素履子一卷_{張弘。}

里訓十卷_{張涉。}

東筦子十卷

儒門誡節忠經三卷

真宗皇帝　正説十卷

孫綽子十卷

家國鑑三卷

---

①　"陸質",徐本作"陸贄"。案《舊唐書·儒學傳》陸質本傳與《新唐書·藝文志》並云陸質作,《通志·藝文略》作陸贄,徐本蓋沿《通志》之誤。

②　"篇",徐本同,《新唐書》、《宋史·藝文志》並作"卷",《通志》作"篇"。

③　"宋刁衎",原誤作"宋刁衍",徐本作"朱刁衎",據《宋史》與《通志》改。

爲臣要記三卷

治書十卷郭昭度。

至性書三卷茅知至。

泉書十卷黃君俞。

姚元崇　六誡一卷

四部言心十卷劉守恭。

理道集十卷隋李文博。

檢志三卷唐李志保。

羣書治要五十卷魏徵。

十代興亡論十卷朱敬則。

帝王略論五卷虞世南。

忠經一卷海鵬。

行己要範十卷崔元暐。

敘訓二卷辛之諤。

理道要訣十卷杜佑。

用人權衡十卷賀蘭正元。

魁紀公三十卷樊宗師。

樊子三十卷樊宗師。

法語二十卷南唐劉鶚。

致理書十卷朱朴。

治亂集三卷蘇源明。

紳誡二卷張楚金。

鹿門子隱書□卷

潛虛一卷司馬光。

潛虛發微論一卷

潛虛衍義十六卷張行成。

信書三卷文軫。

太極圖說一卷周敦頤。　又　易通二卷

正蒙十卷張載。

西銘集解一卷

信聞記一卷

經學理窟一卷

程氏遺書二十五卷

外書十三卷

河南師說十卷韓元吉編二程語。

皇極經世書十二卷邵雍。

觀物内外篇八卷

漁樵問對一卷

皇極經世指要三卷蔡元定。

皇極經世圖譜十五卷

皇極經世索隱□卷

皇極經世通變四十卷張行成。

皇極經世衍數五十五卷　又　三十四卷蔡仁仲。

程氏雜說十卷門人記正叔語。

近思録十四卷

帝學十卷范祖禹。

儒言一卷晁以道。

中說一卷陳瓘。

元城語録三卷馬永卿。記劉安世語。

道護録一卷胡珵。

劉先生談録一卷韓瓘記。

安正忘筌集十卷浦城潘植子醇。

余氏至言十八篇余安行。

諸儒鳴道集七十二卷

兼山遺學六卷_{郭雍。}

聖傳論三卷_{劉釐。}

龜山語録六卷

上蔡語録三卷

延平答問二卷

徐節孝語録一卷

象山語録二卷

慈湖遺書十一卷

己易一卷

樂菴遺書五卷_{李衡。}

法語八十一篇_{劉才劭。}

明本三卷_{劉荀。}

橫浦心傳録十二卷

橫浦日新二卷

心性説一卷_{江民表。}

伊洛淵源録十四卷

近思録十四卷

近思別録八卷

近思録發揮十四卷_{何基。}

考亭淵源録二十四卷

南軒語録十二卷

晦菴語録四十六卷

晦菴續録四十六卷

紫陽宗旨三十八卷_{王佖編。}

石洞紀聞十七卷

呂氏讀書記十卷

明倫集十卷_{塗近正。}

實齋心學論一卷王遂。

性理會元二集四十六卷陳剛。

明善録八卷劉夢應。

自警編九卷李善瑓。

厚德録四卷李元綱。

言行龜鑑十卷元張光祖。

辨惑四卷元謝應芳。

帝王實範六十二卷馬順孫。

青宮備覽四十卷宋國之材。

宮學正要二卷鄭以忠。

三事忠告三卷元張養浩。　又　經筵餘旨一卷

魯齋遺書六卷

龍門子一卷宋濂。

郁離子一卷

卮詞一卷王褘。

學範六卷趙撝謙。

東家子十二篇孫作。

薛文清讀書録二十一卷

吳康齋日録□卷

陳子言行録十二卷

居業録□卷

東溪日談十八卷周琦。

傳習録四卷

心齋語録二卷

涇野子内篇三十三卷

正教編一卷王瓚。

困知記三卷羅欽順。

密箴一卷_{蔡清。}

洪子聞言四卷_{洪垣。}

甘泉樵語二卷

古言二卷_{鄭曉。}

約言二卷_{薛蕙。}

觀感錄十二卷_{方鵬。}

近溪集語十二卷

學彖二卷_{耿定向。}

胡子衡齊八卷_{胡直。}

閒雲館野語一卷_{殷邁。}

測言一卷_{殷邁。}

西峰明道錄八卷

正學編二卷

先行錄十卷_{李渭。}

金華正學編十卷_{趙鶴。}

邇言二卷_{孫宜。}

誡子拾遺四卷_{唐李恕。}

開元御集誡子書一卷

狄梁公家範一卷

盧公家範一卷

家誡一卷_{吳黃訥。}

續家訓八卷_{宋董政公。}

司馬溫公家範十卷

先賢誡子書二卷

袁氏世範四卷

仇氏家規二卷

鄭氏旌義編二卷

教家要語二卷姚君大。
家庭庸言二卷王祖嫡。
女孝經一卷唐陳邈妻鄭氏。
女教四卷元許熙載。

　　子語子夏曰："女爲君子儒，無爲小人儒。"天子、諸侯曰君，卿、大夫曰子，孔子非以欲此名也，冀其并包兼容，而勿區區自營之謂也。子夏學不見大，而硜硜於言行之信果，此與細民何異？荀卿氏有言，儒耨耕不如農夫，斲削不如工匠，反貨不如商賈，譚詞薦樽不如惠施、鄧析，若夫商德而定次，量能而授官，使賢不肖皆得其位，能不能皆得其官，萬物得其宜，事變得其應，四海一家，歸命輻湊，蓋九流皆其用也。豈與小道曲學，僅僅自名者同乎哉？史遷敍諸家，儒者才居其一。彼未得其真，而即所覩記者當之，故以寡要少功爲詬病。嗟乎，此不敢以望子夏，何論君子？古今作者，言人人殊。稍爲綴敍，而或不純爲儒也。亦備列之，殆益明儒之爲大也已。

道家老子　莊子　諸子　陰符經　黃庭經　參同契　諸經　傳　記　論　雜著
吐納　胎息　內視　導引　辟穀　內丹　外丹　金石藥　服餌　房中　修養　科儀
符錄

老子道德經二卷戰國河上丈人注。
漢河上公　注老子二卷[①]
毋丘望之　注老子二卷
嚴遵　注老子二卷

---

① "漢"，原誤作"漠"，據徐本改正。

王弼　注老子二卷

錘會　注老子二卷

羊叔子　注老子二卷

孫登　注老子二卷

袁真　注老子二卷

曹道冲　注老子二卷

盧景裕　注老子二卷

陶隱居　注老子四卷

鳩摩羅什　注老子二卷

任真子　道德經集注四卷

梁曠　注老子四卷

唐明皇　注老子二卷

宋徽宗　注老子二卷

傅奕　注老子二卷

楊上善　注老子二卷

成玄英　注老子二卷

盧藏用　注老子二卷

陳象古　注老子二卷

呂大臨　注老子二卷

葉夢得　注老子二卷

劉涇　注老子二卷

王安石　注老子二卷

王雱　注老子二卷

呂惠卿　注老子二卷

陸佃　注老子二卷

劉仲平　注老子二卷

本來子　道德經直解四卷

蘇子由　道德經注四卷

李約　道德經新注四卷

李息齋　老子解二卷

吳幼清　老子解二卷

趙學士老子集解四卷　又　全解二卷

王純甫　老子億二卷

李贄　解老子二卷

戴逵　老子音一卷

李軌　老子音一卷

李畋　老子音解二卷

顧歡　老子義疏一卷

孟智周　老子疏五卷

韋處玄　老子疏四卷

戴詵　老子義疏九卷

趙志堅　老子疏四卷

江澂　老子義疏十四卷

賈青夷　老子疏四卷

老子古本二卷

老子講疏四卷_{梁武帝。}　又　六卷_{梁武帝。}

老子講疏四卷_{何晏。}

道德經疏節解四卷_{蜀喬諷。}

老子口義四卷_{林希逸。}

老子章句二卷_{毋丘望之。}

老子指趣三卷_{毋丘望之。}

老子指歸十一卷_{嚴遵。}

老子義綱一卷_{顧歡。}

玄言新記道德二卷_{王肅。}

老子指略例二卷王弼。

道德問二卷何晏。

道德經序訣二卷葛洪。

道德經開題序訣義疏七卷成玄英。

老子玄旨八卷韓莊。

道德經元譜一卷劉遺氏。

道德經譜二卷道士扶少明。

道德經傳四卷陸希聲。

道德經廣聖義三十卷唐杜光庭。

老子述義十卷賈大隱。

老子簡要義五卷玄晏先生。

道德經集注十八卷彭耜纂。

道德經纂疏二十卷

道德經集義十卷　又　集義十七卷

道德經集解四卷董思靖。

道德經藏室纂微十卷陳景元。

道德經三十家注八卷張君相。

老子通義二卷朱得之。

道德經雜說一卷陸修靜。

老子猶龍傳三卷賈善翊。

老子昌言二卷呂氏。

易老通言十卷程大昌。

老子心鏡一卷崔少元撰，王守愚注。

老子真義機要一卷

道德會元二卷李道純。

　　　右老子

莊子二十卷_{晋向秀注。}

司馬彪　注莊子十六卷

崔譔　注莊子十卷

郭象　注莊子十卷

李頤　注莊子三十卷

孟氏　注莊子十八卷

楊上善　注莊子十卷

盧藏用　注莊子十二卷

文如海　注莊子十卷

成玄英　注莊子三十卷

張昭　莊子補注十卷

吕惠卿　注莊子十卷

王雱　注莊子十卷

李頤　莊子集解二十卷

王玄　集解莊子二十卷

李軌　莊子音一卷

徐邈　莊子音三卷

郭象　莊子音三卷^①

司馬彪　莊子音一卷

莊子講疏三十卷_{梁簡文帝。}

莊子講疏二卷_{張機。}

莊子義疏三卷_{宋李叔之。}

莊子義疏八卷_{戴詵。}

莊子義疏十卷_{王穆。}

莊子義疏十二卷_{成玄英。}

---

　　①　"三卷"，徐本作二卷，《隋書·經籍志》、《通志·藝文略》並作三卷。

莊子内篇講疏八卷_{周弘正。}

莊子文句義二十卷_{陸德明。}

莊子古文正義十卷_{馮廓。}

莊子論二卷_{李充。}

莊子指要三十三篇_{張九垓。}

莊子論三十卷_{梁曠。}

莊子内要一卷

南華真經篇目三卷

莊子章句音義十四卷_{陳景元。}

莊子統略三卷

南華象罔説十卷_{張游朝。}

南華通微十卷_{元載。}

南華真經提綱一卷_{王曉。}

莊子通真論三卷_{唐賈參寥。}

莊子邈一卷

莊子口義三十二卷_{林希逸。}

南華義海纂微一百六卷_{褚伯秀。}

南華循本三十卷_{羅勉道。}

南華副墨八卷_{陸長庚。}

莊子通義十卷_{朱得之。}

莊子内篇解二卷_{李贄。}

南華内篇訂正二卷_{吳澂。}

　　右莊子

鶡子一卷_{楚鶡熊撰，唐逢行珪注。}

鶡子注三卷_{王觀注。}

列子八卷_{晉張湛注。}

列子注八卷_{盧重元。}

列子注八卷_{孫鷫。}

列子注八卷_{政和禦注。}

冲虛至德經四解二十卷

列子口義八卷_{林希逸。}

列子解二十卷_{江遹。}

列子通義八卷_{朱得之。}

列子釋文二卷_{唐殷敬順。}

列子統略一卷

列子音義一卷

列子指歸一卷

文子十二卷_{唐徐靈府注。}

朱玄　注文子十二卷

朱弁　注文子十二卷

李暹　注文子十二卷

文子釋音一卷

文子統略一卷

關尹子注九卷_{牛道淳。}

關尹子言外旨九卷_{陳顯微。}

鶡冠子八卷_{楚隱人。}

莊成子十二卷

蹇子一卷

唐子十卷_{吳唐滂。}

蘇子七卷_{晉蘇彥。}

宣子二卷_{晉宣聘。}

陸子十卷_{陸雲。}

幽求子二十卷_{杜夷。}

抱朴子内篇二十卷_{葛洪。}又　外篇三十八卷

符子二十卷_{晋符朗。}

賀子十卷_{宋賀道養。}

少子五卷_{張齊融。}

無名子一卷_{張太衡。}

玄子五卷

廣成子十三卷_{商洛公撰，張太衡注。}　又　三卷_{何璨注。}

亢倉子三卷_{唐王士元。}

無能子三卷_{唐光啓中隱者。}

同光子八卷_{劉無待。}

玄真子三卷_{張志和。}

達觀子一卷

劉子一卷

天隱子一卷

元中子三卷_{杜登暉。}

元筌子一卷_{珞琭子。}

黄石公　素書一卷_{張商英注。}

宋齊丘　化書六卷

　　　右諸子

陰符經一卷_{黄帝撰，太公等十一家注。}

陰符七家注一卷

赤松子　注陰符三卷

張果　注陰符一卷

陸佃　注陰符三卷

蕭真宰　注陰符三卷

黄居真　注陰符一卷

沈亞夫　注陰符一卷

任照一　注陰符一卷

蹇昌辰　注陰符一卷

李筌　注陰符一卷

杜光庭　注陰符一卷

唐淳　注陰符二卷

劉處玄　注陰符一卷

侯善淵　注陰符一卷

朱元晦　注陰符一卷

彭曉　注陰符三卷

俞琰　注陰符一卷

李靖　陰符機一卷

陰符經太無傳一卷張果得於《道藏》，不詳作者。

陰符經辨命論一卷同上。

陰符經正義一卷唐韋洪。

陰符經要義一卷玄解先生。

陰符經小解一卷玄解先生。

驪山毋傳陰符妙義一卷唐李筌。

新注陰符經序一卷

陰符天機經一卷

陰符經玄談二卷玄解先生。

陰符經一卷杜光庭。

陰符十德經一卷葛洪。

陰符經疏三卷袁淑真。

陰符經頌三卷太玄子。

釋自論　集陰符玄義五卷

陰符心法三卷胥元一。

頌陰符經一卷元陽子。

陰符經訣一卷

陰符經解題一卷

陰符經章句疏三卷張彬卿。

陰符太玄傳一卷

陰符經五賊義一卷

陰符經玄義一卷唐張魯。

太丹黃帝陰符經一卷房山長注。

陰符太丹經一卷驪山毌注。

陰符太丹經解一卷

　　右陰符經

黃庭內景經一卷務成子注。

黃庭內景經一卷梁丘子注。　又　六卷五家注。

黃庭內景經一卷唐白履忠注。

黃庭秘言內景經一卷尹真人注。

黃庭內景保生延壽訣一卷務成子注。

黃庭外景經三卷李子乘注。

黃庭秘言外景經一卷尹真人注。

黃庭中景經一卷

黃庭外景玉經注訣一卷

黃庭內外玉景經十卷蔣慎修注。

黃庭內外景經二卷

黃庭玉景內篇四卷超遙子注。

黃庭玉景篇二卷

黃庭二景三皇內譜一卷

內景中黃經二卷九仙居。

黄庭五藏道引軸經一卷

黄庭五藏圖一卷

老子黄庭内視圖一卷

黄庭五藏内景圖一卷_{唐女子胡愔。}

黄庭外景圖一卷

黄庭五藏道引圖一卷

黄庭圖證訣一卷_{青鸞子。}

黄庭集訣一卷_{陶真人。}

黄庭經訣誦一卷

黄庭五藏論七卷_{趙業。}

黄庭五藏經一卷

黄庭内景真形錄一卷

黄庭養神經一卷

黄庭内景五藏六府圖一卷_{胡悟。}

黄庭内景五藏六府補瀉圖一卷

無仙子删正黄庭經一卷_{歐陽修。}

　　右黄庭經

周易參同契三卷_{魏伯陽撰，抱素子注。}　又　五卷_{翟直躬注。}

陰陽統略參同契三卷_{徐從事注。}

陰真君　注參同契三卷

宋張隨　注參同契三卷

朱元晦　注參同契三卷

抱一子參同契解三卷_{陳顯微。}

上陽子　參同契注三卷

參同契合金丹形狀十六變通真訣一卷

儲華谷　注參同契三卷

全陽子　參同契釋疑三卷　又　易外別傳一卷

參同契太易志圖一卷_{張處。}張處。

周易參同契發揮九卷

參同契太易二十四氣修煉大丹圖一卷

參同契太易丹書一卷

參同契手鑑圖一卷

參同契金碧潛通訣一卷

參同契分章通真義三卷_{彭曉。}彭曉。

明鏡圖訣一卷彭曉。

參同契還丹火訣一卷

參同太丹次序火數一卷

參同契特行丹一卷

參同契五相類一卷魏伯陽。

金碧五相類參同契一卷陰真君。

參同金碧至藥論一卷

　　　右參同契

天真皇人經一卷

太上廻元九道飛行羽經一卷

大洞真經一卷

上清洞玄內經一卷

靈寶度人經三卷　又　四卷李少微注。　又　四卷成玄義注。

靈寶五星秘授經一卷

靈寶玄微妙經一卷

混元聖紀經一卷尹文操撰。

老子西升經四卷冲元子注。　又　二卷徐道邈注。　又　四卷李榮注。

　　又　二卷韋處玄注。　又　二卷劉仁會注。　又　二卷曹道冲注。

老子西升經疏三卷

老子存一經一卷

老子中經一卷

老子戒經一卷_{葛洪撰。}

老子修身經一卷

老子守三一經一卷

太上老君歷劫經一卷_{李通。}

太上玉歷經一卷

河圖龍文鮮甲元紀帝瑞神經二卷

入室思赤子經一卷

老子鎮元靈經一卷

皇人守三一經三卷

神寶經一卷_{裴真人。}

天童護命妙經一卷　·

紫府玄珠經十卷_{曹唐。}

靈奇墨子術經七卷_{崔知操。}

太上三天正法經一卷

太上正一修真玉經三卷

上清丹景隱地八術經二卷

上清鎮元靈策經一卷

天真皇人九仙經一卷_{唐葉靜能撰，羅公遠、僧一行注。}

太元真一本際經一卷

太上老君枕中保生秘密經一卷_{鄭元一注。}

太上黃素經一卷

太清青要紫書金根經一卷

太上洞玄靈寶部經一卷

九域經六卷

妙真經一卷

靈寶昇元經十卷

流珠丹經一卷

玉京山經一卷

成清經七卷

峨嵋赤城隱士伏藥經三卷

度生死經一卷

神偓歷藏經一卷

金泛丹經一卷

三陽經一卷

巫仙翁因緣經一卷

靈寶安生宅妙經一卷

靈寶滅度經一卷

靈飛六甲經一卷

三元真經一卷

中央元素經一卷

內真妙用經一卷

內真經二卷

大道法元君說太陽元精經二卷

老君說六丁六甲玉女真神秘經一卷

混元經二卷

狼狐經一卷

老子青囊經一卷

三甲經一卷

鴻寶萬畢經六卷

靈寶先師太山北斗神光經一卷

天尊禁戒妙經一卷

玄都律二十五卷

玄都律編八卷

上清神州七轉七變舞天經一卷

文始先生説道經一卷

老子説十三靈無經一卷

五公子問虛無道經一卷

太清經一卷

老子傳正天師印經一卷

老君説常清浄經一卷_{董朝奇注。}

　　又　一卷_{吳中起注。}

　　又　一卷_{周申注。}

　　又　一卷_{孫膺注。}

　　又　一卷_{李道純注。}

　　又　一卷_{侯善淵注。}

　　又　一卷_{劉本注。}

　　又　一卷_{杜光庭注。}

　　又　一卷_{合明子注。}

黃帝鑄鑑二儀通真經三卷

四十九章經一卷

　　右諸經

列仙傳二卷_{漢劉向。}

列仙傳贊三卷_{孫綽。}

列仙傳贊二卷_{郭元祖。}

列仙傳十卷_{葛洪。}

説仙傳一卷_{朱思祖。}

仙隱傳十卷_{周孫夷中。}

集仙傳十卷

洞仙傳十卷見素子。

道學傳二十卷馬樞。

續神僊傳三卷唐沈汾。

八仙傳一卷唐江積。

八仙圖一卷郏氏。

神僊傳略一卷葛洪。

神僊纂要錄一卷

江淮異人錄三卷宋吳叔。

賓仙傳三卷何光遠。

墉城集仙錄十卷杜光庭集古今女子成仙者百九人。

玉清秘籙二十卷

仙傳拾遺四十卷杜光庭。

總仙記百三十卷宋樂史。

神僊感遇傳五卷

神仙後傳十卷唐王方慶。

疑仙傳三卷

太元真人茅君内傳一卷唐李遵。

清虛真人王君内傳一卷弟子華存。

正一真人張君内傳一卷王葰。

清虛真人裴君内傳一卷鄭雲千。

仙人馬君陰君内傳一卷趙昇。

太極葛仙翁傳一卷

老君内傳三卷尹喜。

　又　一卷孫思邈。

南嶽夫人内傳一卷范濊。

紫虛元君魏夫人内傳一卷項宗。

關令尹喜内傳一卷_{鬼谷先生}

神僊内傳一卷_{唐胡慧超。}

晉洪州西山十二真君内傳一卷_{胡慧超。}

吳天師内傳一卷_{唐謝良嗣。}

雲阜山申仙翁傳一卷

周義山内傳一卷_{後漢人，居紫陽山。}

劉真人内傳一卷_{漢王珍遇劉根事。}

桐柏真人升仙太子傳一卷

華陽陶先生内傳三卷_{賈嵩。}

雲中先生内傳一卷

許氏神僊内傳一卷

漢天師内傳一卷

樓觀内傳三卷_{尹軌。}[①]

樓觀本行傳一卷

青城山羅真人記一卷

劉君内記一卷_{王珍。}

太上真人内記一卷_{李氏。}

九華真妃内記一卷

仙人許遠游傳一卷_{王羲之。}

陸先生傳一卷_{孔稚珪。}

王喬傳一卷

嵩高寇天師傳一卷_{宋都能。}

成僊君傳一卷

蘇君記一卷_{周季通。}

紫陽真人周君傳一卷_{華嶠。}

---

① “尹軌”，徐本無此二字，《通志·藝文略》云“尹軌、韋節等撰”。

真系傳一卷_{李渤。}

許遜修行傳一卷_{胡法超。}

洪崖先生傳一卷_{張說。}

胡慧超傳一卷_{冲虛子撰。慧超，高宗時道士。}

潘導師傳一卷_{唐人。}

蔡尊師傳一卷

葉法善傳一卷_{劉谷神。}

謫仙崔少元傳一卷_{唐王元師撰。少元，崔氏女。}

元州上卿蘇君記一卷_{漢周季通。}

瞿童述一卷_{溫造。記大曆辰溪童子瞿柏庭升仙事。}

東極真人傳一卷_{李堅。記果州謝自然升仙事。}

蘇耽傳一卷_{漢人。又有《成武丁傳》附。}

裴元人傳一卷_{鄧子雲。}

劉善慶傳一卷_{劉珍，字善慶。}

聶練師傳一卷_{宋吳淑。記道士聶紹元事。}

侯真人傳一卷_{盧播。}

陶弘景傳一卷

三茅處士王潛傳一卷

緱嶺會真王氏神僊傳五卷_{杜光庭。}

九天玄女傳一卷

九天採訪真君傳一卷

南嶽九真人傳一卷

東華司命楊君傳一卷

成都山望僊宮十真記一卷

委羽山真人司馬君傳一卷

李先生傳一卷

王僊聖母傳一卷

謝自然別傳三卷

廣成先生劉天師傳一卷趙櫓。

華頂先生張天師傳一卷

桐柏真人王君外傳一卷

漢天師外傳一卷

賀蘭先生傳一卷

碧虛先生傳一卷

江西續仙錄一卷

湖湘神僊顯異錄三卷

問政先生聶君傳一 卷徐鍇。

申儒先遇神和子傳一卷

靈人辛元子自序一 卷

華陽子自序一 卷

　　　右傳

老君始終記一卷

混元皇帝升天記一卷

老子出塞記一卷宜虞。

老子化胡經十卷

老子私記十卷梁簡文帝。

太上混元皇帝聖紀十卷楊士善注。

老君現蹟记一卷唐文明中，現閿鄉，語唐祚運事。

尹喜本行記一卷

傳僊宗行記一卷陰日用。

邊洞元升天記一卷

體玄真人顯異錄一卷

錄異記四卷

道教靈驗記二十卷杜光庭。

歷代帝王崇道記一卷杜光庭。

真教元符三卷唐戴簡。

道經傳授年載記一卷杜光庭。

平都山僊都觀記二卷山在忠州，陰長生成僊處。

神光寺聖蹟記一卷

元始上真記一卷

紀聖賦一卷

山水穴實圖一卷

二十四化記三卷段世貴，記蜀二十四山神僊之所。

正一真人二十四治圖一卷唐令狐見堯，敘蜀二十四治名山福地。

元化圖一卷朱閑集，敘福地、十州之地。

混元圖十卷杜光庭。

太清宮簡要記一卷王坤。

晉州羊角山唐觀記一卷李用能。

老君青羊肆瑞甎應見記一卷

廣黄帝本行記一卷王瓘。

　　　右记

守白論一卷

任子道論一卷魏任嘏。

夷夏論一卷顧歡。

任嘏　顧道士論三卷

顯正論一卷劉進喜。

三玄精辨論一卷白履忠。

神僊可學論一卷吳筠。

玄綱論三卷吳筠。

心目論一卷_{吳筠。}

復淳化論一卷_{吳筠。}

形神可固論一卷_{吳筠。}

辨疑論一卷_{施肩吾。}

中元論一卷_{李延章集。}

坐忘論一卷_{司馬承禎。}

　又　一卷_{吳筠。}

葛仙翁序一卷_{葛洪。}

龍虎篇一卷_{孫思邈。}

大道清曠論一卷_{王承祐。}

重真記一卷_{藍敏。}

學道登真論二卷

道生旨一卷_{谷神子。}

大道形神論一卷_{上虞隱士玄黃子述。}

正一論一卷

答客論一卷

道體論一卷

保真養生論一卷

靈寶修真論一卷_{李道綱。}

靈信經旨一卷

太玄三教論一卷_{張融。}

道釋優劣論一卷_{吳筠。}

辨方正惑論一卷_{吳筠。}

陶陸問答一卷

三教解紛論十五卷_{孫夷中。}

千金養生論一卷_{孙思邈。}

混元正理論一卷

人元长生論一卷朱枵。

大道攝生論一卷李泳。

長生正義元門論三十八卷

道典論三十卷

雲中子論一卷王鸛。

養生論一卷廣成子。

五嶽真形序論一卷

太易保生論一卷鮮遂。

通真論一卷陶植。

神僊祕論一卷

十異九迷論一卷道士李少卿。

九霄君論一卷

昊天師論一卷

大道感應論三卷

幽傳福壽論一卷

莊列十論一卷李元卓。

一切道書音義序一卷唐道士史崇等撰。

畢夷祕照論二卷李淳風。

　　右論

石函記二卷許旌陽。

真誥十卷陶弘景。

登真隱訣六十卷陶弘景。

上清握訣三卷陶弘景。

靈臺祕寶符書一卷竇子通。

玉清祕録二十卷太白山沖隱子集。

太平經百七十卷

襲古書三卷_{唐范朝。}

元珠龜鑑三卷_{黃仲山。}

左慈真人助相見規戒一卷

神異書三卷_{元真子。}

修行旨要三卷_{朱洞微。}

先天紀三十六卷_{王欽若。}

上清文苑四十卷_{樂史。}

仙苑編珠一卷_{王松年。}

至言二卷_{范修然。}

玄門樞要一卷_{杜光庭。}

道門四子治國樞要二卷_{范乾九。}

道門樞要一卷_{杜光庭。}

玉清隱書一卷_{尹先注。}

潛真祕術一卷

歷鑒天元主物簿三卷

付道内真訣一卷_{陳七子。}

太上道鑑四卷_{張仙庭。}

上清天中真鑑錄一卷_{王松年。}

道德消魔略例一卷

威儀要訓二卷

道要三十卷

無上祕要七十二卷

道學要一卷_{杜沖和。}

上清紫書二卷

謫仙心鑑二卷

廣成集五十四卷

三洞珠囊三十卷

四子統略一卷

造化權輿二卷

晉簡文談疏六卷

游玄桂林二十一卷_{張譏。}

玄書通義十卷_{張譏。}

太始天元玉册元誥十卷_{扁鵲注。}

老君家令一卷

赤松子八誡録一卷_{陳摶。}

許旌陽遺教一卷

遵戒避忌訣一卷

雲笈七籤百二十二卷_{張君房。}

金丹四百字解一卷

還源篇一卷

指玄篇一卷_{陳摶①。}

玉清金笥寶録□卷

悟真篇注疏八卷_{翁葆光注，戴起宗疏。}

悟真三注五卷

悟真篇注釋三卷_{無名子。}

悟真篇講義七卷_{夏宗禹。}

清華祕文□卷

真詮二卷

規中指南一卷

儒佛同源一卷

心書一卷_{趙古蟾。}

    右雜著

---

    ① “陳摶”二字原脱，據徐本補。

氣經新舊服法三卷_{唐康仲能。}

康真人氣訣一卷_{同上。}

服内元氣訣一卷_{同上。}

太無先生氣訣一卷_{唐大中人。}

修生養氣訣一卷_{司馬承禎。}

氣訣一卷_{孫思邈。}

張果氣訣一卷

養生服氣訣一卷

調元氣訣一卷

調三元氣訣一卷_{李真人。}

太和真氣訣一卷_{河上公述。}

中山玉櫃神氣訣一卷_{張道陵。}

服内元氣訣一卷_{煙蘿子。}

内指通真訣一卷_{陸知微。}

沈真人服氣長生訣六卷

王老咽氣經一卷

服氣口訣一卷_{樊宗師。}

真氣銘一卷_{孫處士。}

服氣經二卷

氣術經一卷

神僊抱一法一卷

調氣養生録一卷

神僊密授三一訣一卷

出生入死法一卷_{王元正。}

四氣攝生録一卷_{穆商。}

四氣攝　生圖一卷_{道士劉鼎。}

修真府元洞幽訣一卷

谷神記一卷

指玄篇一卷陳摶。

九真中經二卷

元氣論一卷

靜氣論一卷

洞氣訣一卷

流珠行氣法一卷

法眼六氣法一卷

太清調氣經一卷

太清氣養生經一卷

太清不傳氣經一卷

太無先生氣經二卷李奉時。

服氣要經一卷中皇子。

道德上清氣經三卷

新舊氣經一卷延陵君集。

服氣精義論三卷天台白雲先生。

服氣要訣一卷申天師。

莊周氣訣一卷

服氣訣一卷昇元真一法師。

氣法惡妙志訣一卷

玄宗商量氣訣一卷

纂諸家得道氣訣一卷

服氣長生度世經訣一卷

吐故納新除萬病法一卷

商量新舊服氣法一卷王弁。

養形吐六氣法一卷

神僊大道六字氣術一卷

神僊服食五牙氣真經一卷

六子氣訣一卷

三一帝君經一卷

中黃經一卷九仙君。

金房内經一卷

紫陽金碧經三卷

保神經一卷

保聖長生經三卷

五厨經一卷

養生適元經一卷

風露僊經一卷

三洞上清真元子集録一卷

十二時採一歌一卷

神僊食氣金櫃妙録一卷京里先生。

金鑠子訣一卷孫真人。

運元真氣圖一卷葛仙翁。

老子道氣圖一卷

内外神僊中經祕密圖一卷孫思邈。

赤松子服氣經一卷

　　　右吐納

太上胎息精義論一卷

太上告王母服氣胎息令氣通訣一卷

證道胎息服氣絶粒長生訣一卷

胎息氣經三卷

胎息訣一卷

元君胎息經一卷

葛洪　胎息要訣一卷

玉皇聖胎神用訣一卷

胎息旨要一卷

心印胎息蛻殼妙道訣一卷

元真胎息訣一卷

胎息委氣術一卷

胎息精微論三卷

修真胎息歌一卷

胎息元妙一卷

抱一胎歌訣一卷

聖神歸真胎息訣一卷_{崔元真。}

胎息經頌一卷

胎息錄一卷

胎息還元祕訣一卷

胎息祕訣一卷_{唐僧遵化。}

服胎息留命術一卷

胎息沂流橘珠還元訣一卷

修養氣經一卷

胎息氣術一卷

六祖達摩真訣一卷_{王元政。}

諸家胎息口訣一卷

　　　右胎息

靈寶內觀經一卷

大洞真經一卷

胎息定觀經一卷

定觀經訣一卷

太上天帝青童大君傳一卷

大道存神五藏論一卷

内真通明歌一卷煙蘿子。

九真祕訣一卷

内明訣一卷元九子。

立内真通元訣一卷煙蘿子。

修生存思行氣訣一卷

老子存思圖二卷

老子存三一妙訣圖一卷

皇人三一圖一卷

存五星圖一卷

五帝雜修行圖一卷

老子道德經存想圖一卷

存神鍊氣銘一卷

元珠心鑑詩一卷唐女子崔少元。

坐忘真一寶章一卷

了一歌一卷

老子内觀經一卷

又　一卷嚴輔璨。

　　　右内視

老子五禽六氣訣一卷

六氣道引圖一卷

黄帝道引法一卷

按摩要法一卷

道引調氣經一卷

道引養生經一卷
服御五牙道引元精經一卷陸修靜。
太清道引養生經一卷
黃帝道引圖一卷
十二月道引圖一卷
道引養生圖一卷
五禽道引圖一卷
許先生按摩圖一卷
道引圖三十六訣一卷
新說道引圖一卷
唐上官翼　養生經一卷
道引圖一卷陶弘景。
宋少陽　道引録三卷
五藏道引明鑑圖一卷
道引治身經一卷吳昶。
　　右導引

太上老君中黃妙經一卷
太清經斷穀諸要法一卷
太清斷穀法一卷
斷穀諸要法一卷
張果休糧服氣法一卷
無上道絶粒訣一卷
停廚圓方一卷
休糧諸方一卷
　　右辟穀

黃元經一卷涓子傳,李遵疏。

天皇經一卷赤松子注。

真子保一秘訣一卷

黃帝玉房秘訣一卷

黃帝玉櫃訣一卷

修真延秘集三卷隱士楊文人。

煙蘿子　內真通元訣一卷

王真人陰丹訣一卷晉王長生。

內真妙用訣三卷

金液頌一卷

金液中還秘訣一卷

正一真人十二時修神丹歌一卷

陰丹經一卷

周易內秘訣一卷淳于成。

攝生月令一卷吳興姚稱。

著生論一卷吳筠。

修真君五精論一卷①陰長生。

還丹金術黃老經一卷陶植。

羅公遠記一卷

真元妙道經一卷

修身歷驗一卷述內外丹法。

還元丹論一卷李元光。

修真內鍊秘妙諸訣一卷

華林隱書陰丹妙論一卷裴氏。

---

① "修",徐本作"陰"。《通志·藝文略》作"修",云陰長生撰。《崇文總目》作"陰",云闕,不著撰人姓名。

七返還元內丹訣一卷

既濟龍虎訣一卷

內丹歌一卷_{廣德先生。}

內丹祕藏一卷_{崔祐。}

妮妮歌一卷

金丹大要十卷

真一子還丹內象金鑰匙一卷

神僊鍊內丹出入生死訣一卷

紫河車訣一卷

南統大君內丹九章經一卷

神僊內外七返七還指歸訣一卷

內丹書一卷

諸真內丹口訣一卷

洞元子內丹訣一卷

陶真人內丹賦一卷

陳先生內丹訣一卷

青提帝君內丹訣一卷

金丹正宗一卷_{胡混成。}

內丹三要一卷_{元陳冲素。}

金丹百問一卷_{李光玄。}

　　右內丹

玉清內書二卷

黃帝九鼎神丹經訣二十卷

老君八純元鼎經一卷

老君丹經一卷

龍虎經一卷

太上真君石室秘服食還丹驗一卷_{常子田。}

龍虎上經金丹訣一卷

三皇經一卷_{陰長生。}

五金髓經一卷_{王白雲。}

日月混元經一卷_{元光。}

龍虎上經金碧潛通訣三卷_{劉演。}

太洞煉真寶經修服丹砂妙訣一卷_{唐陳少微。}

太清石壁記一卷_{晋蘇元明。}

太清金丹一卷

太易丹書一卷

太易陰陽備訣手鑑圖一卷

丹華經一卷

太洞煉真寶經一卷_{陳少微。}

九轉流珠神偓丹經二卷

神偓庚辛經一卷

太丹記一卷_{魏伯陽。}

太丹九轉歌訣一卷_{魏伯陽。}

指黄芽成大還丹歌一卷_{三十首。}

中還丹糝製術一卷

龍虎糝製法一卷

秦鑑語一卷_{唐守真子。}

金虎元君訣一卷

還金術一卷_{陶植。}

土兌訣一卷

龍虎丹一卷_{侯道華。}

洞源子龍虎歌一卷

五金龍虎歌一卷_{葛洪。}

龍虎太丹訣一卷

爐鼎要妙圖經一卷

金木萬靈訣一卷葛洪。

靈砂聖石玉露丹訣一卷

黃輿金丹密訣一卷

剛子訣一卷張道陵。

元君肘後方一卷

大還丹金虎白龍論一卷唐還陽子。

太上肘後玉經方一卷盧遵元。

九真中經四鎮九方一卷

紫靈丹砂表一卷

太丹會明論一卷

玉碑子一卷

靈飛散傳信錄一卷齊推。

大還心鑑一卷

丹論訣旨心鑑一卷張元德。

金丹肘後訣玉清內書大藥終篇一卷

龍虎展掌訣一卷嚴真人。

太上龍虎展九都金秘指仙經一卷河上公注。

老君修煉太一三使還命大丹指訣經一卷

黃帝神竈經三卷孫思邈。

黃壺經三卷陶植。

草衣子還丹契秘圖一卷元子。

金藏經二卷茅君。

還金篇一卷唐海蟾子元英。

黜假驗真一卷楊無名。

太丹歌一卷通元子。

張果　進服丹砂訣一卷開元二十二年進。

九室指玄篇一卷陳圖南。

七返靈砂歌一卷魏伯陽撰，黃君注。

金丹賦一卷

青霞子龍虎訣妙簡一卷

太一真人五行重元論一卷

日月元樞一卷唐劉知古。

火鑑周天圖一卷魏伯陽。

中元論一卷唐李延章。

神偓金汋經三卷

燒煉祕訣一卷孫思邈。

元君付道傳心訣一卷

道術指歸望江南一卷

金石相數篇一卷

金液歌一卷

證大丹訣一卷

巨勝歌一卷

陰君金木火丹論一卷

修丹砂狀一卷

丹數子三卷

密付大還丹口訣一卷

金液小還固命丹砂論一卷朱房。

葛仙公歌訣一卷

靈砂受氣用藥訣一卷崔元真。

龍虎丹訣一卷魏伯陽。

龍虎丹櫃訣一卷

龍虎丹名別訣一卷

金陵子龍虎還丹訣四卷

龍虎指真訣一卷

通幽訣一卷

雜丹訣一卷

彭仲堪　易成子太丹訣一卷

李真人還丹歌一卷

金精石液訣一卷

諸家丹訣一卷

上清真祕訣一卷

注金丹訣一卷陰長生。

還金丹訣三卷陶植撰，宋辭注。

金丹真訣一卷

金液丹祕訣一卷羅浮真人。

金液指掌論一卷蘇元素。

得一歌一卷

丹臺新錄九卷夏有章。

神丹中經一卷

九丹神祕經一卷

道證一卷左掌子。

丹經訣要一卷孫思邈。

石精大丹法一卷

神丹方一卷蘇遊。

紫金白丹訣一卷

煉五神丹法一卷

赤龍金虎中鉛煉七返丹砂訣一卷馮明生。

靈寶還魂丹訣一卷

服金丹應候訣一卷

忠州僊都觀陰真君金丹訣一卷

鉛汞指真一卷

徐真君丹訣一卷

龍虎通元訣一卷孫思邈。

道術藥徑歌一卷

大藥祕盟了議口訣一卷

龍虎還丹詩一卷和士安。

五金雜訣二卷

王君立制丹砂訣一卷

魏真人詩一卷

鉛汞五行圖一卷曹聖圖。

大丹至論一卷唐嚴靜。

修真歷驗抄并圖一卷羅子一。

九轉真訣一卷

黃白祕法二十卷

真儀總鑑三卷夷真子。

龍虎亂日篇一卷孫思邈。

靈砂受氣用藥訣一卷

太丹詩一卷

太丹龜鑑一卷

龍虎太丹作用頌一卷

太白山十煉聖石神妙經二十一轉訣一卷

麻姑歌一首

狐剛子五金訣疏一卷

狐剛子粉圖四卷①

龍虎大還丹訣一卷

龍虎大丹形狀一卷

陶真人金丹訣一卷

神丹經訣十卷

金木萬齡訣一卷

魏伯陽　感應訣一卷

龍虎還丹通元要訣二卷蘇元明。

造化伏汞圖一卷昇元子。

賢解錄一卷唐絁于泉。

明真證道論一卷張龜。

龍虎金液還丹通元論一卷蘇元明。

四家要訣一卷集劉向、陵陽子、抱朴子、狐剛子所記煉丹事。

羣仙論金丹大藥歌訣一卷任逍遙。

陶真人金丹訣三卷陶弘景。

服龍虎丹訣一卷麥積山仙人誨老述。

金液丹訣一卷陶植。

青霞子寶藏論三卷蘇元明。

青霞子授茅君歌一卷

玄珠歌逍遙歌内指黃茅歌一卷通玄先生。

金碧經一卷

金碧潛通經一卷羊參微。

金碧潛通入藥火鑑記一卷崔元真。

白雲子通真祕旨五行圖一卷。

---

① “四卷”，徐本作一卷，《通志·藝文略》作四卷，《圖譜略》著錄《狐剛子粉圖》，無卷數。

張子陽　周易潛契神符白雪圖一卷

大還丹照鑑登仙集一卷

玉芝五大還丹訣一卷

鬼谷先生還丹歌一卷

元陽子　九轉金丹歌一卷

馬明君　龍虎傳一卷

真一子　還丹内象龍虎訣一卷

龍虎變化神候訣一卷

達元子　大道指歸金丹祕訣一卷

老君授尹喜煉丹訣一卷

丹砂妙訣一卷

服龍虎丹訣一卷

元悟真人還丹一卷

十二時龍虎神丹歌一卷

魏真人還丹訣一卷

金碧要旨一卷劉演。

金液神丹經三卷①

金液神氣經十卷

金華玉女經一卷

東竈丹經三卷②

蓬萊東西竈還丹歌一卷魏伯陽。

蓬萊西竈還丹歌一卷

金石真宰通微論一卷

金液還丹龍虎歌一卷元陽子。

水簾洞大還丹賦一卷

---

①② "三卷",徐本作一卷,《通志·藝文略》作三卷。

通元祕要術三卷_{唐道光。}

道書口訣祕法一卷

還陽先生鉛黃牙傳一卷①

金液三魂法一卷

金石還丹術一卷_{狐剛子。}

丹房鑒源三卷_{獨孤滔。}

草金丹法一卷

蓬萊山草藥丹訣一卷_{黃元鍾。}

靈劒子_{許真君。}

劒訣大丹法一卷

峨嵋山神異記三卷_{張道陵。}

黃牙河車法一卷

返魂丹方一卷

圃田通元祕術方三卷_{鄭元。}

　　右外丹

金石靈臺記一卷

金石靈臺刊誤一卷

太清論石流黃經一卷

雲母論二卷_{唐崔元真。}

服雲母粉療病方一卷_{韓藏法師。}

太清真人煉雲母訣二卷_{孫思邈。}

金石藥法一卷

金石要訣一卷

太清諸石變化神僊方集要一卷_{陶弘景。}

---

① “牙”，徐本作“芽”，《通志·藝文略》作“牙”，《崇文總目》卷十作“芽”。

仙翁鍊石經一卷

石藥爾雅一卷_{梅彪。}

鍊三十六水石法一卷

金石藥方一卷

小玉消丹應候訣一卷

伏藥經三卷

煉服雲母法一卷_{陶弘景。}

神僊餌石并行藥法一卷_{京里先生。}

淮南王煉聖石法一卷_{楊知元。}

赤松子　金石論一卷

還金術一卷_{陶植。}

五金題術一卷

金石薄五九數一卷

服朱砂訣一卷

龍虎制伏丹砂雄黃法一卷

鍊金丹秋石訣一卷

橐籥子金石真宰通微論一卷

變煉二石術一卷

石藥異名要訣一卷_{王道沖。}

鐵粉論一卷_{唐蘇遊。}

鐘乳論一卷_{褚知載。}

新修鍾乳論一卷_{吳弁。}

　　右金石藥

靈寶神僊玉芝瑞草圖二卷

太上靈寶芝品一卷

芝經一卷

靈芝記五卷

種芝經九卷

芝草黃精經一卷

神僊芝草圖二卷

靈寶服食五芝晶經一卷

延壽靈芝瑞圖一卷

白雲仙人靈草歌一卷

經食草木法一卷陶隱居。

神僊得道靈藥經一卷漢張道陵。

養生神僊方三卷

洞靈仙方一卷梁丘子。

仙茅根方一卷

黑髮酒方一卷葛洪。

達靈經一卷陶弘景。

菊潭法一卷

採服松棄等法一卷司馬承禎。

神僊長生藥訣一卷

辨服至藥人形神論一卷

漢武服餌法一卷

至藥詩一卷王賢芝。

神武藥名隱訣一卷

神僊服食經一卷

老子妙術靈草一卷

老子服食方一卷

草石隱號一卷

神珠草藥證驗一卷

太清石壁靈草記一卷蘇元明。

服餌仙方一卷

孫思邈　枕中記一卷

大道靜神論一卷

攝生服食禁忌一卷

攝生藥忌法一卷

鍊花露仙醢法一卷

服餌保真要訣一卷

李八百方一卷

太清經諸藥草木方集要一卷

太清神僊服食經五卷

神僊服食經十二卷

服玉法幷禁忌一卷

古今服食藥方三卷

服食神祕方一卷

神僊金櫃服食方二卷

孟氏補養方三卷

神僊服食經一卷

集錄古今服食道養方三卷

　　右服餌

素女祕道經一卷

素女方一卷

彭祖養性一卷

郯子说陰陽經一卷

序房內祕術一卷葛氏。

徐太山房內祕要一卷

新撰玉房祕訣一卷

冲和子玉房祕訣十卷

太一真君固命歌一卷^①葛洪譯，罗浮古篆。

　　右房中

太上玄道真經一卷

靈陽經一卷

養性延命集二卷陶弘景。　　又　二卷孫思邈。

修真祕録一卷苻處仁。

神僊修養法一卷孫思邈。

養生訣一卷陶真人。

修真指微訣一卷含光子。

抱朴子別旨一卷葛洪。

修真詩解一卷馮湘。

養真要旨一卷徐元一。

保生術一卷

鍊精存珠玉霞篇一卷

順四時理五穀谷神不死訣一卷趙遵。

長生保聖纂要術一卷古説。

大道養生上仙雜法一卷

金房玉關保生術一卷

陶仙公勸仙引一卷

樂真人祕訣一卷

施肩吾　養生辨疑訣一卷

修真隱訣一卷

理化安民除病術一卷

---

①　"一"，徐本作"乙"，《文獻通考·經籍考》作"一"，《宋史·藝文志》作"乙"。

薛君口訣一卷陳少微。

長生祕訣一卷

新修攝生祕旨一卷逍遥子。

神僊祕訣三論三卷

易元子一卷

道樞一卷

神氣養形論一卷

保生纂要一卷

養生自慎訣一卷

傳命寶銘一卷

修行要訣一卷李審真。

頤神論一卷

谷神賦一卷趙大信。①

谷神祕妙三卷

茅君静中吟一卷

混俗頤生録二卷劉詞。

羅浮山石壁記一卷太一仙師。

繕生養性法一卷

繕生集略一卷

攝生經一卷唐郭霽。

長生攝養仙經一卷

三真旨要玉訣一卷

修真祕旨十卷司馬道隱。

修真祕旨訣一卷徐元一。

---

① “趙大信”，徐本無此三字，《宋史·藝文志》《崇文總目》卷九同。《通志·藝文略》云“趙大信撰”。

十四家修行祕術一卷

煙蘿子　養神關鎖祕訣圖一卷

養性雜録一卷_{孫思邈。}

退居志一卷_{孫思邈。}

內指通真訣二卷_{韓知嚴。}

胡證玉景歌二卷

煙蘿子　內真通元歌一卷

養生保神經一卷

鄧隱峰歌一卷

東民子遇道歌一卷

明先生詩一卷

崔元真歌一卷

赤松子歌一卷

雲中子還命訣一卷

性箴一卷

修真祕要經一卷

海蟾子詩一卷

元黃子　擬漁父詩一卷

遠俗銘一卷

元陽子歌一卷

攝生録三卷_{唐高福。}

攝生纂録一卷_{唐王仲丘。}

養生要録一卷_{孫思邈。}

鍾離授呂公靈寶畢法十卷

長生坐隅障五卷_{古説。}

修真內象圖要訣十二卷

隄疾恒談十五卷_{陳士元。}

> 右修養

三洞奉道科儀二卷_{金明七真撰。}

玄都九真明科一卷

五等朝儀一卷_{張萬福。}

三洞修道儀一卷_{孫夷中。}

安鎮城邑宮闕醮儀一卷_{杜光庭。}

醮靈官位儀一卷

黃籙齋壇真文玉訣儀一卷_{杜光庭。}

天經醮儀一卷

醮南辰北斗儀一卷

元始靈寶五帝醮祭召真玉訣一卷

許真君修九幽立成儀一卷

醮章奏議十八卷_{杜光庭。}

洞玄靈寶五嶽名山朝儀經一卷_{司馬子微。}

入靜儀一卷

新修旨要三卷_{宋同微。}

真壇刊誤論一卷_{張若海。}

太上三洞度人出家儀一卷

靈寶明真齋懺燈儀一卷_{杜光庭。}

靈寶玉匱明真大齋言功德儀一卷

祭玉女神法一卷

太上明真救護章儀一卷

太上三元醮儀一卷

太上河圖內元經禳災九壇醮儀一卷_{杜光庭。}

靈寶拜章儀一卷

靈寶九等齋壇式一卷張先生。

靈寶奏醮普天衆真儀一卷

靈寶祈謝天神儀一卷

靈寶祈五穀醮儀一卷

靈寶安宅齋儀一卷杜光庭。

靈寶自然行道儀一卷杜光庭。

太上二十四化醮儀一卷

太上迎送壇儀一卷

太上醮儀一卷

禹步儀訣一卷

修真祕旨朝儀一卷

步虛洞章一卷陸修靜。

昇元步虛章一卷陸修靜。

靈寶步虛詞一卷陸修靜。

金真飛元步虛玉章一卷

靈寶步虛經一卷

濟渡金書三百二十卷

　　　右科儀

墨子枕中記二卷

女青鬼律十卷

老子六甲祕符妙録一卷

修六丁八史用事科法一卷

九天玄女六甲將軍手訣一卷

九天玄女妙法一卷

六丁通應玉女真籙手訣一卷

祭六丁神法一卷

黃帝六甲符訣一卷

靈飛六甲左右内名玉符一卷

天蓬神呪一卷

太上北帝天蓬壇場印圖一卷

太極左公説神符經一卷

八卦仙人祕訣一卷

黃帝八卦真形圖一卷

太清越章一卷

太上洞玄靈寶元始五方赤書自然真文經一卷①

太上習仙經契籙一卷

金書玉券一卷_{蜀任法知。}

金書祕字一卷

紫文丹章一卷

佩符五色券五卷

太上洞玄靈寶投簡符文要訣一卷

神虎隱文一卷

太上靈寶護身符籙一卷

上清太上元籙一卷

上清洞真紫蘭北壁真文一卷

真教元符三卷_{戴簡。}

禳災解厄吉兆玉篆一卷

太上玉真章訣三卷

靈寶吞服真文玉字一卷

靈寶五符三卷

---

　　①　“上”，原誤作“山”，徐本作“清”，《通志·藝文略》、《崇文總目》卷十著錄作“上”，據改。

靈寶洞玄大道無極自然真一五稱符經二卷

天一太一日月星辰二十八宿行藏記一卷

洞真太上上皇氏籍定真玉籙一卷

洞真龍景九文紫鳳赤書一卷

太微帝君步天綱行地紀金簡玉字上經一卷

北帝三備經三卷

罔象成名圖一卷_{唐張果。}

北帝神呪經一卷

三尸經一卷

老子三尸經一卷

孫真人延生長壽經一卷

北帝靈文三卷_{唐葉靜能。}

太上北帝靈文一卷_{同上。}

延壽赤書一卷_{唐裴煜。}

天老神光經一卷_{蔡登。}

太上北帝治病道法一卷

高上紫虛法籙二卷

靈寶五始五老赤書玉篇真文經三卷

上清洞真瓊宮五帝靈飛六甲內文三卷

上清瓊宮靈飛六甲籙一卷

北帝元樞內章一卷

秦乾祕要三卷

九證心戒一卷_{楊嗣復。}

三五思神圖一卷

山栖要錄一卷

守庚申服藥法一卷_{楊遇。}

青崖子神僊金銀論一篇

掌決圖一卷

太上三五禁氣步罡法一卷

三洞瓊綱一卷_{唐張仙庭。}

太上靈寶飛行三界妙經一卷

禁制虎獸符法一卷

太上洞真飛行羽經一卷

上清天心正法三卷

太上靈書三魂七魄經一卷

天一神符行度記一卷_{紅金子。}

醮符傳一卷

左仙翁説神符一卷

靈飛符經一卷

白羽墨翮靈飛玉符一卷

通靈神印經一卷

六神經一卷

玉女祕法一卷

紫微元律經三卷

三部符籙四卷

金虎真符一卷

太上符鑑一卷

七元圖一卷

祝符文三卷

十二真君靈懺一卷

天皇内文一卷

内諱隱文一卷

紫微内庭祕籙二卷

房山長大篆符一卷

三皇內音一卷

雷篆玉牌三卷

三皇內文一卷

諸天隱語洞章玉訣一卷

聖祖歷代應見圖三卷_{杜光庭。}

亳州太清宮混元皇帝變見靈蹟圖一卷_{薛王。}

寧州寧真縣二十八宿真形圖一卷

五真圖一卷

太元金闕三洞八景陰陽仙班朝會圖五卷_{孫光憲。}

修真登昇三十六天位圖一卷

萬靈朝真圖五卷

三皇真形圖一卷

森羅萬象北斗星君圖一卷

　　右符籙

　　九流唯道家爲多端，昔黃、老、列、莊之言清靜無爲而已，煉養、服食所不道也。赤松子、魏伯陽則言煉養而不言清靜，盧生、李少君則言服食而不言煉養，張道陵、寇謙之則言符籙而不言煉養、服食。迨杜光庭以來，至近世，黃冠獨言經典科教，蓋不惟清靜之旨趣懞焉無聞，而煉養、服食之書亦未嘗過而問焉矣，而悉宗老氏，以託於道家者流，不亦謬乎？夫道以深爲根，以約爲紀，以虛極靜篤爲至，故曰："虛者道之常，因者君之綱。"此古聖人秉要執中，而南面無爲之術也。豈有幾於長生哉？然以彼翛然玄覽，獨立垢氛之外，則乘雲御風，揮斥八極，超無有而獨存，特餘事耳。昧者至棄本逐末，誕欺迂怪，因而乘之，假託之書，彌以益衆。嗟乎，世惟卓識殫洽者能辨學之正僞，彼方士非研精教典，獨會於心，烏能知其純駁，擇善而從也？世行

《道藏》，視隋、唐、宋著録，尤汎濫不經，今稍删次之如右。

釋家_{經　律　論　義疏　語録　偈　雜　傳記　塔寺}

大般若波羅蜜多經六百卷

放光般若波羅蜜經三十卷

摩訶般若波羅蜜經三十卷

光讚般若波羅蜜經十卷

道行般若波羅蜜經十卷

小品般若波羅蜜經十卷

摩訶般若波羅蜜多鈔經五卷

大明度無極經六卷

勝天王般若波羅蜜經七卷

金剛般若波羅蜜經三卷_{三譯。}

能斷金剛般若波羅蜜經二卷_{二譯}

金剛能斷般若波羅蜜經一卷

濡首菩薩無上清淨分衞經二卷

仁王護國般若波羅蜜經二卷

實相般若波羅蜜經一卷

般若波羅蜜多心經一卷

摩訶般若波羅蜜大明呪經一卷

文殊師利所説摩訶般若波羅蜜經一卷

文殊師利所説般若波羅蜜經一卷

大寶積經一百二十卷

無量清淨平等覺經二卷

無量壽經二卷

阿閦佛國經二卷

大乘十法經一卷
普門品經一卷
文殊師利佛土嚴淨經二卷
法鏡經二卷
郁迦羅越問菩薩行經一卷
幻士仁賢經一卷
決定毘尼經一卷
發覺淨心經二卷
優填王經一卷
須摩提菩薩經一卷
離垢施女經一卷
阿闍世王女阿述達菩薩經一卷
得無垢女經一卷
文殊師利所説不思議佛境界經二卷
如幻三昧經三卷
善住意天子所問經三卷
太子刷護經一卷
太子和休經一卷
慧上菩薩問大善權經二卷
大乘顯識經二卷
大乘方等要慧經一卷
彌勒菩薩所問本願經一卷
佛遺日摩尼寶經一卷
摩訶衍寶嚴經一卷
勝鬘師子吼一乘大方便方廣經一卷
毘耶沙問經二卷
大方等大集經三十卷

大乘大方等日藏經十卷

大方等大集月藏經十卷

大乘大集地藏十輪經十卷

大方廣十輪經八卷

大集須彌藏經二卷

虛空孕菩薩經二卷

虛空藏菩薩經一卷

虛空藏神呪經一卷

觀虛空藏菩薩經一卷

菩薩念佛三昧經六卷

大方等大集菩薩念佛三昧經十卷

般舟三昧經三卷

拔陂菩薩經一卷

大方等大集賢護經五卷

阿差末菩薩經七卷

無盡意菩薩經四卷

大集譬喻王經二卷

大哀經八卷

寶女所問經四卷

無言童子經二卷

自在王菩薩經二卷

奮迅王問經二卷

寶星陀羅尼經八卷

大方廣佛華嚴經八十卷

大方廣佛華嚴經普賢菩薩行願品四十卷

信力入印法門經五卷

佛華嚴入如來德智不思議境界經一卷

度諸佛境界智光嚴經一卷

大乘金剛髻珠菩薩修行分經一卷

大方廣入如來智德不思議經一卷

大方廣佛華嚴經修慈分一卷

大方廣佛華嚴經不思議佛境界分一卷

大方廣如來不思議境界經一卷

大方廣普賢所說經一卷

莊嚴菩提心經一卷

菩薩本業經一卷

大方廣佛華嚴經續入法界品一卷

兜沙經一卷

大方廣菩薩十地經一卷

諸菩薩求佛本業經一卷

菩薩十住行道品經一卷

菩薩十住經一卷

漸備一切智德經五卷

十住經六卷

顯無邊佛土功德經一卷

度世品經六卷

如來興顯經四卷

羅摩伽經四卷

等目菩薩所問三昧經三卷

大般涅槃經四十卷

大般涅槃經後分二卷

方等般泥洹經二卷

四童子三昧經三卷

大悲經五卷

金光明經四卷

金光明最勝王經十卷

伅真陀羅所問寶如來三昧經三卷

方廣大莊嚴經十二卷

普曜經八卷

妙法蓮花經七卷

法華三昧經一卷

薩曇分陀利經一卷

無量義經一卷

正法華經十卷

大乘大悲分陀利經八卷

善思童子經二卷

悲華經十卷

六度集經八卷

大乘頂王經一卷

大方等頂王經一卷

維摩詰所説經三卷

説無垢稱經六卷

通神足無極變化經四卷

寶雲經七卷

阿惟越致遮經四卷

寶雨經十卷

佛昇忉利天爲母説法經三卷

廣博嚴淨不退轉法輪經四卷

入定不定印經一卷

不必定入定入印經一卷

持人菩薩所問經四卷

持世經四卷

等集衆德三昧經三卷

一切福德三昧經三卷

勝思惟梵天所問經六卷

大乘同性經二卷

持心梵天所問經四卷

思益梵天所問經四卷

濟諸方等學經一卷

大乘方廣總持經一卷

證契大乘經二卷

深密解脫經五卷

大灌頂神呪經十二卷

大樹緊那羅王所問經四卷

藥師如來本願經一卷

藥師琉璃光七佛本願功德經二卷

阿闍世王經二卷

楞伽阿跋多羅寶經四卷

入楞伽經十卷

菩薩行方便境界神通變化經三卷

大薩遮尼犍子受記經十卷

梵書藥師琉璃光七佛本願功德經一卷

解節經一卷

分別緣起初勝法門經二卷

緣生初勝分法本經二卷

相續解脫地波羅蜜了義經一卷

文殊師利現寶藏經二卷

大方廣寶篋經二卷

普超三昧經四卷

放鉢經一卷

大方等大雲經四卷

大雲請雨經一卷

大雲輪請雨經二卷

大方等大雲請雨經一卷

如來智印經一卷

慧印三昧經一卷

諸法無行經二卷

諸法本無經三卷

無極寶三昧經二卷

月燈三昧經十一卷

無所希望經一卷

象腋經一卷

大淨法門品經一卷

大莊嚴法門經二卷

如來莊嚴智慧光明入一切境界經二卷

度一切諸佛境界智嚴經一卷

寶如來三昧經二卷

觀無量壽佛經一卷

稱讚淨土佛攝受經一卷

阿彌陀經一卷

後出阿彌陀偈經一卷《不思議神力傳》附。

拔一切業障根本得生淨土神呪一卷

觀彌勒菩薩上生兜率陀天經一卷

彌勒下生經一卷

彌勒來時經一卷

彌勒下生成佛經一卷

觀彌勒菩薩下生經一卷

彌勒成佛經一卷

一切法高王經一卷

第一義法勝經一卷

大威燈光仙人問疑經一卷

大阿彌陀經二卷

順權方便經二卷

諸法勇王經一卷

太子須大拏經一卷

菩薩睒子經一卷

太子慕魄經一卷

睒子經一卷

九色鹿經一卷

樂瓔珞莊嚴方便經一卷

無事寶篋經一卷

大乘離文字普光照藏經一卷

長者子制經一卷

月光童子經一卷

申日兒本經一卷

逝童子經一卷

犢子經一卷

乳光佛經一卷

無垢賢女經一卷

腹中女聽經一卷

大乘徧照光明藏無字法門經一卷

老女人經一卷

老母經一卷

老母女六英經一卷

菩薩逝經一卷

文殊師利問菩提經一卷

伽耶山頂經一卷

象頭精舍經一卷

德護長者經二卷①

轉女身經一卷

未曾有經一卷

決定總持經一卷

謗佛經一卷

寶積三昧文殊師利菩薩問法身經一卷

入法界體法經一卷

如來師子吼經一卷

大乘百福相經一卷

善恭敬經一卷

稱讚大乘功德經一卷

說妙法決定業障經一卷

大乘百福莊嚴相經一卷

大乘四法經一卷

菩薩脩行四法經一卷

希有校量功德經一卷

銀色女經一卷

阿闍世王受決經一卷

---

① "二卷"，徐本作一卷，《開元釋教錄》卷七、卷十九上著錄兩本並作二卷，又卷十二上著錄一本作一卷。

採華違王上佛受決經一卷

正恭敬經一卷

最無比經一卷

前世三轉經一卷

無上依經二卷

了本生死經一卷

自誓三昧經一卷

貝多樹下思惟十二因緣經一卷

緣起聖道經一卷

稻稈經一卷

轉有經一卷

文殊師利巡行經一卷

作佛形像經一卷

龍施女經一卷

龍施菩薩本起經一卷

八吉祥神呪經一卷

諫王經一卷

如來示教勝軍王經一卷

佛爲勝光天子說王法經一卷

大方等修多羅王經一卷

如來獨證自誓三昧經一卷

灌佛經一卷

灌洗佛經一卷

造立形像福報經一卷

八陽神呪經一卷

八佛名號經一卷

盂蘭盆經一卷

報恩奉盆經一卷

浴象功德經一卷

校量數珠功德經一卷

曼珠室利校量數珠功德經一卷

不空罥索心呪王經一卷

不空罥索呪經一卷

不空罥索陀羅尼經二卷

不空罥索呪心經一卷

不空罥索神呪心經一卷

不空罥索神變真言經三十卷

千眼千臂觀世音菩薩陀羅尼神呪經一卷

千手千眼觀世音菩薩姥陀羅尼身經一卷

千手千眼觀世音菩薩廣大圓滿無礙大悲心陀羅尼經一卷

觀世音菩薩祕密藏神呪經一卷

觀世音菩薩如意摩尼陀羅尼經一卷

觀世音菩薩如意心陀羅尼經一卷

觀自在菩薩怛縛多唎隨心陀羅尼經一卷

大方廣菩薩藏經中文殊師利根本一字陀羅尼經一卷

曼殊室利菩薩呪藏中一字呪王經一卷

十二佛名神呪校量功德除障滅罪經一卷

稱讚如來功德神呪經一卷

大金色孔雀王呪經一卷

大孔雀王神呪經一卷

大孔雀王雜神呪經一卷

孔雀王呪經二卷《結呪界法》附。

大孔雀呪王經一卷

佛母大孔雀明王經一卷

十一面觀世音神呪經一卷

十一面神呪心經一卷

千轉陀羅尼經一卷

呪五首經一卷

六字神呪經一卷

呪三首經一卷

摩利支天陀羅尼經一卷

七俱胝佛母心大準提陀羅尼經一卷

七俱胝佛母準提大明陀羅尼經一卷

最勝佛頂陀羅尼淨除業障經一卷

一向出生菩薩經一卷

種種雜呪經一卷

佛頂最勝陀羅尼經一卷

佛頂尊勝陀羅尼經一卷

觀藥王藥上二菩薩經一卷

阿難陀目佉尼阿離陀經一卷

舍利弗陀羅尼經一卷

阿難陀目佉尼阿離陀鄰尼經一卷

無量門破魔陀羅尼經一卷

出生無邊門陀羅尼經一卷

勝幢臂印陀羅尼經一卷

陀羅尼集經四卷

陀羅尼集經八卷

陀羅尼雜集十卷

無涯際總持法門經一卷

尊勝菩薩所問一切諸法入無量法門陀羅尼經一卷

金剛上味陀羅尼經一卷

金剛場陀羅尼經一卷

虛空藏菩薩問七佛陀羅尼經一卷

無垢淨光大陀羅尼經一卷

請觀世音菩薩消伏毒害陀羅尼經一卷

華積陀羅尼神呪經一卷

華聚陀羅尼呪經一卷

師子奮迅菩薩所問經一卷

六字呪王經一卷

持句神呪經一卷

陀隣尼钵經一卷

東方最勝燈王如來助護持世間經一卷

善法方便陀羅尼呪經一卷

內藏百寶經一卷

温室洗浴衆僧經一卷

四不可得經一卷

梵女首意經一卷①

成具光明定意經一卷

須賴經二卷二譯。

寶網經一卷

菩薩道樹經一卷

菩薩生地經一卷

大方等如來藏經一卷

摩訶摩耶經二卷

孛經抄一卷

金色王經一卷

---

① "梵",原誤作"婪",據徐本改正。

佛語法門經一卷

演道俗業經一卷

百佛名經一卷

菩薩行五十緣身經一卷

菩薩修行經一卷

須真天子經二卷

觀普賢菩薩行法經一卷

稱揚諸佛功德經三卷

無量門微密持經一卷

出生無量門持經一卷

不思議光菩薩所説經一卷

除恐災患經一卷

觀世音菩薩得大勢菩薩受記經一卷

超日月三昧經二卷

十住斷結經十二卷

海龍王經四卷

未曾有因緣經二卷

諸佛要集經二卷

菩薩瓔珞經七卷

首楞嚴經十卷

首楞嚴三昧經三卷

賢劫經十卷

佛名經十卷

佛名經二卷

不思議功德諸佛所護念經二卷

過去莊嚴劫千佛名經一卷

現在賢劫千佛名經一卷

未來星宿劫千佛名經一卷

力莊嚴三昧經三卷

五千五百佛名神呪除障滅罪經八卷

僧伽吒經四卷

觀察諸法行經四卷

華手經八卷

法集經六卷

大方廣圓覺修多羅了義經一卷

施燈功德經一卷

觀佛三昧海經十卷

大方便佛報恩經七卷

菩薩本行經三卷

菩薩處胎經五卷

央掘魔羅經四卷

三昧弘道廣顯定意經四卷

明度五十校計經二卷

無所有菩薩經四卷

中陰經二卷

大法鼓經二卷

月上女經二卷

文殊師利問經二卷

大方廣如來祕密藏經二卷

大乘密嚴經三卷

一字佛頂輪王經六卷

占察善惡業報經二卷

蓮花面經二卷

文殊師利問菩薩署經一卷

大毘盧遮那成佛神變加持經七卷

廣大寶樓閣善住祕密陀羅尼經三卷

大陀羅尼末法中一字心呪經一卷

大乘造像功德經二卷

金剛光焰止風雨陀羅尼經一卷

牟黎曼陀羅呪經一卷

蘇婆呼童子經三卷

蘇悉地羯羅經三卷

金剛頂瑜伽中略出念誦經四卷

七佛所說神呪經四卷

文殊師利寶藏陀羅尼經一卷

大吉義神呪經二卷

阿吒婆拘上佛陀羅尼經一卷

大普賢陀羅尼經一卷

大七寶陀羅尼經一卷

阿彌陀鼓音聲王陀羅尼經一卷

六字大陀羅尼經一卷

安宅神呪經一卷

幻師颰陀神呪經一卷

辟除賊害呪經一卷

呪時氣病經一卷

呪齒經一卷

呪目經一卷

呪小兒經一卷

摩尼羅亶經一卷

檀持羅麻油述經一卷

護諸童子陀羅尼呪經一卷

諸佛心陀羅尼經一卷

拔濟苦難陀羅尼經一卷

八名普密陀羅尼經一卷

持世陀羅尼經一卷

六門陀羅尼經一卷

清靜觀世音普賢陀羅尼經一卷

諸佛集會陀羅尼經一卷

智炬陀羅尼經一卷

隨求即得大自在陀羅尼神呪經一卷

百千印陀羅尼經一卷

救面然餓鬼陀羅尼經一卷

甘露陀羅尼經一卷

莊嚴王陀羅尼經一卷

香王菩薩陀羅尼呪經一卷

一切法功德莊嚴王經一卷

拔除罪障呪王經一卷

善夜經一卷

虛空藏菩薩能滿諸願最勝心陀羅尼求聞持法一卷

金剛頂曼殊室利菩薩五字心陀羅尼品一卷

觀自在如意輪菩薩瑜伽法要一卷

金剛頂經五字心陀羅尼一卷

佛地經一卷

莩經一卷

佛垂般涅槃略説教誡經一卷亦名《佛遺教經》。

出生菩提心經一卷

佛印三昧經一卷

文殊師利般涅槃經一卷

異出菩薩本起經一卷

賢首經一卷

千佛因緣經一卷

月明菩薩經一卷

心明經一卷

滅十方冥經一卷

鹿母經一卷

魔逆經一卷

賴吒和羅所問德光太子經一卷

商主天子所問經一卷

諸法最上王經一卷

大乘四法經一卷

離垢慧菩薩所問禮佛法經一卷

寂照神變三摩地經一卷

造塔功德經一卷

不增不減經一卷

堅固女經一卷

大乘流轉諸有經一卷

大意經一卷

受持七佛名號所生功德經一卷

佛爲海龍王說法印經一卷

般泥洹後灌臘經一卷

右遶佛塔功德經一卷

妙色王因緣經一卷

師子王斷肉經一卷

差摩婆帝受記經一卷

師子王菩薩請問經一卷

有德女所問大乘經一卷

佛臨涅槃記法住經一卷

八部佛名經一卷

菩薩內集六波羅蜜經一卷

菩薩飼餓虎起塔因緣經一卷

金剛三昧本性清淨經一卷

師子月佛本生經一卷

長者法志妻經一卷

薩羅國經一卷

十吉祥經一卷

長者女菴提遮師子吼了義經一卷

一切智光明仙人慈心因緣不食肉經一卷

金剛三昧經二卷

優婆夷淨行法門經二卷

八大人覺經一卷

三品弟子經一卷

當來變經一卷

過去佛分衛經一卷

四輩經一卷

法滅盡經一卷

甚深大迴向經一卷

天王太子辟羅經一卷

十二頭陀經一卷

樹提伽經一卷

法常住經一卷

長壽王經一卷

長阿含經二十二卷

中阿含經六十卷

增益阿含經五十卷

雜阿含經五十卷

別譯雜阿含經二十卷

雜阿含經一卷

長阿含十報法經二卷

方等泥洹經二卷

人本欲生經一卷

梵志阿颴經一卷

梵綱六十二見經一卷

尸迦羅越六方禮經一卷

寂志果經一卷

起世經十卷

起世因本經十卷

樓炭經六卷

七知經一卷

醎水喻經一卷

一切流攝守因經一卷

四諦經一卷

恒水經一卷

本相倚致經一卷

中本起經二卷

緣本致經一卷

頂生王故事經一卷

文陀竭王經一卷

閻羅王五天使者經一卷

鐵城泥犂經一卷

古來世時經一卷

阿那律八念經一卷

離睡經一卷

是法非法經一卷

求欲經一卷

受歲經一卷

梵志計水淨經一卷

苦陰經一卷

釋摩男本經一卷

苦陰因事經一卷

樂想經一卷

漏分布經一卷

阿耨颰經一卷

諸法本經一卷

瞿曇彌記果經一卷

瞻婆比丘經一卷

伏婬經一卷

魔嬈亂經一卷

弊魔試目連經一卷

泥犂經一卷

優婆夷墮舍迦經一卷

齋經一卷

廣義法門經一卷

戒德香經一卷

四人出現世間經一卷

賴吒和羅經一卷

善生子經一卷

數經一卷

梵志頞波羅延問種尊經一卷

三歸五戒慈心厭離功德經一卷

須達經一卷

佛爲黃竹園老婆羅門説學經一卷

梵魔喻經一卷

尊上經一卷

鸚鵡經一卷

兜調經一卷

意經一卷

應法經一卷

鞞摩肅經一卷

婆羅門子命終愛念不離經一卷

十支居士八城人經一卷

邪見經一卷

箭喻經一卷

普法義經一卷

波斯匿王太后崩塵土坌身經一卷

須摩提女經一卷

婆羅門避死經一卷

施食獲五福報經一卷

頻婆娑羅王詣佛供養經一卷

長者六過出家經一卷

鴦掘摩經一卷

鴦掘髻經一卷

四未曾有法經一卷

力士移山經一卷

舍利弗目犍連遊四衢經一卷

七佛父母姓字經一卷

放牛經一卷

緣起經一卷

十一想思念如來經一卷

四泥犁經一卷

阿那邠邸化七十子經一卷

大愛道般涅槃經一卷

舍衞國王夢見十事經一卷

國王不黎先尼十夢經一卷

阿難同學經一卷

五蘊皆空經一卷

七處三觀經一卷

聖法印經一卷

五陰譬喻經一卷

水沫所飄經一卷

不自守意經一卷

滿願子經一卷

轉法輪經一卷

三轉法輪經一卷

八正道經一卷

難提釋經一卷

馬有三相經一卷

馬有八態譬人經一卷

相應相可經一卷

治禪病祕要經二卷

摩登伽經三卷

舍頭諫經一卷

修行本起經二卷

鬼問目連經一卷

雜藏經一卷

餓鬼報應經一卷

阿難問事佛吉凶經一卷

慢法經一卷

阿難分別經一卷

五母子經一卷

沙彌羅經一卷

玉耶經一卷

玉耶女經一卷

阿遫達經一卷

摩鄧女經一卷

摩鄧女解形中六事經一卷

太子瑞應本起經二卷

過去現在因果經四卷

奈女耆域因緣經二卷

奈女耆婆經一卷

四十二章經一卷

法海經一卷

海八功德經一卷

罪業報應教化地獄經一卷

龍王兄弟經一卷

長者音悅經一卷

禪祕要法經三卷

七女經一卷

八師經一卷

越難經一卷

所欲致患經一卷

阿闍世王問五逆經一卷

五苦章句經一卷

堅意經一卷

淨飯王般涅槃經一卷

進學經一卷

得道梯隥錫杖經一卷《持錫杖法》附。

貧窮老公經一卷

三摩竭經一卷

生經五卷①

萍沙王五願經一卷

琉璃王經一卷

義足經一卷

正法念處經七十卷

佛本行集經六十卷

本事經七卷

興起行經二卷

業報差別經一卷

大安般守意經二卷

罵意經一卷

禪行法想經一卷

處處經一卷

---

①　"五卷"，徐本作一卷，《開元釋教録》卷二、五、十三、十五、二十著録此經並作五卷。

分別善惡所造經一卷

出家緣經一卷

阿含正行經一卷

十八泥犁經一卷

法受塵經一卷

須摩提長者經一卷

長者懊惱三處經一卷

犍陀國王經一卷

阿難四事經一卷

分別經一卷

未生怨經一卷

四願經一卷

猘狗經一卷

八關齋經一卷

孝子經一卷

黑氏梵志經一卷

阿鳩留經一卷

佛爲阿支羅迦葉自化作苦經一卷

陰持入經二卷

五百弟子自說本起經一卷

大迦葉本經一卷

四自侵經一卷

羅云忍辱經一卷

沙曷比丘功德經一卷

佛爲少年比丘說正事經一卷

時非時經一卷

自愛經一卷

中心經一卷

見正經一卷

大魚事經一卷

阿難七夢經一卷

呵鵰阿那含經一卷

燈指因緣經一卷

婦人遇辜經一卷

四天王經一卷

摩訶迦葉度貧母經一卷

十二品生死經一卷

輪轉五道罪福報應經一卷

五無反復經一卷

佛大僧大經一卷

耶祇經一卷

末羅王經一卷

摩達國王經一卷

旃陀越國王經一卷

五恐怖世經一卷

弟子死復生經一卷

懈怠耕者經一卷

辨意長者子所問經一卷

無垢優婆夷問經一卷

賢者五福經一卷

天請問經一卷

護淨經一卷

木槵經一卷

無上處經一卷

因緣僧護經一卷

盧至長者因緣經一卷

五王經一卷

出家功德經一卷

旃檀樹經一卷

頞多和多耆經一卷

普達王經一卷

佛滅度棺歛葬送經一卷

鬼子母經一卷

梵摩難國王經一卷

孫多耶致經一卷

父母恩難報經一卷

新歲經一卷

犢牛譬經一卷

九橫經一卷

禪行三十七品經一卷

比丘避女惡名欲自殺經一卷

觀身經一卷

無常經一卷

八無暇有暇經一卷

長爪梵志請問經一卷

譬喻經一卷

比丘聽施經一卷

略教誡經一卷

療痔病經一卷

大乘莊嚴寶王經一卷

大乘聖無量壽決定光明王如來陀羅尼經一卷

大乘聖吉祥陀羅尼經一卷

無能勝旛王如來莊嚴陀羅尼經一卷

最勝佛頂陀羅尼經一卷

聖佛母小字般若波羅蜜多經一卷

大方廣總持寶光明經五卷

出生一切如來法眼徧照大力明王經二卷

守護大千國土經三卷

樓閣正法甘露鼓經一卷

大乘善見變化文殊師利問法經一卷

分別善惡報應經二卷

佛頂放無垢光明入普門觀察一切如來心陀羅尼經二卷

大乘日子王所問經一卷

金耀童子經一卷

嗟𰀋曩法天子受三皈依獲免惡道經一卷

校量壽命經一卷《讚法界頌》附。

聖虛空藏菩薩陀羅尼經一卷

大寒林聖難拏陀羅尼經一卷

諸行有餘經一卷

消除一切閃電障難隨求如意陀羅尼經一卷

最勝上燈明如來陀羅尼經一卷

妙法聖念處經八卷

大迦葉問大寶積正法經五卷

聖持世陀羅尼經一卷

法集名數經一卷

聖多羅菩薩一百八名陀羅尼經一卷

大方廣菩薩藏文殊師利根本儀軌經二十卷

十二緣生祥瑞經二卷

目連所問經一卷

外道問大乘無我義經一卷

毘俱胝菩薩一百八名經一卷

讚揚聖德多羅菩薩一百八名經一卷

聖觀自在菩薩一百八名經一卷

勝軍化世百喻伽陀經一卷

六道伽陀經一卷

苾芻五法經一卷

苾芻迦尸迦十法經一卷

妙臂菩薩所問經四卷

寶月童子問法經一卷

蓮花眼陀羅尼經一卷

觀想佛母般若波羅蜜經一卷

如意摩尼陀羅尼經一卷

大自在天子因地經一卷

寶主陀羅尼經一卷

佛爲娑伽羅龍王所說大乘經一卷

普賢菩薩陀羅尼經一卷

廣大蓮華莊嚴曼那羅滅一切罪陀羅尼經一卷

一切如來大祕密王未曾有最上微妙大曼羅經五卷

聖寶藏神儀軌經二卷

寶藏神大明曼拏羅儀軌經二卷

尊聖大明王經一卷

智光滅一切業障陀羅尼經一卷

如意寶總持王經一卷

持明藏八大總持王經一卷

聖大總持王經一卷

最上意陀羅尼經一卷

大摩里支菩薩經七卷

聖莊嚴陀羅尼經二卷

華積樓閣陀羅尼經一卷

聖幡瓔珞陀羅尼經一卷

普賢曼拏羅經一卷

長者施報經一卷

毘沙門天王經一卷

毘婆尸佛經二卷

布施經一卷

聖曜母陀羅尼經一卷

大三摩惹經一卷

月光菩薩經一卷

衆許摩訶帝經十三卷

解憂經一卷

七佛經一卷

大乘無量壽莊嚴王經三卷

徧照般若波羅蜜經一卷

帝釋般若波羅蜜多心經一卷

諸佛經一卷

大乘舍利娑擔摩經一卷

四無所畏經一卷

增慧陀羅尼經一卷

聖六字增壽大明陀羅尼經一卷

大乘戒經一卷

聖最勝陀羅尼經一卷

五千頌聖般若波羅蜜經一卷

金剛手菩薩降伏一切部多大教王經三卷

最上大乘金剛大寶王經一卷

薩鉢多酥哩踰捺野經一卷

一切如來烏瑟膩沙最勝總持經一卷《菩提心觀釋》附。

佛母寶德藏般若波羅蜜經三卷

幻化網大瑜伽教十忿怒明王大明觀想儀軌經一卷

金剛香菩薩大明成就儀軌經三卷

金剛薩埵說頻那夜迦天成就儀軌經四卷

妙吉祥最勝根本大教經三卷

大乘觀想曼拏羅淨諸惡趣經二卷

大金剛香陀羅尼經一卷

護國尊者所問大乘經三卷

持明藏瑜伽大教尊那菩薩大明成就儀軌經四卷

妙吉祥瑜伽大教金剛陪囉嚩輪觀想成就儀軌經一卷

大乘八大曼拏羅經一卷

較量一切佛剎功德經一卷

囉嚩拏說救療小兒疫病經一卷

迦葉仙人說醫女人經一卷

大愛陀羅尼經一卷

阿羅漢具德經一卷

一切佛攝相應大教王經聖觀自在菩薩念誦儀軌經一卷

俱枳羅陀羅尼經一卷

消除一切災障寶髻陀羅尼經一卷

妙色陀羅尼經一卷

旃檀香身陀羅尼經一卷

鉢蘭那賒嚩哩大陀羅尼經一卷

宿命智陀羅尼經一卷

慈氏菩薩誓願陀羅尼經一卷

滅除五逆罪大陀羅尼經一卷

無量功德陀羅尼經一卷

十八臂陀羅尼經一卷

洛义陀羅尼經一卷

辟除諸惡陀羅尼經一卷

八大靈塔名號經一卷《八大靈塔梵讚》、《三身梵讚》附。

尊那經一卷

瑜伽大教王經五卷

寶授菩薩菩提行經一卷

妙吉祥菩薩陀羅尼經一卷

無量壽大智陀羅尼經一卷

宿命智陀羅尼經一卷

慈氏菩薩陀羅尼經一卷

大正句王經二卷

人仙經一卷

舊城喻經一卷

頻婆娑羅王經一卷

信解智力經一卷

善樂長者經一卷

聖多羅菩薩經一卷

大吉祥陀羅尼經一卷

寶賢陀羅尼經一卷

秘密八名陀羅尼經一卷

觀自在菩薩母陀羅尼經一卷

戒香經一卷

延壽妙門陀羅尼經一卷

一切如來名號陀羅尼經一卷

息除賊難陀羅尼經一卷

法身經一卷

信佛功德經一卷

最上根本大樂金剛不空三昧大教王經七卷

最上秘密那天經三卷

解夏經一卷

帝釋所问經一卷

決定義經一卷

護國經一卷

未曾有正法經六卷

分別緣生經一卷

法印經一卷

大方廣善巧方便經一卷

大乘不思議神通境界經三卷

發菩提心破諸魔經二卷

聖佛母般若波羅蜜多經一卷

佛母出生三法藏般若波羅蜜多經二十五卷

給孤長者女得度因緣經三卷

大集法門經二卷

淨意優婆塞所問經一卷

無二平等最上瑜伽大教王經六卷

佛母般若波羅蜜多大明觀想儀軌經一卷

光明童子因緣經四卷

寶帶陀羅尼經一卷

金身陀羅尼經一卷

入無分別法門經一卷

金剛塲莊嚴般若波羅蜜多教中一分一卷

息静因緣經一卷

初分説經一卷

無畏授所問大乘經三卷

月喻經一卷

醫喻經一卷

灌頂王喻經一卷

秘蜜相經三卷

尼拘陀梵志經二卷

白衣金幢二婆羅門緣起經三卷

福力太子因緣經三卷

身毛喜竪經三卷

八種長養功德經一卷

穢跡金剛説大滿陀羅尼法術靈要門經一卷

穢跡金剛法禁百變法門經一卷

十一面觀自在菩薩心密言念誦儀軌經三卷

一切如來真實攝大乘現證大教王經三十卷①

大乘大方廣佛冠經三卷

大乘本生心地觀經八卷

除蓋障菩薩所問經二十卷

金剛恐怖集會方廣軌儀觀自在菩薩三世最勝心明王經一卷

金剛恐怖集會方廣軌儀觀自在菩薩三世最勝心明王大威力烏

　　樞瑟摩明王經三卷②

一字奇特佛頂經三卷

---

① “證”下,徐本有“三昧”二小字。

② “鳥”,徐本作“烏”。

阿唎多羅陀羅尼嚕力經一卷

金剛頂瑜伽念珠經一卷

大方廣曼殊室利經一卷

大樂金剛不空真實三摩耶般若波羅蜜多理趣經一卷

菩提塲所說一字頂輪王經五卷

底哩三昧耶不動尊威怒王使者念誦經一卷

一切如來心秘密全身舍利寶篋印陀羅尼經一卷

大吉祥天女十二名號經一卷

一切如來金剛壽命陀羅尼經一卷

大吉祥天女十二契一百八名無垢大乘經一卷

穰麌梨童女經一卷

雨寶陀羅尼經一卷

慈氏菩薩所說大乘緣生稻稈喻經一卷

菩提塲莊嚴陀羅尼經一卷

葉衣觀自在菩薩經一卷

毘沙門天王經一卷

文殊問經字母品第十四一卷

大乘密嚴經三卷

一切如來金剛三業最上秘密大教王經七卷

秘密三昧大教王經四卷

大集會正法經五卷

三十五佛名禮讖文一卷

救拔焰口餓鬼陀羅尼經一卷

觀自在菩薩說普賢陀羅尼經一卷

八大菩薩曼荼羅經一卷

能淨一切眼疾病陀羅尼經一卷

除一切疾病陀羅尼經一卷

如幻三摩地無量印法門經三卷

蟻喻經一卷

聖觀自在菩薩不空王秘密心陀羅尼經一卷

勝軍王所問經一卷

輪王士寶經一卷

園生樹經一卷

了義般若波羅蜜經一卷

大方廣未曾有經善巧方便品一卷

大堅固婆羅門緣起經二卷

海意菩薩所問淨印法門經九卷

金剛峰樓閣一切瑜伽瑜祇經二卷

妙吉祥平等最上觀門大教王經三卷

聖迦柅忿怒金剛童子菩薩成就儀軌經二卷①

瑜伽金剛頂經釋字母品一卷

一切如來安像儀軌經一卷

文殊師利菩薩根本大教王金翅鳥王品一卷

巨力長者所問大乘經三卷

如來不思議祕密大乘經二十卷

大乘瑜伽曼殊室利千臂千盋經十卷

守護國界主陀羅尼經十卷

瑜伽集要救阿難陀羅尼焰口儀軌經一卷

大乘理趣六波羅蜜經十卷

大白傘蓋總持陀羅尼經一卷

大悲空智金剛大教王儀軌經五卷

普徧光明焰鬘清淨熾盛如意寶印心無能勝大明王大隨求陀羅

---

① "二",徐本作"三"。

尼經二卷

妙吉祥菩薩所問大乘法螺經一卷

四品法門經一卷

八大菩薩經一卷

施一切無畏陀羅尼經一卷

聖八千頌般若波羅蜜多一百八名真實圓義陀羅尼經一卷

金剛頂瑜伽理趣般若經一卷

聖妙吉祥真實名經一卷

一髻尊陀羅尼經一卷

金剛摧碎陀羅尼經一卷

不空罥索毘盧遮那佛大灌頂真言經一卷

佛爲優填王說王法政論經一卷

五大施經一卷

摩利支天經一卷

無畏陀羅尼經一卷

大威德金輪佛頂熾盛光如來消除一切災難陀羅尼經一卷

熾盛光大威德消災吉祥陀羅尼經一卷

地藏菩薩本願經二卷

頂生王因緣經六卷

大乘隨轉宣說諸法經三卷

大乘入諸佛境界智光明莊嚴經五卷

大乘智印經五卷

末利支提華鬘經一卷

法乘義決定經三卷

大乘菩薩藏正法經四十卷

出曜經二十卷

佛本行經七卷

賢愚因緣經十三卷

佛所行讚經五卷

撰集百緣經十卷

道地經一卷

修行道地經八卷

佛醫經一卷

惟日雜難經一卷

十二遊經一卷

僧伽羅刹所集佛行經五卷

大乘修行菩薩行門諸經集要二卷

迦葉赴佛般涅槃經一卷

菩薩訶色欲經一卷

佛治身經一卷

治意經一卷

百喻經一卷

坐禪三昧法門經二卷

五門禪經要用法一卷

禪要訶欲經一卷

內身觀章句經一卷

法觀經一卷

付法藏因緣經六卷

達摩多羅禪經二卷

禪法要解經二卷

雜寶藏經八卷

舊雜譬喻經二卷

眾經撰雜譬喻經二卷

法句經二卷

阿育王譬喻經一卷

阿育王經一卷

阿育王傳五卷

法句譬喻經四卷

三慧經一卷

阿毘曇五法行經一卷

小道地經一卷

阿含口解十二因緣經一卷

馬鳴菩薩傳一卷

龍樹菩薩傳一卷

提婆菩薩傳一卷

勸發諸王要偈一卷

龍樹菩薩勸戒王頌一卷

婆藪槃豆傳一卷

龍樹菩薩爲禪陀迦王說法要偈一卷

賓頭盧奓羅闍爲優陀延生說法經一卷

請賓頭盧經一卷

大勇菩薩分別業報略經一卷

大阿羅漢難提密多羅所說法住記一卷

菩提行經一卷

金剛頂經一切如來真實攝大乘現證大教王經一卷

文殊所說最勝名義經二卷

真言要集十卷唐僧賢明。

　　　右經

菩薩地持經八卷

菩薩善戒經十卷

梵綱經二卷

優婆塞戒經七卷

菩薩瓔珞本業經二卷

淨業障經一卷

佛藏經四卷

受十善戒經一卷

菩薩優婆塞五戒威儀經一卷

文殊師利淨律經一卷

大乘三聚懺悔經一卷

菩薩五法懺悔經一卷

菩薩藏經一卷

三曼陀颰陀羅菩薩經一卷

菩薩受齋經一卷

舍利弗悔過經一卷

文殊悔過經一卷

法律三昧經一卷

十善業道經一卷

摩訶僧祇律四十卷

五分戒本一卷

十誦律五十八卷

十誦律毘尼序三卷

波羅提木义僧祇戒本一卷

根本說一切有部毘奈耶五十卷

根本說一切有部毘奈耶雜事四十卷

根本說一切有部尼陀那目得迦十卷

彌沙塞部五分律三十卷

解脫戒本經一卷

四分律藏六十卷

四分戒本二卷

根本説一切有部百一羯磨十卷

沙彌尼離戒文一卷

沙彌十戒法并威儀一卷

大沙門百一羯磨法一卷

十誦羯磨比丘要用一卷

優婆離問經一卷

曇無德律部雜羯磨二卷

四分比丘尼羯磨法一卷

曇無德部四分律删補隨機羯磨二卷

目連問戒律中五百輕重事經一卷

四分僧羯磨三卷

四分比丘尼羯磨法一卷

沙彌尼戒經一卷

舍利弗問經一卷

優婆塞五戒相經一卷

根本薩婆多部律攝十四卷

大比丘三千威儀二卷

律二十二明了論一卷

薩婆多部毘尼摩得勒伽十卷

戒因緣經十卷

善見毘婆沙律十八卷

薩婆多毘尼毗婆沙八卷

續薩婆多毘尼毗婆沙一卷

根本説一切有部毗奈耶破僧事二十卷

根本説一切有部出家授近圓羯磨儀範一卷《苾芻習學略法》附。

十種讀經儀一卷_{唐僧玄琬。}

無盡藏儀一卷　　法戒緣起二卷　　法界僧圖一卷　　十不論一
卷_{並同上。}

百願文一卷_{玄惲。}

懺悔罪法一卷　　禮佛儀式一卷_{並玄琬撰。}

注戒本二卷_{唐僧道宣。}　　又　疏記四卷

注羯磨二卷_{僧法礪。}　　又　疏記四卷

行事刪補律儀三卷

釋門正行懺悔儀三卷

釋門立物輕重儀二卷

護命放生儀軌法一卷

集諸經禮懺悔文二卷

梁武慈悲道塲懺法十卷

慈悲水懺法三卷

金光明最勝懺儀一卷

天台四教儀集注十卷

釋迦如來涅槃禮讚文一卷

　　　右律儀①

大智度論一百卷

十地經論十卷

十地經論二卷

彌勒菩薩所問經論七卷

三具足經優波提舍一卷

佛地經論七卷

_____

①　"右"，原脫，據徐本增。

金剛般若波羅蜜經論三卷

無量壽經優波提舍一卷

轉法輪經優波提舍一卷

能斷金剛般若波羅蜜經論三卷

大寶積經論四卷

寶髻經四法優波提舍一卷

大般涅槃經論一卷

涅槃經本有今無偈論一卷

金剛般若波羅蜜經破取著不壞假名論二卷

文殊師利菩薩問菩提經論二卷

妙法蓮華經優波提舍四卷

法華經論七卷僧惠洪。

勝思惟梵天所問經論三卷

遺教經論一卷

瑜伽師地論一百卷

顯揚聖教論二十卷

大乘阿毗達磨集論七卷

王法正理論一卷

瑜伽師地論釋一卷

大乘阿毘達磨雜集論十六卷

中論四卷

般若燈論十五卷

十二門觀論一卷

十八空論一卷

百論二卷

廣百論本一卷

廣百論釋十卷

十住毘婆沙論十五卷

菩提資糧論六卷

大莊嚴經論十五卷

攝大乘論五卷

大乘莊嚴經論十三卷

順中論二卷

中邊分別論二卷

決定藏論三卷

佛性論四卷

辨中邊論三卷《頌》附。

大乘成業論一卷

業成就論一卷

因明正理門論本一卷

究竟一乘寶性論五卷

成唯識寶生論五卷《唯識三十論》附。

因明入正理論一卷

顯識論一卷

成唯識論十卷

大乘唯識論二卷

唯識二十論二卷

轉識論一卷

大丈夫論二卷

入大乘論二卷

大乘掌珍論二卷

大乘五蘊論一卷

大乘廣五蘊論一卷

寶行王正論一卷

大乘起信論三卷

發菩提心論一卷

三無性論二卷

方便心論一卷

無相思塵論一卷

觀所緣論一卷

觀所緣論釋一卷

如實論一卷

廻諍論一卷

緣生論一卷

十二因緣論一卷

壹輸盧迦論一卷

大乘百法明門論一卷

百字論一卷

解拳論一卷

掌中論一卷

取因假設論一卷

觀總相論頌一卷

止觀門論頌一卷

手杖論一卷

六門教授習定論一卷

大乘法界無差別論一卷

提婆菩薩破楞嚴經中外道小乘四宗論一卷

提婆菩薩釋楞嚴經中外道小乘涅槃論一卷

首楞嚴論十卷惠洪。

李長者華嚴經論四十卷

李長者華嚴決疑論四卷

李長者十明論一卷

阿毘曇八犍度論三十卷

阿毘達磨法智論二十卷

阿毘達磨法蘊足論十二卷

阿毘達磨集異門足論二十卷

阿毘達磨識身足論十六卷

阿毘達磨界身足論三卷

阿毘達磨品類足論十八卷

衆事分阿毘曇論十二卷

阿毘曇毘婆沙論八十二卷

阿毘達磨大毘婆沙論二百卷

阿毘達磨俱舍釋論二十二卷

阿毘達磨俱舍釋論頌二卷

勝宗十句義論一卷

阿毘達磨俱舍論三十卷

阿毘達磨順正理論八十卷

阿毘達磨藏顯宗論四十卷

阿毘曇心論四卷

法勝阿毘曇心論六卷

雜阿毘曇心論十一卷

阿毘達磨甘露味論二卷

隨相論二卷

尊婆須蜜菩薩所集論十卷

三法度論三卷①

---

① “三卷”，徐本作二卷，《開元釋教録》卷三、十三、十五著録此論並作二卷，然其卷三著録小注云“或三卷，別録云一卷”。

入阿毘達磨論二卷

成實論二十卷

立世阿毘曇論十卷

舍利弗阿毘曇論二十二卷

五事毘婆沙論二卷

解脫道論十二卷

鞞婆沙論十四卷

三彌底部論三卷

分別功德論三卷

四諦論四卷

辟支佛因緣論一卷

十八部論一卷

部異執論一卷

異部宗輪論一卷

集諸法寶最上義論一卷

金剛針論一卷

菩提心離相論一卷

大乘破有論一卷

集大乘相論一卷

六十頌如理論一卷

大乘二十頌論一卷

佛母般若波羅蜜多圓集要義論四卷

佛母般若波羅蜜多圓集要義釋論四卷

大乘寶要義論十卷

聖佛母般若波羅蜜多九頌精義論一卷

諸教決定名義論一卷

廣釋菩提心論四卷

大乘中觀釋論四卷

大乘法界無差別論一卷

金剛頂瑜伽中發阿耨多羅三藐三菩提心論一卷

施設論三卷

菩薩本生鬘論九卷

大乘集菩薩學論十一卷

大宗地玄文本論四卷

彰所知論二卷

金七十論三卷

甄正論三卷_{杜義。}　又　三卷_{唐僧玄嶷。}

心鏡論十卷_{李思慎。}

崇正論六卷_{僧彥琮。}

辨正論八卷_{唐僧法琳。}

破邪論二_{僧法琳。}　又　一卷_{楚南撰。}

十門辨惑論二卷_{唐僧復禮。}

六趣論六卷_{楊玄善。}

安養蒼生論一卷_{唐僧玄琬。}

三德論一卷_{僧玄琬。}

入道方便門二卷_{僧玄琬。}

鑑諭論一卷

內德論一卷_{唐李師正。}

辨量三教論三卷_{唐僧法雲。}

十王正業論十卷_{僧法雲。}

敬福論十卷_{唐僧玄惲。}

略論二卷_{僧玄惲。}

法寶記血脉一卷

釋疑論一卷

净土論二卷唐僧道綽。

八識規矩百法明門論三卷

八漸通真議一卷白居易。

釋摩訶衍論五卷馬鳴大師論，龍樹菩薩釋。①

頓悟入道要門論一卷慧海。

原人論一卷

折疑論五卷

僧肇論三卷秦僧肇撰，唐光瑤注。　寶藏論三卷僧肇。

勒修破迷論一卷採微子。

金沙論一卷

通感決疑録一卷僧道宣。

禪關八問一卷

玄聖蘧廬一卷②唐李蠻。

天台止觀一卷隋智顗。

明道宗論一卷

統略淨住子淨行法門一卷蕭子良。

達磨血脉一卷唐僧惠可。

菩提心記一卷

東平太師默論一卷

棲賢法雋一卷唐僧惠明。

荷澤禪師微訣一卷

大乘入道坐禪次第要論一卷道信。

傅大士心王傳語一卷

竺道生法師十四科元贊義記一卷

---

① “馬”，原誤作“馮”，據徐本改正。

② “聖”，徐本作“通”，《通志・藝文略》著録作“神”。

無礙緣起一卷

觀心論一卷

百法論一卷玄奘。

永明智覺禪師唯心訣一卷

三乘入道記一卷

大小乘觀門十卷僧玄惲。

仰山辨宗論一卷

傳法正宗論二卷

護法論一卷

三教平心論二卷靜齋劉學士。

三教銓衡十卷楊上善。

齊三教論七卷衛元嵩。

續原教論一卷沈士榮。

集古今佛道論衡四卷唐道宣。

續古今佛道論衡一卷唐智昇。

三教品一卷李贄。

净土訣一卷李贄。

　　　右論

三藏本疏二十二卷釋道岳。

雜心玄章并鈔八卷釋道基。

大乘章鈔八卷釋道基。

雜心玄文三十卷釋慧净。

俱舍論文疏三十卷同上。

大莊嚴論文疏三十卷

法華經纘述三十卷

法華要解七卷

法華經玄義三十卷

法華玄義釋籤二十卷

法華文句二十卷

法華文句記三十卷

義源文本四卷_{釋玄會。}

時文釋鈔四卷_{釋玄會。}

涅槃義章句四卷_{釋玄會。}

涅槃義疏十三卷_{釋靈潤。}　又　玄章三卷

大般涅槃經玄義二卷

涅槃經疏二十六卷

涅般玄義發源機要四卷

遍攝大乘論議鈔十三卷　又　玄章三卷

觀音玄義二卷

觀音玄義記四卷

觀音義疏二卷

觀音義疏記四卷

菩薩戒義疏二卷

金光明經玄義二卷

金光明經玄義拾遺記六卷

金光明經文句六卷

金光明經文句記十二卷

金剛般若經疏一卷

金剛經口訣正義一卷

金剛經疏論纂要二卷

釋金剛經刊定記六卷

禪宗金剛經解一卷_{宋安保衡。}

金剛經訣一卷_{僧太白。}

金剛經注一卷僧宗泐。

觀無量壽佛經疏一卷

觀無量壽佛經疏妙宗鈔六卷

仁王護國般若波羅蜜經疏四卷

仁王護國般若波羅蜜經疏神寶記四卷

四教義六卷

請觀音經疏一卷

請觀音經疏闡義鈔四卷

華嚴疏十卷釋正智。

華嚴經清涼疏四十卷唐僧澄。

華嚴經略一卷僧澄。

華嚴百門義海二卷法藏。　又　華嚴奧指一卷

華嚴吞海集一卷道通。

華嚴隨疏演義鈔六十卷

華嚴懸談會玄記四十卷

華嚴起信文一卷善孜。

華嚴一乘教義分齊章三卷

華嚴法界觀門一卷

華嚴法界觀通玄記頌注二卷

華嚴要解二卷戒環。

法界玄鏡一卷

法界披雲集一卷道通。

法界撮要記四卷遵式。

華嚴指歸一卷

般若心經略疏一卷

六祖解心經一卷

忠國師解心經一卷

玄奘　心經會解一卷

宋學士　心經注一卷

般若照真論一卷鎮澄。

心經提綱一卷李贄。

蘭盆經疏一卷

彌陀經疏一卷

彌陀經疏鈔四卷明袾宏。

首楞嚴經義海三十卷

首楞嚴會解十卷井度。

楞嚴要解十卷戒環。

楞嚴經疏二十卷宋僧于璿。

楞嚴標指十卷宋僧曉月。

楞嚴正觀疏十卷　明鎮澄。

讀楞伽記四卷明德清。

攝論疏五卷釋辨相。

攝論義疏八卷釋法常。　又　玄章五卷

五部區分鈔二十卷釋智首。

四分疏十卷釋法礪。

大乘要句三卷釋空藏。

維摩經注六卷

維摩經疏六卷釋神楷。

大乘經要一卷釋良价。

華嚴十地維摩纘義章十二卷釋慧覺。

中觀論三十六門勢疏一卷沙門元康。

四分律疏二十卷釋慧滿。

那提大乘集議論四十卷

觀心論疏三卷

起信論疏四卷

起信論疏筆削記六卷

起信論鈔二卷_{宗密。}

起信論疏二卷_{法藏。}

肇論新疏三卷

肇論新疏遊刃三卷

　　右義疏

五祖東山和尚語録三卷

六祖法寶壇經一卷

南嶽大慧禪師語録一卷

馬祖大寂禪師語録一卷

百丈大智禪師語録一卷

黄檗禪師語録一卷

黄檗斷際禪師宛陵録一卷

臨濟禪師語録二卷

興化禪師語録一卷

睦州禪師語録一卷

寶應南院禪師語録一卷

風穴禪師語録一卷

石門禪師語録一卷

慈明禪師語録一卷

首山禪師語録一卷

汾陽昭禪師語録一卷

唐明嵩禪師語録一卷

南泉禪師語録二卷

趙州諗禪師語録一卷

雲門匡真禪師語録四卷

楊政會禪師語録一卷

道吾真禪師語録一卷

白雲端禪師語録一卷

佛照光禪師語録一卷

北磵簡禪師語録一卷

葉縣省禪師語録一卷

神鼎禪師語録一卷

大愚翠巖寺語録一卷

法華禪師語録一卷

龍門佛眼禪師語録八卷

大隨法真禪師語録一卷

投子禪師語録一卷

鼓山興聖國師語録一卷

洞山禪師語録一卷

智門禪師語録一卷

雲峰悦禪師語録二卷

雲庵真净禪師語録四卷

瑯琊廣照禪師語録一卷

佛照禪師奏對録一卷

德山語録一卷

漳州羅漢琛和尚法要三卷弟子紹修纂。

龐居士語録一卷

大唐國師小録法要集一卷

祖堂集一卷

永嘉一宿覺禪師集一卷唐魏净纂。

法眼禪師集一卷

法眼前後録六卷元則等編。

遺聖集一卷雜鈔諸禪宗問對語。

楞伽山主小參録一卷

圜悟語録十七卷

忠國師語録一卷唐惠忠語。

天台百會語要一卷僧義榮纂。

紫陵語一卷

僧齊堂禪師語要三卷

大珠語録一卷

雪峰廣録二卷唐義存。

無住説法記三卷唐僧純休集。

重顯語録八卷

净慧禪師語録一卷

龍濟語要一卷

净本語録一卷

普願語要一卷

松源語録二卷

積玄集一卷

紹修語要一卷

七科義狀一卷段立之問,僧悟達荅。

禪關一卷楊士達問,宗美對。

裴休拾遺問一卷

相傳雜語要一卷

釋氏要語一卷

妙中語三卷

五位語一卷

三轉語一卷

五峰集三卷

保寧語録一卷

净因語録一卷

秀禪師語録一卷

懷和尚語録一卷

海會語録一卷

靈隱勝和尚法要五卷

寶華軻和尚語緑一卷

悦禪師掬泉集三卷

雪竇明覺大師語録六卷

參元語録十卷唐神清。

明覺祖英集一卷

明覺添泉集一卷

明覺後集一卷

汾陽第二代語録一卷

汾陽紹二和尚語録一卷

古塔主語録三卷宋道古。

法燈拈古一卷

大慧普覺禪師語録三十卷　又　正法眼藏三卷　又　宗門武
庫一卷

雪堂行和尚拾遺録一卷

天目中峰禪師廣録三十卷

天如語録四卷

明學拈古一卷

三角山和尚語録一卷

富沙信老語録一卷

寶峰巖和尚語録三卷

北山語録十卷_{僧神清。}

克菴禪師語録一卷_{洪武時人。}

玉芝和尚内語二卷

楚石琦公語録二十卷

笑巖集四卷

　　　右語録

助發諸王要偈一卷

龍樹菩薩勸戒王頌一卷

龍樹爲禪陀迦王説法要偈一卷

龐蘊詩偈三卷

智閑偈頌一卷

寒山子詩七卷

省經贊一卷_{晋馬胤孫。}

寶覺見道頌一卷

行道難歌一卷_{梁傅大士。}

禪宗理信偈一卷_{僧道觀。}

偈宗秘論一卷

雍熙禪頌三卷_{宋僧辨隆。}

法眼真贊一卷

净慧偈頌一卷

寶誌十二時歌一卷

浮漚歌一卷

達磨妙用訣一卷

了迷破妄訣一卷

達磨信心銘一卷

三祖信心銘一卷

空王銘一卷

王梵志詩一卷

心賦二卷

唐賢金剛贊一卷

馬裔孫看經贊一卷

永嘉證道歌一卷靈運注。

十六羅漢頌一卷

無相歌一卷

般若經品頌偈一卷釋楚南。

光仁四大頌一卷

激勵道俗頌偈一卷僧良价。

解金剛經贊頌一卷傅大士與寶志撰。

聖迹見在圖贊一卷

佛光東漸圖贊二卷

釋華嚴漩澓偈一卷梁僧惟勁。

四家頌古集四卷天童雪竇、投子丹霞。

惟勁禪師贊頌一卷

玄中語寶三卷張雲表集禪門偈頌。

顯宗集一卷

竹林集十卷僧本先。

龐居士歌一卷

清居牧牛頌一卷

清涼法眼禪師偈頌一卷

禪宗頌古聯集二十一卷

石屋禪師詩二卷

禪藻集二卷楊慎。

詩外別傳一卷袁黃。

世沖集釋氏詠史詩三卷

右偈頌

宗鏡録一百卷

經律異相五十卷

諸經要集二十卷

密呪圖因往生集一卷

顯密圓通成佛心要二卷

奉法要一卷郗超。

宗門統要十卷僧宗永。　又　續集二十卷

摩訶止觀二十卷

止觀輔行傳弘決四十卷

修習止觀坐禪法要二卷

止觀義例二卷

大乘止觀法門四卷

覺義三昧一卷

無諍三昧一卷

安樂行義一卷

四念處四卷

釋禪波羅蜜十卷

浄土境觀要門一卷

方等三昧行法一卷

天台智者大師禪門口訣一卷

天台智者詞旨一卷僧灌頂記。

次第法界初門三卷

觀心二百問一卷

止觀大意一卷

始終心要一卷

修懺要旨一卷

十不二門一卷

十不二門指要鈔二卷

金剛錍一卷

八教大意一卷

妄盡還源觀一卷

佛祖統紀四十五卷

萬善同歸集六卷

禪宗決疑集一卷

修心訣一卷

廬山蓮宗寶鑑七卷

智證傳十卷惠洪。

船子和尚　機緣集一卷

法苑集十五卷梁僧祐。

內典博要三十卷虞孝恭。

經論纂要十卷駱子義。

弘明集十四卷僧祐。

廣弘明集四十卷唐道宣。

法苑珠林一百卷唐道世。

四分律僧尼討要略五卷

希運傳心法要一卷

禪源諸銓集一百一卷唐僧宗密。

石頭和尚參同契一卷唐希遷撰，宗美注。

釋氏六帖四卷周僧義楚。

內典序記集十卷

請禱集十卷僧十朋。

内典編要十卷僧夢微。

釋氏稽古略四卷

王景文　正法世譜□卷

僧史略三卷宋贊寧。

釋氏蒙求五卷宋程讜。

尼蒙求一卷釋道誠。

法門名義集一卷李師政。

廣法門名義三卷宋修净。

高僧纂要五卷僧覺昱。

法喜集二卷晋馬胤孫。

碧巖集十卷宋克勤。

金園集三卷遵式。　又　天竺別集三卷

感通賦一卷宋僧延壽。

釋門要録五卷

釋源集五卷

法要三卷僧宗正。

釋氏化源三卷

三教名數十二卷

覺海元珠藏三卷

空門事鑑三卷

釋氏會要四十卷僧仁贄。

林間録四卷惠洪。

宗記百篇永嘉鮑埶。

潤文官録一卷

象教皮編六卷陳士元。

　　右雜著

釋迦譜十卷南齊佐律師。

釋迦譜略二卷

釋氏譜略二卷

釋迦方志二卷

釋迦成道記一卷

阿育王傳五卷

馬鳴菩薩傳一卷

龍樹菩薩傳一卷

提婆菩薩傳一卷

波藪槃豆傳一卷

鷲嶺聖賢録一百卷宋僧贊寧。

名僧傳三十卷釋寶唱。

高僧傳十四卷梁僧慧皎。

江東名德傳三卷釋法進。

法師傳十卷王簡栖。

衆僧傳二十卷裴子野。

薩婆多部傳五卷釋僧祐。

比丘尼傳二卷皎法師。

比丘尼傳四卷釋寶唱。

高僧傳六卷虞孝恭。

名僧録十五卷裴子野。

續高僧傳三十二卷釋道宗。①

續高僧傳二十卷釋道宣。

①　"道宗"，徐本作"道宣"，誤，《新唐書·藝文志》、《通志·藝文略》俱著録作道宗。《舊唐書·經籍志》著録釋道宣《續高僧傳》二種，一作二十卷，一作三十卷。《開元釋教録》著録作三十卷，《通志·藝文略》作二十卷，俱無作三十二卷者。

後集續高僧傳十卷

大唐西域求法高僧傳二卷_{僧義净。}

宋高僧傳三十卷_{僧贊寧。}

僧寶傳三十卷_{惠洪。}

神僧傳九卷

真門聖胄集五卷_{唐元偉。}

景德傳燈録三十卷_{宋僧道原。}

傳燈玉英集三十卷_{楊億。}

天聖廣燈録三十卷_{李遵勖。}

分燈集二十五卷_{并度。}

神宗聯燈録□卷_{明禪師。}

建中靖國續燈録三十卷_{維白。}

淳熙聯燈會要□卷

嘉泰普燈録三十卷_{正受。}

禪苑瑶林一百卷_{并度。}

緇林古鑑二十四卷_{慧邃。}

五燈會元二十卷_{宋普濟。}

至元心燈録□卷

傳法正宗記十一卷_{契嵩。}

會正記十二卷_{允堪。}

梁草堂法師傳一卷_{陶弘景。}　又　一卷_{蕭回理。}

稠禪師傳一卷

寶林傳十卷_{唐僧矩。}

高僧懶殘傳一卷

僧伽行狀一卷_{辛崇。}

法琳別傳二卷_{唐僧彦源。}

釋氏系傳一卷_{一行。}

一行傳一卷_{李吉甫。}

雲居和尚示化實錄一卷_{唐僧元偉。}

六祖傳一卷

一宿覺僧傳一卷

天台智者大師別傳一卷

國清百錄一卷_{僧灌頂，記智者事蹟。}

真覺大師傳一卷

蓮社十八賢行狀一卷

大慈恩寺三藏法师傳十卷

西峰行狀一卷

古清涼傳二卷

續清涼傳一卷

大慧普覺禪師年譜一卷

禪門法師傳五卷_{蜀句令元。}

南海寄歸内法傳四卷

往生净土傳五卷_{唐僧飛錫。}

開皇三寶錄十四卷

無上祕密小錄五卷_{魏德譽。}

歷代三寶紀十五卷_{費長房。}

前代國王修行記五卷_{唐僧師哲。}

六祖法寶記一卷_{唐僧法海。}

迦葉祖裔記一卷

瑞像歷年記一卷_{吳僧十朋。}

大唐西域記十二卷

華嚴經纂靈記五卷_{唐僧賢首。}

古今譯經圖紀四卷_{唐僧靖邁。}

續古今譯經圖記一卷_{唐僧智昇。}

四天王行藏記一卷

金剛經報應記三卷_{唐盧永。}

右傳記

廬山南陵精舍記一卷

廬山集十卷_{晋慧遠。}

洛陽伽藍記五卷_{後魏楊衒之。}

京師寺塔記十卷_{隋劉璆。}

華山精舍記一卷_{張光禄。}

京師寺塔記二卷_{釋曇景。}①

金陵塔寺記三十六卷_{唐僧清徹。}

成都大悲寺集二卷_{李之純。}

成都大慈寺記三卷

舍利塔記一卷_{南唐高越。}

大唐京寺録傳十卷_{僧彦琮。}

攝山栖霞寺記一卷_{唐僧靈湍。}

西湖净社録三卷_{省常。}

曹溪志四卷_{明德清。}

右塔寺

　　世之與釋氏辨者多矣，大氐病其寂滅虚無，毀形棄倫，而不可爲天下國家也。夫道一而已，以其無思無爲謂之寂，以其不可覩聞謂之虚，以其無欲謂之静，以其知周萬物而不過謂之覺，皆儒之妙理也。自儒學失傳，往往束於形器見聞，而不知其陋，一聞語上者，顧以爲異説而咻之。昔齊國守其神聖之法，傳世

_____

① “曇”，原誤作“雲”，徐本同，據《隋書·經籍志》、《通志·藝文略》改正。

數百年。一旦田氏據國，并其神聖之法而盜之，徒知田氏之有齊，不知神聖之法本齊之故物也。今之爲儒佛辨者，大率類此。故學者與其詆之，莫若其兼存之，節取所長而不蹈其敝，如雕題卉服之倫，合沓內嚮，而王者巍然開明堂以臨之，詎不足以明大一統之盛哉？眠之遏纆曲防以封畛自域者，狹亦甚矣。漢初，佛未盛行，九流不載，至范蔚宗始述之。今琳宮梵筴殆徧天下，不能使其泯泯也，故因其籍而刪次，以列於篇。

卷四下

子類

墨家

墨子十五卷　又　**三卷**_{樂臺注。}
隨巢子一卷_{墨翟弟子。}
胡非子一卷_{墨翟弟子。}
晏子春秋十二卷

　　墨氏見天下無非我者，故不自愛而兼愛也。此與聖人之道濟何異？故賈誼、韓愈往往以孔墨並名。然見儉之利而因以非禮，推兼愛之意而不殊親疎，此其敝也。莊生曰："墨子雖獨任，如天下何？其太觳而難遵，有以也夫。"墨子死，有相里氏之墨、相芬氏之墨、鄧陵氏之墨，世皆不傳。《晏子春秋》舊列儒家，其尚同、兼愛、非樂、節用、非厚葬久喪、非儒、明鬼，無一不出墨氏，柳宗元以爲墨子之徒，尊著其事，以增高爲己術者，得之。今附著於篇。

法家

管子十八卷

尹注管子十九卷<small>唐尹知章。</small>

房注管子二十卷<small>唐房玄齡。</small>

管氏指略二卷<small>唐杜佑。</small>

劉注管子二十卷<small>劉績。</small>

商君書五卷<small>漢十九篇，今亡三篇。</small>

慎子一卷<small>慎到撰。漢四十二篇，隋、唐分十卷，今亡九卷。</small>

韓子二十卷<small>韓非撰，李瓚注。</small>

晁氏新書七卷<small>晁錯。</small>

崔氏政論六卷<small>崔寔。</small>

劉氏政論五卷<small>魏劉廙。</small>

阮子政論五卷<small>魏阮武。</small>

劉氏法論十卷<small>魏劉劭。</small>

元氏世要論十二卷<small>魏桓範。</small>

陳子要言十四卷<small>吳陳融。</small>

治道集十卷<small>李文博。</small>

正論三卷<small>李敬玄。</small>

　　古有九流，輓近世幾於絶矣，而墨、縱橫、名、法爲甚，其篇籍多軼以此。夫三家於理不衷，於用非亟，固也。至法也者，人君所以紀綱人倫，而遏絶亂略，顧可一日廢哉？百家蠭起，皆率其私智，自附於聖人，以譁世而惑衆。然其失繇各奮其私智，而其長盖或出於聖人在善用之而已。不然，駢衞委馭，四牡橫犇，而欲以和鑾節奏，救皇路之險傾，其可幾乎？今仍列其書，以備法家。

名家

鄧析子一卷

尹文子二卷

公孫龍子一卷_{舊十四篇，今亡八篇。}　　**又　注一卷**_{陳嗣古。}　　**又　注**
一卷_{賈大隱。}

人物志三卷_{魏劉劭撰，涼劉昺注。}

廣人物志三卷_{唐杜周士。}

九州人士論一卷_{魏盧毓撰}

士操一卷_{魏文帝。}

南北人物志十卷_{陸羽。}

士緯新書十卷_{姚信。}

姚氏新書二卷

蔡氏辨名記五卷

辨名苑十卷_{范諗。}

盧辯　稱謂五卷

徐陵　名數十卷

兼名苑二十卷_{僧遠年。}

天保正名論八卷_{龍昌期。}

　　名家之凡三：有命物之名，有毀譽之名，有況謂之名。蓋古者名位不同，事實亦異。孔子曰："必也正名乎？名不正則言不順，言不順則事不成。"論治者不覈其名實，御衆課功，反上浮淫而詘功，實難以爲國矣。晋魯勝曰"荀卿、莊周皆非毀名家，而不能易其論"，有以也。至舛駁不中之失，並見於篇，俟博雅者折衷焉。

縱橫家

鬼谷子三卷皇甫謐注。　**又　三卷**劉向注。　**又　三卷**樂臺注。　**又三卷**唐尹知章注。　**又　三卷**陶弘景注。
戰國策十卷鮑彪注。
戰國策十卷元吳師道校注。
補闕子十卷梁元帝。
縱橫集二十卷李緯。採六國至東漢辯說之詞。

　　孔子曰："誦《詩》三百，使於四方，不能專對，雖多，亦奚以爲?"盖謂言有其道也。前代若呂相之絕秦，[①]子產之獻捷，魯連偶儻以全趙，左師委曲而悟主，斯亦何惡於詞哉？乃蘇、張、睢首得其術，而以召敗，非術之罪也。史言魏徵諫諍，靡出弗從，而其初實學縱橫，顧用之者如何耳。《戰國策》或曰《國事》，或曰《短長》，或曰《事語》，或曰《長書》，《前志》列之史家，晁氏謂其紀事非盡實錄，附於縱橫者近是，今從之。

雜家

尸子二十卷秦尸佼。

---

①　"絕"，原作"紀"，據徐本改正。

呂氏春秋二十六卷_{高誘注。}

淮南鴻烈解二十一卷_{許慎注。}　又　二十一卷_{高誘注。}

淮南鴻烈音二卷

子華子十卷

王充　論衡三十卷

邊誼　續論衡二十卷

風俗通三十卷_{應劭。}

嘿記三卷_{吳張儼。}

仲長子　昌言二卷

傅子五卷

萬機論二卷_{魏蔣濟。}

博物志十卷_{張華。}

劉子五卷_{劉晝。}

雜記十一卷_{張華。}

金樓子十卷_{梁元帝。}

孫綽子十卷

廣志二卷_{郭義恭。}

貴儉傳三十卷_{蕭子顯。}

三教會林五十卷_{徐勉。}

部略十五卷

博覽十三卷

崔豹　古今注五卷

伏侯　古今注三卷

續古今注三卷_{唐周蒙。}

中華古今注三卷_{馬縞。}

啓疑記三卷_{顏延之。}　又　纂要六卷

古今善言二十卷_{宋范泰。}

闕文十三卷_{陸澄。}

記聞二卷_{宋徐益壽。}

備遺記三卷

方類六卷

袖中記二卷_{沈約。}

珠叢一卷_{沈約。}

採璧三卷_{梁庾肩吾。}

物始十卷_{謝昊。}

商子新書三卷_{商孝逸。}

長短經十卷_{趙蕤。}

事始三卷_{唐劉孝孫。}

續事始三卷_{唐劉睿。}

續事始五卷_{蜀馮鑑。}

事原錄三十卷_{朱繪。}

事物紀原二十卷

事物紀原類集十卷_{高承。}

續博物志十卷_{唐李石。}

鴻寶十卷

雜略十三卷

造化權輿六卷_{唐趙自勔。}

刊語二卷_{李諩。}

規書一卷_{丘光庭。}

蘇氏演義二十卷_{蘇鶚。}

道言六卷_{北羅羕。}

廊廟五格二卷_{王彬。}

名數十卷_{徐陵。}

物重名五卷

諸書要略一卷_{魏彦深。}

文章始一卷_{任昉。}

續文章始一卷_{姚察。}

翰墨林十卷

新舊傳四卷

文鑑五卷

典要三卷_{宋王曉。}

古今辨作録三卷

博覽十五卷

統載三十卷_{韓潭。}

博雅志十三卷_{李文成。}

麟閣詞英六十卷_{唐高宗時勅撰。}

屬文要義十卷_{元懷景。}

意林三卷_{馬總。}　又　意樞二十卷

魏氏手略二十卷_{魏蕃。}

博聞奇要二十卷

古今精義十五卷_{薛洪。}

諭善録七卷_{庾敬休。}

邵元　體論十卷

劉子法語二十卷_{劉鄂。}

諭蒙一卷_{馮伉。}

三足記二卷_{盧景亮。}

幽憂子三卷_{盧照鄰。}

元子十卷

琦玗子一卷_{元結。}

古今語要十二卷_{唐喬舜封。}

兩同書二卷_{羅隱。}

格言五卷韓熙載。

歷代創制儀五卷

物類相感志十卷釋贊寧。

近事會元五卷

晁氏客語一卷晁說之。

孔氏雜說記一卷孔仲武。

敷陽子七卷王韶。

廣川家學三十卷董弅。

石林過庭錄二十七卷葉模錄。

樂善錄十卷李石。

程氏廣訓六卷程俱。

演繁露十四卷程大昌。　　又　續十卷

考古編二十卷程大昌。

容齋隨筆五集七十四卷洪邁。

困學紀聞二十卷王應麟。

習學記言五十卷葉適。

省心詮要二卷林和靖。

筆語十五卷李淑。

夢溪筆談二十六卷沈括。

補筆談四卷

涉世錄二十五卷徐彭年。　　又　涉世後錄二十五卷

寓簡八卷沈作喆。

翠微洞隱百八十卷張大機。

龜鏡錄十卷張巨濟。

愧郯錄十五卷岳珂。

金陀粹編三十卷

鄭樵　十說一卷

李嵩　審理書一卷

鳴道集説五卷金李之純。

博聞録十卷陳元覯。

餘冬序録六十五卷何孟春。

水東日記三十八卷葉盛。

趙鼎祚　脉望一卷

吳伯通　石谷遺言一卷

異物彙苑五卷閔文振。

本語六卷高拱。

　　《説文》:"五采合曰雜,從衣,從集。"隹聚木上,亦其意也。人情美繡而惡雜,顧繪事必兼五色,采色具而繡成,若之何其惡之? 前史有雜家,譬之製錦,然巨細奇正,典常儇詭,并苞兼總,而王治貫焉矣。微獨諸子而有之。《易》之興也,盖非其雜物撰德不備,皆是物也,第明天地之性,則神恌不能惑。知萬物之情,則非類不能罔。雖昆蟲水草、櫨棃橘柚、縮屑澀齒,日陳於其前,恃以養生,則不能勝五穀也。在學者精擇之而已。

農家

范子計然十五卷問荅。

尹都尉書三卷

氾勝之書二卷漢氾勝之撰。

齊民要術十卷漢賈思勰。

春秋濟世六常擬議五卷隋楊瑾。

武后　兆民本業三卷

演齊民要術十卷_{李淳風。}

大農者經一卷_{宋賈元道。}

農家切要一卷

農子一卷_{熊寅亮。}

山居種蒔要術一卷

田夫書一卷_{范如圭。}

本書三卷_{何亮。}

農書三十六卷

耕織圖二卷_{宋樓璹。}

農桑通訣二十卷_{元王禎。}　又　農器圖譜二十卷　又　穀譜十
　一卷

農桑輯要七卷_{元司農輯。}

種蒔占書二卷

栽桑圖五卷

耕織圖一卷_{宋樓璹。}

山居要術五卷_{王旻。}　又　山居雜要三卷

淮南王蠶経三卷

蠶書二卷_{孫光憲。}

蠶書二卷_{秦觀。}

農書三卷_{宋陳雱。}

耕桑治生要備二卷_{何先覺。}

禾譜五卷_{曾安止。}

農器譜五卷_{曾之謹。}

農桑撮要七卷_{羅文振。}

經界弓量法一卷_{王居安。}

治圃須知一卷

　　聖王播百穀，勸耕稼，以足衣食，非以務地利而已。人農則樸，樸[1]則易用，易用則邊境安而主勢尊。人農則少私義，少私義則公法立。人農則其產複，其產複則重流徙，[2]而無二心，天下無二心，即軒轅几篷之理不過也。今大江以南，土沃力勤甲於寓内，而瀉鹵瘠空，西北爲甚。雨澤不時，輒倚耜而待槁。霪潦一至，龍蛇魚鼈且據皋隰而宫之，豈獨天運、人事有相剌戾哉？斯民呰窳偷惰，而教率之者疎耳。古有農官，顗董其役，而田野不闢，則有讓。播殖之宜，蠶繅之節，如管子、李悝之書多具之，惜不盡傳，姑列其見存者於篇。

小説家

燕丹子一卷

青史子一卷

宋玉子一卷

語林一卷_{晋裴啓。}

瑣語一卷_{梁顧協。}

郭子三卷_{晋郭澄之。}

笑林三卷_{漢邯鄲淳。}　又　三卷_{路氏。}

笑苑四卷

解頤二卷_{楊松玢。}

---

①　"樸"，原作"樸"，據徐象橒刻本改正。下一"樸"字同。

②　"徙"，原誤作"徙"，據徐本改正。

世説八卷_{宋劉義慶。}

續世説十卷_{劉孝標。}

小説十卷_{梁殷芸。}　又　十卷_{劉義慶。}

邇説一卷_{梁伏恒。}

辯林二十卷_{蕭賁。}

述異記二卷_{任昉。}

齊諧記七卷_{宋東陽無疑。}

續齊諧記二卷_{吳均。}

辯林二卷_{席希秀。}

瓊林七卷_{周陰顥。}

座右方八卷_{庾元威。}

座右法一卷

類林三卷_{裴子野。}

啓顔録十卷_{侯白。}

説林五卷_{孔衍。}

説林二十卷_{張太素。}

海山記一卷

迷樓記一卷

隋遺記一卷_{顔師古。}

隋唐嘉話三卷_{劉餗。}

劉氏小説一卷_{劉餗。}

虬髯客傳一卷

酉陽雜俎二十卷_{段成式。}

續酉陽雜俎十卷

中樞龜鑑一卷_{唐蘇瓌。}

錦里新聞三卷

劇談録三卷_{康軿。}

雲溪友議十二卷范攄。

嵐齋集二十五卷唐李躍。

幽閑鼓吹一卷張固。

盧氏雜説一卷盧言。

桂苑叢談一卷

會昌解頤一卷

松窗雜録一卷唐李璿。

瀟湘録十卷唐李隱。

辨疑志三卷唐陸長源。

洽聞記三卷唐鄭常。

河東記三卷唐薛漁思。

笑林三卷唐何自然。

牛羊日曆一卷唐劉軻。

猗玕子一卷元結。

刊誤一卷唐李涪。

資暇集三卷李匡義。

芝田録一卷

炙轂子雜録注解五卷唐王叡。

朝廷卓絶事一卷唐陳岠。

杜陽雜編三卷蘇鶚。

家學要録二卷唐柳珵。

俳諧集十五卷劉訥言。

説纂四卷李繁。

劉公嘉話録一卷韋絢。

尚書談録一卷唐李綽。

常侍言旨一卷柳珵。

戎幕閑談一卷韋絢。紀李德裕語。

異聞集十卷_{唐陳翰。}

金華子三卷_{劉崇遠。}

通微子十物志一卷

因話録六卷_{唐趙璘。}

乾腰子三卷_{温庭筠。}

演義十卷_{唐蘇鶚。}

雜説六卷_{李後主。}

談藪八卷_{隋楊松玠。}

摭言十五卷_{王定保。}

玉溪編事三卷_{蜀金利用。}

鄭氏談綺一卷

野人閑話五卷_{宋景焕。}

開顏集三卷_{周文規。}

北里志一卷_{唐孫棨。}

原化紀一卷_{皇甫氏。}

三水小牘三卷_{唐皇甫牧。}

小説二卷_{劉季孫。}

世説簡要十卷

賓朋宴語三卷_{丘旹。}

山東野録一卷_{賈同。}

祕閣閑談五卷_{吳淑。}

友會談叢三卷_{上官融。}

雲仙散録十卷_{馮贄。}

老學菴筆記十卷_{陸游。}

枕中記一卷_{陸游。}

唐摭言十五卷_{南唐何晦。}

清異録二卷_{陶穀。}

賈氏談録一卷_{南唐張洎。}

太平廣記五百卷_{李昉。}

洛中記異十卷_{秦再思。}

洞微志十卷_{錢希白。}

乘異記三卷_{張君房。}

脞説前後集二十卷_{張君房。}

楊文公談苑八卷_{宋祁。}

王文正筆録□卷

宋景文公筆録一卷

善謔集一卷_{賣萃。}

林下笑談二十卷

牧豎閑談三卷①_{景漁。}

清夜録一卷_{沈括。}

續清夜録一卷_{王銍。}

筆奩録七卷

三餘録三卷_{涉弼。}

洛陽縉紳舊聞記十卷_{張齊賢。}

同歸小説三卷_{張齊賢。}

談聞録十卷_{李畋。}

昭義記室別録一卷

續同歸小説三卷_{安儀鳳。}

雜纂一卷_{李商隱。}

續雜纂一卷_{蘇軾。}

唐語林八卷_{王讜。}

鑑戒録十卷_{蜀何光遠。}

---

① "豎",原誤作"竪",據徐本改。

葆光録三卷_{陳纂。}

歐陽公歸田録五卷

續世説十二卷_{孔平仲。}

開談録二卷_{蘇耆。}

東齋記十卷_{范鎮。}

明道雜志一卷_{張耒。}

撫遺集二十卷

東軒筆録十卷_{魏泰。}

南遷録二卷_{張舜臣。}

郡閣雅言一卷_{潘若同。}

茅亭客話十卷_{黃休復。}

文房監古三卷_{李孝美。}

青瑣高議十八卷_{劉斧。}

翰府名談二十五卷_{劉斧。}

炎州拾翠十卷_{蘇軾。}

孫公談圃三卷_{孫升。}

江鄰幾雜志三卷_{江休復。}

幕府燕閒録十卷_{畢仲詢。}

泠齋夜話十三卷_{僧惠洪。}

麈史三卷_{王得臣。}

羣玉雜俎一卷

雞跖集十卷

三百家事類六十卷

捫蝨新話十五卷_{陳善。}

廣卓異記二十卷_{樂史。}

湘山野録六卷_{僧文瑩。}

玉壺清話十卷_{僧文瑩。}

龍川略志六卷蘇轍。

龍川別志四卷蘇轍。

澠水燕談十卷王闢。

稗官志一卷呂大辨。

倦游雜録八卷張師正。

師友談記一卷李廌。

青箱雜記十卷吳處厚。

遯齋野覽十四卷程正敏。

後山談叢六卷陳無己。

容齋廣録十卷李獻民。

墨客揮犀二十卷彭乘。

石渠録十一卷黃伯思。

石林燕語十卷程模。

玉澗雜書十卷葉夢得。

避暑録二卷葉夢得。

巖下放言一卷葉夢得。

秀水閑居録三卷朱勝非。

紺珠集十三卷朱勝非。

類説五十卷曾慥。

春渚紀聞十卷何遠。

鐵圍山叢談五卷蔡絛。

曲洧舊聞三卷朱弁。

世説敘録三卷汪藻。

揮塵録十八卷王明清。

投轄録一卷王明清。

驂鸞録一卷范成大。

吳船録一卷范成大。

泊宅编十卷_{方勺。}

却埽编三卷_{徐度。}

閒燕常談三卷_{董弅。}

紀談録十五卷_{晁邁。}

復齋閒記四卷_{歷陽龔相。}

夷堅志四百二十卷_{洪邁。}

夷堅別志二十四卷_{王質。}

經鋤堂雜志八卷_{倪思。}

雲麓漫抄二十二卷_{趙彥衛。}

鑑誡別録三卷_{歐陽邦基。}

桯史十五卷_{岳珂。}

鼠璞一卷_{戴植。}

宜齋野乘一卷_{吳枋。}

深雪偶談一卷_{方岳。}

西谿叢語二卷_{姚寬。}

鶴林玉露十六卷_{羅大經。}

梁溪漫志十卷_{費袞。}

侯鯖録八卷_{趙德麟。}

甲申雜記一卷_{王定國。}

聞見近録一卷_{王定國。}

隨手雜録一卷_{王定國。}

游山録三卷_{周必大。}

奏事録一卷_{周必大。}

南歸録一卷_{周必大。}

思陵録二卷_{周必大。}

賓退録十卷_{趙與時。}

行營雜録一卷_{趙葵。}

談淵一卷_{王陶。}

螢雪叢説二卷_{俞成德。}

揮塵録一卷_{楊萬里。}

貴耳集一卷_{張端義。}

清夜録一卷_{俞文豹。}

宣政雜録二卷

艮岳記一卷_{張浸。}

文昌雜録十卷_{龐元英。}

退齋筆録一卷_{侯延慶。}

避戎夜話二卷_{石茂良。}

游宦紀聞十卷_{張世南。}

朝野遺記一卷

畫墁録一卷_{張舜民。}

朝野僉言一卷

白獺髓一卷_{張仲文。}

臥游録二卷_{呂祖謙。}

墨莊漫録五卷_{張邦基。}

蒙齋筆談二卷_{鄭景望。}

山家清事二卷_{林洪。}

雞肋一卷_{趙崇絢。}

中吳紀聞六卷_{龔仲希。}

芥隱筆記一卷

黃文獻筆記一卷

輟耕録三十卷_{元陶九成。}

説郛一百卷_{陶九成。}

江湖紀聞十六卷_{郭霄鳳。}

席上輔談二卷_{俞琰。}

遂昌山樵雜録二卷_{元鄭元祐。}

古杭集記一卷_{元李有。}

齊東野語二十卷_{周密。}

東園友聞二卷

癸辛雜識四卷_{周密。}

廣客談一卷

景仰撮書一卷_{王達。}

古穰雜録二卷_{李賢。}

類博稿雜言一卷_{岳正。}

清溪暇筆二卷_{金陵姚福。}

寓圃雜記一卷_{王錡。}

瑯琊漫抄一卷_{文林。}

馬氏日抄一卷_{馬愈。}

七修類藁五十三卷_{郎瑛。}

損齋備忘録一卷_{金陵梅純。}

河館聞談四卷_{金陵司馬泰。}

西湖塵談録十卷

復齋日記一卷_{許浩。}

吳中故語一卷_{楊循吉。}

月河所聞□卷_{吳興莫君譔。}①

蓬軒吳記二卷_{黃暐。}

畜德録二卷_{陳沂。}

讀書筆記一卷_{祝允明。}

蠶衣一卷_{祝允明。}

---

① “莫君譔”，徐本同，《千頃堂書目》、《吳興備志》、《四庫全書總目提要》俱著録《月河所聞》一卷，云吳興莫君陳撰，當據改。

龍江夢餘録四卷_{唐錦}。

懸笥瑣探一卷_{劉昌}。

楊子巵言二卷_{楊慎}。

巵言閏集二卷_{楊慎}。

丹鉛六集六十卷_{楊慎}。

藝林伐山四卷_{楊慎}。

墐戶録一卷_{楊慎}。

清暑録二卷_{楊慎}。

病榻手欥一卷_{楊慎}。

逭旆瑣言二卷_{蘇祐}。

太藪外史五卷_{蔡羽}。

楚漢餘談一卷_{高岱}。

學圃藼蘇六卷_{陳耀文}。

學林就正四卷_{陳耀文}。

正楊四卷_{陳耀文}。

今雨瑤華一卷_{岳岱}。

王氏劄記二卷_{王世貞}。

短長二卷_{王世貞}。

宛委餘編十九卷_{王世貞}。

史乘考誤十一卷_{王世貞}。

九沙草堂雜言二卷_{萬表}。

灼艾集十卷_{萬表}。

諸史四卷_{徐常吉}。

滑耀編十七卷

何氏語林三十卷_{何良俊}。

古今説海百四十二卷_{陸楫}。

霏雪録二卷_{劉績}。

株守談略三十一卷馬攀龍。

芸心識餘八卷陳其力。

延寧堂漫録三十六卷羅鳳。

近峰聞略八卷皇甫録。

三餘贅筆二卷穆卯。

奚囊續要二十卷都穆。

談纂二卷都穆。

聽雨紀談一卷都穆。

玉壺冰一卷都穆。

草木子四卷葉子奇。

兩山墨談八卷陳霆。

客座新聞二十二卷沈周。

逸史搜奇一百卷汪雲程。

菊坡叢語二十六卷單宇。

墅談六卷胡侍。

真珠船八卷胡侍。

瑣碎録二十卷

夢醒録十卷蕭聰。

闇然堂日纂四卷潘士藻。

游文小史十三卷閔文振。

聞中今古二卷陳頎。

江漢叢談二卷陳士元。

紀善録一卷杜瓊。

庚巳編四卷陸粲。

異林一卷徐昌國。

語怪四編一卷祝允明。

猥談一卷祝允明。

高坡異纂三卷楊儀。

說聽四卷陸延枝。

艾子後語一卷

　　張衡之賦二京也，曰：“小說九百，本自虞初。”知古秘書所掌，其流實繁。班固列之諸家，見王治之悉貫，與小道之可觀，其言趣已。何者？陰陽相摩，古今相嬗，萬變撟起，嵬瑣弔詭，不可勝原，欲一格以咫尺之義，如不廣何？故古街談巷議，必有稗官主之。譬之管蒯絲麻，悉無捐棄，道固然也。余故仍列於篇，蓋立百體，而馬繫乎前，嘗聞之蒙莊矣。

兵家<small>兵書　軍律　營陣　兵陰陽　邊策</small>

六韜六卷

司馬兵法三卷司馬穰苴。

孫子兵法三卷魏武帝注。

蕭吉　注孫子三卷

吳沈友　注孫子三卷

陳皞　注孫子三卷

紀燮　注孫子三卷

杜牧　注孫子三卷

王晳　注孫子三卷

賈林　注孫子三卷

李筌　注孫子三卷

梅堯臣　注孫子三卷

孫子集注十三卷

孫武兵經三卷張子尚注。

鈔孫子兵法一卷魏賈詡。

續孫子兵法二卷魏武帝。

孫子遺說一卷鄭友賢。

吳起兵法一卷賈詡注。

孫鎬　注吳子一卷

尉繚子五卷

子胥兵法一卷

黃石公三略三卷成氏注。

三略三卷呂惠卿注。

黃帝兵法一卷宋武帝所傳神人書。

太公陰謀一卷　又　三卷魏武帝注。

太公陰謀三十六用一卷

太公金匱二卷

太公枕中記一卷

周書陰符九卷

大將軍兵法一卷

兵書接要十卷魏武帝。

黃石公素書二卷呂惠卿注。

黃石公兵書三卷

黃石公秘經二卷

黃石公內記敵法一卷

黃石公記三卷

黃石公略注三卷

黃帝用兵法訣一卷

梁武帝兵法一卷

梁武帝兵書鈔一卷

玉韜十卷梁元帝。

金韜十卷劉祐。

金策十九卷

兵書要略五卷後周宇文憲。

兵書要術四卷任景志。

兵記八卷司馬彪。

兵書要序十卷趙氏。

軍勝見十卷許昉。

戎決十三卷許昉。

陰策二十二卷劉祐。

陰策林一卷

戰略二十六卷金城公趙㷇。

金海三十卷蕭吉。

成氏三略訓三卷

張良經一卷

張氏七篇七卷

孔衍　兵林六卷

王略武林一卷

王佐秘書五卷樂産。

隋高祖　兵書三十卷

李衛公問對三卷

兵春秋一卷

武孝經一卷唐郭良輔。

臨戎孝經一卷員半千。

兵書論語三卷

承神兵書八卷

秦戰鬪一卷

战鬪亭亭一卷

玉帳經一卷

玉帳新書十卷

軍謀前鑒十卷_{李嶠。}

兵家正史九卷_{吳兢。}

止戈記七卷_{劉秩。}

至德新義十二卷

統軍靈轄秘策一卷_{李光弼。}

王公亮兵書十八卷

新集兵書要訣三卷_{杜希全。}

張道古　兵論一卷

韜珠秘訣十卷_{盧元。}

諸葛武侯十六策一卷

孔明心書一卷

契神經一卷_{周劉可久。}

神武要略十卷

李靖　兵家心術一卷

諸葛亮　將苑一卷

元戎機二卷_{嚴洞。}

平朝陰府二十四機一卷_{諸葛武侯。}

六軍鏡心訣一卷_{諸葛武侯。}

明將秘要三卷_{李靖。}

韜鈐要訣一卷

神武秘略二十卷

軍志總要十卷

百將傳十卷_{張預編。}

續百將傳四卷_{何喬新。}

新續百將傳四卷_{顧其言。}

樵子五卷

韋子二卷

正元新書一卷

備急玉櫃訣一卷_{楊渭。}

黎教授　兵説二卷

闑外春秋十卷_{李筌撰,起周至唐八代將帥。}

李臨淮武記一卷_{李光弼。}

左氏兵法一卷_{宋韓廸。}

制勝方略三十卷_{楊肅。}

虎鈐經二十卷_{許洞。}

神武秘略十卷_{宋仁宗。}

三朝武經聖略十卷_{曾公亮。}

武經龜鑑二十卷_{王彥。}

武經總要四十卷_{曾公亮。}

百戰奇法十卷

歷代兵制八卷_{陳傅良。}

紀効新書續集二卷_{霍文玉。}①

韜鈐内外篇卷□_{趙本學。}

　　右兵書

軍誡三卷_{裴守一。}

裴子新令二卷_{裴緒。}

長慶人事軍律三卷_{燕僧利正。}

---

①　"霍文玉",原誤作"霍子玉",徐本作"霍子王",據《千頃堂書目》卷十三改正。

人事軍律三卷_{符彦卿。}

行師類要七卷_{唐王公亮。}

行軍賞罰符契勑一卷

刑兵律一卷

修城法式條約二卷_{沈括。}

　　右軍律

孫子八陣圖一卷

吳孫子牝八變陣圖二卷

黃石公　五壘圖一卷

隋雜兵圖一卷

吳孫子三十三壘經一卷

龍武玄兵圖二卷_{解忠鯁。}

武德圖五兵八陣法要一卷

武侯八陣圖一卷

渭南秘訣一卷_{謝淵，記八陣圖法。}

八陣合變圖說一卷_{雷辰化。}

八陣圖演注一卷_{龍正。}

保聚圖一卷_{晋庾袞。}

裴行儉　安置軍營行陣等四十六訣一卷

行軍必用一卷

五行陣圖一卷

八陣四象陣法一卷

神變隊陣圖一卷

風后握機圖經一卷

風后握奇八陣圖一卷

神機靈秘圖一卷

新法武備圖一卷

營陣圖經一卷

防城器具一卷

邊城器用圖一卷

行營要訣三卷李惟則。

破虜新陣圖説一卷許論。

　　右營陣

孫子兵法雜占四卷

太公陰符鈐録一卷

太公伏符陰陽謀一卷

黃帝兵法孤虛雜記一卷

太公三宮兵法一卷

太一兵法一卷

太一三宮兵法立成圖一卷

太公書禁忌立成集二卷

黃石公三奇法一卷

黃石公陰謀行軍秘法一卷

三宮用兵法一卷

玄女戰經一卷

黃帝問玄女兵法四卷

陰陽兵書五卷莫珍玄。

黃帝軍出大師年命立成一卷

黃帝複姓符一卷許昉。

辟兵法一卷

黃帝太一兵歷一卷

黃帝蚩尤風后行軍秘術二卷

黃帝蚩尤兵法一卷

老子兵書一卷

吳有道占出軍決勝負事一卷

風氣占軍決勝戰二卷_{太史令全範。}

對敵權變一卷_{吳氏。}

對敵占風一卷

黃帝夏后氏占氣六卷

兵法風氣等占三卷

對敵權變逆順一卷

兵法權儀一卷

六甲孤虛雜訣一卷

六甲孤虛兵法一卷

孤虛法十卷

兵法遁甲孤虛斗中域法九卷

決勝孤虛集一卷

兵法日月風雲背向雜占十二卷

虛占三卷

兵書雜歷八卷

太一兵書十一卷

用兵秘法雲氣占一卷

兵法三家軍占秘要一卷_{李行。}

氣經上部占一卷

天大芒霧氣占一卷

鬼谷先生占氣一卷

五行候氣占災一卷

乾坤氣法一卷

雜匈奴占一卷_{漢王朔。}

對敵占一卷

黃石公　陰陽乘斗魁罡行軍秘法一卷

葛洪　兵法孤虛月時秘要法一卷

真人水鑑十卷_{陶弘景。}

握鏡方三卷

握鏡圖一卷

衞公六軍鏡三卷

李淳風　懸鏡十卷

太白陰經十卷_{李筌。}

青囊括一卷_{李筌。}

兵殺歷一卷

兵要望江南詞一卷_{易靜。}

天事序議一卷_{韓滉。}

韜鈐秘録五卷_{莊廷範。}

衞公手記一卷

鑒川漁子吟風詩一卷

周易占兵一卷

戰勝歌百首一卷

行軍月令一卷

武侯兵機法一卷

軍軌兵鈐秘訣三卷

神兵苑三卷

六十甲子軍法一卷

兵機將略論一卷

彭門玉帳一卷

出軍秘訣一卷

會稽兵家術日月占一卷

倚馬立成法二卷_{李淳風。}

兵書萬勝決二卷

至德元寶玉函經十卷_{唐董承祖。}

統戎式鑒一卷

白起神妙行軍法三卷_{李靖序。}

六甲五神用兵法一卷

要訣兵法立成歌一卷

六甲攻城破敵法一卷

馬前秘訣兵書一卷

靈關訣二卷

預知歌一卷

太一厭禳法一卷

太一行軍六甲禳厭詩一卷

通玄玉鑑占一卷

陰符握機運要五卷

出軍秘占五卷_{張良。}

禽賦一卷_{趙孟頫。}

禽星易見四卷_{池本理。}

大壬用兵太一心機要訣一卷_{李靖。}

三式風角用法立成十二卷_{王欵。}

靈關集益智三卷_{李洿。}

兵家占候二卷

遁甲星鈐一卷

遁甲符應經二卷

行軍雜占一卷

天鏡書一卷

玉帳玄樞一卷

風角秘傳二卷

將軍切要一卷

小遊太一立成七十二局一卷

太一遊星圖一卷

玄女孤虛法一卷

遁甲出軍歷一卷

唐賢秘密書一卷

天老神老經一卷

備急玉櫃訣一卷

　　　右兵陰陽

定邊安遠策三卷_{郭元振。}

開復西南夷事狀十七卷_{唐韋臯。}

西陲要略二卷_{范傳正。}

禦戎新録二十卷_{李勃。}

西南備邊録十三卷_{李德裕。}

徐德占策三卷

夏國樞要二卷_{孫巽。}

南北籌邊十八卷_{曾三英。}

清邊備要五十二卷_{曾致堯。}

邊略五卷_{高拱。}

　　　右邊策

　　兵之興也，或謂權輿於涿鹿。然紫、太二垣，將衛環峙。將軍、羽林，棓槍旗弧。騎官陳車，鈇鉞積卒，靡不錯列於經星之次。天垂象，見吉凶，其來尚已。蓋木行惟文，金行惟武。春序文，秋序武。經事文，緯事武。東西相反，而不相無也。代之下也，《司馬法》廢矣。然本陰陽者，推德勝，順時日，以制敵。尚伎巧者，習手足，便器械，以立勝。識形勢者，雷動風舉，離合背嚮，務變化輕疾以信威，至委以銛刃而無瓦解之心，則壹稟於人和，誰能易之？古法不同，具列篇籍，神而明之，則在其人。

天文家_{天文　歷數}

天文_{天象　天文總占　天竺國天文　星占　日月占　風雲氣候物象占　寶氣}

周髀一卷_{趙嬰注。}　又　一卷_{甄鸞注。}　又　二卷_{李淳風注。}

周髀圖一卷

靈憲圖一卷_{張衡。}

渾天儀一卷_{張衡。}

渾天象注一卷_{吳王蕃注。}

石氏渾天圖一卷_{石申。}

渾天圖記一卷

昕天論一卷_{梁姚信。}

安天論一卷_{虞喜。}

定天論三卷

天儀說要一卷_{陶弘景。}

玄圖一卷

石氏星簿經贊一卷

星經五卷_{陶弘景。}

甘氏四七法一卷

司天考古星通玄寶鏡一卷_{巫咸}。

天文要集四卷

天文集要鈔二卷

天文書二卷

天文橫圖一卷_{高文洪}。

天文志十二卷_{吳雲}。

天文十二卷_{史崇注}。

天文十二次圖一卷

天官宿野圖一卷

石氏星經七卷_{陳卓記}。

星經七卷_{郭歷}。

中星經簿十五卷

星官簿贊十三卷

摩登伽經説星圖一卷

星圖二卷

二十八宿二百八十三宮圖一卷。

二十八宿十二次一卷

二十八宿分野圖一卷

論二十八宿度數一卷

孝經内記星圖一卷

周易分野星圖一卷

太象玄文一卷_{李淳風}。

法象志七卷

天文大象賦一卷_{唐李播}。

丹元子步天歌一卷_{唐王希明}。

太象玄機歌三卷_{閭丘崇}。

靈憲圖三卷_{仲林子}。

天文錄經要訣三卷

隔子圖一卷

大象曆一卷

星經手集二卷

括星詩一卷

入象度一卷

通占大象曆星經三卷

宿曜度分域名錄一卷

大象垂萬列星圖三卷

甘氏星經三卷_{楚人甘德。}

小象賦一卷

陳卓　星述一卷

天心紫薇圖歌一卷_{李淳風。}

小象千字詩一卷_{張華。}

星經一卷_{郭璞。}

大象列星圖一卷

天象法要二卷_{蘇頌。}

正色列象注解圖一卷

史氏天官照一卷

二十四氣中星日月宿度一卷_{荊大聲。}

玄象曆一卷

玄黃十二次分野圖一卷

司天監須知一卷

渾儀法要十卷

渾儀略例一卷_{祥符中作。}

天經十九卷_{王及甫。}

歷代星史一卷

天文考異二十五卷_{鄒淮。}

天象義府九卷_{應廛。}

經史言天録二十六卷

玉曆通政經二卷_{李淳風。}

革象新書二卷

　　　右天象

天文集占十卷_{晋陳卓。}

天文要集四十卷_{晋韓揚。}

石氏天文占八卷

甘氏天文占八卷

天文占六卷_{李逼。}

雜天文橫占六卷

天文集占圖十一卷

天文五行圖十二卷

天文録三十卷_{梁祖暅之。}

天文志雜占一卷_{吳雲。}

四方宿占一卷_{陳卓。}

星占二十八卷_{孫僧化。}

天官星占十卷_{陳卓。}

著明集十卷

天文外官占八卷

荆州占二十卷_{宋劉嚴。}

十二次二十八宿星占十二卷_{史崇。}

垂象志一百四十八卷

太史注記六卷

靈臺秘苑百二十卷_{隋庾季才。}

玄機内事七卷_{逢行珪。}

乙巳占十二卷_{李淳風。}

乾坤秘奧七卷_{李淳風。}

古今通占鏡三十卷_{唐武密。}

開元占經百一十卷

通乾論十五卷_{董和。}

天文占一卷_{李淳風。}

天文總論十二卷_{康氏。}

通玄玉鑑頌一卷_{仲林子。}

證應集三卷_{徐彦卿。}

星書要略六卷_{徐承嗣。}

天象應驗集二十卷

二十八宿分野五星巡應占一卷

太霄論璧一卷

景祐乾象新書三十卷_{宋楊惟德。}

天元玉册元誥十卷_{扁鵲。}

天元玉册截法六卷

天元秘演十卷_{陳蓬。}

靈臺經三卷

星土占一卷

天文精義賦一卷

天元玉曆璇璣經五卷

觀象玩占四十九卷

天文類聚占候三卷

黃黑道内外坐休咎賦一卷

祥異賦一卷

　　右天文總占

婆羅門天文經二十一卷_{婆羅門捨仙人說。}

婆羅門天文一卷

婆羅門竭伽仙人天文說三十卷

西門俱摩羅秘術占一卷

僧不空　譯宿曜二卷

一行大定露膽訣一卷

右天竺國天文

巫咸五星占一卷

黄帝五星占一卷

五星占一卷_{丁邌。}又　一卷_{陳卓。}

長慶筭五星所在宿度圖一卷_{徐昇。}

五星集占六卷

日月五星集占十卷

五星犯列宿占六卷

五緯合雜一卷

五星合雜說一卷

五星兵法一卷

京氏釋五星災異傳一卷

任常　五星賦一卷

太白占一卷

太白會運逆兆通代記圖一卷_{李淳風、袁天綱集。}

雜星占七卷　又　十卷

海中星占一卷

星圖海中占一卷

彗星占一卷

流星占一卷

妖星流星形名占一卷

彗孛占一卷

妖瑞星圖一卷_{宋均。}

妖瑞星雜氣象圖一卷

　　右星占

京氏日占圖一卷

夏氏日旁氣一卷

日食㫄候占一卷

魏氏日旁氣圖一卷

日旁雲氣圖五卷

日食占一卷

日變異食占一卷

天文洪範日月變一卷

洪範占一卷

日月暈三卷

日月暈圖二卷

黃道晷景占一卷

日行黃道圖一卷

日月交會圖一卷

月暈占一卷

日月蝕暈占四卷

日月薄蝕圖一卷

日月暈珥雲氣圖占一卷

　　右日月占

翼氏占風一卷

天文占雲氣圖一卷

雜望氣經八卷

候氣占一卷

章賢　十二時雲氣圖二卷

天機立馬占一卷_{鍾湛然。}

推占龍母探珠詩一卷

推占青霄玉鏡經一卷

占風九天玄女經一卷

定風占詩一卷_{劉啓明。}

雲氣圖一卷

象氣圖一卷

天涯地角經一卷

占風雲氣候日月星辰上下圖一卷

乾象占一卷

雲氣測候賦一卷_{劉啓明。}

占候風雨賦□卷^①_{劉啓明。}

至氣書七卷

雲氣占一卷

物象通占十卷

　　　右風雲氣候物象占

望氣相山川寶藏秘記三卷

地鏡三卷

金婁地鏡一卷

---

① “□”，徐本作“一”，與《通志·藝文略》著錄同，當據補。

老子地鏡秘術三卷

右寶氣

天地之化運諸氣，天地陰陽之氣隨乎時。聖人與時消息，發斂而常守乎平。出則育物，入則復命。千變萬化，而不離乎出入之門。故能從八風之順，守二極之中，而適八候之平也。蓋五星有贏縮圜角，日有薄飷暈珥，月有盈虧側匿之變。王政有違，天下禍福變移，所在皆應焉，其重如此。班史以日暈、五星之屬列天文，薄蝕、彗孛之比入五行。夫七曜等耳，而分爲二志，疑於不類，今一定爲《天文篇》。

曆數正曆　曆術　七曜曆　雜星曆　刻漏

四分曆三卷　又　三卷漢李梵。　又　一卷趙隱居。

劉歆　三統曆一卷

魏甲子元三統曆三卷

姜氏三紀曆一卷姜岌。

姜氏曆序一卷

乾象曆五卷漢劉洪。　又　三卷吳闞澤。

魏景初曆三卷晉楊偉。

景初壬辰元曆一卷楊冲。

正曆四卷晉劉智。

河西甲寅元曆一卷趙㫱。

河西壬辰元曆一卷趙㫱。

甲寅元曆序一卷趙㫱。

宋元嘉曆二卷何承天。

神龜壬子元曆一卷後魏祖瑩。

後魏甲子曆一卷李業興。

壬子元曆一卷李業興。

魏武定曆一卷

齊甲子元曆一卷宋氏。

周天和年曆一卷甄鸞。

周大象年曆一卷王琛。

壬辰元曆一卷

周甲寅元曆一卷馬顯。

周甲子元曆一卷

梁大同曆一卷虞𠞆。

後魏永安曆一卷孫僧化。

北齊天保曆一卷宋景業。

北齊甲子元曆一卷李業興。

隋開皇甲子元曆一卷劉孝孫。

隋開皇曆一卷李德林。

隋大業曆十卷張胄玄。

皇極曆一卷劉焯。　又　一卷

傅仁均　唐戊寅曆一卷

唐麟德曆一卷

唐甲子元辰曆一卷瞿曇謙。

合乾曆三卷曹士蒍。

合乾新曆一卷楊繹。

王勃　千歲律亡卷帙。

僧一行　開元大衍曆五十二卷

寶應五紀曆四十卷

建中貞元曆二十八卷

長慶宣明曆三十四卷

長慶宣明曆要略一卷

景福崇元曆四十卷邊岡。

大衍通元鑑新曆三卷自唐貞元至大中。

大唐長曆一卷起武德，止天祐。

天福調元曆二十卷晉馬重績。

廣順明元曆一卷周王處訥。

顯德欽天曆十五卷周王朴。

同光乙酉長曆一卷

武成永昌曆二卷蜀胡秀林。

保大齊政曆十九卷南唐歷。

萬分曆一卷廣順中作。

拔長元曆一卷自唐乾符甲午，至祥符丙辰。

建隆應天曆六卷宋王處訥。

開寶曆一卷

太平乾元曆八卷吳昭素。

咸平儀天曆十六卷史序。

熙寧奉元曆七卷

太宗長曆一卷

開禧曆三卷鮑澣之。

集聖曆四卷楊可。

崇天曆一卷宋行古。

紀元曆三卷姚舜輔。

統天曆一卷陳得一。

會元曆一卷劉孝榮。

金虜大明曆十卷

元授時曆二卷

庚午元曆二卷

大統曆法四卷

回回曆法三卷_{馬沙亦黑。}

曆法統宗二卷_{明曾俊。}

曆臺撮要一卷_{曾俊。}

　　右正曆

曆法三卷_{劉歆}　又　一卷

曆術一卷_{吳太史令吳範。}

景初曆術二卷

景初曆法三卷

曆術一卷_{何承天。}　又　一卷_{崔浩。}　又　一卷_{王琛。}　又　一卷_{張賓。}

姜氏曆術三卷

乾象曆術三卷_{漢劉洪。}

玄曆術一卷_{張冑玄。}

天圖曆術一卷

曆日義説一卷

律曆注解一卷

龍曆草一卷

光宅曆草十卷_{南宮説。}

曆草二十四卷

推漢書律曆志術一卷

曆疑質讞序二卷

興和曆疏二卷

筭元嘉曆術一卷

陰陽曆術一卷_{趙畋。}

雜曆術一卷

太史記注六卷　又　六卷

八家曆一卷

曆日義統一卷

曆日吉凶注一卷

麟德曆出生記十卷

大衍曆議十卷_{僧一行。}

曆立成十二卷

宣明曆超捷例要略一卷

景福曆術一卷

真象論一卷

靈臺編一卷

大衍心照一卷

正象曆經一卷_{蜀胡秀林。}

雜注一卷

新修曆經一卷_{太平興國中作。}

曆注一卷

驗日食法三卷_{何承天。}[①]

日食論一卷

頻月合朔法五卷

曆記一卷

元嘉二十六年度日景數一卷

朔氣長曆二卷_{皇甫謐。}

曆章句二卷

月令七十二候一卷

---

① "天",原誤作"夫",據徐本改正。

玉鈐步氣術一卷

三五曆說圖一卷

春秋去交分曆一卷

推二十四氣曆一卷

授時曆議二卷

曆法通軌二卷_{元統。}曆法通軌二卷元統。

曆法通徑四卷_{劉信。}

　　　右曆術

七曜本起三卷_{漢甄叔遵。}

七曜小甲子元曆一卷

七曜曆術一卷

七曜曆法一卷

七曜曆筭二卷

七曜要術一卷

陳天嘉七曜曆七卷

陳永定七曜曆四卷

推七曜曆一卷

陳天康二年七曜曆一卷

陳光大元年七曜曆二卷

陳大建七曜曆十三卷

陳至德年七曜曆二卷

陳禎明年七曜曆二卷①

開皇七曜年曆一卷

仁壽二年七曜曆一卷

---

① “二卷”，徐本作一卷，《隋書·經籍志》、《通志·藝文略》並作二卷。

七曜曆經四卷_{張賓。}

七曜曆數筭經一卷_{趙畋。}

七曜曆疏一卷_{李業興。}

七曜義疏一卷_{李業興。}

七曜術筭一卷_{甄鸞。}

七曜雜術二卷_{劉孝孫。}

七曜曆疏五卷_{張冑玄。}

七曜符天曆一卷_{唐曹士蒍。}

七曜符天人元曆一卷_{曹士蒍。}

人天定分經一卷

地輪七曜一卷_{呂佐周。}

七曜氣神歌訣一卷_{莊守德。}

七政長曆三卷

　　　　右七曜曆

都利聿斯經二卷_{本梵書，五卷。唐貞元，李彌乾將至京師，推十一星行曆，知人貴賤。}

新修聿斯四門經一卷_{唐陳輔。}

徐氏續聿斯歌一卷

都利聿斯歌訣一卷_{安修睦撰，關子明注。}

聿斯鈔略旨一卷

聿斯隱經一卷

羅濱都利聿斯大衍書一卷

文殊菩薩所說宿曜經一卷_{唐廣智二藏不空譯。}

應輪心照三卷_{蔣權卿。}

曹公小曆一卷_{唐曹士蒍撰，李思議重注，本天竺曆。}

青蘿曆一卷_{王公佐。}

清霄玉鑑三卷_{終南山鮑}以十一星十二宮推知人命。

秤星經一卷_{唐昧。}

符天行宮一卷

難迯論一卷

氣神經三卷

氣神鈐曆一卷

氣神隨日用局圖一卷

占課禽宿情性訣一卷

星宮運氣歌一卷

星禽進退歌一卷

紫堂經五卷_{李沂。}

紫堂元草曆二卷_{黃烋。}

紫堂指迷訣二卷_{黃烋。}

紫堂經三卷

紫堂局經一卷

紫堂隱微歌二卷

紫堂明暗曜局一卷

紫堂要録三卷

太衍五行數一卷

九星行度歌一卷

九星長定曆一卷

太衍天心照歌一卷

細曆一卷

大曆一卷

草範治曆一卷

密藏金鎖曆一卷_{李瓊。}

九曜星羅立成曆一卷_{婆毗大衍。}

六甲周天曆一卷_{孫僧化。}

五星正要曆五卷

新集五曹時要術三卷_{魯靖。}

　　右雜星曆

漏刻經一卷_{漢霍融。}　　**又　一卷**_{梁朱史。}　　**又　一卷**_{陳宋景。}　　**又**

　一卷_{祖暅之。}　　**又　一卷**_{梁代。}

天監五年修漏刻事一卷

雜漏刻法十一卷_{皇甫洪澤。}

晷漏經一卷

唐刻漏經一卷

東川蓮花漏圖一卷_{燕肅。}

蓮花漏圖一卷_{王曾。}

更漏圖一卷。

造漏法一卷

晝夜刻漏日出長短圖經一卷_{趙業。}

　　右刻漏

　　古今善治曆者三家，漢《太初》以鍾律，唐《大衍》以蓍筴，元《授時》以晷景。三者之中，晷景爲近，而其久也，類不能無忒，則隨時刊定，不可不講也。劉洪有言，曆不差不改，不驗不用。李文簡歎爲至言。顧必有專門之裔，明經之儒，精筭之士，如班氏所稱，乃足任之。有虞、羲和與四岳九官同重，而後世至以文史星曆介於卜祝之間。蓋疇人子弟，貿貿然不測其原，抑已久矣。夫閏以正時，時以序事，事以厚生，其在《周官》皆史職也。故録見存諸書爲曆數篇，以俟考焉。

五行家<small>易占　軌革　筮占　龜卜　射覆　占夢　雜占　風角　鳥情　逆刺　遁</small>

<small>　甲　太一　九宮　六壬　式經　陰陽　元辰　三命　相法　相笏　相印　相字</small>

<small>　堪餘　易圖　婚嫁　産乳　登壇　宅經　葬書</small>

周易林十六卷<small>焦贛。</small>　又　**二卷**<small>費直。</small>　又　**三卷**<small>魯洪度。</small>　又

　四卷<small>管輅。</small>　又　**五卷**<small>郭璞。</small>　又　**七卷**<small>張滿。</small>　又　**一卷**<small>陶</small>

　<small>弘景。</small>

周易守林三卷<small>京房。</small>

周易集林十二卷<small>京房。</small>　又　**十二卷**<small>伏曼容</small>

又　**一卷**<small>伏氏。</small>

易林變占十六卷<small>焦贛。</small>

易新林一卷<small>漢許峻。</small>　又　**四卷**<small>郭璞。</small>　又　**九卷**

周易洞林三卷<small>郭璞。</small>　又　**三卷**<small>梁元帝。</small>

周易集林律曆一卷<small>虞翻。</small>

易贊林二卷

易立成林二卷<small>郭氏。</small>

易立成四卷

易立成占三卷<small>顏氏。</small>

易林體三卷<small>陶弘景。</small>

周易經林雜纂一卷

周易紇骨林一卷

易法一卷

易林要訣一卷

易要訣一卷

周易卦林一卷

周易占十二卷　又　**一卷**<small>張皓。</small>

周易妖占十三卷<small>京房。</small>

周易逆剌占災異十二卷_{京房}

周易雜占七卷_{許峻}。　又　八卷_{尚廣撰}。　又　八卷_{武靖}。

周易飛候九卷_{京房}。　又　六卷_{京房}。

周易飛伏例一卷

周易四時候四卷_{京房}。

周易飛候六日七分八卷

周易渾沌四卷_{京房}。

周易委化四卷_{京房}。

易災條二卷_{許峻}。

易決一卷_{許峻}。

周易通靈訣二卷_{管輅}。

周易通靈要訣一卷_{管輅}。

周易錯卦八卷

郭氏易腦一卷

易髓三卷_{陶隱居}。

周易卜法易髓三卷

周易髓腦二卷

周易玄品二卷

周易通真釋例一卷

神農重卦經二卷

文王幡音一卷

周易火竅一卷

周易三備三卷

周易中備雜機要一卷

老子神符易一卷

連山三十卷_{梁元帝}。

周易服藥法一卷

周易問卜十卷

周易骨髓訣一卷_{嚴遵。}

蔀首經一卷

周易八仙詩一卷

周易鬼谷林一卷

周易六神頌一卷

周易六十四卦歌一卷

周易十門要訣一卷

爻象雜占一卷

周易玄鑑林三卷

周易玄悟三卷_{李淳風。}

周易薪冥軌一卷_{李淳風。}

易鏡玄要一卷_{袁天綱。}

周易律曆一卷_{京房。}

文王版詞一卷

周易經類一卷

易鏡三卷_{無惑子。}

周易卜經一卷

周易論一卷

周易天門子卜法二卷

周易太清易經訣一卷_{王曉。}

周易繚繞詞一卷_{張晋。}

周易河圖術一卷_{靈隱子。}

周易通神歌一卷_{無惑先生。}

周易探玄九卷_{王守一。}

管公明隔山照一卷

君平占卦法一卷

周易靈真術一卷

周易靈真訣一卷

周易鬼靈經一卷

周易象罔玄珠五卷

周易備要一卷

周易斷卦夢江南一卷

杜陵賣周易歌一卷

八卦雜訣一卷

周易竹木經一卷

周易卦纂神妙訣一卷

周易八仙經疏一卷_{邢朝宗。}

周易卦頌一卷_{黃景元。}

周易王鑑頌一卷_{阮兆。}

周易子夏十八章三卷

周易三十八章一卷

周易斷卦例頭一卷

周易飛燕繞梁歌一卷

周易飛燕轉關林竅一卷

周易玄悟髓訣一卷_{鬼谷先生。}

周易轆轤關雜占一卷

周易灰神壽命曆一卷

易軌一卷

周易要訣占法一卷

　　右易占

軌革入式例一卷

軌革歌象一卷

周易軌革指迷照膽訣一卷蒲乾、虔瓘。

軌革六候詩一卷

軌革源命歌一卷

軌革易贊一卷

周易軌限筭一卷

軌革心鑑内觀六卷

軌革時影一卷

軌限立成曆一卷

軌革金庭玉鑑經一卷

曆數緯文軌筭三卷

　　　右易軌革

周易内卦神筮法二卷費直。

周易筮占林五卷費直。

周易筮占二十四卷晋徐苗。

八神筮法二卷

周易雜筮占四卷

周易初學筮要法一卷

揲蓍圖一卷

周易竅書三卷郭璞。

筮卦辨疑序三卷郭雍。

揲蓍古法一卷鄭克。

蓍法別傳二卷國朝季本。

　　　右筮占

沈思經一卷晋史蘇。

龜經三卷史蘇。　又　三卷柳彦詢。　又　三卷柳世隆。　又　一卷劉質直。　又　一卷王宏禮。　又一卷孫思邈。　又　一卷莊道名。　又　十卷齊廣。

龜卜要訣四卷

龜經髓訣二卷

龜親經三十卷周子懼。

龜經要略一卷

龜卜五兆動搖訣一卷

五兆筭經一卷

鑽龜造卜經一卷黃法真。

十二靈棋卜經一卷

黃石公備氣三卷

神龜經一卷

五兆連珠一卷

白龜經一卷毛賓。

巢父打瓦經一卷

春秋龜策經一卷

齊人行兵天文龜眼玉鈐經二

　　　右龜卜

易射覆二卷

孔子通覆訣三卷顏氏。

十二將射覆法一卷

鬼谷先生射覆歌一卷

閭丘淳射覆訣一卷

東方朔射覆經一卷

神應射覆訣一卷

　　　右射覆

占夢書三卷_{京房。} 又 一卷_{崔元。} 又 三卷_{周宣。} 又 一卷_{竭伽仙人。} 又 四卷_{盧重元。}

夢雋一卷_{柳璨。}

解夢録一卷_{僧紹端。}

夢占逸旨八卷_{國朝陳士元。}

　　右占夢

古今雜占三十卷

海中仙人占體瞤及雜吉凶書三卷^①

耳鳴書一卷

目瞤書一卷

啑書一卷

和菀鳥鳴書一卷

王喬解鳥語經一卷

郄子占鳥經一卷

太上占烏法一卷^②

百怪書一卷

白澤圖一卷

武王須臾一卷

占燈經一卷_{李淳風。}

淮南王萬畢術一卷

靈棋經一卷_{張良。} 又 一卷_{唐李遟。}

七術一卷

---

① “瞤”,原誤作“　　”,徐本同,據《通志·藝文略》改正。

② “烏”,徐本作“鳥”,《通志·藝文略》作“烏”。

人倫寶鑑卜法一卷

昭明太子響應經一卷

破躁經一卷管輅。

七十二候法一卷

　　　右雜占

風角集要占十二卷

風角要占三卷京氏。

風角占三卷　又　七卷章仇太子翼。

風角總占要訣十一卷

風角雜占四卷

風角要集十卷　又　一卷

風角要候十一卷翼奉。　又　一卷章仇太子。

風角占候四卷

風角鐶歷占二卷呂氏。

兵法風角式一卷

戰鬪風角鳥情三卷

風角五音六情經十三卷

風角兵候十二卷

陰陽風角相動法一卷

風角迴風卒起占五卷

風角地辰一卷

風角望氣八卷

風雷集占一卷

風角五音圖二卷

風角雜占五音圖五卷翼氏。　又　十三卷京房。

五音相動法二卷

黄帝飛鳥曆一卷張衡。

黄石公　北斗三奇法一卷

黄帝四神曆一卷吳範。

黄帝地曆一卷

黄帝斗曆一卷

風角六情訣一卷王琛。

　　　右風角

風角鳥情一卷翼氏。　又　二卷劉孝恭。

鳥情占一卷王喬。

鳥情逆占一卷管輅。

鳥情雜占禽獸語一卷

占鳥情二卷

六情訣一卷王琛。

六情鳥音内秘一卷焦氏。

　　　右鳥情

逆剌三卷京房。

逆剌占一卷

逆剌總決一卷

王子決一卷①

　　　右逆剌

黄帝陰陽遁甲六卷

---

① “王”，徐本同，《通志·藝文略》著録同，《隋書·經籍志》作“壬”。

遁甲訣一卷_{伍子胥。}

遁甲文一卷_{伍子胥。}

遁甲經三十三卷_{後魏信都芳。}

遁甲九元九局立成法一卷

遁甲肘後立成囊中祕訣一卷_{葛洪。}

遁甲囊中經一卷

遁甲囊中經疏一卷

遁甲立成六卷

遁甲敘三元玉歷立成一卷_{郭宏遠。}

遁甲立成法一卷_{劉孝恭。}

遁甲穴隱秘處經一卷

黃帝九元遁甲一卷_{王琛。}

黃帝出軍遁甲式一卷

陽遁甲用局法一卷_{劉孝恭。}

陽遁甲九卷_{釋智海。}

陰遁甲九卷

陰陽遁甲十四卷

三元遁甲圖三卷_{葛洪。}

三元遁甲立成圖局一卷

遁甲九宮八門圖一卷

遁甲開山圖三卷_{榮氏。}

遁甲反覆圖一卷_{葛洪。}

遁甲年錄一卷

遁甲支干決一卷

遁甲八門機要一卷

遁甲行日時一卷

遁甲三卷

遁甲要用四卷_{葛洪。}

遁甲秘要一卷_{葛洪。}

三元遁甲六卷_{許昉。}　又　六卷_{陳劉毗。}　又　三卷_{杜仲。}

三元九宮遁甲二卷

三正遁甲一卷_{杜仲。}

遁甲九星曆一卷

遁甲三奇三卷

遁甲三元九甲立成一卷

遁甲推時要一卷

遁甲經一卷_{唐胡乾。}

遁甲萬一決一卷_{李靖。}

元中祛惑遁甲經三卷_{劉烜。}

遁甲十八局一卷_{唐一行。}

陰陽二遁萬一決四卷

遁甲搜玄經一卷

遁甲符寶萬歲經圖曆一卷_{唐司馬驤。}

遁甲元樞二卷_{馮繼明。}

天一遁甲鈐曆一卷

天一遁甲圖一卷

天一遁甲陰陽局鈐圖一卷

天一遁甲兵機舉要歌一卷_{楊渭。}

遁甲玉女反閑局法一卷

玄女遁甲祕訣一卷

天一遁甲式一卷

遁甲天一指陳三卷

陰陽二遁甲局二卷_{李靖。}

遁甲天目圖一卷_{樊洞。}

遁甲二局鈐一卷

遁甲曆一卷

遁甲隨局舉要歌一卷_{馮思古。}

天一遁甲歌一卷

陰陽二遁入式法一卷

天元陰陽局二卷

天一遁甲賦一卷_{宋丘濬。}

遁甲孤虛記一卷_{伍子胥。}

遁甲孤虛注一卷

斗中孤虛圖一卷

景祐遁甲玉函符應經三卷_{楊惟德。}

遁甲專征賦一卷_{員卓。}

遁甲善奇金合盤一卷

遁甲九宮亭亭白姦一卷

遁甲選時圖二卷

流光玉曆八卷

　　右遁甲

太一飛鳥曆二卷_{王琛。}

太一十精飛鳥曆一卷

太一飛鳥立成一卷

太一飛鳥雜訣捕盜賊法一卷

太一三合五元要訣一卷

太一龍首式經一卷_{董注。}

太一經二卷_{宋珉。}

太一式雜占十卷

太一九宮雜占十卷

黄帝太一度厄祕術八卷

黄帝太一雜書十六卷

太一王佐祕珠五卷_{隋樂産。}

太一太游曆二卷

太一式經二卷

太一式經雜占十卷

太一元鑑三卷_{李淳風。}

太一紫經祕訣三卷_{唐王希明。}

太一樞會賦一卷

太一金鏡式經十卷_{王希明。}

太一天一經一卷_{僧一行。}

太一局遁甲經一卷

天寶太一靈應式記五卷_{唐馬先。}

太一時紀陰陽二遁立成曆二卷_{南漢胡萬頃。}

日遊太一五子元出軍勝負七十二局一卷

中樞祕頌太一明鑑法五卷_{唐劉啓明。}

太一細行草二卷

太一雜集算草一卷

太一集十卷_{杜惟韓。}

太一雜鑑一卷_{青溪子。}

陰陽二遁太一一卷

太一時計鈐一卷

太一遁甲萬勝時定主客立成訣一卷

十神太一巡遊分野立成圖一卷

太一陰陽二遁立成一卷

新修時遊太一立成一卷

太一陽九百六經一卷

太一燭幽經二卷

太一青虎甲寅經一卷宋王處訥。

太一神樞長曆一卷

太一歌五卷　又　一卷

太一祕歌一卷廣夷。

太一循環曆一卷

太一淘金歌一卷

景祐太一福應集要十卷楊惟德。

黃帝集靈三卷

黃帝絳圖一卷

黃帝龍首經一卷

黃帝奄心圖一卷

大一統宗寶鑑二十卷

　　　右太一

黃帝九宮經一卷

九宮經三卷鄭玄注。

九宮行棋經三卷鄭玄注。

九宮行棋法一卷房氏。

九宮行棋立成法一卷王琛。

九宮行棋雜法一卷

行棋新術一卷

九宮行棋鈔一卷

九宮推法一卷

三元九宮立成一卷

九宮要集一卷豆盧晃。

九宮經解二卷李氏。

九宮圖一卷

九宮變圖一卷

九宮八卦式蟠龍圖一卷

九宮郡縣録一卷

九宮雜書一卷

　　　右九宮

六壬式經三卷

六壬式經雜占九卷

六壬釋兆經六卷

六壬曆一卷

六壬明鑑連珠歌一卷_{唐行。}

六壬髓經三卷_{一行。}

六壬大玉帳歌十卷_{唐李筌。}

玉帳經一卷_{李靖。}

六壬軍鑒式三卷_{南漢胡萬頃。}

金匱經三卷

神樞靈轄十卷_{陳樂産。}

絳囊經一卷_{唐馬融。}

玄女青華經三卷

六壬瓶記一卷

推人鈎元法一卷

五要權衡一卷

三傳四課鈐一卷

六壬括明林經一卷

六壬録六卷

六壬鈐一卷

五真降符六壬神式經一卷

穿楊百章歌一卷

六壬元鑑一卷徐琇。

翠羽歌三卷沙門令岑。

六壬心鑑歌三卷徐道符。

六壬六十四卦名一卷

六壬軍帳賦一卷劉啓明。

六壬戰勝歌一卷

六壬啓蒙纂要一卷唐徐琬。

玉關歌一卷

六壬詩一卷

神定經十卷宋楊惟德。

六壬補闕書十卷王升。

六壬大撓經三卷

玉女課訣六卷

六壬透天關一卷

六壬六經歌一卷徐道符。

六壬心鑑拾遺一卷

天復傳課天剛六壬一卷

夜叉經一卷

六壬式苑一卷

六壬明體經一卷

六壬神樞萬一訣一卷

六壬精體經一卷

六壬事神歌一卷

六壬又妙歌一卷

截壬歌一卷

陰山道士經三卷

六壬竅甲經一卷

玄女關格經一卷

玉女肘後術一卷

肘後歌一卷

玉女面身術一卷

大六壬出時旦暮局一卷

洞微賦一卷劉松年。

太元新書一卷

六壬飛電歌三卷鄭德深。

灰火經一卷

擷翠經一卷

蚍體經一卷

九門經一卷

會靈經一卷

志公通課一卷

八門課一卷

六壬了了歌一卷

六壬賦三卷姜丘。

鳳髓靈文一卷黃公達。

六壬密旨一卷黃公達。

六壬金經玉鑑一卷黃公達。

畢法賦一卷凌福之。

六壬心照一卷高濟。

六壬類苑一卷諸葛武侯。

淘金歌一卷

太上寶鑑略一卷王希明。

金匱八象統天元經一卷

梁簡文帝　光明符十二卷

中黃經二卷

金英玉髓經一卷連肩吾。

開雲觀月歌一卷蔣日新。

六壬雕科三卷李靖。

六壬髓經心鑑三卷

六壬袖中金三卷

六壬磨鏡藥一卷

星禽氣神占一卷

星禽妙課一卷

禽宿妙談十卷

七曜神氣經三卷

景祐神氣經三卷楊惟德。

太衍二十八宿要訣一卷

　　　右六壬

式經三卷桓安吳。

式經雜要訣九卷

式經立成九卷

伍子胥　式經章句二卷

范蠡　玉笥式二卷

宋琨　式經一卷

雷公式經一卷

玄女式經要法一卷

黃帝式經三十六用一卷曹氏。

連珠明鏡式經十卷唐李鼎祚。

景祐三式目録一卷_{楊惟德。}

式鑑經一卷

黄帝金式一卷

金匱入式法一卷

式例一卷

法式心經一卷

由吾裕式心經略二卷

課式法一卷

式精要節一卷

五行用式法事神一卷_{楊可。}

神機轉式經三卷

黄帝式用當陽經二卷

　　　右式經

天皇大神氣君注曆一卷

太史公萬歲曆一卷_{司馬談。}

千歲曆祠一卷_{任氏。}

萬歲曆祠二卷

萬歲曆二十八宿人神一卷

曆祀一卷

田家曆十二卷

師曠書三卷

海中仙人占災祥書三卷

東方朔書二卷

東方朔書鈔二卷

東方朔曆一卷

東方朔占候水旱下人善惡一卷

太歲所在占善惡書十卷

舉百事要略一卷

五姓歲月禁忌一卷

雜忌曆二卷魏高堂隆。

百忌大曆要抄一卷

曆忌新書十二卷

太史百忌曆圖一卷

太史百忌一卷

周易神殺旁通曆一卷

雜殺曆九卷

唐七聖曆一卷賈耽。

廣濟陰陽百忌曆一卷呂才。

勝金曆要訣一卷僧德濟。

濟家備急廣要錄一卷

天寶歷一卷唐陳恭釗。

五行家國通用圖曆一卷珞琭子。

明時總要曆一卷

橫推曆一卷

月帳金雞玉狗曆一卷呂才。

選日大衍要曆一卷宋史序。

選日陰陽月鑑一卷

廣聖曆一卷晉苗銳。

陰陽書三十卷唐王璨。

陰陽書五十三卷呂才。

乾坤寶典四百十七卷宋史序。

五符圖一卷

洪範政鑒十二卷仁宗。

黃帝枕中經一卷

西天陰符紫微七政經論一卷

天輪日直經一卷

六十花甲子歌一卷_{李淳風。}

六十甲子時辰星吉凶法一卷

天都經一卷

三元奇門法一卷

鐵掃帚年月一卷

選日精要四卷

活曜二十八宿日真星歌一卷

陰陽實錄一卷

一行　選日旁通法一卷

推葬呼曆一卷

大六壬葬送運詩一卷

五姓萬事曆四卷

萬年曆十七卷_{楊惟德。}

集聖曆四卷_{楊可。}

黃黑道經要纂一卷

三輪造作法一卷

晉災祥一卷

災祥集七十六卷

廣古今五行記三十卷_{竇惟鑒。}

樵子五行志五卷_{唐陽夏。}

蓬瀛書三卷_{唐黎幹。}

三鑑三卷

含文嘉三卷

黃帝朔書一卷_{師曠、東方朔。}

月令圖一卷_{劉先生。}

四民福禄論三卷_{李淳風。}

年鑑一卷

福禄論三卷

　　　右陰陽

孝經元辰訣九卷

孝經元辰二卷　又　四卷

元辰本屬經一卷

推元辰厄會一卷

元辰事一卷

元辰救生削死法一卷

元辰要祕次序一卷

元辰章用二卷

雜推元辰要祕立成六卷

元辰立成譜一卷

元辰五羅筭一卷

五行元辰厄會十三卷

孝經元辰會九卷

元辰曆一卷

雜元辰禄命二卷

澀河禄命三卷

　　　右元辰

玉鈐三命祕術一卷

三命韜鈐祕術三卷_{劉進平。}

三命抄略二卷_{陶隱居。}

七殺三命歌一卷_{凝神子。}

三命通元曆一卷

三命金書五行一卷

三命立成筭經一卷_{陶隱居。}

三命殺曆一卷_{陶隱居。}

三命九中歌一卷_{李燕。}

二十八家三命總要三卷_{公孫琥。}

河上公宿命要訣一卷

天立三命訣一卷

三命消息賦一卷_{珞琭子。}　又　一卷_{僧叔昕。}　又　一卷_{杜崇龜。}

三命消息賦七卷_{王班。}

桑道茂禄命要訣一卷

僧一行　禄命詩一卷

穿珠三命一卷

三命金箱記一卷

三命測神歌一卷_{趙自勤。}

洞靈祕論二卷

八殺經一卷_{凝神子。}

解悟經一卷_{凝神子。}

楊備　天心歌一卷

論建命法一卷

輪臺三命一卷

天三命一卷

支干定命圖一卷_{皮日休。}

釋三命一卷

定命歌一卷_{衞韜。}

金書五行妙術一卷

驛馬四位法一卷_{虞綽。}

胎骨經一卷

五命歌一卷

洪範要決一卷

洪範五行消息訣一卷_{蕭吉。}

洪範碎金五行一卷

洪範骨肉五行一卷

飛練三命一卷

拔元三命訣一卷

髓鑑三命血脉論三卷_{白雲先生。}

五子元氣候決一卷

胎息運氣三命決一卷

胎息經一卷

羅浮山人和命篇一卷

三命洞元五行書一卷_{耿銳。}

五行三命真書一卷

李遂　通元三命三卷

三命立成筭經要訣一卷

三命鈴一卷_{陳昉。}

三命鈴釋一卷

太陰三命歌一卷_{董子平。①}

三命機要決一卷_{徐鑑。}

三十二説三命一卷

竹輪經要略一卷

神傳三命一卷

---

① “董”，原誤作“薰”，據徐本改正。

金合盤三命要訣一卷

通元五命新格三卷

洞微經一卷

洞微飛宮法一卷

通天大命筭一卷

主本五行祕要一卷

胎命三光一卷

金鑑祕靈一卷

五星明鑑經一卷

金河流水决一卷

金星八字决一卷_{劉進平。}

鬼谷先生五命一卷

了了經一卷

三命五行災論决一卷

十二宮入室歌一卷_{李乾。}

東方朔　珞琭賦疏十卷

禄命書二十卷_{劉孝恭。}

三命决三卷_{隋孟遇。}

考評三命决一卷_{孟遇。}

人元祕樞三卷_{劉啓明。}

三命通元論三卷_{李申。}

河圖天運二賦一卷

壺中賦一卷

源髓歌六卷_{唐沈之。}

穆護詞一卷_{李燕。}

司馬先生三十六禽歌一卷

風后三命一卷

洪範碎金訓字一卷

新集禄命書一卷

太原生定命決一卷

鮮鶚經十卷星禽術。逍遥子作。

三命鳳髓經一卷

五行九中歌一卷李燕。

李虛中　命書三卷

李虛中　命書補遺一卷

林開　五命祕訣一卷

劉沔　五行衡鑑一卷

五行精記三十四卷廖中。

五命通靈括三卷

紫堂決三卷

竹輪經一卷

聿師歌一卷王希明。

靈臺三十六歌一卷武平先生。

天地微細科決一卷

合乾頌一卷

五德定分經一卷

秤星經三卷

玉井奧決一卷

三辰通載三十四卷錢如璧。

靈臺歌一卷

天陣三垣祕決一卷

大行年祕術三卷李吉甫。

三元經三卷

禄命人元經三卷

推計祿命厄運詩一卷楊龍光。

三命運氣法一卷

推太歲行年吉凶厄一卷唐王叔政。

三命太行年入局韜鈐李吉甫。

推太歲行年吉凶厄一卷王叔政。

祿命人元經三卷

行年祿命骨一卷李吉甫。

行年五鬼轉軍九宮法一卷

人元百六限一卷

九宮太行年法一卷

三運大運歌一卷

五運九氣人元三限一卷

費長房　運氣歌一卷

梁嗣真洞微歌一卷

注洞微限一卷

定胎元祿限一卷

交陽坐祿限一卷

劉進平氣運一卷

氣元運本一卷楊元素。

竹羅三限幽妙集一卷①

大小運行年要決一卷王靈辨。

周易十二論

　　　右三命

相書四十六卷

---

① “羅”，原誤作“維”，據徐本改正。

相經要録三卷_{蕭吉。}

相經三十卷_{鍾武隸}

相書圖七卷

袁天綱　相書七卷

趙蕤　相術一卷

人倫龜鑑三卷_{孫知古。}

人倫龜鑑賦一卷_{袁天綱。}

姑布子卿相法三卷

麻子經三卷

肉眼通神論三卷_{唐舉。}

元靈子相法一卷

顯光師相法一卷

柳隨風占氣色歌一卷

十七家集相書一卷

占氣色要訣圖一卷

袁天綱要決三卷

黃帝神光經一卷

唐舉　相顯骨法一卷

論骨指歸心明決一卷

謝公論主死候法一卷

米昭形神外論一卷

黑寶經一卷

慶歷傳言集三卷_{孫知古。}

許負　相書三卷

武侯相書一卷

袁天綱　氣神經五卷

楊龍光　相詩一卷

玉册寶文七卷

玉册寶文髓心記一卷周世明。

三十二家相書三卷

張涉　人倫真訣十卷

摩登女相經一卷范峒。

元珠囊一卷

李淳風　元觀經一卷

通仙歌一卷李筌。

孫元　骨法一卷

相髓一卷

洞靈祕訣一卷

洞元靈要訣一卷

峨嵋氣法一卷

宋齊丘　玉管照神局二卷

玉環經一卷

析微祕章一卷

金歌氣色祕訣一卷

十三家相書一卷

陳希夷　人倫風鑒一卷

危道士相法一卷

孤巖相法一卷

三輔學堂玉訣一卷劉虛白。

三輔學堂論一卷

玉課三停決一卷

學堂氣骨心鑑訣一卷

學堂相法一卷劉虛白。

五星相法一卷

洞天隱訣一卷

成和子觀妙經一卷

一行　雜相歌一卷

心印相書一卷

鬼谷子　觀氣色圖一卷

袁天綱　骨法一卷

天花經一卷

天授先生胎息三方主一卷

丘先生定性情詩一卷

海淵經一卷

玉仙人相書一卷

龜鑑骨法一卷

神異賦一卷_{麻衣。}

羣書古鑒一卷

形神祕要一卷

三輔奇術一卷

月波洞中記一卷_{任逍遙。}

袖中記一卷_{宋唐睿。}

林秀翁傳神相一卷

金瑣歌一卷

通神照膽經一卷_{白雲道者。}

金麗相書一卷

許負　金歌一卷

人相編十二卷_{李廷湘。}

古今識鑒八卷_{袁忠徹。}

神相類編十卷

相法總龜二卷

右相法

相手板經六卷

相笏經一卷陳混掌。 又 三卷

東方朔 相笏經一卷

袁天綱 相笏經一卷

郭先生相笏經一卷

右相笏

韋氏相板印法一卷

魏程申伯相印法一卷

右相印

六神相押字法一卷

一行 相字詩一卷

折字林一卷

右相字

二儀曆頭堪餘一卷

堪餘曆二卷

注歷堪餘一卷

地節堪餘二卷

堪餘曆注一卷

堪餘四卷

大小堪餘曆術一卷

堪餘天赦有書七卷

八會堪餘一卷

黃帝四序堪餘三卷殷紹。

太史堪餘歷一卷後魏殷紹。

　　　右堪餘

易通統卦驗玄圖一卷

易新圖序一卷

易八卦命録斗內圖一卷

易鬥圖一卷郭璞。

易八卦斗內圖二卷　又　二卷

八卦五行圖一卷

易斗中八卦絶命圖一卷

易斗中八卦推遊年圖一卷

易通統圖二卷

易分野星圖一卷

乾坤氣法一卷許辨。

　　　右易圖

婚娶經四卷

陰陽嫁娶書四卷

婚嫁書二卷

婚嫁黃籍科一卷

六合婚嫁歷一卷

六合婚嫁書及圖二卷

嫁娶迎書四卷

嫁娶陰陽圖二卷

雜嫁娶房內圖術四卷

九天嫁娶圖一卷

婚書一卷

姚陳議婚書一卷

　　右婚嫁

六甲貫胎書一卷

産乳書二卷

産經一卷

推産婦何時産法一卷_{王琛。}

推産法一卷

生産符儀一卷

産圖二卷

崔知悌　産圖一卷

　　右産乳

拜官書二卷

臨官冠帶書二卷

仙人務子傳神通黄帝登壇經一卷

登壇經三卷

五姓登壇圖一卷

登壇史一卷

龍紀聖異歷一卷_{唐李遠。}

壇經一卷_{唐趙同珍。}

元法經一卷^①

上宫祕决一卷

　　右登壇

---

　　①　“元”，原誤作“兀”，徐本同，據《通志·藝文略》改。

宅吉凶論三卷

相宅圖八卷

保生一宅經一卷

陰陽二神歌一卷_{王澄。}

實鑑决一卷

修造法一卷

宣聖宫道書一卷

囊金二宅一卷_{張吁。}

諸經要術宅經一卷_{一行。}

金祕書三卷_{王澄。}

三元九宫修造法一卷

二宅黃黑道祕訣一卷_{一行。}

應上象修造妙訣一卷_{李淳風。}

魁綱庫樓修造法一卷_{一行。}

吕才　陰陽遷造賓遑經一卷

王澄　二宅髓脉經一卷

王澄　陰陽二宅集要一卷

北斗行年修造一卷

龍子經一卷

天遷圖一卷

九星行年修造法一卷

活曜修造定吉凶法一卷

黃道修造法一卷

聽龍經一卷

天星歌一卷

相宅訣一卷

陰陽二宅圖經一卷

上象陰陽星圖一卷

天上九星修造吉凶歌一卷

通天照砂斗輪經一卷

相宅通天竅十卷

陰陽二宅心鑑一卷

陰陽二宅相占一卷

陰陽二宅歌一卷

淮南王見機八宅經一卷

五姓宅經一卷_{蕭吉。}

牛欄經一卷

竈經十四卷_{簡文帝。}

祠竈經一卷

　　　右宅經

地形志八十七卷_{庾季才。}

唐地理經十卷_{吕才。}

五音地理經三十卷_{僧一行。}

地理三寶經九卷

地理新書三十卷

地理指南三卷

地理斗中記一卷

地理八山神將圖一卷

地理六壬六甲八山經八卷

五姓合諸家地理一卷

冢書四卷

黃帝葬山圖四卷

五音相墓經五卷

五音圖墓書九十一卷

五姓圖山龍一卷

青烏子三卷

葬經八卷　又　十卷

葬書地脉經一卷

墓書五陰一卷

雜墓圖一卷

墓圖立成一卷

六甲冢名雜忌要訣二卷

郭氏五姓墓圖要訣五卷

壇中伏尸一卷

胡君玄女彈指五音法相冢經一卷

由吾公裕　葬經三卷

葬範三卷_{孫季邕。}

歷代山形圖一卷

山形總載圖一卷

寳星圖一卷

撥沙碎山形一卷

五音山岡决一卷

昭幽記一卷

周易枯骨經一卷

周易括地林一卷_{敦璞。}

葬書一卷_{郭璞。}

玉函經一卷_{丘延翰。}

曜氣細斷一卷_{丘氏。}

銅函記一卷_{丘氏。}

騰靈正決一卷

撥沙經論詩一卷丘氏。

撥沙成明經一卷郭璞。

撥沙經六卷吕才。

一行　相山取地決一卷

一行　吉墓圖一卷

靈山秀水經一卷吕才。

秦皇青囊經解三卷

曾氏青囊子歌一卷

青囊經二卷郭璞。

青囊經一卷曾楊仙。

地理要決八卷

玄堂内範二卷

地理脉要三卷胡文翽。

八山圖局一卷

地理通玄祕決一卷

地理解經祕訣一卷

天地鑑八山一卷

寶鑑經一卷

錦囊經一卷郭璞。

連山鬼運正經一卷

搜玄歌一卷

山卦放水決一卷

雪心正經一卷

曾山人識山經一卷

李望嶺識山經一卷

翎毛經一卷

騰雲八曜歌圖一卷

天卦放水訣一卷

紫囊經一卷

黃囊氣曜一卷

黃囊大卦訣一卷丘延翰。

真微正決經一卷

鼓角沙經一卷楊筠松。

饗福集三卷

五龍祕法真決一卷毛漸。

真機寶鑑治曜經一卷

枯骨枕中見經一卷

天華六龍經一卷

玄堂品決三卷郭璞。

凵魂八冢經頌一卷曾楊二仙撰。

洞林別訣一卷范越鳳。

會元經二十四卷孫季邕。

地理燈心祕決一卷

地理撥沙搜空論一卷

臨山寶鑑斷風決一卷

八分歌一卷

透天神殺百二十局一卷

寶曜騰雲決一卷

地理祕要九星決一卷

交星上山法一卷

天定六秀經二十卷

黃禪師星水正經一卷

五虎圖一卷

玉囊經一卷

叢金決一卷

黃泉敗水吉凶一卷

撥沙正龍天形十三卷

八山微妙法一卷

斷墓法一卷

赤松子明鑑碎金六卷

地龍發水經一卷

金河流水決一卷

司馬頭陀　名壁記一卷

山頭步水經一卷

撥沙山經一卷

九仙經二卷

駐馬經二卷

碎寶經一卷

天輪十二帝經一卷

天竹桃花正經一卷

六壬龍首經一卷

龍子觀珠經三卷

九龍經一卷

鑒龍脉訣二卷

陰陽金車論一卷

玉鑑論一卷

地理走馬穿山通玄論一卷

五家通天局一卷

天曜博龍換骨經一卷

尋龍入式歌一卷

周易穿地林一卷_{郭璞}。

狐首經一卷

地理碎金式一卷_{郭璞}。

八仙山水經一卷_{郭璞等}。

諸葛武侯相山決三卷

大堂明鑑一卷_{諸葛武侯}。

白鶴子宅骨記一卷

司馬頭陀　地理括一卷

司馬頭陀　六神回水決一卷

司馬頭陀　括地記一卷

青烏子相地骨一卷

赤松子訣一卷

楊烏子星水地理決一卷

李淳風　星水地理經一卷

馬上尋山決一卷_{李淳風}。

步穴要決一卷_{李淳風}。

金華覆墳經一卷_{李筌}。

稽古經一卷

龍髓經一卷

疑龍經一卷

辨龍經一卷

撼龍經一卷

九星祖局圖一卷

五星龍祖一卷

地理賦詩論三卷_{朱仙桃}。

玄女碎山經一卷

二十八禽星圖一卷

楊公曜金歌并三十六圖一卷_{楊筠松。}

塋穴經一卷

金匱正經一卷

金鎖正要一卷

玄談經一卷

錦囊遺録一卷

五行統例一卷

地理手鑑一卷

骨髓經一卷_{鄭弘農。}

陰陽精義二十篇_{朱伯起。}

踏地賦一卷

地骨經一卷

蔡牧堂發微論一卷

雪心賦一卷

玉髓經四十卷_{張子微。}

塋穴神驗經一卷

元胎葬經一卷

一寸金穴法一卷

陰陽定論六卷

玉尺經二卷

地理正鵠四卷_{廖禹。}

祝氏選擇神龍經一卷

青囊玄女指决一卷

枯骨林祕决一卷

劉伯温披肝露膽一卷

一粒粟一卷

堪輿管見二卷

　　右葬書

　　古有大事，以八命贊三兆三易三夢之占。夫龜具陰陽四方之體，蓍備天地六子之象，泊然無欲也。乃夢則思爲不作，而神與通之。占者以此明吉凶，徵得喪，惡能匿諸？後世諸術繁興，非盡古法，然風角、鳥占、堪輿、壬遯，與夫人倫禄命之類，雖其浮淺，皆得古人之一察，故巧發奇中，往往有之。舊史雜出，略無甄敘。今總列於五行，而其中又以類從焉。管輅有言，物不精不爲神，數不妙不爲術，得數者妙，得神者靈，而其卒也，弟發篋書，皆世所常有。歎曰："世患無才，不由無書，諒哉！"

醫家 經論　明堂鍼灸　本草　種采炮炙　方書　單方　夷方　寒食散　傷寒　脚氣　雜病　瘡腫　眼疾　口齒　婦人　小兒　嶺南方

黃帝素問九卷全元起注。

黃帝素問二十四卷晋王冰注。

補注素問二十四卷林憶補注。

黃帝素問遺篇四卷

素問六氣玄珠密語十七卷

素問要旨八卷劉守真。

素問糾略三卷

五運指掌賦圖一卷葉玠。

通神論十四卷楊退修。

素問音釋一卷

黃帝甲乙經十二卷

黃帝八十一難經二卷秦越人。

難經疏十三卷侯自然。

黃帝衆難經二卷呂博望注。

黃帝流注脉經一卷

呂楊注難經五卷_{呂廣、楊玄操。}

丁德甫　注難經五卷

虞庶　注難經五卷

李晞范　注難經四卷

紀天錫　注難經三卷

難經本義二卷

靈寶注黃帝九靈經十二卷

天元玉策三十卷_{王水。}

醫說十卷_{張景。}

華氏心法四卷

三部四時五藏辨候診色决事脉經一卷

脉經十卷_{王叔和。}

脉訣圖要六卷_{王叔和。}

潔古注叔和脉訣十卷_{張元素。}

圖注王叔和脉訣四卷_{張世貞。}

集解脉决十二卷_{李駉。}

圖經脉證類擬二卷_{鮑叔鼎。}

耆婆脉經一卷

李勣　脉經一卷

王子顒　脉經二卷

甄權　脉經二卷

黃帝　脉訣一卷

扁鵲　脉訣一卷

脉經祕録一卷

韓氏脉訣一卷

徐氏脉經訣三卷_{徐裔。}

脉經鈔二卷許建吳。

華佗　觀形察色并三部脉經一卷

醫經脉要錄一卷章季。

秦承祖脉經六卷

康普思　脉經十卷

黃帝內經明堂類成十三卷楊上善注。

黃帝內經太素三十卷楊上善注。

黃帝太素經三卷

黃帝傳太素脉訣一卷

青溪子脉訣一卷

寶應靈樞九卷

內經靈樞經九卷

金鑑集歌一卷

金寶鑑一卷唐衛嵩。

脉經手訣一卷張及。

百會要訣脉經一卷

鳳髓脉經機要五卷

醫鑑一卷

碎金脉訣一卷

診脉定生死三部要訣一卷

延齡寶抄一卷張尚容。

玄門脉訣一卷

太醫祕訣候生死部一卷

脉訣賦一卷甄灌。

徐氏指下訣一卷徐裔。

倉公訣生死祕要一卷

新集脉色要訣一卷譚延鎬。

金匱指微訣一卷_{吳復圭。}

金匱録五卷

素問入式鈐一卷_{藍先生。}

玄珠密語十卷

三甲運氣經三卷

六甲天元氣運鈐二卷

五運六氣玉鎖子三卷

靈元經三卷

張仲景　脉經一卷

金匱玉函經八卷_{張仲景。}

診脉要訣一卷_{唐強明。}

劉温舒　素問論奧四卷

内經靈樞略一卷

冲真子内經指微十卷

鈐和子十卷_{賈和光。}

王叔和　脉訣發蒙三卷

崔真人脉訣一卷

脉要祕括二卷_{劉元賓。}

劉開　脉訣一卷　又　脉訣理玄祕要一卷

相色經訣一卷_{華子顒。}

脉訣機要三卷_{王叔和。}

脉證口訣一卷

孫子脉訣論一卷

診家樞要一卷_{元滑壽。}

太素脉訣一卷_{楊文德。}

見證祕傳一卷

脉學祕傳一卷

醫林集要八十八卷_{王璽。}

醫方論七卷

王叔和　論病六卷

張仲景　評病要方一卷

體療雜病疾源三卷_{徐悦。}

吳景賢　諸病源候論五十卷

巢氏諸病源候論五十卷_{隋巢元方。}

徐嗣伯　雜病論一卷

醫門金鑑三卷_{衞嵩。}

許詠　六十四問一卷

病源手鏡一卷_{唐段元亮。}

伏氏醫苑一卷_{唐伏適。}

名醫傳七卷_{唐甘伯宗。}

素問醫療訣一卷

明醫顯微論一卷_{石昌璉。}

醫門括源方一卷_{吳希言。}

今體治世集三十卷_{五代劉翰。}

金匱玉函要略三卷

醫門簡要十卷_{華顒。}

新集病總要略一卷_{張叔和。}

明醫要略一卷

醫家要妙五卷_{孫思邈。}

通元經十卷_{周支義方。}

耆婆八十四問一卷

問答疾狀一卷

百一問答方三卷_{蕭存禮。}

太僕醫方一卷_{唐天授中進。}

攄醫新説二卷

意醫紀曆一卷_{蜀吳羣。}

王勃　醫語序一卷

醫語纂要論一卷

扁鵲祕訣一卷

醫鑑後傳一卷

青溪子　萬病拾遺三卷

孫思邈　禁經二卷

龍樹呪法一卷

原病式二卷_{劉守真。}

玉機微義五十卷_{徐彦純。}

衛生寶鑑二十四卷_{羅謙甫。}

蘭室祕藏三卷_{李杲。}又　脾胃論三卷

醫壘元戎十二卷_{王好古。}

儒門事親十四卷_{張子和。}

丹溪醫案一卷_{朱震亨。}

丹溪纂要八卷

丹溪心法三卷

丹溪格致餘論一卷

丹溪心法附餘二十四卷

金匱鈎玄一卷_{戴元禮。}

類證用藥一卷_{戴元禮。}

明醫雜著六卷_{王綸。}

家居醫録七卷_{薛己。}

雲嶠醫説十卷_{鄭鎰。}

續醫説十卷_{俞子容。}

醫史十卷_{李濂。}

名醫類案十二卷江瓘。

赤水玄珠十卷孫一奎。

醫旨緒餘二卷孫一奎。

五藏訣一卷

黃帝五藏論一卷

神農五藏論一卷

張仲景五藏論一卷

裴珪五藏論七卷唐裴珪。

五藏旁通明鑑圖一卷唐裴靈。

五藏榮衛論一卷

大五藏論一卷張尚容。

小五藏論一卷張尚容。

五藏論應象一卷唐吳兢。

五藏類合賦五卷唐劉清海。

五色旁通五藏圖一卷裴光庭。

藏府通元賦一卷唐張文懿。

耆婆五藏論一卷

五藏鑑元四卷段元亮。

燕臺要術五卷沙門應元。

醫門祕錄五卷海崇獻。

新修榮衛養生用藥補瀉論十卷李鉞。

華氏中藏經一卷

五藏旁通導養圖一卷孫思邈。

諸家五藏論五卷

五藏攝養明鑑圖一卷

吳兢　五藏論五卷

岐伯精藏論一卷

玄女五藏論一卷

夭壽性術論一卷

元聖濟總録二百卷

　　　右經論

黄帝明堂經三卷　又　三卷_{楊玄注。}

路氏明堂經一卷

黄帝内經明堂十三卷

秦承祖明堂圖三卷

黄帝十二經脉明堂五藏圖一卷

明堂孔穴五卷

明堂孔穴圖三卷

要用孔穴一卷

明堂偃側圖八卷

偃側人經二卷_{秦承祖。}

神農明堂圖一卷

曹氏黄帝十二經明堂偃側人圖十二卷

明堂人形圖一卷

明堂論一卷_{唐朱遂。}

明堂蝦蟇圖一卷

明堂元真經訣一卷

黄帝鍼經九卷

徐悦龍銜素鍼并孔穴蝦蟇圖三卷

程天祚鍼經六卷

玉匱鍼經十二卷

赤烏神鍼經一卷_{張子存。}

流注鍼經一卷

商元鍼經一卷

謝氏鍼經一卷

九部鍼經一卷

三奇六儀鍼要經一卷

黃帝岐伯鍼論二卷

皇甫謐三部鍼灸經十二卷

鍼經鈔三卷_{甄權撰。}

玄悟四神鍼經一卷

扁鵲鍼傳一卷

許希　鍼經要訣一卷

孫思邈　鍼經一卷

徐叔嚮　鍼灸要鈔一卷

黃帝鍼灸蝦蟇忌一卷

鍼灸圖經十一卷

扁鵲　偃側鍼灸圖三卷

鍼灸經一卷

華陀　枕中灸刺經一卷

釋僧康　鍼灸經一卷

黃帝鍼灸經十二卷

黃帝岐伯論鍼灸要訣一卷

子午經一卷_{扁鵲。}

銅人腧穴鍼灸圖經三卷_{宋修。}

山兆鍼灸經一卷

公孫克　鍼灸經一卷

灸經五卷

銅人鍼灸經十五卷_{西方子。}

曹氏灸經一卷

曹氏灸方七卷

岐伯灸經一卷

雷氏灸經一卷

膏肓灸法二卷_{莊綽。}莊綽。

點烙三十六黃經一卷

楊齊顏　灸經十卷

新集明堂灸法三卷

崔知悌　灸勞法一卷

鍼灸詳說二卷楊珣。

徐氏鍼灸六卷

　　　右明堂鍼灸

神農本草八卷陶隱居集注。

神農本草四卷雷公集注。

神農本草經三卷

蔡邕本草七卷

吳普本草六卷

本草經四卷蔡英。

本草二卷徐大山。

秦承祖本草六卷

李氏本草三卷

王季璞　本草經三卷

隨費本草九卷

唐本草二十卷李勣。

新本草四十一卷王方慶。

開寶重定本草二十一卷李昉。

新詳定本草二十卷盧多遜。

嘉祐補注本草二十卷掌禹錫。

蜀本草二十卷蜀韓保昇。

證類本草三十二卷唐慎微。

名醫別錄三卷陶隱居。

紹興校定本草二十二卷王繼先。

東垣珍珠囊二卷李杲。

圖經集注衍義本草四十二卷寇宗奭。

本草藥性三卷甄權。

本草性類一卷杜善方。

藥性要訣五卷王方慶。

本草韻略五卷

四聲本草四卷蕭炳。

本草拾遺十卷陳藏器。

本草衍義二十卷寇宗奭。

删繁本草五卷楊損之。

四明本草拾遺二十卷

本草括要三卷張文懿。

本草要訣一卷梁嘉慶。

海藥本草六卷李珣。

胡本草七卷鄭虔。

南海藥譜七卷

諸藥異名十卷沙門行矩。

本草辨誤二卷崔源。

本草集要八卷王倫。

本草發揮四卷徐彥純。

本草權度三卷徐東齊。

本草歌括八卷胡仕可。

潔古本草二卷

本草藥性賦一卷

本草音義三卷姚最。　又　七卷甄權。　又　二卷殷子嚴。　又

　二卷李含光。　又　二十卷孔志約。

靈秀本草圖六卷原平仲。

藥圖二十卷　圖經七卷並李勣。

新修本草圖二十六卷蘇敬。

本草圖經二十卷宋掌禹錫。

本草經類用三卷

本草雜要訣一卷

本草要方三卷甘濬之。

桐君藥録二卷

本草用藥要妙九卷

藥對二卷北齊徐之才。

湯液本草二卷王好古。

療癰疽耳眼本草要鈔九卷甘濬之。

新廣藥對三卷宗令祺。

方書藥類三卷

文潞公藥準一卷

醫門指要用藥立成訣一卷葉傳古。

陶隱居集藥訣一卷

本草元命苞七卷元尚從善。

藥證病源歌五卷蔣淮。

象法語論一卷

删繁藥詠三卷江承宗。

本草類要十卷詹瑞方。

太清草木方集要三卷陶隱居。

本草病源合藥節度五卷

本草病源合藥要鈔五卷徐叔嚮。

體療雜病本草要鈔十卷徐叔嚮。

小兒用藥本草二卷王末。

本草綱目五十二卷李時珍。

　　　右本草

種植藥法一卷

入林採藥法二卷

太常採藥時月一卷

四時採藥及合和四卷

採藥論一卷

炮炙論三卷雷敩。

陳雷炮炙論三卷

制藥法論一卷

乾寧晏先生制伏草石論六卷晏封。

　　　右種采炮炙

張仲景方十五卷

華佗方十卷華佗弟子吳普。

秦承祖方四十卷

黃素方二十五卷謝秦。

耿秦方六卷

葛洪　肘後救卒方六卷

梁武帝坐右方十卷

如意方十卷

濟急仙方一卷華佗。

急救仙方十一卷見《道藏》。

陶隱居効驗方十卷

補肘後救卒方六卷陶隱居。

阮河南方十六卷阮炳。

范東陽雜藥方百七十卷尹穆。

解散方十三卷

徐叔嚮解散消息節度八卷

范氏解散方七卷

釋慧義解散方一卷

湯丸方十卷

胡居士治百病要方三卷胡洽。

徐叔嚮雜療方十二卷

徐叔嚮體療雜病方六卷

姚大夫集驗方十二卷

徐文伯藥方二卷

徐大山試驗方二卷

徐大山巾箱方三卷

徐氏效驗方三卷

徐嗣伯落年方三卷

徐大山墮年方二卷

小品方十二卷陳延之。

千金方三卷范世英。

徐氏八世家傳效驗方十卷徐之才。

姚僧坦集驗方十卷

診證備急要方三卷

徐辨卿方二十卷

删繁方十卷謝士泰。

吳山居方三卷

單複要驗方三卷_{釋莫漏。}釋莫漏。

釋道洪方一卷

療百病雜丸方三卷釋曇鸞。

扁鵲陷冰丸方一卷

扁鵲肘後方三卷

經心録方八卷宋俠。

褚澄　雜藥方十二卷

陳山提　雜藥方十卷

釋僧深集方三十卷

名醫集驗方三卷

古今録驗方五十卷

崔氏纂要方十卷唐崔行功。

袖中備急要方三卷

千金方三十卷孫思邈。

千金髓方二十卷

千金翼方三十卷孫思邈。

神枕方一卷

開元廣濟方五卷

劉貺　肘後方三卷

外臺秘要四十卷王燾。

外臺秘要略十卷王燾。

貞元集要廣利方五卷德宗。

陸氏集驗方十五卷陸贄。

兵部手集方三卷李絳。

薛景晦　古今集驗方十卷

劉禹錫　傳信方二卷

海上集驗方十卷崔玄亮。
鄭注藥方一卷
韋氏獨行方十二卷唐韋宙。
張文仲　隨身備急方三卷
羣方秘要三卷唐蘇越。
唐興集驗方五卷白仁叙。
包會應驗方一卷
篋中方三卷唐許孝宗。
梅崇獻方五卷
太和濟要方五卷唐宣成公。
廣正集靈寶方一百卷蜀羅普宣。
續傳信方十卷唐王顔。
昇元廣濟方三卷唐華宗壽。
博濟安衆方二卷
韓待诏肘後方一卷
鄭氏惠心方三卷
千金秘要備急方一卷
新集應病通神方三卷裴孝封。
普濟方五卷宋王守愚。
鄭氏惠民方三卷
塞上方三卷
延齡至寶方十卷唐姚和衆。
鄭氏纂秘要方二卷
萬全方三卷安摠。
別集玉壺備急大方一卷
行要備急方一卷元希聲。
走馬備要方一卷段詠。

北京要術一卷_{唐陳元。}

集妙方三卷_{沈承。}

王氏秘方五卷

太平聖惠方一百卷_{宋王懷隱。}

神醫普救方一千卷_{宋賈黃中。}

宋氏千金方三卷

陳太醫方一卷

張處環方三卷

初虞世必用方十六卷

續必用方一卷

尊生要訣二卷_{初虞世。}

二十八宿治病鬼鑑圖一卷

韋氏月錄方一卷

聖惠經用方一卷

王趙選秘方一卷

孫尚藥方三卷

劉氏十全博救方一卷_{劉甫。}

千金一致方一卷_{錢象中。}

玉臺備急方一卷

彭祖養政備急方一卷

金鍊神妙方一卷

太清經藥方一卷

胡愔方二卷

隋朝四海類聚方二千六百卷

簡要濟衆方五卷_{周應。}

聖惠選方六十卷

晏相明效方五卷

王氏博濟方五卷_{王袞}。

瀉内景方一卷

聖苑方三卷

東垣試效方九卷_{李杲}。

四時治要方一卷_{屠鵬}。

百一選方三十卷_{王璆}。

三因極一方六卷_{陳言}。

大衍方十二卷_{孫紹遠}。

選奇方二十卷_{余綱}。

雞峰備急方一卷_{張銳}。

本事方十卷_{許叔微}。

指南方二卷_{史堪}。

楊氏方二十卷_{楊俠}。

沈存中良方十卷

靈苑二十卷_{沈括}。

護命方五卷_{楊退修}。

何氏方六卷_{何偁}。

蘇沈良方十五卷

王氏醫門集二十卷

正俗方一卷_{劉彝}。

指迷方三卷_{王貺}。

九籥衛生方三卷_{趙士紓}。

金鑒方三卷_{孫兼}。

孫用和傳家秘寶方三卷

家藏秘寶方五卷_{龐安時}。

治風方一卷_{張耒}。

治奇疾方一卷_{夏子益}。

和劑局方十卷

加減十八方一卷胡嗣廉。

避水集驗方四卷董炳。

張氏經驗方二卷張子和。

萬應方四卷孫天仁。

平治薈萃方三卷朱彥修。

怔證方二卷李樓。

得効方二十卷危亦林。

瑞竹堂經驗方十五卷薩德彌實。

靈方志一卷孔周南。

仁齋直指附遺方二十六卷楊士瀛。

奇効良方六十九卷方賢。

救急易方八卷趙叔文。

惠濟方八卷王輔。

李氏集秘方一卷李允恭。

羣書抄方一卷丘濬。

續羣書抄方一卷何孟春。

經驗方一卷顧鼎臣。

山居便宜方十六卷熊宗立。

備急海上方二卷熊宗立。

緊要二十四方一卷劉党。

不自秘方一卷劉党。

傳信方八卷鄭鸞。

經驗方十卷陳仕賢。

濟世良方五卷萬表。

　　右方書

隋煬帝類聚單方三百卷

王世榮單方一卷

賈耽　備急單方一卷

草木諸藥單方一卷_{張秀言。}

秦聞單方一卷

葛懷敏單方一卷

葛氏單方三卷

姚大夫單方一卷

太平聖惠單方十五卷

備急總効方四十卷_{溧陽李朝正。}

本草單方三十五卷_{王俣。}

簡便單方二卷

本草單方八卷_{王鰲。}

　　　右單方

龍樹菩薩藥方四卷

西域諸仙所説藥方二十三卷

香山仙人藥方二十卷

西域波羅仙人方三卷

西域名醫所集要方四卷

婆羅門諸仙藥方二十卷

婆羅門藥方五卷

耆婆所述仙人命論方二卷

乾陀利治鬼方十卷

新録乾陀利治鬼方四卷

摩訶出胡國方十卷

　　　右夷方

寒食散論二卷

寒食散湯方二十卷

寒食散對療一卷_{釋道洪。}

解寒食散方二卷_{釋智斌。}

解寒食散論二卷

解寒食散方六卷_{徐叔嚮。}

寒食解雜論七卷_{釋慧義。}

寒食散方并消息節度二卷

太一護命寒食散二卷_{宋尚。}

　　右寒食散

張仲景傷寒論十卷_{王叔和次。}

徐文伯　辨傷寒一卷

傷寒總要二卷

巢氏傷寒論一卷

玉川傷寒論一卷

傷寒手鑑二卷_{田誼卿。}

傷寒證辨集一卷

張果先生傷寒論一卷

百中傷寒論三卷_{陳昌胤。}

傷寒論後集六卷

石昌璉證辨傷寒論一卷

傷寒直格五卷_{劉開。}

傷寒百問三卷_{無求子。}

南陽活人書二十卷_{宋肱。}

傷寒百問經絡圖一卷

傷寒集論方十卷

孫王傷寒論方二卷

傷寒微旨論二卷

傷寒證治三卷_{王寔。}王寔。

上官均　傷寒要論方一卷

朱旦　傷寒論一卷

明時政要傷寒論三卷

傷寒運氣全書十卷熊宗立。

傷寒活人指掌圖論十卷熊宗立。

圖解傷寒論十卷成無己。

傷寒明理論四卷成無己。

傷寒類證便覽十卷陸彥功。

鄭氏傷寒方一卷

孫兆　傷寒方二卷

傷寒鈐法十卷李浩。

傷寒解惑論一卷湯尹才。

內外傷寒辯三卷李杲。

傷寒秘要一卷劉醇。　又　治例一卷劉醇。

曾誼　傷寒論一卷

陰毒形證訣一卷宋迪。

傷寒括要詩一卷通真子。

傷寒歌三卷許叔微。

傷寒類要方十卷

傷寒要旨二卷李檉。

傷寒式例一卷劉君翰。

傷寒總病論七卷龐安時。

傷寒瀉利要方一卷陳孔碩。

傷寒慈濟集三卷

傷寒證類要略二卷_{平堯卿。}

玉鑑新書二卷_{平堯卿。}

陶節齋傷寒九種書九卷_{陶華。}

傷寒全書五卷_{陶華。}

傷寒六書六卷_{陶華。}

　　　右傷寒

脚弱方八卷_{徐叔嚮。}

辨脚弱方一卷_{徐文伯。}

李暄　嶺南脚氣論一卷

李暄　脚氣方一卷

三家脚氣論一卷_{唐蘇鑒、徐玉、唐侍中。}

新撰脚氣論三卷_{唐李暄。}

脚氣治法一卷_{董汲。}

　　　右脚氣

風疾論一卷_{朱元朴。}

風論山兆經二卷_{吳希言。}

風科集論名方二十八卷

論三十六種風一卷_{楊天業。}

青烏子風論一卷

生風論一卷

發焰錄一卷_{唐司空輿。}

水氣論三卷_{蘭宗簡。}

巢氏水氣論一卷

徒都子膜外氣方一卷

青溪消渴論一卷_{李暄。}

療消渴方一卷_{謝南郡。}

玄感傳屍論一卷_{唐蘇遊。}

骨蒸論一卷

五勞論一卷

治勞神秘方二卷

扁鵲療黃經一卷

療黃經歌一卷

療黃經三卷

烙三十六黃法并明堂一卷

接骨仙方二卷_{藺道。}

　　　　右雜病

甘濬之　療癰疽金創方十四卷　又　十五卷_{甘伯齊。}

療癰疽毒坘雜病方三卷_{甘濬之。}

癰疽論方一卷

療癰經一卷

療癰疽要訣一卷_{唐喻義。}

沈泰之　癰疽論一卷

療癰疽諸疾方二卷_{秦政應。}

瘡腫論一卷_{唐喻義。}

仙傳外科秘方十一卷_{《道藏》。}

瘡腫證治一卷_{謝天錫。}

衛濟寶書一卷

外科保安方三卷_{張允蹈。}

五發方論一卷_{吳晦父錄。}

癰疽論三卷

發背論一卷僧智宣。　　又　一卷白岑。

集驗背疽方一卷李逸。

癰疽神驗秘方一卷陶華。

外科序論一卷趙原陽。

吞字帖腫方一卷唐波池波利。

療小兒丹法一卷

劉涓子鬼遺方十卷宋龔慶宣。

外科心法七卷薛己。

外科經驗方一卷薛己。

瘡瘍機要三卷薛己。

外科精義二卷齊德之。

外科集驗方一卷楊清叟。

瘡科通玄論三卷楊得春。

療三十六瘻方一卷

療癭方一卷

痔漏論一卷王伯學。

　　　右瘡腫

療目方五卷陶氏。

療耳眼方十四卷甘濬之。

龍樹眼論三卷

醫眼鍼鈎方論一卷

穆昌叙眼方一卷

審的選要歌一卷

審的眼藥歌三卷

眼論準的歌一卷劉皓。

經驗眼藥方十卷

宣明論方十五卷_{劉元素。}

楚人劉豹子眼論一卷

眼科龍木論一卷

眼科對證經驗方一卷_{顧可學。}

明目方一卷_{胡永平。}

鴻飛集論一卷_{胡大成。}

眼目對證心法一卷_{張景隆。}

石光明家傳方一卷

醫眼方論一卷_{顧鼎臣。}

明目至寶四卷

　　右眼藥

張仲景　　口齒論一卷

邵英俊　　口齒論一卷

排玉集二卷_{唐邵英俊。}

唐陵正師口齒論一卷_{唐僧普濟。}

口齒論三卷_{沖和先生。}

口齒玉地論一卷_{唐普濟。}

咽喉口齒方論五卷

療口齒雜方一卷

　　右口齒

范氏療婦人方十一卷

仲景療婦人方二卷

徐文伯　療婦人瘕一卷

楊氏產乳集驗方三卷_{唐楊歸厚。}

少女方十卷

少女雜方二十卷

産前後論一卷王守忠。

産後論一卷楊全迪、李壽。

集後十九論一卷

家寶義囊一卷

崔氏産鑑圖一卷

産寶三卷蜀周挺。

子母秘録十卷許仁則。

咎氏産寶二卷唐咎殷。

王嶽　産書一卷

濟生産寶二卷徐明善。

産育寶慶集一卷李師聖。

胎産經驗方一卷陸子正。

校注婦人良方二十四卷薛己。

産科大通論方一卷張聲道。

便産須知三卷高戀齊。

胎産須知二卷趙輝。

女科樞要四卷

辨疑集三卷

右婦人

小兒經一卷

俞氏療小兒方三卷

徐叔嚮　療少小百病方三十七卷

療少小雜方二十卷

范氏療小兒方一卷

王末　小兒方十七卷

俞寶　小女節療方一卷

童子秘訣三卷_{唐姚和衆。}

衆童延齡至寶方十卷_{姚和衆。}

孫會　嬰孺方十卷

嬰孩病源論一卷

崔氏小兒論一卷

療小兒眼論一卷_{劉皓。}

小兒藥證一卷_{劉景裕。}

湯氏嬰孩妙訣二卷_{湯衡。}

幼幼新書五十卷_{劉昉。}

小兒五疳二十四候論一卷

小兒宮氣集三卷

小兒方術論一卷

明珠變蒸七疳方論一卷_{朱篆。}

仙人水鑑圖訣一卷_{唐王超。}

保童方一卷_{蜀周挺。}

小兒水鑑論三卷

小兒玉匱金鎖訣一卷

小兒蔥臺訣一卷

童子元感秘訣三卷

嬰童寶鏡十卷_{樓真子。}

小兒病源六卷

小兒論三卷_{錢汶。}

小兒痘疹論一卷_{董及之。}

錢氏小兒方八卷_{錢乙。}

錢氏小兒藥證真訣三卷

小兒醫方妙選三卷_{張渙。}

張渙　小兒方三卷

潘氏小兒方一卷

陳氏小兒方一卷_{陳宗望。}

陳琥　小兒方一卷

王氏小兒方一卷

嬰童百問十卷_{魯伯嗣。}

幼科類萃二十八卷

活幼心書二卷_{魯世榮。}

聞人氏痘疹論三卷_{聞人規。}

丹溪治痘要法一卷_{朱震亨。}

活幼口義二十卷_{省翁。}

活幼全書八卷_{錢大用。}

保嬰直指五卷

原幼心法三卷

　　　右小兒

嶺南急要方三卷

南中四時攝生論一卷_{唐鄭景岫。}

南行方三卷_{唐李繼皋。}

治嶺南衆疾經效方一卷

廣南攝生方一卷

慶曆善救方一卷

嶺南衛生方三卷_{文德。}

　　　右嶺南方

　　醫經昉於《素問》，經方原於《本草》。《七略》分二家，寔王官之一守也。許嗣宗曰："醫特意耳，脉候幽而難明，吾意所解，口不能宣也。虛著方劑,於世何益?"顧自六塵伐性,[①]七寶移情,衛生虧攝,機速腾痿,求緩齡於金液,假息於銀丸,則五色所書,鴻寶所錄,又可盡廢耶?第方匪對症,藥或誤人。語曰:"疾不治,得中醫。"非虛言也。代歷古今,篇籍猥衆,今稍稍次之爲醫家。

藝術家藝術 射 騎 嘯 畫録 投壺 弈棋 博塞 象經
樗蒲 彈棋 打馬 雙陸 打毬 彩選 葉子格 雜戲

古今藝術二十卷

藝術略序五卷孫暢之。

古今藝術十五卷

伎術録一卷孫暢之。

述伎藝一卷

右藝術

射經一卷唐王琚。 **又 一卷**田逸。

射記一卷唐張守忠。

射法一卷黃損。 **又 一卷**劉懷德。

射口訣一卷張商。

射書十五卷唐徐鍇。

射鑒九圖一卷

九章射術三卷張商。

---

① "伐",原誤作"代",據徐本改。

神射訣一卷

集古今射法一卷

射訣要略一卷李廣。

五善正鵠格一卷

五善射序一卷程正柔。

射評一卷李廣。

射訓一卷張仲殷。

射議一卷王越石。

九鑑射經一卷

射法指訣一卷嚴悟。

弓箭啓蒙論一卷任權。

廣弓經一卷

弓訣一卷

益津射格一卷

金吾射法一卷

劉氏射法一卷

神射式一卷王德甫。

射訣一卷王堅道。　又　一卷韋韜。　又　一卷馬思永。

射譜七卷

　　　右射

馬槊譜一卷

騎馬都格一卷

騎馬變圖一卷

馬射譜一卷

　　　右騎

嘯旨一卷

右嘯

名手畫録一卷

古畫品録一卷_{南齊謝赫。}

續畫品録一卷_{唐李嗣真。}

續畫品一卷_{陳姚最。}　　**又　一卷**_{蕭繹撰。}

後畫品一卷_{唐釋彦悰。}

歷代名畫記十卷_{張彦遠。}

畫評一卷_{顧況。}

畫品録一卷_{唐裴孝源。}　　**又　畫品一卷**_{僧彦保。}

畫拾遺一卷_{唐竇蒙。}

王維　山水論一卷

吳恬畫山水録一卷

梁朝畫目三卷_{宋胡嶠。}

不絶筆畫圖一卷_{王叡。}

益州名畫録三卷_{宋王休復。}

荆浩筆法一卷

唐采畫録一卷

畫總載一卷_{張又新。}

廣畫録一卷_{僧仁顯。}

名畫獵精録六卷_{張彦遠。}

唐朝名畫録一卷_{朱景玄。}

五代名畫記一卷_{劉道醇。}

五代名畫拾遺一卷_{劉道成。}

合畫筆訣一卷

宋名畫評三卷_{劉道醇。}

宋朝名畫評三卷劉道成。

丁巳畫録一卷劉道醇。

圖畫見聞志六卷郭若虛。

貞觀公私畫史一卷裴孝源。

歷代畫評八卷唐竇蒙。

翰林畫録一卷

歷代畫斷一卷

四時設色一卷陸探微。

畫繼十卷鄧椿。

海岳畫史一卷米芾。

畫史一卷朱芳。

古今名畫記三卷

圖畫歌一卷沈括。

梁元帝　山水松石格一卷

王摩詰　山水訣一卷

荊浩　山水賦一卷

李成　山水訣一卷

郭熙　林泉高致一卷

郭思　山水論一卷

郭思　紀藝一卷

宣和雜評一卷

韓氏山水純全集一卷

李澄叟畫山水歌一卷

論畫山水歌一卷

李廌　畫品一卷

元華光和尚梅品一卷

李衎　竹譜詳録一卷

林泉高致集一卷郭思。

張退公　墨竹記一卷

宣和畫譜二十卷

廣川畫跋六卷董逌。

圖繪寶鑑五卷夏文彦。　又　續編一卷韓昂。

圖畫要略一卷朱凱。

畫鑒一卷湯垕。

　　　右畫録。

投壺經一卷郝沖、虞譚撰。　又　一卷唐上官儀撰。

投壺圖一卷張承斌撰。

傾壺集二卷劉仁敏撰。

投壺道一卷郝沖撰。

投壺變一卷晋虞譚撰。

温公投壺新格一卷

　　　右投壺

棋勢四卷　又　七卷徐泓。　又　十卷王子冲。　又　十卷沈敞。

齊高棋圖二卷

圍棋九品序録五卷范汪等注。

棋後九品序一卷袁遵。

圍棋勢二十九卷晋馬朗。

建元永明棋品二元宋褚思莊。

九品序録一卷范汪。

天監棋品一卷梁柳惲。

梁武棋評一卷

梁武棋法一卷

竹苑仙棋圖一卷

棋圖一卷韋珽。

棋訣一卷

圍棋品一卷梁武。

棋要訣一卷

弈棋經一卷

金谷園九局圖一卷唐王積薪。

金谷園九局譜一卷唐徐鉉。

鳳池圖一卷王積薪。

棋本一卷

王延昭　棋論一卷

劉仲甫　忘憂集三卷

角局圖一卷

應機子棋勢重元圖一卷

諸家精選新勢一卷

太宗皇帝棋圖一卷

圖手綱格一卷

圍棋故事一卷

　　右弈棋

博塞經一卷邵綱。

皇博經一卷魏文帝。

太一博法一卷梁東宮。

雙博法一卷

大小博法二卷

大博經行棋戲法二卷

小博經一卷範宏。

雜博戲五卷

二儀十博經一卷

二儀博經一卷隋煬帝。

大博經二卷呂才。

博經一卷董叔經。

　　　右博塞

象經一卷周武帝。　又　一卷王裒。　又　一卷何妥。　又　三卷王裕注。

象經發題義一卷

　　　右象經

樗蒲經三卷盧還京。　又　一卷

樗蒲經采名一卷

樗蒲象戲格三卷

象戲格一卷尹洙。

温公七國象棋一卷

廣象戲格一卷晁補之。

象棋神機集一卷葉茂卿。

五木經一卷李翺撰,元革注。

樗蒲格一卷

　　　右樗蒲

彈棋譜一卷徐廣。

彈棋經一卷張東之。

　　　右彈棋

謝景初　打馬格一卷

宋廸　打馬格一卷

李易安　打馬録一卷

鄭寅　打馬圖式一卷

　　　右打馬

雙陸格一卷

大雙陸格一卷

　　　右雙陸

打毬儀一卷_{張直方。}

打毬要略一卷_{查同章。}

　　　右打毬

骰子選格三卷_{唐李郃。}

漢官儀彩選三卷

新修彩選一卷_{宋劉蒙叟。}

文班彩選格三卷_{楊億。}

宋朝文武彩選三卷_{尹洙。}　　又　二卷_{張訪。}

春秋彩選一卷

新定彩選一卷_{趙明遠。}

元豐官制彩選一卷

慶曆彩選圖一卷

尋仙彩選七卷

選仙格一卷_{洪濛子。}

選佛圖一卷

> 右彩選

徧金葉子格一卷

新定徧金葉子格一卷

擊蒙小葉子格一卷_{李後主妃周氏。}

小葉子例一卷

> 右葉子格

旋旗格一卷

謀戲格一卷

捉臥甕人格一卷_{趙昌言。}

釣鼈圖一卷

採珠局格一卷

金龍戲格一卷

玉燭詩一卷

款飲集一卷

樗蒲滿席歡一卷_{曹氏。}

改令式一卷

盡歡格一卷

角力記一卷

> 右雜戲

《易》曰："言天下之至賾，而不可惡也。"昔曾子論道，貴其大，而歸籩豆於有司以反本也。然語於道器之際則離。莊子至以稊稗瓦礫悉名之道，其説靡矣。君子顧有取焉。故至人獨禀全懿，而偏長小秋，足以當緩急，而狎世機，亦取而折衷之，未嘗惡其蹟也。史有私術篇，今甄列如前。儻所稱猶賢於已者乎？

類家

何承天　并合皇覽百二十二卷

徐爰　并合皇覽八十四卷

陸士衡　要覽三卷

金海三十卷梁武帝。

劉孝標　類苑百二十卷

語麗十卷梁朱澹遠。

壽光書苑二百卷劉杳。

華林遍略六百卷徐勉。

學苑一百卷陶弘景。

修文殿御覽三百六十卷北齊祖孝徵。

長洲玉鑑二百三十八卷虞綽。

玄門寶海百二十卷諸葛穎。

張氏書圖泉海七十卷

檢事書目百六十卷

帝王要覽二十卷

文思博要千二百卷高士廉。

許敬宗　瑤山玉彩五百卷

累璧四百卷許敬宗。

東殿新書二百卷許敬宗。

藝文類聚一百卷歐陽詢。

北堂書鈔百七十三卷虞世南。

羣書理要五十卷_{魏徵。}

册府五百八十二卷_{張太素。}

武后玄覽一百卷

三教珠英千三百卷

碧玉芳林四百五十卷_{孟利貞。}

玉藻瓊林一百卷

筆海十卷_{王義方。}

明皇事類百三十卷

初學記三十卷_{徐堅。}

十九部書語類十卷_{唐是光乂。}

備舉文言二十卷_{陸贄。}

集類一百卷_{唐劉綺莊。}

集類略三十卷_{高丘詞。}

陸羽　警年十卷

詞圃十卷_{唐張仲素。}

元氏類集三百卷

白氏六帖三十卷

六帖三十卷_{唐于政立。}

事鑑五十卷_{唐郭道規。}

青囊書十卷_{唐竇蒙。}

瀛類十卷_{唐韋稔。}

應用類對十卷_{唐韋稔。}

韻對十卷_{唐高測。}

四庫韻對九十八卷_{蜀陳鄂。}

十經韻對二十卷_{蜀陳鄂。}

學海三十卷_{溫庭筠。}

修文海十七卷_{唐王博古。}

記室新書三十卷_{唐李途。}

錦繡谷五卷_{唐孫翰。}

翰苑七卷_{唐張楚金。}

鹿門家抄九十卷_{皮日休。}

編珠五卷_{隋杜公瞻。}

史海十卷_{曹化。}

元穆類事十卷

金鑾啓秀集二十卷_{顏真卿。}

金鑰二卷_{李商隱。}

童子洽聞記三卷_{唐許塾。}

備忘小抄十卷_{蜀文谷。}

太平御覽一千卷_{李昉。}

太平總類五十卷_{李昉。}

册府元龜一千卷_{王欽若、楊億。}

天和殿御覽四十卷_{晏殊。}

邇英要覽二十卷_{蘇頌。}

麟角百二十卷

鹿門家抄詩詠五十卷_{皮文粲。}

資談六十卷_{吳越范贊時。}

雕金集十卷_{劉閩國。}

屬文寶海一百卷_{蜀郭微。}

文華心鑑六卷

經典正要三卷

修文異名錄十卷

類要八十卷_{晏殊。}

白氏傳家記二十卷

玉屑二卷

廣略新書三卷

珤玉集二十卷

珊瑚木六卷

碎金抄十卷

儒林碎寶二卷

羊頭山記十卷_{徐叔暘}。

玉海二百七十二卷_{王應麟}。

翰苑新書二十七卷

記纂淵海一百卷_{宋潘自牧}。

事文類聚二百二十二卷_{祝穆}。

黃氏日抄九十七卷_{黃震}。

古今紀要十九卷_{黃震}。

古今考三十八卷_{魏了翁}。

羣書考索二百十二卷_{章如愚}。

累玉集十卷_{李欽元}。

寶鑑絲綸二十卷_{馮洪敏}。

仙鳧羽翼三十卷_{宋僧智曉}。

御覽要略十二卷

後六帖三十卷_{孔傳}。

皇朝事實類苑二十六卷_{江少虞}。

禁垣備對十卷

淺學廣聞十卷

登瀛秘策三十卷_{宋并}。

學選二十五卷

經語韻對五卷_{鄭潾}。

回溪史韻四十九卷_{宋錢諷}。

韻府羣玉二十卷_{陰時夫}。

韻類題選一百卷袁轂。

續韻類選三十卷

書林韻海一百卷許冠。

慶曆萬題六十卷錢昌宗。

玉山題府三十卷

壬寅題實十卷

百川學海一百卷

熙寧題髓十五卷

羣書解題八十卷鄭齊。

注疏解題三十一卷周識。

千題適變十六卷

經傳集外注題五十卷楊損之。

解題四十五卷方龜年。

題海八十卷

續題海八十卷

邊崖類聚三十卷

羣書新語十卷方龜年。

集事淵海四十七卷

分門類海一百卷

典類一百卷釋守能。

珠玉鈔一卷張九齡。

學林三十卷陳鎡。

採璧十五卷

雞跖集二十卷

策苑四十卷

書敘指南二十卷任淩。

羣書數類一卷林扶。

經子史集名數六卷

事類賦三十卷吳叔。

海録碎事三十三卷葉廷珪。

翰墨全書百三十三卷

合璧事類一百卷

羣書類句十四卷葉儀鳳。

錦繡萬花谷八十卷

羣書備數十二卷張美和。

荆川稗編百二十卷唐順之。

文林綺繡五十九卷

天中記五十卷陳耀文。

類雋三十卷鄭若庸。

學山一百卷

流覽貴乎博，患其不精。强記貴乎要，患其不備。古昔所專，必憑簡策，綜貫羣典，約爲成書，此類家所繇起也。自魏《皇覽》而下，莫不代集儒碩，開局編摩。乃私家所成，亦復猥衆。大都包絡今古，原本始終，類聚臚列之，而百世可知也。韓愈氏所稱鉤玄提要者，其謂斯乎？盖施之文爲通儒，厝於事爲達政，其爲益亦甚鉅已。前史有雜家，無類書。近代纂述叢雜，乃爲別出。要之，雜家出自一人，類書兼總諸籍，自不容溷也。他如《嘉祐謚法》、《熙淳孝史》、《乾道翰苑羣書》，雖馳騁古今，而首尾一事，自歸其部，此不復列云。

二十五史藝文經籍志考補萃編

考補萃編

第二十三卷（下）

國史經籍志補

國史經籍志

〔明〕焦　竑　撰
陳錦春　許建立　整理

〔清〕宋定國　謝星纏　撰
陳錦春　張祖偉　整理

王承略　劉心明　主編

清華大學出版社　北京

卷五

集類 制詔　表奏　賦頌　別集　總集　詩文評

制詔

西漢詔令十二卷_{宋林慮集。}

東漢詔令十一卷_{樓昉集。}

詔集區分四十一卷_{後周宋幹集。}

魏朝雜詔二卷

錄魏吳二志詔二卷

三國詔誥十卷

晉咸康詔四卷

晉雜詔書一百卷　又　二十八卷

晉詔書黃素制五卷

晉定品制一卷

晉大元副詔二十一卷

晉義熙詔十卷

義熙副詔十卷

宋永初詔十三卷

宋孝建詔一卷

宋元嘉詔二十卷

元嘉副詔十五卷

齊中興二年詔三卷

後魏詔集十六卷

後周雜詔八卷

雜赦書六卷

陳天嘉詔草三卷

霸朝雜集五卷_{李德林集。}

隋詔集九卷

隋陳事詔十三卷

東漢詔儀二十卷

古今詔集三十卷_{温彦博。}[1]

古今詔集一百卷_{李義府集。}

唐德音録三十卷

太平内制五卷

明皇制詔録一卷

元和制集十卷

王言會最十卷_{馬文敏集。}

唐舊制編録六卷_{費乙集。}

大唐統制三十卷_{滕宗諒集。}

集制二十卷_{李慎儀。}[2]

擬狀注制十卷

王元制勅書奏一卷

咸通後麻制一卷_{蜀毛文晏纂。}

東壁出言三卷_{毛文晏纂唐制詔。}

唐批答一卷_{李紳。}

唐雜詔册誥命二十一卷

陸贄制集二卷

---

①② "儀"下,徐本有"集"字。

元積制集二卷_{李紳。}

常袞詔集二十卷

楊炎制集十卷

權德輿制集五十卷

武儒衡制集二十卷

段文昌詔誥十卷

鄭畋　鳳池藁草三十卷　又　玉堂集二十卷

續鳳池藁草三十卷

吳融詔誥一卷

令狐滈表制一卷

韓絳　內外制集十三卷

封敖翰藁八卷

中和制集十卷_{唐劉崇望。}

崔嘏制誥集十卷

錢珝制集十卷

李磎制集四卷

李虞仲制集四卷

王仁裕　紫泥集十一卷　又　紫泥後集四十卷

鳳閣書詞十卷_{唐薛廷珪。}

李白度　北門集一卷

金馬門待詔集十卷_{劉允濟。}

綸閣集十卷_{唐樂朋龜。}

盧文度制集一卷

陸贄　翰苑集十卷

王仲舒制集十卷

獨孤霖　玉堂集二十卷

朱梁制誥二卷

五代制誥一卷

吴越石璧記二卷錢鏐以唐末荅詔刻石。

江南揖遜録七卷吴陳岳。

玉堂遺範三十卷梁李琪纂唐來書詔。

宣底八卷梁貞明中文。

兩制珠璣一卷

制集三卷集唐末五代拜官制。

五代制詞一卷

麻藥集三卷後唐。

梁雜制一卷

開平麻制一卷

長興制集四卷後唐。

紅藥編五卷晋和凝。

顯德制詔一卷周賜外國書詔。

李慎義集二十卷後唐至周制詞表狀。

内外雜編十卷五代宋初制詔祠祭之文。

雜麻制十五卷建隆至景德麻制。

西掖雅言五卷

宣獻公詔勑五卷

范景仁　外制集五卷

崇寧手詔十五卷

分門要覽二十卷

初寮先生内制十八卷王安中。

初寮先生外制八卷

承明集十卷王禹偁。

王内翰制誥集十二卷王禹偁。

翰苑制草集二十卷梁周。

絲綸集十卷

宸章集二十五卷

常山別制集二十卷

絲綸點化十卷

扈蒙　龜山集十卷

李昉内制十卷

晏殊　翰苑制詞二十卷

楊大年外制二十卷

鄭魯公詞草一卷鄭僑。

常山禁林甲乙集十卷

宋敏求　西垣制詞四十八卷

鄧綰　翰林制集十卷　又　西垣制集三卷

歐陽公外制集三卷　又　内制集八卷

東坡内制集十卷　又　外制集三卷

倪思　掖垣詞草二十卷

胡沂　詞垣草四卷

立庵内制七卷鄭起潛。

林待聘内外制十卷

曾肇制集十二卷

玉山翰林詞草五卷汪應辰。

王侍郎西垣集五卷王居正。

掖垣類稿七卷周必大。

李忠定制誥六卷

庸齋瑣闥集一卷

蔡幼学　内制集三卷

外制集八卷宋兵部尚書。

皇明外制集八卷

綸扉集一卷高拱。　　**又　外制集二卷**

鑾坡制草五卷黃洪憲。

　　王者淵默黼扆，而風行四表，其唯制詔乎？故授官選賢，則氣含風雨。詰戎蠻伐，則威凜泲雷。肆赦而春日同溫，勑法則秋霜比烈。蓋文章之用，極於此矣。兩漢詔令，最爲近古。然勑鄧禹、侯霸，體例有乖，難於行遠。武帝以淮南多士，屬草相如，良有謂也。後世材者弗任，而任不必材，欲令騰義飛辭，憒服遝邅，不可得已。顧王治人心，卜於綸綍，考覽者不能廢也。古惟誥誓，近有詔有令，有制勑，有策書，名目小異，總爲王言，今悉列之爲制詔篇。

表奏

梁中表十一卷邵陵王撰。

梁中書表集二百五十卷

上法書表一卷虞和。

類表五十卷唐。

唐初表章十卷顏師古、張九齡等十人作。

掌記略十五卷晉至唐。

新掌記略十卷唐，九卷。

續掌記略十卷唐林逢集。

管記苑十卷張銶集。

李磎表疏一卷

朱朴雜表一卷

張濬表狀一卷

郭子儀表奏五卷

李程表狀一卷

劉三復表狀一卷

李善夷表集一卷

鄭嵎表狀略三卷

樊景表狀五卷

梁震表狀一卷

趙璘表狀一卷

繡囊五卷

雜表疏一卷_{石晉楊昭儉。}

黃台江西表狀二卷

陳蟠隱集五卷

苑咸集一卷_{李林甫。}

賀知章人道表一卷

周慎辭表狀五卷

安定集十卷_{胡曾。}

金臺騎馬集九卷_{唐朱閱。}

淮海寓言七卷_{羅隱。}

桂苑筆耕二十卷_{唐崔致遠。}

記室集三卷_{唐沈文昌。}

張次宗牋記六卷

段全緯集二十卷

王虯集十卷

纂新文苑十卷_{顧雲。}

甘棠集三卷_{唐劉鄴。}

愈風集十卷_{唐盧嗣業。}

昌城後寓集五卷_{蜀毛文晏。}

湘南應用三卷_{羅隱。}

飲河集十五卷_{唐張澤。}

金臺鳳藻五十卷後梁人作。

敬翔表奏十卷梁人。

新集宝五卷梁嚴虔崧。　　又　表狀五卷

李琪　應用集三卷

公乘億珠林集三卷後唐人。

劉筠表奏七卷

令狐楚表奏十卷

裴休狀三卷

真珠集五卷漢李崧。

乘輅集一卷周王仁裕。

吳江應用集二十卷吳林鼎。

湯文圭　筆耕二十卷

啓霸集三十卷吳朱溽。

李洪皐表狀一卷湖南馬氏。

金行啓運集十卷蜀庾傅昌。

韋文靖箋表一卷蜀韋莊。

潛龍筆職集二卷蜀趙仁。

南燕染翰集十卷王鐸。

磨盾集十卷唐人。

令狐綯表疏一卷①

孔光憲　荆臺集四十卷　又　筆備集十卷

蘇易簡章表十卷

虢略集七卷楊億。

夏英公牋奏三卷

劉氏表奏集六卷

恭翔表奏集十卷

翰林牋奏集三十卷

王襄敏章表三卷

時格章表十五卷

文館詞林彈事四卷許敬宗集。

庸齋表箋一卷

歷官表奏□□卷^①鄭僑。

歷官表奏十二卷周必大。

辭謝録四卷楊廷和。

奏謝録二卷夏言。

歷代忠諫事對十卷張元瓛輯。

漢名臣奏三十卷

魏名臣奏三十卷陳長壽。

晉諸公奏十一卷

漢孔群奏二十二卷

漢康衡王鳳奏五卷

陸宣公奏議二十三卷

晉虞谷奏事六卷

晉高崧奏事五卷

唐名臣奏七卷吳兢集。

奏議集二十卷馬總集唐奏疏。

魏鄭公諫録五卷

諫書八十卷

九諫書一卷郭元振。

唐諫諍集十卷蜀趙元拱。

---

① “□□”，徐本作“十□”，《千頃堂書目》卷三十著録作十卷。

李絳論事三卷

令狐綯表疏一卷

韋莊諫疏牋表四卷

唐直臣諫奏七卷_{唐張易纂。}

曲臺奏議二十卷_{陳致雍。}

奏議駁論一卷_{唐人集。}

韋相諫草一卷

諫垣遺藁五卷

宋名臣奏議一百五十卷

表聖奏議一卷_{田錫。}

蒲宗孟奏議七十卷

韓魏公諫垣存藁三卷

富鄭公奏議十二卷　又　劄子十六卷

范文正公奏議十七卷

趙清獻公奏議十卷

包孝肅奏議十卷

范蜀公奏議二卷

范忠宣彈事二卷

司馬文正奏議十六卷

張詵奏議三十卷

韓絳奏議三十卷

韓維奏議十卷

呂獻可章疏十五卷

勸農奏議二卷

韓乂奏議三卷

李常奏議二十卷

孫覺奏議十二卷

丁隲奏議二十卷

王黄州奏議三卷

直言集一卷曾致堯。

熊本奏議二十卷

傅堯俞奏議十卷

李承之奏議二十卷

趙瞻奏議十卷

三老奏議九卷傅獻簡、范忠宣、劉忠肅。

宋景文奏議一卷

盧秉奏議三十卷

孔武仲奏議二卷

李之純奏議五卷

范百祿奏議六卷

歐陽公奏議十八卷　又　河東奏草二卷　又　河北奉使奏草
　二卷

東坡奏議十五卷

葉夢得奏議十五卷

辛次膺奏議二十卷

辛稼軒奏議一卷

蔡襄奏議十卷

倪思奏議二十六卷　又　翰林奏草一卷　又　歷官表奏十卷

元城劉公諫草二十卷

石待問諫史一百卷

呂吉甫奏議百七十卷

龔鼎臣諫草三卷

程師孟奏議十五卷

牟清忠公奏議十卷牟子才。

胡忠簡奏議六卷_{胡銓。}

李清臣奏議三十卷

杜紘奏議十卷

吳居厚奏議百二十卷

張魏公奏議四十卷

陳正獻公奏議二十卷

鄧綰奏議二十卷

安燾奏議十卷

姚祐奏議二十卷

樓山奏議六卷

宋大儒奏議六卷_{程、朱。}

尹和靖奏劄一卷

上官均奏議十卷

劉隨諫草二十卷

劉筠表奏六卷

梅谿奏議四卷_{王龜齡。}

李忠定奏議九十六卷_{李綱。}

余靖諫草三卷

龔日華北征讜議十二卷。

羅點奏議二十三卷

江公奏議一卷_{江公望。}

趙忠定奏議十五卷_{趙汝愚。}

李縶奏議二卷

崔清獻奏議四卷

得得居士戀草二卷_{任伯雨。}

虞雍公奏議二十三卷

桃溪免羅奏議三卷_{李縶。}

王內翰奏議二卷_{宋王覿。}

陳正諫垣集二卷

陳修撰奏議一卷_{陳東。}

張南軒奏議十卷

方蛟峰奏劄一卷

庸齋表牋一卷

赤城論諫錄十卷

周益公奏議十二卷

馬祖常章疏一卷

皇明經濟錄四十二卷

皇明疏議輯略三十七卷

皇明疏鈔七十卷

嘉隆疏鈔十二卷

武舉奏議一卷_{王瓊等。}

薛文清從祀奏議一卷

王文成從祀奏議四卷

解學士奏議一卷

桂彥良太平十三策一卷

于蕭愍奏牘十卷

商文毅奏議一卷

憲臺奏議四卷^①_{軒輗。}

尚書孫公奏議八卷_{孫原貞。}

三原王公奏議十五卷

馬端肅公奏議十六卷

王襄敏公疏議輯略三卷

---

① "憲臺"，原誤倒，據徐本乙正。

林莊敏公奏議八卷_{林聰。}

月湖奏議四卷_{楊廉。}

劉忠宣奏議一卷

圭峰奏議一卷_{羅玘。}

南川奏議二卷_{陶諧。}

幸庵行稿十二卷_{彭澤。}

余肅敏奏議六卷

謝文肅桃溪奏議四卷

穀原奏議十二卷_{蘇佑。}

户部奏議四卷_{王瓊。}

本兵敷奏十四卷_{王瓊。}

西巡類稿八卷_{吳廷舉。}

關中奏議十八卷_{楊一清。}

吏部題稿五卷_{楊一清。}

綸扉奏議三卷_{楊一清。}

督府奏議八卷_{楊一清。}

題奏録二卷_{楊廷和。}

張文忠奏議七卷_{張孚敬。}

桂文襄奏議八卷_{桂蕚。}

渭厓疏要二卷_{霍韜。}

桂淵奏議二十卷_{夏言。}

南宫奏議五卷_{夏言。}

獻納稿三卷_{湛若水。}

胡端敏奏議十卷_{胡世寧。}

新河初議一卷_{胡世寧。}

儉庵疏議十卷_{梁材。}

琢庵奏議四卷_{毛王。}

王襄敏奏議十卷_{王以旂。}

許莊敏奏議二卷_{許誥。}

浚川奏議十一卷_{王廷相。}

撫臺奏議五卷_{潘塤。}

水西諫疏二卷_{沈漢。}

東田奏疏三卷_{馬中錫。}

撫漕奏議二卷_{馬卿。}

呂司直奏議一卷_{呂懷。}

三捷錄三卷_{許論。}

黃夷鐵橋奏議十卷

水南奏議五卷_{田汝籽。}

西臺奏議三卷_{程啓元。}

督撫兩廣奏議十六卷_{吳桂芳。}

南宮奏議三十卷_{嚴嵩。}

安南奏議一卷_{嚴嵩。}　又　歷官表奏□卷

曾襄愍奏議二卷_{曾銑。}

傅頤奏陳錄一卷

何文簡疏議十卷_{何孟春。}

江西奏議二卷_{唐龍。}　又　督撫奏議二卷_{唐龍。}

虞山奏議十卷_{陳察。}

雲中奏議四卷_{史道。}

鄭少谷奏議一卷

經略疏議二卷_{楊博。}　又　撫臺疏議二卷　又　本兵疏議二十四卷

胡莊肅公奏議□卷

督撫江西奏議二卷_{翁大立。}　又　審錄江西奏議五卷　又　總
　理河道奏議二卷

陳紹儒圍漕疏要二卷

黎貫　韶山奏議二卷

張瀚　臺省疏藁八卷

禮垣六事疏二卷_{陳棐。}　又　撫臺奏議六卷

徐文華　西臺奏議二卷

竹西奏草三卷_{虞臣。}

史館獻納一卷_{吕柟。}

方時鳴奏議□卷　又　南省奏稿一卷

掌銓題稿三十四卷_{高拱。}　又　南宮奏牘四卷　又　綸扉外稿
　　二卷　又　獻忱集五卷

奏對稿十卷_{張居正。}

李宮保奏議四卷_{李世達。}

王崇古　督府奏議五卷

張佳胤　督撫奏議七卷

蕭彦　撫滇疏草三卷

管志道　比部奏疏一卷

顧養謙　撫遼奏議四卷

歷朝茶馬奏議四卷_{徐彦登。}

楊兆奏議三集十四卷

　　古人臣言事皆稱上書，嬴秦改書爲奏，至漢，章、奏、表、議
定爲四品，其流一也。三代君臣，面相獻替，而伊、周書誥已盈
簡牘。迨世益下，簾遠堂高，所以披見情愫，覺寤主心者，賴有
此耳。世稱左雄、胡廣奏議第一，文舉、孔明志暢辭美，不獨身
文所在，抑亦國華繫之，故足重也。世人經世無術，競於訑訶，
吹毛取瑕，次骨爲庋，夫能闢禮門以懸規，標義路而植矩，自令
踰垣者折肱，捷徑者滅趾，亦何必躁言醜句，詬病爲切哉？《書》
曰“辭尚體要”，體要並銷，辭則何觀？《漢志》藝文靡細不録，至
於經國樞機闕而不纂，乃各有故事備于司存也。余恐隨世遺

失，特具列之，綴於制詔之次。

賦頌

楚辭十七卷劉向集，王逸注。

楚辭十七卷宋洪興祖補王逸注。

楚辭三卷郭璞注。

楚辭考異一卷洪興祖。

重定楚辭十六卷晁補之。

續楚辭二十卷晁補之。

變離騷二十卷晁補之。

楚辭贅説四卷周少隱。

楚辭集注八卷朱熹。　又　辨證二卷朱熹。

楚辭後語六卷朱熹。

龍岡楚辭説五卷林應辰。

新校楚辭十卷黃伯思。

楚辭音一卷徐邈。　又　一卷釋道騫。

翼騷一卷黃伯思。

洛陽九詠一卷黃伯思。

騷略一卷高似孫。

離騷草木蟲魚疏二卷劉杳。

離騷草木蟲魚疏二卷吳仁杰。

賦集九十二卷謝靈運集。又　四十卷宋明帝集。　又　五十卷宋新喻
惠侯集。　又　八十六卷後魏崔浩集。

樂器賦十卷

伎藝賦六卷

續賦集十九卷

賦集鈔一卷

歷代賦十卷_{梁武帝集。}

五都賦五卷_{張衡、左思撰。}

司馬相如賦一卷_{二十九篇。}

郭璞　注上林賦一卷

枚皐賦五卷_{百二十篇。}

述征賦一卷

神雀賦一卷_{後漢傅毅撰。}

獻賦集十卷_{卞樂集。}

漢頌德賦一卷_{二十四篇。}

班固　幽通賦一卷_{曹大家注。}　又　一卷_{項岱注。}

張衡　二京賦二卷_{薛綜音注。}

相風賦十卷_{傅玄等撰。}

迦維國賦二卷_{虞干紀。}

盛覽賦心十卷

左思　三都賦三卷

左思　齊都賦一卷

齊都賦音一卷_{李軌撰。}

百賦音一卷_{褚銓之撰。}

賦音二卷_{郭微之撰。}

皇德瑞應賦頌十卷

圍棋賦一卷_{梁武帝撰。}

觀象賦一卷

洛神賦一卷_{孫壑注。}

顏之推　稽聖賦三卷_{李淳風注。}

木玄虛海賦一卷_{蕭廣濟注。}

庾信　哀江南賦一卷_{唐張庭芳注。}

　　又　一卷_{崔令欽注。}　又　一卷_{魏彥淵注。}

枕賦一卷_{張君祖撰。}

海潮賦一卷_{唐盧肇撰。}

通屈賦一卷_{盧肇撰。}

大統賦六卷_{林絢撰，盧肇注。}　又　二卷_{盧肇撰。}

愍征賦一卷_{唐盧獻卿。}

謝觀賦八卷

高邁賦一卷

大隱賦一卷_{皇甫松。}

數賦十卷_{唐崔葆。}

宋言賦一卷

弔梁郊賦一卷_{唐張策。}

陳汀賦一卷

樂朋龜賦一卷

蔣凝賦三卷

蔣防賦一卷

俞巖賦一卷

侯圭賦五卷

鄭瀆賦二卷

李希運　兩京賦二卷

公乘億賦十二卷

林嵩賦一卷

毛鑄　渾天賦一卷

劉惲　悲甘陵賦一卷

王翃賦一卷

賈嵩賦三卷

李山甫　雜賦二卷

李德裕　雜賦二卷

玉溪生賦一卷_{李商隱。}

朱鄴賦一卷

薛逢賦四卷

顧雲賦二卷

吳融賦集五卷

丘旭賦一卷

陸龜蒙賦六卷

羅隱賦一卷

桑維翰賦二卷

徐寅賦一卷_{南唐。}　又　探龍集一卷

倪曙賦一卷_{南唐。}

皮日休　弔江都賦一卷

竇永賦一卷

郭貴　體物賦集一卷_{南唐。}

丘明賦一卷_{南唐。}

江翰林賦集三卷_{南唐江之蔚。}

魯史分門屬類賦二卷_{崔昇。}

懷秦賦一卷_{蜀馮涓。}

大紀賦一卷_{吳沈顏。}

沃焦山賦一卷

崔公度　感山賦一卷

謝璧賦一卷

薛氏賦集九卷_{唐薛廷珪。}

王朴　樂賦一卷

趙鄰幾　禹別九州賦三卷

李長民　汴都賦一卷

唐吳英儁賦集七十卷_{吳楊氏。}

賦苑二百卷_{徐鍇。}

桂香賦集三十卷

賦選五卷_{李魯集唐人律賦。}

廣類賦二十五卷

典麗賦集六十四卷_{宋楊翔集古今律賦。}

靈仙集賦二卷_{採唐人賦靈仙神異事。}

皇朝古賦一卷_{郝經。}

晉陽四賦一卷

虞鄉三賦一卷_{丁奉。}

明皇都賦一卷_{董璘。}

東還賦一卷_{陳鳳羽。}

兩京賦二卷_{余光。}

紫金山等三賦一卷_{陶振。}

兩都賦二卷_{盛時泰。}

兩都賦二卷_{桑悅。}

兩都賦二卷_{黃佐。}

朝鮮賦一卷_{張進。}

次梗賦三十七篇一卷_{盧柟。}

古賦辨體十卷_{宋祝君澤編。}

靖共堂頌一卷_{晉涼王李暠。}

頌集二十卷_{王僧綽。}

木連理頌二卷

皇明混一頌一卷_{顧祿。}

《詩》有賦、比、興，而頌者，四詩之一也。後世篇章蔓衍，自開塗轍，遂以謂二者於詩文，如魚之於鳥獸，竹之於草木，不復爲詩屬，非古矣。屈平、宋玉自鑄偉辭，賈誼、相如同工異曲。自此以來，遞相師祖。即蕪音累氣，時或不無，而標能擅美，輝映當時者，每每有之，悉著於篇。語曰："登高能賦，可以爲大夫。"學者吟諷廻環，可以慨然而賦矣。

別集

荀卿集二卷
宋玉集二卷
　　右楚

漢武帝集二卷
淮南王集二卷
賈誼集四卷
鼂錯集三卷
枚乘集二卷
孔臧集二卷
司馬遷集二卷
魏相集二卷
東方朔集二卷
司馬相如集二卷
董仲舒集二卷
李陵集二卷
張敞集二卷

王襃集五卷
劉中壘集六卷
陳湯集二卷
韋玄成集二卷
谷永集二卷
杜鄴集五卷
李尋集二卷
師丹集五卷
息夫躬集五卷
楊雄集五卷
劉歆集五卷
班婕好集一卷
班昭集三卷
崔篆集一卷
唐林集一卷
史岑集二卷
東平王蒼集五卷
桓譚集二卷
馮衍集五卷
班彪集五卷
陳元集一卷
王隆集二卷
朱勃集二卷
梁鴻集二卷
杜篤集五卷
傅毅集二卷
班固集十七卷

黄香集二卷

崔駰集十卷

賈逵集一卷

劉騊駼集二卷

李尤集五卷

竇章集二卷

崔瑗集六卷

劉珍集二卷

張衡集十一卷

籍順集一卷

胡廣集二卷

葛龔集六卷

李固集十二卷

馬融集九卷

高彪集二卷

王逸集二卷

桓驎集二卷

崔琦集一卷

酈炎集三卷

邊韶集二卷

朱穆集二卷

延篤集一卷

皇甫規集五卷

張奐集二卷

王延壽集三卷

崔寔集二卷

趙壹集一卷

劉陶集三卷

張升集二卷

侯瑾集二卷

盧植集二卷

廉品集二卷

荀爽集三卷

劉梁集三卷

鄭玄集二卷

蔡邕集二十卷　　外文一卷

士孫瑞集二卷

應劭集四卷

張超集五卷

孔融集十卷

虞翻集三卷

張紘集二卷

禰衡集三卷

潘勗集二卷

阮瑀集五卷

繁欽集十卷

陳琳集十卷

楊修集二卷

王粲集十一卷

丁儀集二卷

丁廙集二卷

　　右漢

魏武帝集三十卷

武帝逸集十卷

武帝新撰集十卷

文帝集二十三卷

明帝集十卷

高貴鄉公集四卷

陳思王二集五十卷

華歆集二卷

王朗集二十四卷

陳群集五卷

邯鄲淳集二卷

徐幹集五卷

應瑒集五卷

劉楨集四卷

路粹集二卷

袁渙集五卷

王修集二卷

劉廙集二卷

吳質集五卷

孟達集三卷

管寧集三卷

高堂隆集十卷

劉劭集二卷

繆襲集五卷

王象集一卷

韋誕集三卷

麋元集五卷

卞蘭集二卷

李康集二卷

孫該集二卷

傅巽集二卷

殷襃集二卷

王昶集五卷

王肅集五卷

桓範集二卷

曹羲集五卷

何晏集十一卷

應璩集十卷

王弼集五卷

劉階集二卷

傅嘏集二卷

夏侯惠集二卷

杜摯集二卷

毋丘儉集二卷

江奉集二卷

夏侯玄集三卷

鍾毓集五卷

阮籍集十三卷

嵇康集十五卷

呂安集二卷

鍾會集十卷

程曉集二卷

　　右魏

諸葛亮集二十五卷

許靖集二卷

夏侯霸集二卷

　　右蜀

張溫集六卷

士燮集五卷

駱統集十卷

薛綜集三卷

暨豔集二卷

姚信集二卷

謝承集四卷

楊文厚集二卷

陸凱集五卷

胡綜集二卷

華覈集五卷

張儼集二卷

韋昭集二卷

紀隲集三卷

陸景集一卷

　　右吳

晉宣帝集五卷

文帝集二卷

明帝集五卷

簡文帝集五卷

孝武帝集二卷

齊王攸集二卷

王沈集五卷

鄭袤集二卷

嵇喜集二卷

應貞集五卷

傅玄集五十卷

成公綏集十卷

裴秀集三卷

何禎集五卷

袁準集二卷

山濤集十卷齊裴聿注。

向秀集二卷

阮种集二卷

阮偘集五卷

羊祜集二卷

蔡玄通集五卷

賈充集五卷

荀勗集三卷

杜預集二十卷

王濬集二卷

皇甫謐集二卷

程咸集三卷

劉毅集二卷

庾峻集二卷

郄正集一卷

薛瑩集三卷

陶濬集二卷

江偉集六卷

宣舒集五卷

曹志集二卷

鄒湛集三卷

孫毓集六卷

楊泉集二卷

王渾集五卷

王深集五卷

閔鴻集三卷

裴楷集二卷

張華集十卷

裴頠集十卷

許孟集三卷

何劭集二卷

劉頌集三卷

劉寔集二卷

王佑集三卷

王濟集二卷

華嶠集八卷

司馬彪集四卷

庾儵集二卷

謝衡集二卷

李虔集二卷

傅咸集三十卷

棗據集二卷

劉寶集三卷

孫楚集十二卷

夏侯湛集十卷

夏侯淳集二卷

王讚集五卷

石崇集六卷

張敏集五卷

伏偉集一卷

潘岳集十卷

潘尼集十卷

歐陽建集二卷

劉訏集二卷

李重集二卷

樂廣集二卷

阮渾集三卷

嵇紹集二卷

楊建集九卷

盛彥集五卷

楊乂集三卷

盧播集二卷

欒肇集五卷

應亨集二卷

杜育集二卷

摯虞集十卷

繆證集二卷

左思集五卷

夏靖集二卷

鄭豐集二卷

張翰集二卷

陳略集二卷

陸冲集二卷

陸機集四十七卷

陸雲集十二卷

孫拯集二卷

張載集七卷

張協集四卷

束皙集五卷

曹攄集三卷

江統集十卷

胡濟集五卷

卞粹集五卷

閭丘冲集二卷

庾敳集五卷

阮瞻集二卷

阮修集二卷

裴邈集二卷

郭象集五卷

嵇含集十卷

孫惠集十卷

蔡洪集二卷

牽秀集五卷

蔡克集二卷

索靖集三卷

閻纂集二卷

張輔集二卷

殷巨集二卷

陶佐集五卷

吳商集五卷

仲長敖集二卷

虞溥集三卷

劉宏集三卷

山簡集二卷

宗岱集二卷

王峻集二卷

王曠集五卷

棗嵩集二卷

棗腆集二卷

劉琨集二十二卷

盧諶集十卷

傅暢集十五卷

彭城王紘集二卷

譙烈王集九卷

會稽王道子集八卷

傅毅集五卷

曾瓛集四卷

顧榮集五卷

賀循集二十卷

張抗集二卷

賈彬集三卷

衛展集十五卷

苟組集三卷

傅珉集一卷

周顗集二卷

謝鯤集二卷

張委集五卷

王廙集十卷

華譚集二卷

熊遠集十二卷

谷儉集一卷

周嵩集三卷

郭璞集十七卷

張駿集八卷

王敦集十卷

沈充集三卷

傅純集二卷

梅陶集二十卷

荀邃集二卷

王覽集五卷

王濤集五卷

阮放集十卷

張悛集二卷

應碩集二卷

張闓集二卷

陸沈集二卷

卞壼集二卷

鍾雅集一卷①

劉超集二卷

戴邈集五卷

荀崧集一卷

———————————

① “鍾”，原誤作“鐘”，據徐本改正。

溫嶠集十卷

孔坦集十七卷

臧冲集一卷

應瞻集五卷

王嶠集八卷

苟闔集一卷

劉隗集二卷

陶侃集二卷

王導集十卷

郗鑒集十卷

庾亮集二十卷

虞預集十卷

黃整集十卷

庾堅集十三卷

庾冰集二十卷

王隱集二十卷

干寶集四卷

殷融集十卷

張虞集十卷

諸葛恢集五卷

庾翼集二十二卷

何充集四卷

郝默集五卷

甄述集十二卷

徐彥則集十卷

王愆期集十卷

王濛集五卷

劉恢集二卷

袁喬集七卷

顧和集五卷

劉遐集五卷

江淳集三卷

苟述集一卷

賀翹集五卷

李軌集八卷

李充集二十二卷

蔡謨集十七卷

殷浩集五卷

鈕滔集五卷

劉系之集五卷

庾純集八卷

王修集二卷

謝尚集十卷

王浹集二卷

王胡之集十卷

王洽集五卷

范保集七卷

范宣集十卷

丁纂集四卷

王羲之集十卷

謝萬集十六卷

張憑集五卷

楊方集二卷

許詢集三卷

張望集十卷

孫統集九卷

孫綽集十五卷

江逌集九卷

謝沈集十卷

李顒集十卷

曹毗集十卷

王羲集五卷

沙門支遁集八卷

劉惔集十六卷

謝艾集七卷

蔡系集二卷

江彬集五卷

范汪集十卷

王述集八卷

王度集五卷

庾龢集二卷

喻希集一卷

孔嚴集十一卷

桓溫集四十三卷

桓溫要集二十卷

車灌集五卷

王坦之集七卷

王彪之集二十卷

郗超集十卷

桓嗣集五卷

邵毅集五卷

滕輔集五卷

王猛集九卷

顧夷集五卷

鄭襲集四卷

劉暢集一卷

韓康伯集十六卷

范啓集四卷

王恪集十卷

陶混集七卷

祖撫集三卷

殷康集五卷

謝安集十卷

孫嗣集三卷

劉袞集三卷

孔欣時集八卷

伏滔集十一卷

習鑿齒集五卷

孫盛集五卷

袁宏集十五卷

顧淳集一卷

熊鳴鵠集十卷

謝韶集三卷

王獻之集十卷

袁質集二卷

庾肅之集十卷

袁邵集五卷

謝朗集六卷

謝頠集十卷

郗愔集五卷

陸法之集十九卷

王珉集十卷

羅含集三卷

庾蒨集二卷

庾悠之集三卷

庾凱集二卷

孫放集十卷

殷叔獻集四卷

蘇彥集十卷

王肅之集三卷

王徽之集八卷

謝敷集五卷

孔汪集十卷

陳統集七卷

王愷集十五卷

王忱集五卷

殷允集十卷

戴逵集十卷

孫廞集十卷

徐邈集九卷

徐乾集二十一卷

張玄之集五卷

苟世之集八卷

袁山松集十卷

魏遏之集五卷

卞湛集五卷

褚爽集十六卷

范甯集十六卷

范弘之集六卷

王珣集十卷

薄蕭之集十卷

薄要集九卷

薄邕集七卷

唐邁之集十一卷

孫恩集五卷

傅綽集十五卷

魏叔齊集十五卷

劉寧之集五卷

辛德遠集五卷

何瑾之集十一卷

王恭集五卷

殷覬集十卷

殷仲堪集十二卷

謝景重集一卷

桓玄集二十卷

卞範之集五卷

卞承之集十卷

殷仲文集七卷

王謐集十卷

伏系之集十卷

孔璠集二卷

湛方生集十卷

祖台之集二十卷

顧愷之集十三卷

劉瑾集九卷

謝混集三卷

滕演集十卷

王誕集二卷

劉簡之集十卷

袁豹集十卷

殷遵集五卷

苟軌集五卷

羊徽集十卷

周祇集十一卷

殷闡集十卷

傅迪集十卷

卞裕集十五卷

韋公藝集六卷

毛伯成集一卷

沙門支曇諦集六卷

釋慧遠集十二卷

釋僧肇集一卷

王茂略集四卷

曹毗集四卷

宗欽集二卷

殷曠之集五卷

魏說集十卷

丘道護集五卷

劉遺民集五卷

郭澄之集十卷

周元之集一卷

孔瞻集九卷

王渾妻鍾夫人集五卷

晉武帝左九嬪集四卷

賈充妻李扶集一卷

陶融妻陳窈集一卷

都水使者妻陳玢集五卷

劉麟妻陳珍集七卷

劉柔妻王邵之集十卷

傅伉妻辛蕭集一卷

鈕滔母孫瓊集二卷

成公道賢妻龐馥集一卷

何殷妻徐氏集一卷

謝道韞集二卷

　　右晉

宋武帝集二十卷

文帝集十卷

孝武帝集三十一卷

廢帝景和集十卷

明帝集三十三卷

長沙王道憐集十卷

臨川王道規集四卷

臨川王義慶集八卷

江夏王義恭集十五卷

衡陽王義季集十卷

南平王鑠集五卷

竟陵王誕集二十卷

建平王休佑集十卷

新喻惠侯義宗集十二卷

祖柔之集二十卷

謝瞻集三卷

沈林子集七卷

孔琳之集十卷

王叔之集十卷

徐廣集十五卷

盧繁集十卷

孔甯子集十五卷

卞瑾集十卷

蔡廓集十卷

傅亮集三十一卷

孫康集十卷

范述集三卷

王韶之集二十四卷

鄭鮮之集十三卷

陶潛集二十卷

張野集十卷

陶階集八卷

張元瑾集八卷

王曇首集二卷

荀昶集十五卷

卞伯玉集五卷

羊欣集七卷

王弘集二十卷

沈演集十卷

范凱集八卷

釋惠琳集五卷

謝弘微集二卷

謝靈運集二十卷

丘深之集十五卷

祖企之集五卷

孫韶之集十卷

殷淳集二卷

殷景仁集九卷

姚濤之集二十卷

周役集十一卷

殷闡之集一卷

宗炳集十六卷

雷次宗集三十卷

伍緝之集十二卷

衛令元集八卷

范曄集十五卷

范廣集一卷

范晏集十四卷

謝惠連集六卷

王敬集五卷

任豫集一卷

何承天集二十卷

裴松之集三十卷

王韶之集二十卷

江湛集四卷

袁淑集十一卷

王微集十卷

王僧謙集二卷

王僧綽集一卷

顧邁集二十卷

陳超之集十卷

何長瑜集八卷

苟雍集二卷

范演集八卷

顧昱集六卷

韓濬之集八卷

沈亮之集七卷

孔欣集九卷

江玄叔集四卷

劉馥集十一卷

張演集八卷

蔡聊之集三卷

顧雅集十三卷

孫仲之集十二卷

謝元集一卷

陸展集九卷

山謙之集十二卷

楊希集九卷

范泰集二十卷

周始之集十一卷

羊崇集六卷

孔景亮集三卷

袁伯文集十一卷

蔡超集七卷

孫緬集八卷

賀道養集十卷

謝澄集六卷

張鏡集十卷

褚詮之集八卷

顏延之集二十五卷

顏竣集十四卷

顏測集十一卷

王僧達集十卷

蘇寶生集四卷

范義集十二卷

劉瑀集七卷

張暢集十二卷

何尚之集十卷

何偃集十九卷

沈懷文集十二卷

殷琰集七卷

江智深集九卷

袁覬集八卷

苟欽明集六卷

王詢之集五卷

戴法興集四卷

虞通之集二十卷

沈勃集二十卷

謝莊集十九卷

謝協集三卷

張悅集十二卷

賀顗集十一卷

孔邁之集八卷

賀弼集十六卷

劉遂集二卷

建平王景素集十卷

鮑照集十卷

沈懷集十九卷

裴駰集六卷

劉鯤集五卷

費修集十卷

徐爰集六卷

孫勃集六卷

張永集十六卷

趙繹集十六卷

庾蔚之集十六卷

王素集十六卷

劉憺集十卷

費景運集二十卷

孫夐集十一卷

蔡頤集三卷

劉緬集二十卷

明僧暠集十卷

蕭惠開集七卷

沈宗之集十卷

張辨集十六卷

王瓚集十五卷

郭坦之集五卷

辛湛之集八卷

鮑德遠集六卷

張綏集六卷

劉薈集七卷

吳邁遠集一卷

湯惠休集四卷

孫奉伯集十卷

成元範集十卷

虞喜集十一卷

唐思賢集十五卷

戴凱之集六卷

袁粲集十一卷

婦人牽氏集一卷

後宮司儀韓蘭英集四卷

　　右宋

齊文帝集十一卷

晉安王子懋集四卷

隨王子隆集七卷

竟陵王子良集四十卷

蕭遙欣集十一卷

劉祥集十卷

褚彥回集十五卷

崔祖思集二十卷

鍾蹈集十二卷

丘巨源集十卷

王儉集六十卷

謝顥集十六卷

謝瀹集十卷

劉善明集十卷

褚賁集十二卷

劉蚪集二十四卷

庾易集十卷

顧歡集十卷

劉瓛集三十卷

劉璡集三卷

周顒集八卷

鮑鴻集二十卷

韋瞻集十卷

劉懷慰集十卷

江山圖集十卷

苟憲集十一卷

虞羲集九卷

韋沈集十卷

任文集十一卷

卞鑠集十六卷

婁幼瑜集六十六卷

祖冲之集五十一卷

王融集十卷

謝朓集十二卷　又　外集一卷

謝朓逸集一卷

張融集二十七卷　又　張融玉海集十卷　又　張融大澤集十
　卷　又　張融金波集六十卷

庾韶集十卷

王僧祐集十卷

劉悛集二十卷

王寂集五卷

孔稚珪集十卷

陸厥集八卷

徐孝嗣集十卷

劉暄集二十一卷

裴昭明集九卷

虞炎集七卷

劉瑱集十卷

劉繪集十卷

袁彖集五卷

江奐集十一卷

宗躬集十三卷

沈驎士集六卷

　　右齊

梁武帝集三十二卷

武帝雜文集九卷

簡文帝集八十五卷

元帝集五十卷

元帝小集十卷

文帝集十八卷

昭明太子集二十卷

晋安成王集三十卷

岳陽王詧集十卷

梁主蕭歸集十卷

邵陵王綸集六卷

武陵王紀集八卷

蕭琮集七卷

安成煬王集五卷

宗夫集九卷

丘遲集十卷

謝朓集十五卷

江淹集二十卷

江淹後集十卷

范雲集十一卷

任昉集三十四卷

謝纂集十卷

柳惲集二十卷

柳憕集六卷

柳忱集十三卷

何僴集三卷

韋溫集十卷

到洽集十一卷

劉苞集十卷

諸葛璩集十卷

沈約集一百卷

謝綽集十一卷

王僧孺集三十卷

范縝集十一卷

周捨集二十卷

張熾　金河集六十卷

劉敳集八卷

劉訐集一卷

蕭洽集二卷

陶弘景集三十卷

　又　陶弘景内集十五卷

魏道微集三卷

張率集三十八卷

王同集三卷

江革集六卷

吳均集二十卷

庾曇隆集十卷

徐勉前集三十五卷

　又　徐勉後集十六卷

王錫集七卷

王暕集二十一卷

劉孝標集六卷

裴子野集十四卷

司馬褧集九卷

王筠集十一卷

　又　王筠　中書集十一卷

王筠　臨海集十一卷

王筠　左佐集十一卷

王筠　尚書集九卷

蕭深藻集四卷

任孝恭集十卷

鮑泉集一卷

張纘集十一卷

張縮集十一卷

庾肩吾集十卷

劉之遴前集十一卷

　又　劉之遴後集二十一卷

謝郁集五卷

安成蕃王蕭欣集十卷

朱超集一卷

甄玄成集十卷

沈君攸集十三卷

蕭子暉集九卷

蕭子範集十三卷

江洪集二卷

鮑幾集八卷

虞𪩘集十卷

費昶集三卷

蕭機集二卷

周興嗣集十卷

謝瑱集八卷

謝琛集五卷

何遜集七卷

劉綏集四卷

釋智藏集五卷

陸倕集十四卷

劉孝綽集十四卷

劉孝儀集二十卷

劉孝威集十卷

王揖集五卷

陸雲公集十卷

蕭子雲集十九卷

楊眺集十一卷

後梁明帝集一卷

臨安恭公主集三卷_{武帝女。}

范靖妻沈滿願集三卷

徐悱妻劉令嫻集三卷

　　　右梁

後魏孝文帝集四十卷

高允集二十卷

李諧集十卷

盧元明集十七卷

袁躍集十三卷

韓顯宗集十卷

温子昇集三十九卷

陽固集三卷

薛孝通集六卷

宗欽集二卷

魏孝景集一卷

　　　右後魏

邢子才集三十卷

魏收集七十卷

劉逖集二十六卷

陽休之集三十卷
　　右北齊

後周明帝集五十卷
趙平王集十卷
滕簡王集十二卷
宗懍集十二卷
釋忘名集十卷
王褒集二十一卷
蕭撝集十卷
庾信集二十一卷　又　略集三卷
　　右後周

陳後主集五十五卷
後主沈后集十卷
杜之偉集十二卷
周弘讓集九卷
周弘讓後集十二卷
沈炯集七卷
沈炯後集十三卷
周弘正集二十卷
陰鏗集一卷
顧野王集十九卷
徐陵集三十卷
張式集十四卷
張正見集十四卷
陸瑜集十一卷

蔡景歷集五卷

褚玠集十卷

君卿集二卷

張仲簡集一卷

釋標集二卷

釋洪偃集八卷

釋靈裕集四卷

釋瑗集六卷

策上人集五十卷

釋暠集六卷

　　右陳

隋煬帝集十五卷

王祐集一卷

盧思道集三十卷

李元操集十卷

辛德源集三十卷

楊素集十卷

李德林集十卷

牛弘集十二卷

薛道衡集三十卷

何妥集十卷

柳䛒集五卷

江總集三十卷

江總後集二卷

蕭愨集九卷

諸葛潁集十四卷

魏彥深集三卷

王胄集十卷

殷英童集三十卷

尹式集五卷

虞茂世集五卷

劉興宗集三卷

李播集三卷

道士江旻集三十卷

劉子政母祖氏集九卷

　　　右隋

唐太宗集四十卷

高宗集八十六卷

中宗集四十卷

睿宗集十卷

武后垂拱集一百卷

武后金輪集十卷

玄宗集二卷

德宗集一卷

陳叔達集十五卷

竇威集十卷

褚亮集二十卷

虞世南集三十卷

蕭瑀集一卷

沈齊家集十卷

薛收集十卷

楊師道集十卷

庾抱集十卷

孔穎達集五卷

王績集五卷

郎楚之集五卷

魏徵集二十卷

許敬宗集八十卷

于志寧集四十卷

上官儀集三十卷

李義府集四十卷

顏師古集六十卷

岑文本集六十卷

劉子翼集二十卷

殷聞禮集一卷

陸士季集十卷

劉孝孫集三十卷

鄭世翼集八卷

崔君實集十卷

李百藥集三十卷

孔紹安集五十卷

高季輔集二十卷

溫彥博集二十卷

李玄道集十卷

謝偓集十卷

沈叔安集二十卷

陸楷集十卷

曹憲集三十卷

蕭德言集二十卷

潘求仁集三卷

殷芊集三卷

蕭鈞集三十卷

袁朗集十四卷

楊纘集十卷

王約集一卷

任希古集十卷

凌敬集十四卷

王德儉集十卷

徐孝德集十卷

杜之松集十卷

宋令文集十卷

陳子良集十卷

顏顗集十卷

劉穎集十卷

司馬斂集十卷

鄭秀集十二卷

耿義襃集七卷

楊元亨集五卷

劉綱集三卷

王歸一集十卷

馬周集十卷

薛元超集三十卷

高智周集五卷

褚遂良集二十卷

劉禕之集七十卷

郝處俊集十卷

崔知悌集五卷

李安期集二十卷

唐覲集五卷

張大素集十五卷

鄧元挺集十卷

劉允濟集二十卷

駱賓王集十卷

盧照鄰集二十卷

楊炯　盈川集二十卷

王勃集三十卷

狄仁傑集十卷

李懷遠集八卷

盧受采集二十卷

王適集二十卷

喬知之集二十卷

蘇味道集十五卷

薛耀集二十卷

郎餘慶集十卷

盧光容集二十卷

崔融集六十卷

閻鏡機集十卷

李嶠集五十卷

喬備集六卷

陳子昂集十卷

元希聲集十卷

李適集十卷

沈佺期集十卷

徐彥伯前後集二十卷

宋之問集十卷

杜審言集十卷

谷倚集十卷

富嘉謨集十卷

吳少微集十卷

劉希夷集十卷

張柬之集十卷

桓彥範集三卷

韋承慶集六十卷

閭丘鈞集二十卷

郭元振集二十卷

魏知古集二十集

閻朝隱集五卷

蘇瓌集十卷

員半千集十卷

李乂集五卷

姚崇集十卷

丘悅集十卷

劉子玄集三十卷

盧藏用集三十卷

濮王泰集二十卷

上官昭容集二十卷

令狐德棻集三十卷

許彥伯集十卷

劉洎集□卷

來濟集三十卷

杜正倫集十卷

李敬玄集三十卷

裴行儉集二十卷

崔行功集六十卷

張文琮集二十卷

麴崇裕集二十卷

劉憲集三十卷

薛稷集三十卷

宋璟集十卷

蔣儼集五卷

趙宏智集二十卷

賀德仁集二十卷

許子儒集十卷

蔡允恭集二十卷

張昌齡集二十卷

杜易簡集二十卷

顏元孫集三十卷

姚璹集七卷

杜元志集十卷

楊仲昌集十五卷

崔液集十卷裴耀卿纂。

張說集三十卷　又　燕公外集一卷

蘇頲集三十卷

徐堅集三十卷

元海集十卷

李邕集七十卷

王澣集十卷

張九齡集二十卷

康國安集十卷

孫逖集二十卷

趙冬曦集□卷

毛欽一集三卷

王助　雕蟲集一卷

王維集十卷

康希銑集二十卷

張均集二十卷

權若訥集十卷

白履忠集十卷

鮮于向集十卷

康玄辨集十卷

崔國輔集_{卷亡。}

嚴從集三卷

高適集二十卷

陶翰集□卷

崔輔國集□卷

賈至集二十卷　又　別集十五卷

張孝嵩集十卷

儲光羲集七十卷

蘇源明前集二十卷

李白　草堂集二十卷_{李陽冰錄。}

杜甫集六十卷　小集六卷_{樊晃集。}

岑參集十卷

盧象集十二卷

蕭穎士　游梁新集三卷　又　集十卷

李華前集十卷　中集二十卷

李翰集三十卷

王昌齡集五卷

元結文編十卷　又　拾遺一卷

邵説集十卷

裴倩集五卷裴均父。　又　溢城集五卷

劉彙集三卷

樊澤集十卷

崔良佐集十五卷

楊賁集十五卷

劉迥集五卷

武就集五卷元衡父。

元載集十卷

張薦集三十卷

劉長卿集十卷　又　隨州外集十卷

戎昱集五卷

崔祐甫集三十卷

常袞集十卷

楊炎集十卷

顏真卿　吳興集十卷　又　廬陵集十卷　又　臨川集十卷

歸崇敬集二十卷

劉太真集三十卷

于邵集四十卷

梁肅集十卷

獨孤及　毗陵集二十卷

竇叔向集七卷

柳渾集十卷

李泌集二十卷

張建封集二百三十篇

顧況集二十卷皇甫湜編。

鮑溶集五卷

齊抗集二十卷

楊凝集二十卷

歐陽詹集十卷

李觀集三卷陸希聲纂。　又　一卷

呂溫集十卷

穆員集十卷

竇常集十八卷

鄭絪集三十卷

符載集十四卷

郗純集六十卷

戴叔倫述藁十卷

張登集六卷

陸迅集十卷

柳冕集□卷

姚南仲集十卷

李吉甫集二十卷

武元衡集十卷

權德輿　童蒙集十卷　又　集五十卷

韓愈集四十卷

柳宗元集三十卷

韋貫之集三十卷

李絳集二十卷

令狐楚　漆匳集百三十卷

韋武集十五卷

皇甫鎛集十八卷

樊宗師集二百九十一卷

武儒衡集二十五卷

李道古文興三十卷

董侹　武陵集□□卷

劉禹錫集四十卷

元氏長慶集一百卷　又　小集十卷

白氏長慶集七十五卷

白行簡集二十卷

張仲方集三十卷

鄭澣集三十卷

馮宿集四十卷

劉伯芻集三十卷

殷文昌集三十卷

韋處厚集七十卷

劉栖楚集二十卷

李翺集十八卷

温造集八十卷

王起集百二十卷

崔咸集二十卷

皇甫湜集三卷

舒元輿集一卷

李德裕　姑臧集五卷　又　會昌一品集二十卷　又　一品外
　集　十卷　又　窮愁志三卷　又　別集八卷

杜牧　樊川集二十卷　又　外集一卷　又　別集一卷

沈亞之集九卷

羅讓集三十卷

王涯集十卷

魏謩集十卷

來擇　秣陵子集一卷

柳仲郢集二十卷

陳商集十七卷

歐陽袞集二卷

溫庭筠　握蘭集三卷　又　金筌集十卷　又　漢南真藁十卷
　　又　詩五卷

陳陶文錄十卷

劉蛻　文泉子十卷

孫樵　可之集十卷

周慎辭　寧蘇集五卷

皮日休集十卷　又　詩一卷　又　胥臺集七卷

陸龜蒙　笠澤叢書三卷　又　詩編十卷

楊夔集五卷　又　冗書十卷　又　冗餘集一卷

沈栖遠　景臺編十卷

司空圖　一鳴集三十卷

陸宬集七卷

賈島　長江集十卷　又　小集三卷

泰韜玉　技知小錄三卷

鄭實集十卷

袁皓　碧池書三十卷

鄭氏貽孫集四卷

養素先生遺榮集三卷

張玄晏集二卷

齊夔集一卷

黃璞霧居子集十卷

譚正夫集一卷

丘光庭集三卷

張安石　浩江集一卷

張友正雜編一卷

沈光集五卷

程晏集七卷

李善夷集一卷　又　江南集十卷

劉綺莊集十卷

許渾　丁卯集二卷

孫郃集四十卷　又　孫子文纂四十卷　又　孫氏小録三卷

陳黯集三十卷

羅袞集二卷

顧雲　苕川總載集十卷　又　集遺具録十卷　又　鳳策聯華
　三卷

王秉集一卷　又　編遺十卷

鄭準　渚宮集一卷

李嵩集三卷

裴度集三卷

獨狐郁集一卷

牛僧孺集二卷

林藻集一卷

林蘊集一卷

陳翊集十卷

黃滔集十五卷

羅紹威　政餘集五卷

高鞏　丹臺集三卷

羅隱集二十卷　又　羅隱　江東後集三卷　又　吳越掌記集
　三卷
李琪　金門集十卷
崔拙集二卷
賈緯集二十卷　又　續草堂集一卷
梁震集一卷
公乘億　珠林集一卷
王仁裕　紫閣集十一卷　又　乘輅集五卷
熊皦　屠龍集五卷
李愚　白沙集十卷
李氏應歷小集十卷
和凝　演綸集五十卷　又　游藝集五十卷
酈炎集一卷
孫光憲　鞏湖編玩三卷
薛廷珪集一卷
孫開物集十六卷
杜光庭集三十卷
韋莊　浣花集二十卷
王超　洋源集二卷蜀。
楊九齡要録十卷蜀。
馮涓　龍吟集三卷蜀。　又　長樂集十卷
游恭集一卷吳。　又　小東里集三卷　又　廣東里集四卷
楊文圭　登龍集十卷吳。　又　冥搜集二十卷
周延禧　百一集二十卷吳。
沈顏　聲書十卷吳。　又　解聲書十五卷
李後主集十卷唐。
李後主集略十卷

宋齊丘集六卷

郭昭慶　芸閣集十卷唐。

李爲先　斐然集五十卷唐。

成文幹　梅嶺集五卷唐。

馮延巳　陽春集一卷唐。

孟拱辰集三卷唐。

孫晟集五卷唐。

徐鍇集十五卷唐。

潘舍人滎陽集二十卷①唐潘佑。

左偃鍾山集一卷

李建勳集二十卷

僧彙征集七卷吳越。

李嶠雜詠詩十二卷以下詩。

劉希夷詩四卷

崔顥詩一卷

綦毋潛詩一卷

祖詠詩一卷

李頎詩一卷

孟浩然詩三卷

包融詩一卷

皇甫冉詩三卷

嚴維詩一卷

張繼詩一卷

李嘉祐詩一卷

郎士元詩一卷

---

① “滎”，原誤作“榮”，據徐本改。

張南史詩一卷

暢當詩二卷

鄭常詩集四卷

蘇渙詩一卷

朱灣詩四卷

吉中孚詩一卷

朱放詩一卷

劉方平詩一卷

常建詩一卷

麴信陵詩一卷

章八元詩一卷

秦系詩一卷

錢起詩一卷

李端詩三卷

韓翃詩五卷

司空曙詩二卷

盧綸詩十卷

耿湋詩二卷

韋應物詩十卷

崔峒詩一卷

許經邦詩一卷

韋渠牟詩十卷

劉商詩十卷

王建詩十卷

張碧歌行集二卷

趙搏歌詩二卷

劉言史歌詩二卷

于濆古風一卷

雍裕之詩一卷

楊巨源詩一卷

孟郊詩十卷

張籍詩七卷

李涉詩一卷

李賀詩五卷

李紳　追昔遊詩三卷

章孝標詩一卷

李敬方詩一卷

殷堯藩詩一卷

盧仝詩一卷

裴夷直詩一卷

姚合詩集十卷

韓琮詩一卷

玉溪生詩一卷

張祐詩三卷

李遠詩一卷

邵謁詩一卷

雍陶詩十卷

朱慶詩一卷

喻鳧詩一卷

馬載詩一卷

李群玉詩三卷　又　後集五卷

郁渾　百篇集一卷

姚鵠詩一卷

項斯詩一卷

孟遲詩一卷

顧非熊詩一卷

章碣詩一卷

趙嘏　渭南集三卷　又　編年詩二卷

崔櫓　無譏集四卷

薛逢詩十卷　又　別紙十三卷

于武陵詩一卷

李頻詩一卷

李郢詩一卷

曹鄴詩三卷

劉滄詩一卷

崔珏詩一卷

劉得仁詩一卷

高蟾詩一卷

高駢詩一卷

薛能詩十卷　又　繁城集一卷

陸希聲　頤山詩一卷

施肩吾詩十卷　又　春山百韻一卷

鄭嵎　津陽門詩一卷

于濆詩一卷

許棠詩一卷

公乘億詩一卷

聶夷中詩二卷

于鄴詩一卷

于鵠詩一卷

鄭谷　雲臺編三卷　又　宜陽集一卷

朱朴詩四卷

方干詩十卷

李洞詩一卷

吳融詩四卷

韓偓詩一卷　又　香奩集一卷

周賀詩一卷

劉千詩一卷

崔塗詩一卷

唐彥謙詩三卷

張喬詩二卷

王駕詩六卷

吳仁璧詩一卷

王貞白詩一卷

張蠙詩集二卷

翁承贊詩一卷

褚載詠史詩三卷

江遵　詠史詩一卷

周曇　詠史詩八卷

胡曾　詠史詩三卷

王轂詩集三卷

曹松詩集三卷

羅鄴詩一卷

周朴詩三卷

朱景元詩一卷

崔道融詩三卷

陳光詩一卷

王德興詩一卷

湯緒　潯陽雜題詩三卷

韋靄詩一卷

張爲詩一卷

羅浩源詩一卷

薛瑩洞庭詩一卷

謝蟠隱　雜感詩二卷

譚藏用詩一卷

鄭良士　白巖集十卷

嚴郢詩二卷

劉威詩一卷

鄭雲叟詩三卷

來鵬詩一卷

陸元皓　詠劉子詩二卷

任翻詩一卷

李山甫詩一卷

行朝詩一卷楊復恭。

曹唐　大遊仙詩一卷　又　小遊仙詩一卷

喬舜　桂香詩一卷

杜荀鶴詩一卷

沈彬詩二卷

崔曙詩一卷

馮道詩十卷

丘光業詩一卷

劉昭禹詩一卷

章震詩十卷以下南唐。

孫鈁詩三卷

廖光凝詩七卷

李建勳詩二卷

李叔文詩一卷

李存　金陵古蹟詩四卷

郭鵬詩一卷

江爲詩一卷

李明詩五卷

惠疇集八卷 以下方外。

玄範集二十卷

法琳集三十卷

靈徹詩十卷

皎然詩十卷

清塞詩一卷

尚顔詩一卷

自牧詩一卷

無願詩一卷

處默詩一卷

虛中詩一卷

修睦詩一卷

智暹詩一卷

貫休　禪月詩三十卷

康白詩一卷

子蘭詩一卷

齊己　白蓮集十卷　又　外編十卷

道士吳筠集十卷

天台道士主父果詩一卷

女道士季蘭詩一卷

　　右唐

真宗集三百卷

仁宗集一百卷

神宗集一百六十卷

王溥集二十卷

趙正交集二十卷

范質集三十卷

趙普遺稿十卷

薛居正集三十卷

陳搏　釣潭集二卷

高錫集一卷　又　簪履編七卷

竇儀　端揆集四十五卷

竇儼集五十卷

張昭　嘉善集五十卷

陶穀集十卷

扈載集二十卷

王祜集二十卷

李至集四十卷

王禹偁　小畜集三十卷　又　別集二十卷

羅處約　東觀集十卷

郭志　文懿集三十卷

宋白集一百卷

盧積　曲肱集六卷

孫僅　甘棠集一卷

孫何集二十卷　又　西垣集四十卷

种放集十卷

白積集十卷

鮑當　清風集一卷

柳開集十五卷

張景集二十卷

徐鉉　騎省集三十卷

張泊集五十卷

李昉集五十卷①

朱昂集三十卷

胡旦集十卷

劉鋹集一卷

田錫　咸平集五十一卷

李塋集十卷

鞫常集二十卷

趙湘　南陽集十二卷

楊億　武夷集二十卷　又　蓬山集五十四卷　又　刀筆十卷

册府應言十卷

楊備　金陵覽古詩三卷

宋綬　文館集五十卷　又　托居集三卷

石延年集一卷

吕蒙正集十卷

王旦集五十卷

陳堯佐　愚丘編三卷

寇準集三卷

張詠集十二卷

魏野　草堂集二卷　又　東觀集二卷

丁謂集四卷　又　青衿集三卷

潘闐集三卷

---

① “李”，原作“季”，據徐本改正。

錢惟演集十卷　又　伊川集五卷　又　典懿集三十卷　又
　擁旄集五卷

晏殊　臨川集三十卷　又　二府集二十五卷

朱有　書臺集三卷

龐籍　清風集五十卷

滕白集一卷

王岊集一卷

穆修集三卷

鮮于懷集一卷

孫復　睢陽小集十卷

楊朴　東里集一卷

郭震　漁舟集一卷

石介　徂徠集二十卷

蔣康叔小集一卷

顏太初　鳧繹集十卷

王初集一卷

夏竦集一百卷

趙抃　清獻集十五卷

韓琦　安陽集五十卷

文彥博集四十卷　又　補遺一卷

富弼集二十七卷

范仲淹集二十卷　又　丹陽編八卷　又　尺牘五卷

宋庠集四十四卷

宋祁集一百卷

蘇舜欽　滄浪集十五卷

余靖　武溪集二十卷

林逋集四卷

仲訥集十二卷

李覯　退居類藁十二卷　又　續稿八卷　又　常語三卷　又
　後集六卷

齊唐　少微集三十卷

李廸　復古集一百卷

孫抃集三十卷

蔡襄集三十六卷

姚鉉集二十卷

田況金巖集二卷

何郯　廬江集二十卷　又　刀筆五卷

楊畋集二十卷

曾鞏　元豐類藁五十卷　又　續藁四十卷

曾棨　曲阜集四十卷

王无咎集十五卷

韓維南陽集二十卷

薛奎集四十卷

陳亞集一卷

蘇舜元集一卷

歐陽修　六一集百五十卷

別集二十卷

梅堯臣　宛陵集六十卷　又　外集十卷

尹源集六卷

尹洙集二十二卷　又　書判一卷

許安世集一卷

王珪　華陽集一百卷

李維集二十卷

陳充集十九卷

王安石　臨川集一百卷　又　後集八十卷

張方平　樂全集四十卷　又　玉堂集二十卷

胡宿　秦國集七十卷

王安禮集二十卷

王安國集六十卷

劉恕　澤畔集一卷

張愈　白雲集三十卷

杜默詩一卷

鄭褒集十卷

司馬光　傳家集一百卷

黃觀　虞部集一卷

邵雍　伊川擊壤集二十卷

盧載詩集一卷

張微　滄浪集十卷

沈存中　長興集四十一卷

沈遘　西溪集十卷

沈遼　雲巢集十卷

陳諫　玉壺集二卷

王雱集三十四卷

楊杰　無爲集九卷　又　別集十卷

文同　丹淵集四十卷

蘇洵　嘉祐集十五卷

蘇軾集四十卷　又　後集二十卷　又　和陶集四卷　又　應詔集十卷　又　東坡別集四十六卷

蘇轍　黃門集七十卷　又　欒城集五十卷　又　欒城後集二十四卷　又　欒城第三集十卷　又　應詔集十二卷

蘇過　斜川集十卷

蘇籀　雙溪集十五卷

蘇元老　九峯集四十卷

舒亶集二十卷

陸佃　陶山集三十卷

元絳　玉堂集二十卷

劉輝　東歸集十卷

陳襄　古靈集二十五卷

鄭獬　郧溪集五十卷

陳舜俞　都官集三十卷

周敦頤　濂溪集七卷

程顥　明道集五卷

程頤　伊川集九卷

羅從彥　豫章集十七卷

楊時　龜山集二十八卷

尹焞集二卷

劉安上集五卷

張載　崇文集十卷

張九成　橫浦集二十卷

蘇頌集七十二卷

傅堯俞集七卷

羅適　赤城集十卷

鄭俠　西塘集二十卷

范純仁集二十卷

劉摯集四十卷

徐積集二十卷

江休復集二十卷

陸經　寓山集十二卷

呂公著集二十卷

呂大忠　輞川集五卷

呂大防文録二十一卷

呂大鈞集三十卷

呂大臨集二十五卷　又　別集十卷

馬存　子才集八卷

楊繪集四十卷

范百禄集五十卷

陳祐　司諫集二卷

秦觀　淮海集四十卷　又　後集六卷　又　長短句三卷

米芾　寶晉齋集十四卷

郭祥正　青山集五卷

黄庶　伐檀集二卷

黄庭堅　南昌集九十一卷　又　修水集二十六卷　又　豫章前後集八十卷

陳師道集十四卷　又　外集六卷　又　理究一卷　又　長短句二卷

張舜民　畫墁集一百卷

范祖禹集五十五卷

呂南公　灌園集三十卷

晁補之　緡城集八卷　又　雞肋集一百卷　又　濟北集七十卷

劉季孫集十卷

張耒　宛丘集七十卷

李廌　濟南集二十卷

潘興嗣集六十卷

王欽臣　廣諷味集五卷

李之儀　姑溪集五十卷　又　後集二十卷

王巖叟　大名集四十卷

韋驤集十八卷

強至　祠部集四十卷

李格非集四十五卷

胡直孺集二十四卷

呂惠卿集二十卷

鄧忠臣　玉池集十二卷

張重　海門集八卷

方惟深集十卷

石懋　橘林集三十卷

劉弇　雲龍集二十二卷

唐庚集二十卷

吳則禮　北湖集十卷　又　長短句一卷

劉安節集四卷

張商英集五十三卷　又　別集十七卷

畢仲游　西臺集五十卷

陳瓘　了齋集四十二卷　又　約論十七卷

廖正一　竹林集三卷

王令　廣陵集二十卷

洪芻　老圃集一卷①

王平甫集三十卷

錢子高集三十卷

洪芻　老圃集一卷

洪炎　西渡集一卷

---

① 下第三條與此重複,徐本此處無此條,此當刪。

王寀　岷山集二卷

劉敞集七十五卷

劉攽集六十卷

司馬樵　夏陽集二卷

司馬械　逸堂集十卷

林敏功　高隱集七卷

林敏修　無思集四卷

李昭玘　樂靜集三十卷

劉跂集二十卷

田畫集三卷

鄒浩　道鄉集四十卷

崔鶠　婆娑集三十卷

李復　潏水集四十卷

殷文圭　鏤水集二十卷

柴成務集二十卷

晁迥　昭德新編三卷　又　耄智餘言三卷　又　理樞一卷
　又　道院別集十五卷

晁端友　竹友集十一卷

晁端禮　閒適集一卷

晁說之　景迂集二十卷

晁詠之集三十五卷　又　四六集十五卷

晁冲之　具茨集一卷

晁伯宇　封丘集二十卷

晁公武集六十卷

毛滂　東堂集六卷　又　詩四卷　又　書簡二卷　又　樂府
　二卷

謝逸　溪堂集二十卷

謝邁　竹友集十卷

劉筠　榮遇集二十卷　又　翰林新著一卷　又　鍾山雜述二
　卷　又　汝陰雜述一卷　又　玉堂雜編一卷　又　肥川後
　集一卷　又　刀筆三卷

李遵勗集二十卷

楊恬　天隱集十卷

潘大臨　柯山集二卷

李清臣　淇水集八十卷

李諤集二十卷

周行己集十九卷

周邦彥　清真集二十四卷　又　長短句□卷

李若水集十二卷

鮑慎由　夷白堂集二十三卷

汪革　清溪集十卷

元絳　玉堂集二十卷

鮮于侁集三卷

陳與義　簡齋集二十卷

倪濤　玉谿集二十二卷

趙鼎臣　竹隱集四十卷

傅察　忠肅集三卷

江公望　釣臺棄藥十四卷

黃裳　演山集六十卷

李綱　梁谿集一百八十卷

許翰　襄陵集二十四卷

蘇庠　後湖集十卷

王安中　初寮集四十卷　又　後集十卷

許景衡　橫塘集三十卷

李朴　章貢集二十卷

范浚　香溪集二十二卷

鄧肅　栟櫚集二十五卷

薛季宣集三十五卷

戴復古　石屏集十卷

歐陽徹集六卷

曾紆　空青集十卷

葉夢得　石林集一百卷

汪藻　浮溪集六十卷

翟汝文集三十卷

孫覿集四十二卷

呂頤浩集二十卷

趙鼎集十卷

程俱　北山集四十卷

韓駒　陵陽集五十卷

葛勝仲　丹陽集八十卷　又　後集四十二卷

李邴　雲龕草堂集二十六卷

沈與求　龜谿集十二卷

胡世將集六十卷

胡安國　武夷集十五卷

葛長庚　海瓊集八卷

張全　毗陵集五十卷

張綱　華陽集四十卷

劉一止類藁五十卷

王居正　竹西集十卷

潘良貴集十五卷

陳淵　默堂集二十二卷

李彌遜　筠溪集二十四卷

洪皓　鄱陽集十卷

張廣　東窗集四十卷

王銍　雲谿集略八卷

胡寅　斐然集三十卷

胡宏　五峰集五卷

狄季仲　竹軒雜著十五卷

鄭剛中　北山集三十卷

胡銓　澹庵集七十八卷

綦崇禮集六十卷

王之道　相山集二十六卷

朱松　韋齋小集十二卷

關注集二十卷

余安行集三十五卷

王蘋集四卷

劉子翬　屏山集二十卷

高登　東溪集十二卷

畢良史　繙經堂集八卷

謝伋　藥寮叢稿二十卷

朱敦儒集一卷　又　長短句三卷

陳汝錫集十二卷

宗澤　忠簡集四卷

岳飛　忠武集十卷

王之望　漢濱集六十卷

周紫芝集七十卷

龐謙孺集四卷

韓元吉　南澗集七十卷

曾季貍　挺齋雜著一卷

吳億　溪園集十卷

張孝祥　于湖集四十卷

王逨集二十卷

仲并集十六卷

任盡言集十五卷

林之奇　拙齋集二十二卷

董穎集三十卷

林遹　妙峰集四十卷

史浩　鄮峰漫録五十卷

李庚　訡癡符二十卷

趙逵　梯雲集二十五卷

周麟之　海陵集三十二卷

趙彥端　介庵集十卷

范成大　石湖集百三十六卷

周必大集二百卷

陸游　渭南集三十卷　又　詩藁續藁八十七卷

洪适　盤淵集八十卷

洪遵　小隱集七十卷

洪邁類藁二卷

楊萬里　誠齋集百三十三卷

毛开　樵隱集十五卷

程大昌集二十卷

尤袤　梁谿集五十卷

鄧伯熊集三十卷

鄭伯英集二十六卷

朱熹　晦庵集一百卷

陸九淵　象山集二十八卷　又　外集四卷

楊簡　慈湖甲藁二十卷

真德秀　西山集五十六卷

呂祖謙集三十六卷

呂祖儉集十一卷

張栻　南軒集三十卷

蕭德藻　千巖擇藁七卷　又　外編七卷

林光朝　艾軒集二十卷

任淵集四十卷

李石　方舟集五十卷　又　後集二十卷

葛立方　歸愚集二十卷

倪偁　綺川集十五卷

施師點集六十七卷　又　外集三卷

袁去華　適齋類藁八卷

王十朋　梅溪集四十九卷

趙育　酒隱集三卷

趙磻老雜著三十卷

曹冠　雙溪集二十卷

李燾集百二十卷

陳傅良　止齋集五十二卷

葉適　水心集二十八卷　又　別集十七卷

丘崈集十一卷

趙汝愚集十五卷

陳亮　龍川集四十卷　又　外集四卷

王藺　軒山集十卷

王相　合齋集十六卷

黃裳　兼山集四十卷

樓鑰　攻愧集百二十六卷

牟巘　陵陽集二十四卷

倪思　齊齋五稿六十卷

沈清臣　晦巖集十二卷

徐得之集二十四卷

蔡戡　定齋集四十卷

何澹　小山雜著八卷

謝深甫　東江集十卷

楊濟　鈍齋集六十卷

周南　山房集四十卷

王子俊集十八卷

林桷　橫塘集十卷

袁燮　潔齋集三十九卷

陳孔碩集略十卷

陳振集十八卷

洪咨夔　平齋集三十二卷

陳炳　退庵集十五卷

諸葛興集十二卷

劉光祖集三十六卷

呂皓　遁思遺藁六卷　又　事監韻語三卷

陳長方　唯室集十四卷

何萬鼎論三卷　又　時議一卷

章簡公　玉堂集二十卷

鄭湜治述十卷

錢聞詩　廬山雜著一卷

張巖　治本論五卷　又　將論五卷

曹忠靖　松隱集四十卷

林亦之　網山集□卷

陳藻　樂軒集□卷

林希逸十一集九十卷

劉光祖集三十六卷

吳則禮　北湖集三十卷

黃應龍　璧林集十四卷

舒岳祥　閬風集二十卷

毛東堂集十二卷

趙不敵　清漳集三十卷

曹文簡　昌谷小集二十卷

魏了翁　鶴山集一百卷

趙汝談　南塘集九卷

劉宰　漫塘集三十六卷

王質　雪山集四十卷

員興宗　九華集五十卷

祖無擇　龍學集十六卷

王栢　魯齋三藁六十卷

朱翌　灊山集二卷

沈揆　野堂集五卷

范子長　格齋四十卷

林楊湖集四卷

吳芾　湖山集四十卷

華鎮　雲溪集一百卷

家鉉翁　則堂集十六卷

崔敦禮集二十卷

陽昌朝　字谿集十二卷

李呂　澹軒集十五卷

吳頤　金谿集二十卷

計用章　希通編十二卷

王洋　東牟集二十九卷

王與鈞　藍縷稿七十四卷

李邦彥　北門集四卷

史堯弼　蓮峰集三十卷

王佐　實文集二十卷

黃榦　勉齋集十卷

馮山集三十卷

馮澥　左丞集四十五卷

黃次山　三餘集十卷

趙綸　時齋集四卷

李正民　待制集三十卷

袁陟　金陵訪古詩一卷　又　廬山四游詩一卷

許景迂　野雪集五卷　又　鍛排雜說一卷

李新　跨鼇集四十四卷　又　遺集四卷

林敏修詩四卷

方岳秋崖小藁五十九卷

李覯　皇祐集八卷

周文璞　方泉集三卷

陳杰　自堂存藁十三卷

劉克莊　後村集二十卷

洪朋　清非詩集一卷

李處權　崧庵集十卷

李彭日　涉園詩集十卷

章甫　自鳴集十五卷

陳景仁　愛山詩三卷

徐綱　桐鄉集三卷

朱長文　樂圃餘藁十卷

姜特立　梅山集二十一卷

陳元晉　漁墅類藁十卷

賀鑄　慶湖遺老詩集九卷

袁蒙齋集四十卷鄞川人。

趙蕃　淳熙藁四十卷

李宣子　月谿詩集七卷

韓淲　澗泉詩集八卷

劉次莊　後村集百九十六卷

蘇泂　冷泉堂集十二卷

曾文清詩集十五卷

楊符　信祖集二卷

劉才邵　杉溪集十二卷

沈繼祖　梔林詩集三卷

徐恢　玉雪詩六卷

蕭泰來　小山集二十五卷

吳沆　環溪集十卷

王咨　雪齋集四十卷

葛紹體　東山集十卷

彭汝礪　鄱陽集四十卷

度周卿　性善堂藁十五卷

戴栩　浣川集十八卷

高耻堂存藁七卷

李流謙　澹齋集八十九卷

許右府　涉齋詩集三十卷

郭印　雲溪集三十卷

文天祥　文山集三十二卷　又　後集七卷

謝枋得　疊山集十六卷

胡祗遹　紫山集六十七卷

謝翱　晞髮集一卷

楊符詩集二卷

曾協　雲莊集二十卷

張侃　拙軒藁四卷

喻良能　香山集十七卷

仲井彌　浮山集十六卷

鄧虎　文節集四十卷

熊瑞　冕山集二十八卷

徐衡仲　西窻集十五卷

李莊簡集二十六卷

汪文定集四十三卷

劉行簡　苕溪集五十五卷

羅願　鄂州集五卷

李梅亭類藁九十卷

洪舜俞　平齋集三十四卷

熊鉌　勿軒集八卷

周少隱集七十卷

陳淳　北溪集五十卷

方逢辰　蛟峰集八卷

林景熙　霽山集十卷

許棐　梅屋集一卷

王廷珪　盧溪集五十卷

汪夢斗　北遊集二卷

王義山　稼邨類藁十卷

僧子騰　鳳城集一卷
饒德操集一卷
釋惠洪　文字禪三十卷
釋祖可　東溪集十二卷
僧居簡　北磵集十卷
李易安集十二卷
　　　右宋

元好問　遺山集五十二卷　又　詩集二十卷
移剌楚材　湛然集三十五卷
　　　右金

姚燧　牧庵集五十卷
劉秉忠詩集二十二卷
吳澂　文正集五十二卷
劉因　靜修集三十卷
許衡　文正集三十卷
蕭勤齋　貞敏集十五卷
程文　黟南集三十八卷
耶律楚材集十二卷
柳貫　文蕭集二十卷
趙孟頫　松雪集十卷
王惲　秋澗集一百卷
楊弘道　小亨集十卷
程端禮　畏齋集十卷
王元明　達意集十卷
何蠖閭集八卷

楊載　仲弘集四卷

任士林　松鄉集十卷

宋褧　燕石集十五卷

王旭　蘭軒集二十卷

王若虛　滹南集四十五卷

周恕　槼庵集二十卷

曾仲啓集十卷

馬祖常　石田集十五卷

宋本　至治集四十卷

許承爵　滋溪集三十卷

楊志行　待制霜月齋集四十卷

魏初　青崖集十卷

吳萊　淵穎集十二卷

宋玄僖稿三十卷

元明善　清河集三十九卷

高文簡集七卷房山人。

衛宗武　秋聲集八卷

張伯淳　學士集十卷

蒲道源叢稿二十六卷

熊豫章集三十卷

林希元　長林藁□卷

余闕　青陽集八卷

安敬仲　默庵集五卷

揭奚斯集一卷

貢奎章集六卷

貢師泰　雲林集十卷

吳志大詩一卷

黃叔美詩一卷

丁復　檜亭詩藁九卷

陳宜甫　秋巖集一卷

梁棟　隆吉詩集□卷

吳師道　禮部集二十卷

陳深源　片雲小藁一卷

朱右　白雲藁九卷

董嗣杲　廬山集□卷

虞集　道園類藁五十卷　又　五卷

朱希顏　瓢泉集四卷

薩都剌　天錫詩二卷

黃溍　文肅集四十二卷

周密　蠟屐集一卷

揭曼碩集五十卷

許文懿　古詩一卷

袁桷　清容集五十卷

致亭集三十七卷

歐陽玄　圭齋集十六卷

陳孚　剛中集四卷

張光弼集二卷

周權　北山詩集十卷

鄭彥昭　樗庵類藁二卷

張翥　蛻餘集二卷

滕安上　東庵藁十六卷

郭鎬　遺安集十一卷

鄭玉　師山集二卷

郝經　文忠集三十卷

趙孟堅　彝齋文編四卷

楊維楨　鐵崖集十卷　又　古樂府十卷

楊維楨　麗則遺音四卷

張植　瀘濱集五卷

趙文　青山藁三十一卷

劉聞　容窗集十卷

陳可齋集二十卷

李曾伯集十卷　又　續集七卷

姚江村近藁十三卷

劉申齋集十五卷

吳鑑　天爵堂類編十卷

馬玉麟　東臯集五卷

周伯琦　近光集三卷

傅若金集十一卷

宋元集六卷

胡炳文　雲峰集二十卷

吳海集四卷

周霆震集十卷

張養浩　文忠集十八卷

張昌　寓道集二卷

陳旅安　雅堂集十三卷

許謙　白雲集四卷

余希魯　聽雨軒集十一卷

許有壬　至正集八十一卷　又　圭塘小藁十卷

戴良　九靈山房集三十卷

吳景奎　葯房樵唱三卷

李維本　一山集九卷

商挺　藏春集六卷

朱德潤　存復齋集十卷

凌彥翀　柘軒集五卷

范梈　德機詩七卷

華彥清　黃楊集六卷

葉顒　樵雲獨唱集六卷

成原常　居竹集四卷

蒲洪　軒渠集十卷

楊英　還山遺藁二卷

王冕　竹齋集二卷

何太虛　知非堂集六卷

李存　仲公集三十卷

吳炳　待制集一卷

李一初　雲陽集十卷

周衡　此山集一卷

張思廉　玉笥集九卷

宋訰　紫陽遺藁二卷

黃四如集十卷

陳樵　鹿皮子集四卷

王彥高集十卷

張憲　玉笥集十卷

黃庚　月屋樵吟四卷

胡天游　傲軒集一卷

袁彥章　書林集七卷

方誼　虎林高隱集五卷

沈夢麟　花谿集三卷

呂則耕　得月藁六卷

黃堅　遯世遺音一卷

僧善住　谷響集四卷

僧克新　雪廬藁一卷

　　右元

宋濂　學士集七十五卷　又　詩集五卷

劉基　誠意集二十卷　又　家集七十二卷

陶安　學士集二十四卷

張以寧　翠屏集三卷

劉崧　槎翁集十八卷　又　職方集九卷

劉三吾　坦齋集二卷

孫炎　左司集四卷

杜斆　拙庵集十卷

王禕　忠文集二十四卷

蘇衡　平仲集十六卷

高啓　缶鳴集十八卷

朱善　一齋集十卷　又　遼海集二卷

徐賁　北郭集十卷

梁寅　石門集四卷

解開集四十卷

汪克寬　環谷藁六卷

王鈍　野莊集六卷

楊基　眉庵集十二卷

魏觀　蒲山集四卷

汪廣洋　鳳池藁八卷

吳訥　西隱集二十一卷

王紱　舍人集五卷

王達　天游集十卷

荅禄與權集十卷

貝瓊·　清江集三十卷

袁凱　海叟集四卷

藍静之集六卷

詹同　天衢吟嘯集一卷　又　海涓集二卷

張羽　静居集六卷

黄哲　雪蓬集六卷

趙介　臨清集二卷

孫蕡　西庵集九卷

程本立　巽隱集四卷

夏煜　允中集□卷

王佐　聽雨軒集二卷

吳伯宗　南宫使交成均三集二十卷　又　玉堂藁四卷

劉駟　愛禮集十卷

任亨泰遺藁二卷

張丁　孟兼集六卷

王洪　毅齋集八卷

高棅　嘯臺集二十卷　又　木天集十四卷　又　鳧藻集五卷

劉仔肩　皇明雅頌二卷

謝蘭　龜巢摘藁四卷

趙友同　存軒集一卷

王褒　翰林集二卷

顧禄　經進集二卷

王偁　检討集五卷

王恭　典籍詩五卷

危素　學士集五十卷

周玄　祠部集一卷

王沂　竹亭集一卷

王祐　長江藁一卷

黃玄　博士集一卷

王翰　敝帚集五卷　又　梁園寓藁二卷　又　山林樵唱一卷

劉彥昺　春雨軒集七卷

趙汸　東山集□卷①

偶桓　醉吟錄三集□卷

程國儒　雪崖集□卷

林鴻　膳部集五卷

杜隱　雙清集十卷　又紀　行詩一卷

趙迪　鳴秋集□卷②

浦源　舍人集十卷

陳亮　徵士集四卷

陸中　蒲栖集二十卷

敦檟　暢軒藁□卷

唐泰　觀察集一卷

鄭定　澹齋集一卷

周砥　荆南倡和集□卷

方行　東軒集□卷

汪叡　蓉峰集□卷

朱橚　白沙行藁二卷

周南老　拙逸齋藁□卷

唐桂芳　武夷小藁□卷

---

①　"□卷"，《明史·藝文志》著錄作十五卷。

②　"□卷"，徐本同，《千頃堂書目》卷十八著錄作六卷。

吳牧　約齋集□卷

陸闓　友蘭集十卷

毛大芳集五卷

唐肅　丹崖集八卷

謝肅　密庵藁□卷

茹瑺　忠誠集一卷

王子與　徵士集八卷

王琪　竹居集一卷

邢沂　雙崖集一卷

李延興　一山集三卷

方孝孺　遜志齋集二十四卷

練子寧　金川玉屑六卷

黃觀　顯忠錄四卷

王艮　翰林集十卷

周是修　芻蕘集六卷

梅殷　都尉集三卷

王公説　龍門集一卷

張紞　鷗庵集一卷

郭奎　望雲集五卷

解縉　春雨集十卷

楊士奇　東里集二十五卷　又　詩集三卷　又　續集六十六卷

楊榮　兩京類藁三十卷

楊溥　文定集十二卷

胡儼　頤奄集三十卷

姚廣孝　逃虛集十卷

金幼孜　文靖集十卷

胡廣　文穆集十九卷

龍敷　鵝湖集六卷

曾棨　西墅集十卷

梁潛　泊庵集十二卷

梁本之　坦庵集八卷

夏原吉集六卷

胡濙　澹庵集□卷①

秦樸　抱拙集六卷

黃淮　省愆集二卷

吳溥　古厓集一卷

周忱　雙崖集八卷

王汝玉　清城集八卷

鍾絅　蘊溪集九卷

張孟循詩集八卷

金守正　雪厓集五卷

周孟簡　翰林集一卷　又　周氏兄弟集二卷

劉均　拙庵集八卷

謝貞　鶴鳴集一卷

宋子環　田心集二卷

劉子欽　橫山集二卷

徐遠居　學齋集六卷

劉璉　自怡集一卷

劉璟　易齋藁四卷

劉廌　盤谷集十卷

王英　泉坡集卷

鎦如孫　坦齋集十二卷

---

① "□卷"，徐本同，《明史·藝文志》著錄作五卷。

王鑑　翰林集一卷

陳繼　怡庵集卷

陸顒　頤光集二十卷

金皐　谷庵遺藁一卷

趙玒　傴父集三卷

黃福　忠宣集三十卷

周叙　石溪集八卷

賀確　友菊集八卷

沈愚　箕籟集二十卷　又　吳歈集五卷

金寔　覺非齋藁二十八卷

姜洪　松岡集十一卷

袁珙　柳莊集一卷　又　符臺集一卷

李時勉　古廉集十一卷

張昌　存齋集一卷

錢榦　文蕭集十四卷

丁鶴　海巢集三卷

劉養晦　雪樵集四卷

王直　抑庵集六十二卷

陳敬宗　澹然集十八卷

王紳　繼志齋集□卷①。

王瀹　退翁集八卷

徐蘭　自鳴集一卷

揭軌　新河集□卷

林環　絅齋集□卷

---

①　"□卷",徐本同,《千頃堂書目》卷十八著錄王紳《繼志齋文集》三十卷,《四庫全書總目提要》著錄《繼志齋集》十二卷附錄一卷。

胡瀚　信庵集二卷

張適　甘白集六卷

曾鶴齡　松腥集三卷

管時敏　蚓竅集十卷

劉醇　菊莊集四卷

姚綬　雲東集□卷①

卞榮集七卷

李奎　九川集六卷

季照　夢墨藁十卷

羅性　德安集一卷

朱逢吉集四卷

曾勗　退齋集一卷

戴良　東山遺藁一卷

張胄　西溪集十五卷

李伯葵　盤洲集一卷

葉晞顔　東山遺藁一卷

許繼　觀樂集五卷

潘文奎　愚莊集一卷

王偊　文肅集十二卷

韓經　恒軒藁七卷

劉録　兩谿集二十四卷

陳循　芳洲集十卷　又　詩集四卷　又　東行百詠八卷

劉鉉　文恭集六卷

高穀　文義集十卷

張益　文僖集五卷

---

① "□卷"，徐本同，《千頃堂書目》卷十九、《明史·藝文志》著録並作十卷。

馬愉　學士集八卷

劉儼　文介集三十二卷

林興　棠陰集七卷

韓奕集一卷

商輅　文毅集十一卷

王一寧　文通集八卷

蕭鎡　尚約集二十卷

謝晉　蘭庭集一卷

胡濙　燕岡集一卷

蔣主忠　慎齋集七卷

董轟　待詔集三卷

陳員韜　勿齋藁一卷

魏驥　文靖摘藁十卷

黃諫　蘭坡集一卷

于謙　蕭愍集八卷

徐有貞　武功集□卷

雷貫　知非藁四卷

陳璉　琴軒藁三十卷

薛瑄　敬軒集四十卷

韓雍　襄毅集十五卷

姚夔　文敏集十卷

陳贄　蒙軒集三卷

梁銘　翠岩藁六卷

周旋　畏庵集二卷

賀甫　感樓集一卷

朱禋　紀行集一卷

梁蘭　畦樂集一卷

錢復　蘇湖集一卷

趙謐　貞齋集一卷

黎久　未齋藁十六卷

劉本　雲泉集五卷

李賢　古穰集三十卷

呂原　文懿集十二卷

岳正　類博藁十卷

王臣　北山集三卷

廖莊　漁梁集二卷

葉盛　文莊集二卷

賈恪　林居集一卷

邢讓　辟雍藁一卷

吳與弼　聘君集十卷

陳晟　布衣存藁九卷

劉髦　石潭藁三卷

劉定之　呆齋集四十五卷

劉珝　文和集十六卷

楊守陳　文懿集三十卷

秦夔　五峰藁二十四卷

李裕　古澹集四卷

孫賢　鳴盛録三卷

劉時敷　素庵集三卷

林聰　見庵集十四卷

彭華　文思集十卷

尹直　澄江集二十五卷

徐溥　文靖集七卷

鮑寧　謐齋集十卷

柯暹　東岡集一卷

黃華　管窺集五卷

沈鍾　休齋集一卷

蘇平　雪溪集六卷

過時濟　窺豹集一卷

瞿祐　宗吉集四卷

童軒　枕肱集二十卷

何喬新　椒丘集三十二卷

吳文度　交石集十卷

柯潛　竹巖集八卷

張昇　文僖集二十二卷

丘濬　瓊臺藁十二卷　又　瓊臺吟藁十卷

倪謙　文僖集一百六十卷

陳獻章　白沙集二十二卷　又　文編六卷　又　遺稿六卷

賀欽　醫閭集九卷

鄒智　立齋遺文二卷

李文祥　檢齋遺藁二卷

林光　緝熙集十卷

張詡　東所集十卷　又　南海雜詠十卷

羅倫　一峰集十卷

莊昶　定山集十卷

李東陽　懷麓堂十一集九十六卷

李兆先　徵伯存藁十一卷

吳寬　家藏集七十七卷

謝鐸　桃溪集三十九卷

楊廉　月湖集六十二卷

程敏政　篁墩集一百七卷

林俊　見素集四十九卷　又　續集十二卷

王鏊　震澤集三十六卷

汪舜民　静軒集十六卷

張弼　東海集五卷

王越　黎陽集二卷

顧言　萍居集十二卷

鄭鯨　雲遨藁八卷

邵珪　半江集五卷

劉昌　岳臺集二十二卷

湯胤績　東谷集十卷

沈周　石田集十卷

張吉　古城文略五卷　又　古城詩略十卷

張悦　莊簡集五卷

陳頤　好古齋集四卷

佘存修　缶音一卷

陳音　愧齋集十卷

董越　文僖集三十九卷

黎淳　文僖集十三卷

魯鐸　文恪集十卷

呂虔　九柏集六卷

王崇文　兼山集二卷

劉大夏　東山集二卷

王恕　端毅集九卷

徐壽　蚓鳴集一卷

錢仁夫　水部詩曆十二卷　又　歸閒集十卷

周瑩　郡齋藁十卷

李冕　崇岡藁一卷

劉崇　梅崖集一卷

夏寅　江西紀行集一卷

董良史　西郊集一卷

林瀚　文安集十卷

鄭木　和鳴集一卷

王恪　詠史詩一卷

吳靖　貴行藁一卷

朱玄諫　白龍山集六卷

陳勉　秋林集一卷

王桓　雪航集十卷

鄒鈍　礜庵藁四卷

胡鎮　涵素藁三卷

葛元兆　芝巖集八卷

王弼　南郭集八卷

張寧　方洲集四十卷

王鴻儒　文莊集十一卷

章懋　楓山集九卷

周旋　半齋集四卷

馬文升　端肅集一卷

羅玘　圭峰集十八卷　又　續集十四卷

林廷選　司空集二卷

倪岳　青谿漫藁二十四卷

張瑄　觀庵集十五卷　又　南征錄三卷

周瑛　翠渠集七卷

屠勳　東湖遺藁十二卷

聶大年　東軒集四卷

桑悅　思玄集十六卷

李承箕　大崖集二十卷

趙寬　半江集六卷

蕭雅　平軒藁二卷

尹東　郊櫟亭藁四卷

彭澤　幸庵藁一卷　又　懷古集一卷

楊循古　松籌堂集十一卷

李遜學　悔軒集四卷

夏鍭　赤城藁四卷

蔡清　虛齋集十二卷

舒芬　梓溪集五卷

崔桐　東洲集三十卷

倫文叙　迂岡集十卷

倫以諒　右溪集十卷

倫以訓　白山集十卷

倫以詵　穗石集十卷

張元禎　東白集二十四卷

羅欽順　整庵集二十卷　又　續集十三卷

王守仁　陽明文録二十五卷　又　文成公全書三十卷

湛若水　甘泉集六十六卷　又　後集三十三卷

呂柟　涇野集三十三卷　又　別集十三卷

何孟春　文簡集十八卷

韓文　忠定集四卷

李夢陽　空同集六十三卷

何景明　大復集二十六卷

康海　對山集十九卷

康河　漳川集一卷

康栗　子寬集五卷

王九思　渼陂集十六卷　又　續集三卷

徐昌國①　迪功集六卷　又　五集五卷

邊貢　華泉集十四卷

高叔嗣　蘇門集八卷

薛蕙　考功集十卷

王廷相　凌川五集二十九卷　顧璘　東橋集四十卷

崔銑　洹詞□卷②

朱應登　凌溪集十八卷　又　存笥集一卷

陳沂　拘虛詩集五卷　又　續拘虛集二卷　又　文集十二卷

景暘　前谿集十四卷

王韋　南原集八卷

劉績　蘆泉集□卷

何瑭　文定集十一卷

胡纘宗　可泉集十二卷

蔣山卿　南冷集十二卷

王廷陳　夢澤集十七卷

許宗魯　少華集十五卷

徐穆　南峰藁一卷

顧清　東江集四十二卷

戴唪　西澗藁一卷

黃孔昭　未齋集十三卷

邵寶　容春堂集六十六卷

儲懽　文懿集十五卷

彭韶　惠安集十一卷

---

① "國"，徐本作"穀"，《千頃堂書目》卷二十一著録此書，並云徐禎卿字昌穀，一字昌國。

② "□卷"，徐本作"十二卷"，《千頃堂書目》、《明史·藝文志》著録同，當據補。

李宗泗　挹清軒集十二卷
鄭汝美　白湖藁八卷
杜柟　納言集二十四卷
黄鞏　後峰集□卷
王錦　復庵藁一卷
孟洋　有涯集十七卷
熊卓集一卷
黄衷　矩洲集二十卷　又　海語一卷
喬宇　白巖集二十卷
王治　沙羡藁一卷
周倫　貞翁藁十二卷
鄭岳　西行紀四卷
陸簡　龍臯藁十九卷
陳鼎　大竹集三卷
劉瑞　五清集十八卷　又　外臺集六卷
孫衍　雪岑藁八卷
趙永貞　竹窻集四卷
樊深　漣漪亭藁九卷
成始終　紀行集九卷
沈鍾　晋陽藁一卷
錢文　鴻山詩七卷
張賁　六可翁集七卷
楊子器　早朝詩三卷
邵賢　南行録一卷
劉振　直暇集三卷
羅柔　弦齋集□卷
陸容　澍藩藁十卷

江左　鶴軒藁一卷

康仲端詩一卷

袁天麒　慎庵集一卷

鄭立　巖山詩一卷

唐寅　伯虎集二卷

陳鐸　秋碧軒集五卷

徐霖　子仁集四卷

程源伊　司空集八卷

徐康　餘力藁十二卷

伍矩　柳庵集十八卷

孫宜　洞庭集五十三卷

常倫　評事集三卷

顏木　爐餘藁四卷

祝允明　集略三十卷

皇甫録　蘋溪集二卷

陸深　文裕集一百卷　又　續集十卷　又　外集四十卷

樊鵬集十二卷

謝潗　子象集十五卷

金大有　子有集二卷

金大興　子坤集二卷

文林　溫州集二卷

文徵明　甫田集四卷

孫一元　太白集五卷

李德恢　節庵集二卷

殷雲霄　石川集二卷

劉麟　南坦集□卷

敖山　石稜粲然藁一卷

戴冠　邃谷集十二卷　又　詩集二卷

邵鋭　端峰集二卷

江暉　亶爰集四卷

盧雍　古園集十二卷

陳鳳梧　南巡録一卷

張鳳翔集七卷

張琦　白齋集九卷

吳一鵬　文端集十六卷

孫需　清簡集二卷

楊廷和　石齋集八卷

劉忠　文肅集十卷

梁儲　鬱洲集九卷

費宏　文憲集二十卷

靳貴　文僖集二十卷

楊一清　石淙集四十五卷

毛紀　鰲峰類藁二十六卷

蔣冕　湘皋集三十三卷

田汝耔　水南集十八卷

張鵬　北還集一卷

伊乘集八卷

吳川學　約齋集一卷

劉節　梅園集四十一卷

袁袠　永之集十卷

胡纘宗　可泉集十二卷

劉玉　執齋集二十卷

謝江　岷陽集八卷

張烜　吉山集四卷

林時集七卷

黄卿　編苕集八卷

陳琛　紫峰集六卷

魏校　莊渠集二十六卷

王道　順渠集十二卷

穆孔暉　玄庵集三卷

蔡宗兗　寓莆集十卷

黄勉之　五岳集□卷

王寵　履吉集十卷

蔡羽　林屋集二十卷

方鵬　矯亭集十八卷　又　詩集八卷

方克　西川集十二卷

鄒守愚　俟知堂集十三卷

蘇祐　穀原集八卷

史鑑　西村集八卷

潘滋　浮槎藁十卷　又　一卷

敖英　心遠堂集一卷

劉大謨　蜀游集六卷

潘潢　樸溪集九卷

杭淮　雙溪集八卷

方豪　棠陵集三卷

姚鏌□□集□卷①

童承叙　内方集三卷

孫存　豐山集四十卷

---

① 《千頃堂書目》卷二十一著録姚鏌《東泉文集》八卷，云姚鏌字英之，慈溪人，《四庫全書總目提要》云字東泉。

王廷　醖雞集六卷

李汎　鏡山藁十三卷

呂禎　澗松藁四卷

蔡天祐　石岡集二卷

熊尚弼　台峰集六卷

强晟　借山藁一卷

朱朝章　水衡集一卷

薛章憲　鴻泥堂集八卷　又　續集十卷

陳卿　自庵集一卷

韋商臣　南茗集一卷

張賢　巴語一卷

馮清　濯庵集二卷

吳廷獻　崑齋藁一卷

和春　南遊集一卷

和夏　己卯集二卷

王嘉言　感遇集五卷

林大輅　愧瘖集□卷

傅珪　文毅集八卷

劉儲秀　西陂集四卷

石珤　熊峰集四卷

賈詠　南塢集十卷

席書　元山集五卷

張孚敬　文忠集三卷

方獻夫　西樵集四卷

桂蕚　文襄集□卷

霍韜　渭厓集十卷

許讚　松臯集二十六卷

李廷相　南銓藁二卷　又　聯句一卷

李宗樞　石疊集四卷

張治道　太微集十二卷

蘇濓　伯子集十三卷

蘇澹　仲子集七卷

顧潛　靜觀堂集十四卷

李懋　鳴秋藁四卷

張天瑞　雲坪集四卷

余承恩　鶴池集八卷

熊過　南沙集八卷

方良永　簡肅集十卷

張岳　淨峰藁四十六卷

許樾　儀城集五卷

頓銳　鷗汀集二卷

陳明　鵲湖藁二卷

林應麟　鶡寓集二卷

雷賀　粵藩藁二卷

周易　赤山集八卷

胡崇　時軒集六卷

齊之鸞　入夏錄三卷

楊本仁　少室夢言十六卷

施峻　璉川集八卷

孟淮　衛原集四卷

劉天民　游蜀藁二卷　又　蛩吟集一卷　又　田閒集一卷

胡景榮　舍人集四卷

熊爵　乾州集二卷

王宗　厚齋集三卷

楊祐集十六卷

左思忠　石皐集四卷

莫叔明集三卷

董玘　文簡集二卷

王雲鳳　虎谷集二十一卷　又　附錄二卷

韓邦奇　苑洛集二十二卷

韓邦靖　汝慶集二卷

黃佐　泰泉集六十卷

楊慎　升庵集八十一卷

張舍集八卷

劉惰　西峰集八卷

謝少南　河垣藁一卷　又　謫台藁一卷　又　粵臺藁二卷

陳鳳清　華堂藁六卷

顧源　玉露堂藁四卷

葛清　冰壺藁一卷

楊士雲　弘山集十二卷

李舜臣　符臺集二卷　又　愚谷集四卷

胡侍　蒙谿集十一卷　又　續集五卷

皇甫汸　司勳集六十卷

皇甫涍　少玄集二十六卷　又　外集十卷

侯一元　少谷集十六卷

張時徹　芝園定集五十一卷

王格　少泉集十卷太僕。

夏言　文愍集□卷

嚴嵩　鈐山堂集四十卷

張璧　陽峰集二十六卷

張治　龍湖集十四卷

徐階　世經堂集二十六卷

陸粲　子餘集八卷

王廷　杮缶集二卷

李士允　少泉集十卷

徐樾　波石集八卷

歐陽德　南野集三十卷

聶豹　雙江集□卷①

鄒守益　東廓集十二卷

林春　東城集二卷

王畿　龍谿集二十卷

錢洪　緒山集二十四卷

薛侃　鍾離集四卷

王思　改齋集十卷

黃綰　久庵集選十六卷

馮惟訥　光禄集十卷

馮惟健　陂門集八卷

周祚集十五卷

許相卿　雲村集十四卷

徐師曾　湖上集□卷

徐問　養齋三集二十四卷　又　劄記八卷

萬表　玩鹿亭藁八卷

喻時　吳皋集十二卷　又　別集二卷

董穀　漢陽集九卷

沈愷　環谿集二十六卷

章景南　給事集□卷

---

①　“□卷”，《千頃堂書目》卷二十二、《明史·藝文志》並著録爲十八卷。

陳宗虞　臥雲樓藁十四卷

王廷幹　巖潭藁二卷

楊爵　斛山集五卷

楊繼盛　忠愍集□卷

鄭繼之　少谷集十四卷　又　詩集十三卷

靳學顏　兩城集二十卷　程文德　松溪集三十二卷

戚賢　南玄集四卷

唐順之　荆川集二十卷　又　續集六卷　又　奉使集二卷

羅洪先　念庵集二十三卷

趙時春　浚谷集十七卷

王愼中　遵巖集四十一卷

胡松　莊蕭集八卷

唐樞　木鍾臺集三十二卷

李開先　中麓集□卷①　又　閒居集十二卷

曾璵　少岷集四卷

田九垓　何樓集二卷

陳束　後岡集二卷

孔天胤集三卷

喬世寧　丘隅集十九卷

馬中錫　東田集六卷

任瀚逸藁六卷

楊名　方洲集五卷

薛應旂　方山集六十八卷

馬汝驥　西玄集十卷

---

　　①　"□卷"，《千頃堂書目》卷二十三著録李開先《中麓閒居集》十二卷，《明史·藝文志》著録爲《中麓集》十二卷。

蔡經　半洲集四卷

劉鳳　子威集三十二卷

蔡汝楠　自知堂集二十四卷

鄭洛　思齋集二卷

黃洪毗　翠崖集二卷

蘇志皋　抱罕集一卷

熊敦朴　謫居藁一卷

徐敷詔　定菴集八卷

葉石　瑞峰藁一卷

岳岱　山居藁一卷

顧可久　溫陵集七卷

陳洪謨　靜芳堂稿八卷

陳謙　元溪藁四卷

徐源　瓜涇藁二卷

管楫　平田藁二卷

陳茂烈　孝廉集五卷

唐龍　漁石集□卷

王崇慶　端溪集八卷

孫陞　文恪集二十卷

康太和　留省藁二十卷

華察　巖居藁四卷

潘恩　笠江集十二卷

劉訒　春岡集六卷　又　省臺集一卷

呂懷　巾石集二卷

莫如忠　崇蘭館集□卷

李搏微集八卷

劉繪　嵩陽集二十卷

李一元　陶山集十卷

趙宏　漁庵集一卷

朱尚文　雍丘集一卷

盧襄　五塢草堂集十卷

吳希周　東匯集十卷

宋登春　鵝池集二卷

姚淶　明山集□卷①

駱文盛　兩溪集七卷

陳乙　過庵藁八卷

裴騫　薊門集二卷

許邦才　梁園集四卷

許勉仁　謫滇藁四卷

劉世論　崖東藁八卷

岑萬　蒲谷集一卷

李先芳　北山集□卷

雷禮　古和集三卷

沈東　屏南集十卷

鄭相　栗城藁二卷

劉廷誥　見峰集一卷

劉成穆　玄倩集二卷

歸有光　太僕集三十二卷

陳朝紀　冷香集二卷

張之彥　剪綵集二卷

索儒　春坊集二卷

---

① "□卷"，《千頃堂書目》著録姚淶《明山文集》八卷，《明史·藝文志》著録爲《姚淶文集》八卷。

包節　侍御集六卷

馬一龍　游藝集十九卷

金賁亨　一所集四卷

胡直　衡廬藏藁十二卷

陳昌積　兩湖集三十四卷

栗應宏　大行集十六卷

王漸逵　青蘿集二十卷

李嵩　存笥藁十卷

呂顒　省垣藁一卷

蕭端蒙　同野集五卷

王同祖　太史集六十卷

王材　念初堂集□卷

陳鶴　海樵集二卷

翁萬達　東崖集八卷

何維栢　天山堂藁二十卷

廖道南　玄玄集二十卷

陳紹儒　司空集二卷

李元陽　中溪集十卷

趙鏜　留齋藁七卷

沈啓原　鶡園草四卷

陸樹　陂上集二十卷

豐坊集二卷

張邦奇　甬川集□卷

顧盤　海涯集十卷

朱日藩　山帶閣集三十三卷

王維禎　存笥藁二十卷

茅坤　白華樓四集四十六卷

何良俊　柘湖集二十八卷

何良傅　禮部集十卷

馬玉麟　東臯集一卷

郭第　獨往生集一卷

龐嵩　黃龍集一卷

區益　巖居集四卷

王朝卿　野堂集一卷

沐崐　玉岡詩集六卷①莊裏。

李杰　石城集二十七卷

顧孟圭　疣贅録十一卷

入蜀稿二卷

張天民　雲航集一卷

朱瑛　西崖集八卷

吕本　期齋集十六卷

高拱　玉堂公草十二卷　又　政府書答四卷

趙貞吉　文肅集二十三卷

李春芳　貽安堂集十卷

高鶴可　也居集六卷

殷士儋　金輿山房集十四卷

馬自强　文莊集二十卷

嚴訥　文靖集十二卷

張瀚　奚囊蠹餘二十卷

汪鏜　餘清堂藁十二卷

尹臺　思補軒集八卷

萬士和　文恭集十八卷

---

① “崐”，原作□，據徐本改。

陳瓚　濟美堂集六卷

洪朝選　静庵集十卷

耿定向　天臺集二十卷

張元忭　陽和集十六卷

黃姬水　淳甫集二十四卷

朱載坿　大隱集十六卷

朱翊鈏　天倪閣集二卷

徐渭三集二十九卷

謝東山集十六卷

許穀　奉常集十六卷

周滿　晚秀集二卷

李應元　蔡蒙山房藁四卷

申時行　□□集□卷①

姚汝循　錦石齋集二十四卷

周鳴鳳　東田集二卷

岑大賓　少谷集二卷

李逢陽遺藁二卷

楊希淳　虛游集四卷　又　虛游論草二卷

胡汝霖　青厓集四卷

王元坤　雅娛閣集十八卷

柯維騏　藝餘集十卷

周思兼　叔夜集十一卷

王世貞　四部藁百四十七卷　又　續集二百七卷　又　別集
　一百卷

王世懋　奉常集五十四卷

---

①　《千頃堂書目》卷二十四著禄申時行《賜閒堂集》四十卷。

李攀龍　滄溟集三十卷

宗臣　子相集十五卷

梁有譽　蘭汀存藁四卷

徐中行　天目集二十一卷

吳維嶽集□卷

吳國倫　甔甀洞藁五十四卷

汪道昆　太函集百二十卷

歐大任　虞部集二十二卷

張嘉胤集二十七卷

盧柟　蠛蠓集五卷

陳善　黔南藁十卷

李維楨　四游集□卷①

戚繼光　止止堂集□卷

俞允文　仲蔚集二十四卷

王逢年　泰岱集□卷②

姜寶　鳳阿集□卷③

徐詩　汝思集一卷

黎民表　瑤石山房集十六卷

謝榛詩集四卷

林庭機　世翰堂集十二卷

王承父　吳越游十卷

馮大受　竹素園集□卷

林燫　學士集十六卷

---

① "□卷",《千頃堂書目》卷二十五著錄作二十二卷。
② "□卷",《千頃堂書目》卷二十四著錄作《海岱集》,亦不著卷數。
③ "□卷",《千頃堂書目》卷二十四著錄作《鳳阿文集》三十八卷。

陳士元　歸雲三集七十四卷

徐學謨　海隅集四十九卷

盛時泰　蒼潤軒集六十卷

盛敏耕集十卷

樂和聲　澹漠集二卷

釋宗泐　全室外集九卷

釋來復　見心集□卷

漢初著作未以集名，梁阮孝緒始有《文集録》，《隋志》因之，至今衆士慕尚，波委雲屬，不可勝攷矣。顧兵燹流移，百不存一，以彼掉鞅辭場，風雨生於筆札，金璧耀乎簡編，豈不謂獨映一時，垂聲千古哉。而一如煙雲過眼，轉盼以盡，以此知士之所恃，不在徒言也。然而名談瑋論，闡道濟時者，蓋間有之。今具列於篇，仍爲別集。

總集

文章流別集十二卷_{摯虞集。}

文章流別志論二卷_{摯虞。}

文章流別本十二卷_{謝混集。}

續文章流別三卷_{孔寧集。}

集林鈔十一卷

善文四十九卷_{杜預撰。}

名文集四十卷_{謝混集。}

集苑六十卷_{謝混集。}

集林三百卷宋劉義慶集。

集鈔十卷沈約撰。

集鈔四十卷

集略二十卷

撰遺六卷

翰林論三卷李充撰。

文苑一百卷孔逭集。

文選三十卷梁昭明太子集。

文選音十卷蕭該集撰。　又　十卷釋道淹撰。　又　十卷許淹撰。
　　　又　十卷公孫羅集。

注文選三十卷唐呂延濟等五臣注。　又　六十卷李善注。　又　六十
　卷公孫羅注。

文選辨惑十卷李善撰。

文選抄十二卷蘇易簡。

文選類林十八卷劉攽。

駁文選異義二十卷康國安撰。

續文選十三卷唐孟利正集。　又　三十卷唐卜長福集。

擬文選三十卷唐卜隱之集。

文選補遺四十卷陳仁子撰。

文選增定二十三卷李夢陽撰。

廣文選八十卷劉節撰。

詞林五十八卷

文海五十卷蕭圓集。

漢書文府二卷

秦漢書疏十八卷徐紳撰。

吳朝文士集十三卷

巾箱集七卷

小辭林五十三卷

古文苑二十一卷

集古今帝王正位文章九十卷

辭苑麗則三十卷康明貞集。

類文三百七十七卷庾自直集。

西府新文十卷蕭淑集。

新文要集十卷

類集百十三卷虞綽等集。

文苑詞英八卷

文館詞林一千卷許敬宗集。

麗正文苑二十卷

芳林要覽三百卷

翰苑三十卷張楚金集。

文府二十卷徐堅集。

大和通選三十卷裴潾集。

古今文集略二十卷李吉甫集。

西漢文類四十卷唐柳宗直集。

東漢文類三十卷唐竇儼集。

三國志文類六十卷

梁苑文類三卷令狐楚集。

文藪十卷皮日休集。

孫子文纂四十卷

文苑英華一千卷宋宋白集。

唐文粹一百卷宋姚鉉集。

唐史文類三十卷

唐文鑑二十一卷賀泰。

五代文章一卷

文選菁英二十四卷蘇易簡編。

文選類聚十卷

浯溪集二卷宋李仁剛。

釣臺新集六卷

文房百衲一十卷

西蜀賢良文類二十卷

成都文類五十卷宋袁説友。

南州集十卷

章貢集十卷黃師參。

宋文粹十五卷

宋新文粹三十卷

宋文藪四十五卷

宋賢文集三十卷

續宋賢文集二十三卷

宋文選二十卷

二百家名賢文粹三百卷

宋文鑑百五十卷呂祖謙。

文章正宗三十卷真德秀。　又　續文章正宗二十卷

崇古文訣三十五卷樓昉。

元文類七十卷

文章辨體五十五卷宋訥。

文體明辨八十四卷徐師曾。

文苑春秋四卷崔銑。

古文會選三十卷谢朝宣。

金石新編八卷陈暐。

荆川文編六十四卷

八大家文鈔二百四十四卷

大明文寶八十卷_{楊循吉。}

皇明文衡九十卷_{程敏政。}

皇明文範六十八卷_{張時徹。}

國朝文纂五十卷_{張士瀹。}

我朝文選二十卷_{唐順之。}

古今箴銘集十四卷_{張洪集。}

三孔清江集四十卷_{文仲、武仲、平仲。}

鄭氏三先生集十卷_{濤、泳、淵。}

唐氏三先生集二十卷_{元、桂芳、文鳳。}

衆賢誡集十五卷

誡林三卷_{綦毋邃。}

四市誡三卷_{王誕。}

雜誡箴二十四卷

七彙□卷^①

商仲堪策集一卷

秀孝對策十二卷

宋元嘉策秀才文十卷

魏鄭公時務策一卷

元和制策三卷_{元稹、獨狐郁、白居易。}

兩漢策要六卷_{陶叔獻纂。}

古今類聚策苑十四卷_{唐周仁瞻集。}

五子策林十卷_{唐許南容等五人策。}

文館詞林策二十卷_{崔元暐注。}

宋伯宜策集六卷

前賢策三卷

---

① "□卷",《千頃堂書目》卷三十一著録作匹卷。

書集八十八卷晋王履集。

書林十卷

雜逸書六卷

應璩書林八卷夏赤松集。

雜露布十二卷梁人集。

羽書三卷唐臧嘉猷集今古軍書、符、檄、誥令。

續羽書六卷自唐五代以來。

王紹顏軍書十卷南唐。

總戎集十卷唐沈常集軍中詔令表檄，自戰國至隋。

止戈書五十卷宋趙化基集歷代軍中書檄、表狀、碑頌、捷布、禡牙祭纛之文。

湯篢戎機集五卷吳人。

從軍藁二十卷吳湯文圭。

碑集十卷謝莊集。

釋氏碑文三十卷梁元帝集。

諸寺碑文四十六卷釋僧祐集。

雜碑二十二卷

碑文二十卷晋陳總集。

碑文十卷車灌集。

蜀國碑文集八卷唐劉贊集。

朝賢墓誌一百卷

朝賢神道碑三十卷

類碑三十八卷

玄門碑誌三十八卷

王氏神道碑二十卷唐王方慶集。

寶刻叢章三十卷

竇氏集古錄一卷

碑籍一卷

翠琰集一卷

謝集五十卷_{謝靈運集。}

補謝靈運詩集一百卷_{宋張敷、袁淑補。}

古今五言詩美文五卷_{荀綽集。}

詩集鈔十卷_{謝靈運集。}

六代詩集鈔四卷_{許凌集。}　又　四卷_{徐凌集。}

詩英九卷_{謝靈運集。}

詩集新撰三十卷_{宋明帝。}

詩集二十卷_{劉和集。}

詩集一百卷_{顏竣集。}

周詩遺軌十卷_{劉節。}

古今詩苑英華二十卷_{昭明太子集。}

詩紀百五十六卷_{馮惟訥。}

六朝聲偶集七卷

風雅逸篇六卷_{楊慎。}

選詩外編九卷_{楊慎。}

選詩拾遺□卷

選詩補注八卷_{劉履。}

五言律祖六卷_{楊慎。}

近體始音五卷

百志詩集五卷_{干寶集。}

婦人詩集二卷_{顏竣集。}　又　三十卷_{殷淳集。}

瑤池新詠三卷_{唐蔡省風集唐婦人作。}

百一詩八卷_{應璩集。}　又　二卷_{李彪集。}

文林館詩府八卷

百國詩四十三卷_{崔光集。}

續古今詩苑英華集二十卷_{唐僧惠净集。}

古今類聚詩苑三十卷_{劉孝孫集。}

唐詩品彙九十卷_{高廷禮。}

百家唐詩一百卷_{徐獻忠。}

初唐詩紀三十卷_{黃德水。}

初唐詩紀六十卷

盛唐詩紀一百十卷

盛唐十二家詩四十七卷

三十六家唐詩二十四卷_{黃省曾。}

中唐十二家詩七十六卷

唐詩類苑一百卷_{卓明卿。}

萬首唐人絕句一百一卷_{洪邁。}

絕句辨體八卷_{楊慎。}

絕句博選五卷_{王朝雍。}

唐雅同聲五十卷

古今詩類七十九卷_{郭瑜集。}

珠英學士集五卷_{唐崔融集。}

正聲集三卷_{唐孫季良集。}

續正聲集五卷_{後唐王正範集。}

南董集二卷_{唐竇常集。}

篋中集一卷_{元結集。}

起予集五卷_{唐曹恩集。}

才調集十卷_{唐韋縠集。}

麗文集五卷_{唐劉明素集。}

麗則集五卷_{自梁至唐詩。}

唐詩類選二十卷_{唐顧陶集。}

唐詩三卷_{李戡集。}

奇章集四卷

同題集十卷_{唐柳玄集。}

丹陽集一卷^①_{唐殷璠集。}

極玄集一卷_{唐姚合集。}

極玄律詩例一卷

又玄集一卷_{蜀韋莊集。}

江南續又玄集十卷_{唐劉吉集。}

國秀集三卷_{唐芮挺章。}

中興間氣集二卷_{唐高仲武。}

河嶽英靈集三卷_{唐殷璠。}

擬玄集十卷_{梁陳康圖集。}

正風集十卷_{集唐詩。}

垂風集十卷_{張籍等十人詩。}

搜玉集十卷_{唐人集當時詩。}

連璧詩集三十二卷_{檀溪子道民集。}

篋中集三卷_{唐元結。}

詩纂三卷_{梁陳康圖集。}

資吟集五卷_{梁鍾安禮集。}

觀光集三卷_{梁王轂集禮部所投詩卷。}

國風總類五十卷_{王仁裕集。}

唐音九卷_{元楊士弘選。}

唐詩鼓吹十卷_{元郝天挺。}

三體唐詩四卷_{元周弼。}

名公攢錦集十二卷_{宋段子昂集。}

騷雅菁英三卷_{宋僧簡微集。}

備遺綴英二十卷_{蜀王承範集。}

---

① "陽",原誤作"楊",據徐本改正。

前輩詠題詩集二卷采唐開元至大中作三百五十篇。

唐五僧詩一卷鴻漸等。

唐十哲僧詩一卷清江等。

唐僧弘秀集十卷李龏。

草木蟲魚雜詠十八卷

詩林辨體十六卷

抒情集二卷唐盧瓌集。

本事詩一卷唐孟棨集。

續本事詩二卷

宜陽集六卷五代劉松集。

唐雅八卷胡纘宗。

王右軍蘭亭詩集一卷

燕歌行一卷梁元帝撰王褒以下。

晋元正宴會詩集四卷

元嘉西池宴會詩集顏延之集。

齊釋奠會詩集十卷

齊宴會詩十七卷

清溪詩三十卷齊宴會作。

徐伯陽文會詩集四卷

石城寺詩一卷

池陽境內詩記一卷

湖州碧瀾堂詩一卷

江夏古今記詠一卷

青城山文人觀詩二卷

岳陽樓詩一卷

浮雲樓詩一卷

華林書堂詩一卷

廬山簡寂觀詩一卷

鴈山瀑布詩一卷

唐集賢院壁記詩二卷

虎丘真娘墓詩一卷_{劉禹錫等二十三人。}

道林寺詩二卷_{唐袁皓集。}

謝亭詩一卷_{唐李遜以送行詩筆於襄陽謝亭。}

朝士過顧況宅賦詩一卷

鴈蕩山詩一卷

麻姑山詩三卷

留題惠山詩一卷

九華山録一卷_{唐僧應物集。}

廬山遊覽集二十卷_{宋姜璵集。}

新安累政詩二卷_{宋高德光集。}

李氏花萼集二十卷

韋氏兄弟集二十卷

竇氏聯珠集五卷

廖氏家集一卷_{唐廖光圖。}

唐翰林歌詞一卷

大歷浙東聯唱集二卷

斷金集一卷_{李逢吉、令狐楚酬唱。}

元白繼和集一卷　又　三州唱和集一卷

汝洛集一卷

許昌詩一卷

洛陽集七卷

彭陽唱和集二卷

桃源詩一卷

吳蜀集一卷

裴均　壽陽唱詠集十卷　又　渚宮唱和集二十卷

峴山唱詠集八卷

荆潭唱和集一卷

盛山唱和集一卷

荆巖唱和集一卷

劉白唱和集三卷

唐名公唱和集二十三卷

漢上題襟集十卷_{段成式、温庭筠、余知古酬答詩牋。}

松陵集十卷_{皮日休、陸龜蒙酬唱。}

僧靈徹酬唱十卷

李昉唱和詩一卷_{李昉等從駕至鎮陽，過舊居作。}

西崑酬唱集二卷_{楊億與錢惟演等。}

翰林酬唱集一卷_{宋王溥與李昉、徐鉉等。}

應制賞花集十卷

瑞花詩賦一卷_{宋館閣應制作。}

嘉祐禮闈唱和集三卷

明良集五百卷_{真宗御制及羣臣進和歌。}

賀監歸鄉詩集一卷

送白監歸東都詩一卷

贈朱少卿詩三卷

蘇明允哀挽二卷

榮觀集五卷

九老詩一卷

潼川唱和集一卷_{張逸、楊諤。}

李定西行唱和集三卷

續九華山歌詩一卷

南捷唱和詩三卷

西湖蓮社集一卷

續西湖蓮社集一卷

潼川集三卷

杭越寄和詩一卷

中山唱和集五卷

咸平唱和詩一卷

潁陰聯唱集二卷

王官谷圖集四卷

秘閣雅會一卷

瀛奎律髓四十九卷_{方回。}

蘇黃詩髓□卷

宛陵六一詩選□卷

宋詩選二卷

中洲集十卷_{金元好問。}

河汾集八卷_{元房祺。}

元詩類選四卷_{曾應珪。}

皇元風雅三十卷_{蔣易。}

皇元風雅八卷

光岳英華十五卷_{揭軌。}

元詩體要十四卷_{宋公傳。}

元音十二卷_{孫原理。}

谷音二卷_{元杜本。}

皇明百家詩□卷

大明風雅廣選三十七卷_{蕭儼。}

皇明詩抄七卷_{楊慎。}

皇明風雅四十卷_{徐泰。}

皇明近體詩抄二十九卷_{謝東山。}

明音類選十八卷_{黃佐。}

明詩七言律十二卷_{穆文熙。}

七言律細二卷_{朱日藩。}

國華集三卷_{黃德水。}

古今詩刪三十四卷_{李攀龍。}

友雅三卷_{朱多炡。}

明雋十卷_{李先芳。}

海岳靈秀集二十二卷_{觀樞。}

國雅二十卷_{顧起綸。}

詩統四十二卷_{李騰鵬。}

金陵風雅四十卷_{姚汝循。}

楚陽明賢詩選二卷_{陸原博。}

玉峰詩纂六卷_{周復俊。}

澧陽集四卷

崑山雜詠四卷_{宋龔立道。}

崑山雜詠二十八卷_{俞允文。}

溫泉集一卷_{楊慎。}

玉泉寺集六卷

楊州集十八卷

西湖遊詠二卷_{黃省曾。}

雍音四卷_{胡纘宗。}

容山鍾秀集六卷_{王韶集。}

涮音會略十七卷_{方繼學。}

赤城集六卷_{謝鐸。}

吳興集六卷_{錢學集。}

錫山遺響十卷

檇李英華十六卷

西江詩選十卷_{韓愓。}

慈谿詩選十卷_{楊子器。}

郭氏遺芳集四卷

宋氏傳芳錄八卷_{潛溪家錄。}

郭武定聯珠集三十二卷_{良、旺、武、登。}

王氏文獻集十一卷_{褒、肇、寘、佐、譚、希旦、昺、杲。}

陳氏義谿世藁十二卷_{周、根、振、栖、煒、爧﹒焞、域、炷、墿、達。}

同聲集二卷_{李東陽、謝鐸。}

倚玉集一卷_{楊循吉等聯句。}

鬐游聯句錄一卷_{柳應辰、楊一清。}

簪萍錄一卷_{王雲鳳、喬宇作。}

朝正倡和集二卷_{徐昌穀、趙鶴等作。}

繹過亭聯句一卷_{杜旻、王雲鳳、邵棠作。}

比玉集四卷_{劉鳳、魏學禮。}

雲間三詩翁集七卷_{王良佐、戚韶、張冕。}

　　古者人別爲集，蓋起於東漢。然軌轍不同，機杼亦異，各名一家之言。摰虞苦其凌雜，彙爲《流別》。後世述之，因爲總集，如昭明所選是已。昔人有言，文之辯訥，升降繫焉；鑒之頗正，好惡異焉。作之固難，解亦不易，故長編巨軸，半就湮没，而其僅存者，又未盡雅馴可觀，蓋亦有幸不幸焉。今次其時代，總爲此篇。

詩文評_附

李充　　翰林論三卷

任昉　　文章緣起一卷

劉勰　　文心雕龍十卷

孫郃　　文格二卷

白居易　制朴三卷

李淑　制朴三卷

王瑜　文旨一卷

范傳正　賦訣一卷

紇干俞　賦格一卷

張仲素　賦樞三卷

浩虛舟　賦門一卷

任博　文章妙格一卷

馮鑑　修文要訣一卷

劉蕡　應求類二卷

金馬統例一卷

制格一卷

辛處信　文心雕龍十卷

唐庚　文錄二卷

宋玄僖　文章緒論一卷

陳騤　文則二卷

陳繹曾　古文矜式二卷

陳伯敷　文說一卷

楊本　金石例十卷

修詞衡鑑二卷

李塗　文章精義二卷

王弘誨　文字談苑四卷

謝伋　四六談塵一卷

王銍　四六話二卷

僧神郁　四六格一卷

楊困道　四六餘話二卷

顏竣　詩例錄三卷

鍾嶸　詩品三卷

李嗣真　詩品一卷

元兢　宋約詩格一卷

王昌齡詩格一卷

王昌齡密旨一卷

李嶠　評詩格一卷

白樂天　文苑詩格□卷

晝公詩式五卷

僧皎然　詩評三卷

王起　大中詩格一卷

姚合　詩例一卷

賈島　詩格一卷

王叡　炙轂子詩格一卷

元兢　古今詩人秀句二卷

黃滔　泉山秀句集三十卷

王起　文場秀句一卷

李洞集賈島句圖一卷

倪宥　文章龜鑑一卷

倪宥　詩圖一卷

徐蛻　詩律大格一卷

騷雅式一卷

吟體類例一卷

任傳詩點化祕術一卷

僧惟鳳　風雅拾翠圖一卷

詩林句範五卷

杜氏詩律詩格一卷

徐三極　律詩洪範一卷

徐衍　風騷要式一卷

續金鍼詩格三卷

歷代吟譜二十卷

閻東叟風騷格五卷

楊氏筆苑句圖一卷

九僧選句圖一卷

張爲　唐詩主客圖三卷

全唐詩話三卷

六一詩話一卷

溫公詩話一卷

王禹玉詩話一卷

劉貢父詩話一卷

蘇子瞻詩話一卷

洪駒父詩話一卷

呂東萊詩話一卷

陸游　山陰詩話一卷

陳後山詩話二卷

瑤溪集十卷

黃徹　溪詩話十卷

葉凱　南宮詩話一卷

惠洪　天廚禁臠二卷

嚴滄浪吟卷二卷

湯巖起　詩海遺珠一卷

許彥周詩話二卷

庚溪詩話二卷

周少隱詩話三卷

高似孫　選詩句圖一卷

葉正則詩話二卷

韻語陽秋二十卷_{宋葛立方。}

張表臣　珊瑚鉤詩話三卷

詩人玉屑十卷_{魏慶之。}

詩林要語一卷_{元范杼。}　　又　詩學禁臠一卷

詩法源流一卷

瞿宗吉詩話三卷

冰川詩式四卷

都玄敬詩話二卷

南谿詩話二卷

麓堂詩話一卷

黃勉之詩法八卷

蜩笑集一卷

陳石亭　拘虛詩談一卷

楊升庵詩話二卷　又　詩話拾遺二卷

子循解頤新語八卷

徐昌穀　談藝錄一卷

王元美　藝苑卮言八卷　又　藝苑卮言附錄四卷

名賢詩評二十卷

　　右詩文評

卷六

糾繆

《漢藝文志》

《周書》入《尚書》，非，改雜史。

議奏入《尚書》，非，改入集。

《司馬法》入禮，非，改兵家。

《戰國策》入《春秋》，非，改縱橫家。

《五經雜議》入《孝經》，非，改經解。

《爾雅》、《小爾雅》入《孝經》，非，改小學。

《弟子職》入《孝經》，非，還《管子》。

《晏子》入儒家，非，改墨家。

《高祖傳》、《孝文傳》入儒，非，改制詔。

《管子》入道家，非，改法家。

《尉繚子》入雜家，非，改兵家。

《山海經》入形法，非，改地里，

陰陽、五行、蓍龜、雜占、形法、數術，漢五出，今總入五行。

《隋經籍志》

《夏小正》入禮,非,改時令。

梁武帝《革牲大義》入禮,非,今削。

《爾雅》十一種入《論語》,非,改小學。

《五經正名》等二十九種入《論語》,非,改經解。

《謚法》三種入《論語》,非,附儀注。

《江都集禮》入《論語》,非,改儀注。

《東觀奏記》入正史,非,改雜史。

《吳紀》入正史,非,改編年。

《漢紀》等三十三種名古史,非,改編年。

《淮海亂離志》入古史,非,改雜史。

《戰國策》入雜史,非,改縱橫家。

《梁皇實錄》入雜史,非,附起居注。

《洞紀》等十一種入雜史,非,改通史。

王子年《拾遺記》入雜史,非,改傳記。

《後周太祖號令》入起居注,非,改制詔。

庾季才《地形志》地里兩出。

《海岱志》入雜傳,非,改地里。

《竹譜》、《錢譜》入譜系,非,改食貨。

《畫品》、《畫録》入簿録,非,改藝術。

《玉燭寶典》、《四時録》入雜家,非,改時令。

《皇覽》入雜,非,改類家。

《華林遍略》入雜,非,改類家。

《類苑》入雜,非,改類家。

《時政論》、《君臣事蹟》入雜,非,改儒家。

《釋氏譜》、《內典博要》、《淨住子因果記》、《歷代三寶記》、《真言要集》、《感應傳》、《眾僧傳》、《高僧傳》，以上雜傳、雜家兩出，今改釋家。

《嘉瑞記》、《祥瑞記》，雜傳、五行兩出，今入傳記。

《玄門寶海》雜傳、雜家兩出，改道家。

《古今藝術》入小說，非，改藝術。

《敧器圖》、《器準圖》入小說，非，改食貨。

《天儀說要》天文兩出。

《甲寅元曆序》曆數兩出。

《海中仙人占》、《災祥書》五行兩出。

《地形志》五行兩出。

《棋勢》等二十四種入兵家，非，改藝術。

《香方》三種入醫方，非，改食貨。

《食經》五種入醫方，非，改食貨。

《金匱錄》等五十種入醫方，非，改道家。

《集誡》等七種，儒家、總集兩出，今入儒。

《唐藝文志》

《謚法》五種入經解，非，改附儀注。

《武德貞觀兩朝史》入正史，非。

葛洪《史記鈔》、《兩漢書鈔》、張緬《後漢書略》、《晉書鈔》、《後漢書續》六種入雜史，非，改附正史。

張溫《三史要略》、阮孝緒《正史削繁》、王廷秀《史要》、蕭藺《合史》、王蔑《史漢要集》六種入雜史，非，改附正史。

虞溥《江表傳》雜史、傳記兩出,改霸史。

《關東風俗傳》入雜史,非,改地里。

《唐宰輔録》入雜史,非,改傳記。

《凌煙功臣傳》入雜史,非,改傳記。

《十八學士傳》入雜史,非,改傳記。

《詔令》十一種入雜史,非,改制詔。

《春坊舊事》、《春坊要録》入雜史,非,改職官。

馬總《唐年小録》入故事,非,改雜史。

《列藩正論》傳記、儒家兩出。

李襲譽《江東記》入傳記,非,改地里。

《王氏訓誡》入傳記,非,改儒家。

李筌《中台志》入傳記,非,改職官。

《朝野僉載》入傳記,非,改雜史。

《封氏聞見記》入傳記,非,改雜史。

韋機《西征記》、韓琬《南征記》、陸贄《遣使録》、裴肅《平戎記》、房千里《投荒雜録》五種入傳記,非,改地里。

徐景《玉璽正録》雜傳、儀注兩出。

《國寶傳》入傳記,非,附儀注。

許康佐《九鼎記》入傳記,非,改食貨。

《異域歸忠傳》、《西番會盟祀》、《西戎記》入傳記,非,改地里。

《西京雜記》故事、地里兩出。

釋家入道家,非,今別出。

《尉繚子》入雜,非。

孟儀《子林》、薛克構《子林》、沈約《子鈔》、庾仲容《子鈔》入雜,非,附子。

徐陵《文府》入雜,非,改總集。

王方慶《續世説》入雜,非,改小説。

王範《續蒙求》、白延翰《唐蒙求》、李伉《系蒙》入雜，非，改小學。

《參同契》入卜筮，非，改道家。

《月令》十三種入農，非，改時令。

《錢譜》、《相貝經》入農，非，改食貨。[①]

《續錢譜》入小説，非，改食貨。

《茶經》二種入小説，非，改食貨。

《甄異傳》等二十二種入小説，非，改儒家。

《太清神丹經》入醫，非，改道家。

杜佑《通典會要》係典制書，入類家，非。

《唐四庫書目》

《星禽洞微》入天文，非，改五行。

《遁甲書》兵家、卜筮、命書、壬課四出。

《月令書》禮、兵、農、月鑑四出，今入時令。

封演《錢譜》入小説，非。

《宋藝文志》

《謚法》十一種入經解，非，附儀注。

《鼎録》入小學，非。

---

① “譜”，原誤作“普”，徐本同，據《新唐書·藝文志》改。

《玉璽譜》并《記》入小學,非。

《荆浩筆法》小學、藝術兩出。

《宋名臣録》、《勳德傳》、《兩朝名臣傳》、《咸平諸臣録》、《熙寧諸臣傳》、張唐英《名臣傳》、葛炳奎《名臣敘傳》入正史,非,改傳記。

起居注,實録,日曆入編年,今別出。

《聖政寶訓》編年、別史、故事三出。

《通鑑地理考》、《通鑑地里通釋》入職官,非,改編年。

《藝文志考證》入職官,非,附正史。

《漢志考》入職官,非,改故事。

《誡子拾遺》入傳記,非,附儒家。

《河洛春秋》入傳記,非,附雜史。

李涪《刊誤》入傳記,非,改小説。

《賓朋宴語》入傳記,非,改小説。

《水記》、《名山記》、《郡城記》、《會稽録》、《天泉河記》、《交趾録》六種入傳記,改地里。

《三楚新録》入傳記,改雜史。

《泉志》、《浸銅要録》入傳記,改食貨。

《廣中台記》入傳記,非,改職官。

《唐休録》入傳記,非,改史。

《學士年表》入傳記,非,改職官。

《歸田録》入傳記,非,改小説。

王通《元經》編年、傳記兩出,改儒。

《五龍祕法》入地里,非,改五行。

《糾繆正俗》入儒,非,改經解。

《老子藏室纂微》陳景元集,云"不知名"。

《老子指略例》王弼作,云"不知名"。

李士表《莊列十論》,作"莊子",誤。

《德山集》,仰山、潙山語錄,三人皆唐僧,云"不知何時人"。

《壇經》云"慧能注",非。

《禪源諸詮集》百卷,作二卷,非。

《永嘉集》三出。

《法苑珠林》百卷,作一卷,非。

《宋杲語錄》三十卷,作五卷,非。

《達磨存想法》、《達磨胎息訣》二種入釋,非,附道家。

顧協《錢譜》入小說,非。

房千里《南方異物志》入小說,非,改地里。

陳致雍《晉安海物異名記》入小說,非,改食貨。

《鬻子注》入小說,非。

《戰國策》入兵家,非。

《會要》、《通典》、《類要》入類家,非,改故事。

《蒙求》諸書入類,非,改小學。

《崇文總目》

《江都集禮》、《開元禮五種》、《開寶通禮》,以上入禮經,非,附儀注。

《白虎通》、《五經鉤沈》、《刊繆正俗》、《經史釋題》、《九經餘義》、《演聖通論》,以上入《論語》,非,附經解。

《南北史》入雜史,非,改通史。

《成都理亂記》、《北荒君長錄》、《嵩岳記》、《零陵錄》、《吳興雜錄》、《鄞城新記》、《蜀記》,以上入傳記,改地里。

《三楚新録》入傳記，改霸史。

《中台志》、《宰輔明鑒》、《選舉志》、《翰林盛事》，以上入傳記，非，改職官。

王氏《東南行記》、《入洛記》、王仁裕《南行記》、李昉《南行記》、張氏《燕吳行記》、《蜀程記》、《峽程記》，以上入傳記，改地里。

《桂苑叢談》、《三水小牘》、《松憲録》，以上入傳記，非，改小説。

《玉璽》四種入□□，非，附儀注。

《兩同書》雜家、小説兩出。

《續論衡》入小説，非，改雜家。

《家訓》十一種入小説，非，改儒家。

《嶺南異物志》、《嶺表録異》、《瀟湘録》、《洛中紀異》、《海潮説》，以上入小説，非，改地里。

《鼎録》、《刀劍録》、《銅劍贊》、《古鑑記》、《攲器圖》、《錢譜》四種，以上入小説，非，改食貨。

《通典會要》係典制書，入類家，非。

《蒙求》六種係小學書，入類家，非。

《輶車事類》入類，非，改傳記聘使。

《歲時廣記》入類，非，改時令。

《淨土論》入道家，非，改釋。

《嘯旨》入道家，非。

《通玄祕旨》入醫，非，改道家。

《步天歌》入占，非。

《元綱論》即前《真綱論》，兩出。

《文選》李善注在五臣前，云“因五臣而作”，非。

鄭樵《藝文略》

《周易口訣》唐史證撰，云魏徵，非。

《論語韓愈解》兩出。

陳祥道《禮書》入禮圖，非。

《小學篇》兩出。

《荊浩筆法記》、《論畫》入法書，非。

《越絕書》袁康、吳君平作，具篇末隱語，云子貢，非。

《三十國春秋》梁湘東王世子蕭方等撰，方等字實相，用內典語，作蕭方，非。

《桓玄僭僞事》、《司馬陶公故事》、《魏文貞事迹》、《彭公故事》、《張九齡事迹》，以上入故事，非，改傳記。

《方物志》三種當入後方物中。

《淨住子》論釋理作，入道家，非。

《素履子》儒、道兩出。

《淮南子》道家、雜家兩出。

《淨土論》入道，非，改釋。

羅隱《兩同書》入道家，非，改雜。

《吳興人物志》、《河西人物志》入名家，非，改地里。

《董子》，戰國董無心闢墨子而作，入墨，非。

《子鈔》五種入雜，非，附子。

《諭蒙》六種入雜，非，附小學。

《玉堂閑話》雜史、小說兩出。

《鬼料竅》即《步天歌》兩出，入六壬，又非。

有《班昭集》，復出《曹大家集》，誤作二人。

晁氏《讀書志》

《漁樵問對》、《晁氏儒言信聞記》，以上入經解，非，改儒。

《河洛行年記》入編年，非，改雜史。

《南北史》入雜史，非，改通史。

《建隆遺事》、《三朝聖政錄》、《嘉祐時政記》、《建炎日曆》、《隆平集》入雜史，非，改時政記。

《皇祐會計錄》入儀注，非。

《十洲記》、《洞冥記》、《閩川名士傳》入傳記，改地里。

《刀劍錄》、《古鏡記》、《硯譜》、《古鼎記》入類家，非。

《古城塚記》入類家，非，改地里。

《職林》入類家，非，改職官。

《荆楚歲時記》入類家，非。

《律呂本原》入天文，非，改樂部。

《隆平典章》、《高宗寶訓》、《内治聖鑑》入類家，非。

《乘軺錄》、《雲南行記》、《西域志》、《石晉陷番記》、《虜庭雜記》、《至道雲南錄》、《南蠻錄》，以上入偽史，非，改地里。

《脞説》，張君房撰，君房宋初人，以爲張唐英字君房，非。唐英字次功，熙豐農間人。

馬端臨《經籍考》

《易軌蒲乾貫》，術數書，入經，非。

《先天易鈐》、《太極寶局》，術數書，入經，非。

《考古圖》、《博古圖》、《宣和博古圖》、《鍾鼎款識》入禮，改小學。

《唐藏經音義》入小學，非，改釋家。

《河洛行年記》入編年，非，改雜史。

《丁未錄》、《思陵大事記》、《阜陵大事記》、《建炎繫年要記》四種，入編年，改起居注。

《皇朝編年舉要》入編年，改起居注。

《兩漢詔令》、《宋大詔令》、《玉堂制草》、《元符詔旨》、《中興制草》、《續中興制草》、《綸言》二集九種，入起居注，非，改制詔。

《祖宗獨斷》入雜史，非，改故事。

《龍飛日曆》、《景命萬年錄》、《藝祖受禪錄》入雜史，非，改起居注。

《建炎中興記》、《建炎日曆》入雜史，非，改起居注。

《宰輔拜罷錄》、《百官公卿表》入傳記，非，改職官。

《夏國樞要》、《西域志》、《雞林志》、《海外使程廣記》、《高麗圖經》、《南詔錄》、《雲南行記》、《雲南志》、《平蠻記》、《南蠻錄》十種，入霸史，非，改地里。

《秦傳玉璽譜》、《國璽傳》、《傳國璽記》、《玉璽雜記》、《楚寶傳》、《八寶記》六種，入故事，非，改附儀注。

《三朝聖政錄》、《三朝寶訓》、《兩朝寶訓》入故事，非，改起居注。

《官制局紀事》入故事，非，改職官。

《錢譜》、《續錢譜》、《泉志》、《浸銅要略》、《冶金錄》五種入故事，非，改食貨。

《廣川書跋》、《畫跋》入目錄，非。又《畫跋》目錄、藝術兩出。

《忘筌書》潘植撰，儒、雜家兩出。

茶酒、果木、花卉四十三種入農家，非，改食貨。

《同姓名錄》、《小名錄》、《異號錄》入類家，非，改傳記。

《古今刀劍錄》、《古鏡記》入類家,非。

《墨譜》、《硯譜》、《鼎錄》、《刀劍錄》、《印格》、《香譜》二十一種入藝術,非,改食貨。又《刀劍錄》兩出。

《算經》、《算法》六種入藝術,非,改小學。

國史經籍志補

〔清〕宋定國　謝星纘　撰

陳錦春　張祖偉　整理

底本：1958 年商務印書館排印《明史·藝文志》補編附編本

校本：上海圖書館藏舊抄本

　　雍正元年夏，從金星軺借鈔焦先生《國史經籍志》訖，適錢子柱西見遺《菉竹堂》、《絳雲樓書目》兩種。檢閲之頃，多焦《志》所無，因啓增補之思。翻案頭諸家藏目，以玉峯健庵先生傳是樓本爲首，取焦《志》之所無者而增廣之，互相校勘，訂正卷册，其次補諸家目，雖互有焦氏所無，然同於徐本者，則不再録。此蓋補焦氏所未逮，非會粹諸藏書目云爾。

　　［原書擬采用之書目］
　　傳是樓書目　絳雲樓書目　述古堂書目　讀書敏求記
　　菉竹堂書目　萬卷堂書目　延陵季氏書目　文獻通考經籍考
　　山堂群書考索

傳是樓經部易

晋王弼(輔嗣)　周易註六卷　又　略例乙卷　附韓康伯
　　繋辭三卷，共三冊。味經堂本。［即《周易註》十卷，未曾分註耳。］
明鄭以仁　周易集解三卷，三冊。
明王恕　玩易意見二卷，一冊。抄本。
明蔡清　周易蒙引十二卷，十六冊。
明鍾芳　學易疑義三卷，一冊。抄本。
明韓邦奇　啓蒙竟見乙卷。
明吕柟　説翼二卷，二冊。抄本。
明馬理　贊義六卷。　　**繋辭**乙卷，六冊。
明葉山　八白易傳十六卷，四冊。抄本。
明胡經　易演十八冊，四冊。抄本。
明王崇慶　議卦二卷，一冊。抄本。
明徐師曾　今文周易演義十二卷，六冊。
明姚舜牧　疑問十二卷，六冊。
明姚文蔚　會通十四卷，内闕圖乙册。
明吴桂孫　像象述五卷，五冊。抄本。
明來知德　易解十五卷。　　**雜説**乙卷。　　**六十四卦啓蒙**乙卷，共九冊。
明王宇春　易占林四卷，四冊。
明何楷　古周易訂詁十六卷，四冊。
明劉宗周　周易古文鈔二卷。
　　附聖學宗要乙卷。　　**子劉子學言**三卷，共三冊。
明鄭廣唐　讀易蒐十二卷，六冊。
日講易經解義　十八卷，十八冊。

彙解　二十五卷,二十五册。抄本。

宗孔篇　五册。抄本。。

正訓　乙册,抄本。不全。

應撝謙　集解十三卷,三册。

沈廷勱　身易實義五卷,五册。

周漁　加年堂講易十卷,四册。

董楷　傳義附錄十四卷,附易圖説十二册。新刊本。

絳雲樓易

諸家古易(古周易　吕氏周易古經　九江周氏易一册　王弼易　昭陽王氏古易　東萊吕氏古易)

税與權　易學啓蒙小傳乙卷。

元俞琰(石磵)　周易解八册(原引《讀書敏求記》,今從略,以下同。)

傳是樓尚書部

宋林之奇　全解四十卷,六册。抄本。

會同館校正音釋書經六卷,一册。

元鄒次陳　書義斷法六卷。　　**附倪士毅　作義要訣**□卷,共乙册。抄本,不全。

書傳大全十卷,十册。高麗板。

明俞鯤　禹貢玄珠乙卷。抄本。

明韓邦奇　禹貢詳略乙卷。抄本。

明袁黄　書經捷徑選註十卷,四册。

禹貢傳略乙卷。

黄兆丹　禹貢廣蔡乙卷。抄本。

孫承澤　禹貢山水考三卷，乙冊。

黃道周　洪範明義二卷。

李澄　禹貢綱目二卷。　　洪範綱目乙卷，共三冊。

玉峰徐氏傳是樓詩部

宋板篆圖重言重意互註點板毛詩二十卷。　　附陸德明　釋文六冊。

宋李樗　黃櫄　毛詩集解四十二卷，二十冊。

宋王栢　詩疑二卷，一冊。抄本。

高麗板詩傳大全二十卷，十冊。

詩會四卷，四冊。抄本。

明朱謀瑋　詩故十卷，一冊。抄本。

世本古義明何楷。

明郝敬　毛詩原解三十六卷，四冊。

明張元芳　毛詩振雅六卷，六冊。

顧亭林先生　詩本音十卷，二冊。

明蔡清（介夫，虛齋）　詩經圖史合考二十卷，十本。

傳是樓三禮部

宋朱子　儀禮經傳通解三十七卷。

黃幹　儀禮經傳通解續二十九卷，五十三冊。（長樂黃幹直卿《古禮經傳續通
　解》二十九卷。幹，晦庵之壻，號勉齋。）

黃幹　儀禮經傳續二十九卷，八冊。

明郝敬　儀禮節解十七卷。

明王志長　儀禮註疏刪翼十七卷，五冊。抄本。

已上儀禮

宋板周禮正義四十二卷，十六冊。

周禮註疏四十二卷，十二冊。

宋王與之　東巖周禮訂義八十卷，二十冊。

宋鄭伯謙　太平經國之書十一卷，二冊。抄本。

元板宋葉時禮經會元四卷，二冊。　　**又　對制談經**乙冊，抄本。（陳基《序》、潘《序》、《傳》、《目》）

元汪克寬　經禮補逸九卷，二冊。

明季本　讀禮疑圖六卷，二冊。

明王應電　周禮傳□卷　**翼傳**□卷　**圖說**□卷，共十四冊。

柯尚遷　周禮全經十三卷，十三冊。（或即《典禮全經》，但卷數不符耳。）

郝敬　周禮完解十二卷，四冊。

王志長　周禮註疏刪翼三十卷，十冊。

陳仁錫　註釋古周禮六卷，六冊。

周禮合解十八卷，六冊。

已上周禮

宋板禮記正文四卷，四冊。　　**又　正文**八卷，二冊。

宋板禮記注疏二十四冊。

禮記注疏六十三卷，十冊。北監板。

唐陸德明　釋文四卷，二冊。

陳氏集說補正二十八卷，五冊。

明郝敬　通解二十二卷。

明姚舜牧　疑問十二卷，四冊。

戈九疇　要旨十卷，十二冊。抄本。

明黃道周　月令明義四卷，一冊。

徐栻　大學衍義補纂要六卷，六冊。

大學古本乙冊。

元黎丘武　中庸分章乙卷。

明張洪　大學中庸解義各乙卷，二冊。

景星　學庸集説啓蒙二冊。

明貢汝成　三禮纂註四十九卷，二十三冊。

傳是樓禮樂部

政和五禮新儀二百四十卷，十冊。

宋司馬光　書儀十卷，一冊。宋板影本。

宋板武夷丁昇之　婚禮新編二十卷，五冊。

宋車垓　内外服制通釋九卷，一冊。抄本。

明徐駿　五服集證六卷，一冊。抄本。

明丘濬　家禮儀節八卷，六冊。

明馮善　家禮集説一冊，抄本。

明聞人銓　飲射圖解乙卷，一冊。

姚翼　家規通俗編十二卷，一冊。抄本。

朱天球　家禮易簡編乙卷。

吕坤　四禮疑四卷。　四禮翼乙卷，共二冊。

王崞　四禮纂要乙卷。

孫氏喪禮一冊。抄本。

應撝謙　禮學彙編六十四卷，十冊。抄本。

許三禮　讀禮偶見二卷，一冊。

萬斯大　讀禮質疑二卷，一冊。

朱董祥　讀禮紀略六卷，二冊。

李之藻　頖宮禮樂疏十卷，十冊。

王邦直　律吕正聲六十卷，十二冊。

應撝謙　古樂書二十四篇，二冊。抄本。

明鄭世子　樂舞全譜七卷，八冊。不全。　　**又　律學新説**四卷，四冊。

　　又　樂學新説一卷，一本。

前明鄭世子《樂書》，據云十九本者爲全。然不可考也。今記其進書之表内所稱之
名，就其現存所有之書而記之，以備後見者考焉。時爲乾隆十二年丁卯，歲十月朔
日，賓王年六十又六。

操縵古學譜壹本。連章奏及大字《序》，通計七十三頁。其奏稱所撰《律吕精義》一
部，計六冊。《律學新説》一部，計六冊。《樂舞合譜》一部，計捌冊。於萬曆三十四年
七月初九日進。

律吕精義陸本，通計陸百八十三頁。凡六卷，分内外篇。内篇之《目》一十有三：
總論造律得失第一，不宗黄鍾九寸第二，不用三分損益第三，不拘隔八相生第
四，不取圍徑皆同第五，新舊法參校第六，新舊律試驗第七，候氣辨疑第八，旋宫
琴譜第九，樂器圖樣第十，審度第十一，嘉量第十二，平衡第十三。外篇之《目》
八，其大概皆古今樂律雜説，而爲辨論附焉。萬曆丙申正世子載堉作《序》，時爲
二十四年也。

律學新説四卷，兩本，百八十一頁。萬曆十二年甲申序。

樂學新説五十六頁。　　**樂經古文**四頁。　　**算學新説**五十。合訂壹本。
其稱律學一，樂學二，算學三，韻學四。查於算學已下竝無所謂韻學，或係不全，或余
查考尚未確也。容再細行考訂。未稱刻竣于萬曆三十一年八月。

曆學新説進于萬曆二十二年六月，以聖壽萬年曆二卷居首，次以備考三卷作一本，通
計百三十四頁。以《律曆融通》四卷、《音義》一卷作一本，通計百三十六頁。

旋宫合樂譜壹本。總論復古樂以節奏爲先，通計九十一頁，壹本。

鄉飲詩樂譜總論鄉飲樂有磬無鍾。凡設樂皆有鍾有磬，惟此有磬無鍾之磬具，則謂
之金磬玉振，其無鍾者則不謂之金磬。第云玉振，又云鄉飲樂有瑟無琴、有磬無鍾、
有笙無簫，蓋樂之略者也。有《設席設樂圖》，共一十有二。樂工瞽者，有相。爲卷
六，通計二百二十八頁，二本。

六代小舞六卷，通計乙百六頁，一本。總論學古歌舞，以永、轉二字爲衆妙之門。

小舞鄉學譜總論學樂學舞孰先一卷，内有圖，通計三十五頁。　　**又　宋儒
朱熹論舞大略**一卷，内有圖，通計三十七頁。合訂，壹本。

靈星小舞譜靈星祠各以后稷配食天田星也。不分卷，有圖，通計二百頁，訂兩本。

現存十三種，共十九本。

傳是樓經部春秋

宋板巾箱本**左傳杜注**附《春秋二十國年表》。十二冊。

春秋左氏傳秘閣抄本。三十卷，十五冊。

唐陸淳　**春秋集傳纂例**十卷。　　**微旨**三卷。　　**辨疑**十卷，共四冊。錢唐龔氏板。

宋徐晉卿　**春秋類對賦**乙卷，乙冊。

三楚隱士蕭楚子荆　**春秋辨疑**十卷，七十八頁。

宋劉敞　**春秋傳**十五卷。　　**權衡**十七卷。　　**意林**二卷，共五冊。

宋呂祖謙　**左氏傳説**二十卷，三冊。　　又　**左傳類編**六卷，二冊。抄本。

宋板**東萊左氏博議**二十五卷，八冊。《左傳》爲題，作文辨論，若今之時文調。

宋章冲　**春秋左傳事類始末**五卷，五冊。

元程端學　**春秋三傳辨疑**二十卷，七冊。抄本，不全。

元張以寧　**春王正月考**乙卷　**辨疑**乙卷。抄本。

明孔克堅等編　**春秋本末**二冊。抄本，不全。

明郭登　**春秋左傳直解**十二卷，十二冊。

明呂柟　**春秋説志**乙冊，缺下冊。

明童品　**春秋經傳辨疑**乙卷，一冊。抄本。

馬騂　**春秋探微**十四卷，三冊。抄本。（已見論説作深微。）

春秋旁註四卷，一冊。

周光鎬　**左傳節文註略**十五卷，五冊。

郝敬　**直解**十五卷，二冊。

明穆文熙編纂　**春秋戰國評苑**（《左傳》三十卷，《國語》二十一卷，《國策》十卷。）共三十冊。

姚舜牧　**春秋疑問**十二卷，四冊。

潛齋先生　**三傳廣詁**六冊。

錢㮐　左求二卷,乙冊。

孫承澤　春秋程傳補二十卷,五冊。

朱鶴齡　讀左日鈔十二卷。　補鈔二卷,二冊。

顧亭林先生　左傳杜解補正三卷。抄本。

魏禧　左傳經世鈔八卷,二冊。

宋呂大圭　春秋或問二十卷,六本。

傳是樓論語

蔡節　論語集說十卷,四冊。

聖蹟圖一冊　聖賢像贊二冊。

傳是樓孟子

宋板南軒先生詳說七卷,四冊。

宋蔡模　集註纂疏十四卷,三冊。

元板讀晦庵集解衍義十四卷,二冊。

思問錄乙卷。抄本。

傳是樓孝經

宋板唐陸德明孝經今文音義乙卷。　論孟音義附乙冊。

元沈易之　旁訓乙卷。

詹大衢　瀹注十八卷,一冊。

傳是樓經書總部參[也是園][文獻通考][山堂考索]

十三經註疏易、書、詩、儀禮、周禮、禮記、春秋左傳、公一穀、爾雅、論語、孝經、孟子。

周易 魏尚書即王弼輔嗣注六十四卦六卷,晋韓伯康伯注《繫辭》以下三卷,王弼又撰《易略例》乙卷。唐孔穎達正義十四卷,《序》稱江南義疏有十餘家,辭尚虛誕,皆所不取。唯王弼獨冠古今,以之爲本,採益諸説。

書經 漢諫大夫魯孔安國承詔爲五十九篇作傳;凡二十卷。唐國子祭酒孔穎達正義二十卷,雖包貫詳博,然不無謬冗。馬嘉運駁正其失,永徽中于志寧等就加增損,始布天下。

毛詩 毛傳鄭箋。周卜子夏序,漢毛公萇傳,鄭氏玄箋,凡二十卷。孔穎達正義二十卷

儀禮 十七卷。鄭玄註,唐太學博士賈公彦正義。《通考》:《儀禮疏》五十卷,唐賈公彦撰。齊黄慶隨、李孟悊各有疏義,公彦删爲此書。詔邢昺正之。

周禮 漢大司農鄭玄註四十二卷,賈公彦疏。《經籍志》:"鄭十二卷,賈五十卷。"《通考》:"鄭十二卷,賈疏十二卷。公彦洺州人,永徽中仕至太學博士,史稱著此書四十卷,今併爲十二卷。世稱其發揮鄭學,最爲詳明。"《考索》:"賈撰疏五十卷。"

禮記 陸德明曰:"此記二禮之闕遺,①故是禮記。"陳氏曰:"漢信都王太傅戴延君删劉向之煩,爲八十五篇。九江太守戴聖次君又删爲四十九篇,即今本也。"四十九卷,鄭玄注。孔穎達正義七十卷。《也是園目》:"孔疏六十三卷。"

春秋左傳 晋杜預注三十卷,孔穎達正義三十六卷,孔疏六十卷。

穀梁 晋豫章太守順陽范甯註,十二卷。唐國子助教楊士勛疏,十二卷。一作二十卷。

公羊 漢司空掾任城何休邵公孝,②二十八卷。春秋公羊疏三十卷,不著名氏,援證淺局,出於近世。或云徐彦撰,皇朝邢昺奉詔是正,以補三家之旨。

論語 魏尚書南陽何晏集註,二十卷。宋邢昺疏。

孟子 漢趙岐邠卿註,宋孫奭疏,十四卷。

孝經 鄭玄註,邢昺疏,九卷。鄭註一卷,邢疏三卷。孝經十八章,鄭氏註。或云鄭玄,其立義與玄所注餘書不同,唐劉子玄證其非玄者十有二,諸儒遜之。

爾雅 郭璞註,邢昺正義,十二卷。一作十一卷。晋著作佐郎郭璞景仲註五卷,邢正義十卷。

七經小傳(尚書、毛詩、周禮、禮記、公羊、國語、論語)

六經奧論(易、詩、春秋經、三禮經、樂書、周禮經)

---

① "禮",原作"扎",據上海圖書館藏舊抄本(以下簡稱舊抄本)改。
② "孝"疑"註"字之訛。

六經正誤（易、書、詩、禮記、周禮、春秋左氏傳。一百五十九頁。）

熊氏經説（易河圖洛書、易詩書古韻、古今文尚書、春秋儀周禮記、禮記、儀禮、大小戴禮記、雜説）

十一經問對（論語、孝經、孟子、大學、中庸、尚書、毛詩、周禮多闕文、儀禮、春秋、禮記多闕文）

通志堂經解　凡目載卷數，不開本數，緣訂可厚薄也。此書竟有一種衹數頁者，故開本數以識。

易

子夏易傳十一卷，二本

宋王衢（留牧）　易數勾隱圖上中下三卷，共四十八頁　又附遺論九事一卷，十三頁

宋張載（子厚）　橫渠易説三卷，二本

宋同州（王湜）　易學一卷，三十六頁

宋忠獻（張浚）　紫巖易傳十卷，四本

宋朱震（子發）　漢上易傳十一卷附卦圖三卷叢説一卷，共六本

宋吳沆（環溪）　易璇璣上中下三卷，一本

宋李衡（樂庵）　義海撮要十二卷，四本

宋沈該（元雅）　易小傳六卷，二本

宋趙彥肅（子欽）　復齊易説六卷，一本

宋呂祖謙（成公）　古周易（費直、王弼、呂氏周易古經，鄭康成、晁氏、睢陽王氏、東萊呂氏、九江周氏）共四十二頁

宋王宗傳（景孟）　童溪易傳三十六卷，六本

宋林至（德久）　周易裨傳二卷，十六頁　外篇二十頁

宋吳仁杰（斗南）　易圖説三卷，一本

宋胡方平（玉齋）　易學啓蒙通釋二卷，二本

宋項安世（平父）　周易玩辭十六卷，四本

宋鄭汝諧(舜舉)　東谷易翼傳二卷,二本

宋朱元昇(日華)　三易備遺十卷,三本

宋李心傳(秀巖)　丙子學易編,一本,襯

宋稅與權(巽父)　易學啓蒙小傳一卷,一本

宋林光世(逢聖)　水村易鏡一卷,一本

宋朱鑑(子明)　文公易說二十三卷,八本

宋王申子(巽卿秋山)　周一作大易輯說十卷,五本

宗室趙汝楳(汴水)　周易輯聞六卷　附易雅一卷　筮宗一卷
　共六本

宋董楷(正叔)　周易傳義附錄十四卷,十二本

元李簡(蒙齋)　學易記九卷,八本

元許衡(文正)　讀易私言十三頁

元俞琰(石澗)　大易集說十卷,七本

元胡一桂(雙湖)　周易本義附錄纂註十五卷　又　啓蒙翼傳
三篇　外篇一篇　共六本

元胡炳文(雲峯)　周易本義通釋十卷,四本

元吳澄(艸廬)　易纂言十三卷,四本

元熊良輔(梅邊)　周易本義集成十二卷,四本

元董真卿(季真)　周易會通十四卷,六本

元張理(仲純)　易象圖說上中下三卷,一本　又　大易象數鉤
深圖上中下三卷,三本

元梁寅(孟敬)　周易參義共十二卷,四本

宋道士雷思齋(齊賢)　空山易圖通變五卷,一本

易筮　未見

成德　合訂刪補大易集義粹言八十卷,二十本,陳隆山集義,曾
穜粹言

書

宋薛季宣（士龍）　古文訓十六卷，三本

林之奇（拙齋）　全解四十卷，十二本

程大昌（泰之）　禹貢論四卷，一本（此有註無圖者。賓王于雍正間①於桐鄉金星軺檀文瑞樓藏書中，曾見全圖宋刻本，名《禹貢圖注》，借校。此本除無圖外，注文亦多脫落差誤，間亦有宋本刊誤者。曩玉峯傳是樓開彫是書，搜羅善本，獨此種未見宋刻，致有遺誤。倘得有力者照刊易入，以補前人所未逮，則此書方稱全美云。）

黃度（宣獻）　尚書說七卷，一本

時瀾　增修東萊書說三十五卷，四本。金華人，東萊高弟。

王柏（文憲）　書疑九卷，乙本

陳大猷（東齋）　集傳或問上下兩卷，乙本

傅寅（同叔）　禹貢集解兩卷，兩本，有圖

胡士行（廬陵）　詳解十三卷，兩本

元金履祥（文安）　表注上下卷，乙本

王天與（東蟻）　纂傳四十六卷，四本

董鼎（鄱陽）　書傳輯錄纂注六卷，三本

吳文正澄（艸廬）　書纂言四卷，兩本

陳師凱（廬山）　蔡傳旁通六卷，有上下，三本

朱祖義（子由）　句解十三卷，乙本

陳櫟（定宇）　集傳纂疏六卷，兩本

黃鎮成（貞文）　通考十卷，三本

王充耘（耕野）　讀書管見兩卷，乙本

胡中一（允文）　定正洪範四十二頁

---

① "于"原誤作"子"，據舊抄本改。

詩

唐成伯瑜　指説乙卷,十六頁

宋歐陽修　本義十五卷　附鄭氏詩譜,六本

李樗(迂仲)、黃櫄(實夫)　集解四十二卷,十本

蔡元度　名物解二十卷,八本

張耒(文潛)　詩説一卷,共六頁

王柏(魯齋)　詩疑兩卷,三十五頁

朱鑑(子明)　詩傳遺説六卷,兩本

宋人(失名)　逸齋詩補傳三十卷,六本

元許謙(白雲)　名物鈔八卷,四本

朱倬(孟章)　疑問七卷,有附,共七十一頁

明朱善(備萬)　毛詩解頤四卷,兩本

春秋

宋孫復(泰山)　尊王發微十二卷,兩本

王晳(太原)　皇綱論五卷,乙本

劉敞　春秋傳十五卷,二本　又　權衡十七卷,四本　又　意林兩卷,乙本

馮繼先　名號歸一圖兩卷,一本,已刻,見《春秋左傳》首

王當(子恩)　列國臣傳三十卷,兩本

崔子方(西疇)　本例二十卷,兩本

趙鵬飛(企明,木訥子)　經筌十六卷,六本

葉夢得(少蘊)　石林春秋傳二十卷,四本

陳傅良(文節)　後傳十二卷,兩本

呂祖謙(成公)　集解三十卷,八本　又　左氏傳説二十卷,
　兩本

章沖(茂深)^①　左傳事類始末五卷,三本

陳則通(鐵山)　提綱十卷,乙本

李琪(竹湖)　王霸列國世紀三卷,乙本

黃仲炎(若晦)　通說十二卷,兩本

張洽(元德)　集注十一卷,兩本

呂大圭(樸卿)^②　或問二十卷,四本　又　五論二十四頁

家鉉翁(則堂)　詳說三十卷,八本

徐晉卿(秘書)　類對賦三十一頁

元齊履謙(伯恆)　諸國統紀六卷,乙本

程端學(積齋)　或問十卷,兩本　又　本義三十卷,九本

趙汸(東山)　集傳十五卷,四本　屬辭十五卷,四本　師說三
　卷,乙本(東山《師說》乃遵其師黃楚望澤之説也。後有附錄
　一卷。)　左氏傳補注十卷,乙本。已上俱有專刻

李廉(廬陵)　諸傳會通二十四卷,六本

俞皋　集傳釋義大成十二卷,四本

陳深(清全)　春秋編十二卷,兩本

明張以寧(翠屏)　春王正月考三卷,乙本,有辨疑

禮記

宋聶崇義　三禮圖二十卷,乙本

王與之(東巖,字次點)　周禮訂義八十卷,十六本

林希逸　考工記解上下卷,兩本

楊復　儀禮圖十七卷　附旁通圖共五本

衛湜(正叔)集說乙百六十卷,三十本

----

① 原誤作"章茂沖(深)",據舊抄本及《宋史·藝文志》改。
② "圭"原誤作"生",據舊抄本及《文淵閣書目》、《千頃堂書目》改。

葉時（秀發　文康）　禮經會元四卷，①二本
鄭伯謙（節卿）　太平經國之書十一卷，②乙本
傅崧卿　夏小正解四卷，十四頁
元敖繼公（君善）③　儀禮集説十七卷，十本
吳澄　儀禮逸經傳乙卷，四十七頁
汪克寬（環谷）　經禮補逸九卷，乙本
成德　陳氏集説補正三十八卷，四本

孝經

唐元宗注　司馬光指解　范祖禹説乙卷，共二十一頁
元董鼎（季亨，深山先生）　大義乙卷，二十頁
吳澄　定本乙卷，共二十四頁
朱申（周翰）　句解乙卷，十八頁

四書

宋趙順孫　纂疏二十六卷，八本
真德秀（文忠）　集編二十六卷，四本
張栻（南軒）　論語十卷，兩本
孟子七卷，三本
蔡節（仲覺）　論語集説十卷，兩本
蔡模（覺軒）　孟子集疏十四卷，兩本
孫奭（宣公）　孟音義兩卷，二十一頁（補《釋文》之闕）
元胡炳文（雲峯）　四書通二十六卷，八本

---

① “禮經”，舊抄本作“周禮”。
② “太平”，舊抄本作“周禮”。
③ “善”原誤作“菩”，據舊抄本改。

張存中(德庸)　通證六卷,一本(附《四書通》)

詹道傳　纂箋二十六卷,八本(《凡例》內稱尊王魯齋句讀,今無魯齋先生。用五色筆批閱句讀,與時藝不合,且套板刷印繁難。)

朱公遷(克升)　通旨六卷,兩本　又　辨疑十五卷,兩本

景星(訥庵)　學庸集說啓蒙乙卷,乙本

總經解

唐陸德明　經典釋文三十卷,八本(內無《孟子》)

劉敞　七經小傳(書、詩、禮、周禮、儀禮、公羊、論語)三卷,六十一頁

鄭樵(夾漈)　六經奧論(易、詩、書、春秋、禮經、周禮經、樂書)六卷,二本

毛居正　六經正誤(易、詩、書、禮、春秋、公、穀)六卷,二本

熊朋來(與可)　經說(易、詩、書古韻,春秋三,儀禮、周禮、禮記四,儀禮、禮記五,大、小戴禮六,雜記七)七卷,兩本

何異孫　十一經問對五卷,二本(五經[無《易》]、周禮、儀禮、孝經、大、中、論、孟)

明蔣悌生(仁叔)　五經蠡測六卷,乙本

傳是樓刻經解

易

子夏易傳十一卷

宋留牧(定山)　易數鉤隱圖三卷(附遺論九事乙卷)

宋張載　橫渠易說三卷

宋王湜　易學乙卷,上中下,乙本

宋張浚(忠獻公)　紫岩易傳十卷,四本

宋朱震(子發)　漢上易傳十一卷(附卦圖三卷、叢説乙卷),
　六本

宋吳沆(環溪)　易璇璣三卷

宋李衡　周易義海撮要十二卷,四本

宋沈該　易小傳六卷,二本

宋趙彦肅(子欽)　復齋易説六卷,一本

宋吕祖謙　古周易乙卷,各種共四十二本

宋王宗傳　童溪易傳三十卷,六本

宋林至　周易裨傳二卷

宋吳仁杰　易圖説三卷,一本

宋胡方平　易學啓蒙通釋二卷,二本

宋項安世　周易玩辭十六卷,四本

宋趙汝譡　東谷易翼傳二卷,二本

宋朱元昇(日平)　三易備遺十卷,三本

宋李心傳(秀岩)　丙子學易編乙卷,一本

宋税與權　易學啓蒙小傳乙卷,一本

宋林光世　水村易鏡乙卷,乙本

宋朱鑑　文公易説二十三卷,八本

宋王申子(秋山)　周易輯説十卷,二十本

宋趙汝楳　周易輯聞六卷(附《易雅》乙卷,共六本。《筮宗》
　乙卷)

宋董楷　周易傳義附録十四卷,十二本

元李簡　學易記九卷,八本

元許衡　讀易私言乙卷

元俞琰　大易集説十卷,七本

元胡一桂　周易本義附録纂註十五卷　又　啓蒙翼傳三篇外

篇一篇(共六本)

元胡炳文　周易本義通釋十二卷,四本

元吳澄　易纂言十三卷,四本

元熊良輔　周易本義集成十二卷,四本

元董真卿　周易會通十四卷,二本

宋雷思齊　易圖通變五卷,一本

元張理　易象圖説三卷　又　大易冢數鉤深圖三卷,三本

元梁寅　周易參義十二卷,四本

成德　合訂删補大易　陳隆山　曾穜義粹言八十卷,[①]二十本

書

宋薛季宣(士龍)　古文訓十六卷,三本

宋林之奇(拙齋)　全解四十卷,十二本

宋程大昌　禹貢尚論四卷,一本

宋黄度(宣獻)　尚書説七卷,一本

時瀾　增修東萊書説三十五卷,四本

宋王柏　書疑九卷,一本

陳大猷　書集傳或問二卷,一本

傅寅　禹貢集解二卷,一本

胡士寅　詳解十三卷,二本

元金履祥　表註二卷,一本

元王天與　纂傳四十六卷,四本

元董鼎　書傳輯録纂注六卷,三本

元吳澄　書纂言四卷,二本

陳師凱　蔡傳旁通六卷,四本

---

①　此處文字錯訛,當作"陳隆山集義,曾穜粹言"。

朱祖義　句解十三卷,一本

元陳櫟(定宇)　集傳纂疏六卷,二本

元黃鎮成　通考十卷,三本

元王充耘(耕野)　讀書管見二卷,一本

胡一中(允文)　定正洪範四十二頁

詩

唐成伯瑜　指説乙卷

宋歐陽修　本義十五卷(附《鄭氏詩譜》六本)

宋李樗　黃櫄　集解四十二卷,十本

宋蔡元度　名物解二十卷,八本

宋張耒　詩説乙卷

宋王柏　詩疑二卷

宋朱鑑　詩傳遺説六卷

宋□　逸齋詩補傳三十卷,六本

元許謙　名物鈔八卷

元朱倬　詩經疑問七卷

明朱善　毛詩解頤四卷

春秋

宋孫復　尊王發微十二卷,二本

宋王晢　皇綱論五卷,一本

宋劉敞　春秋傳十五卷,二本　又　權衡七卷,四本　又　意林二卷

宋馮繼先　名號歸一圖二卷,乙本

宋王當　列國臣傳三十卷,二本

宋崔子方　本例二十卷,二本

宋趙鵬蜚　經筌十六卷

宋葉夢得　石林春秋傳二十卷,四本

宋陳傅良　後傳十二卷,二本

宋呂祖謙　集解三十卷,八本　又　左氏傳說二十卷,二本

宋章冲　左氏傳事類始末五卷,三本

宋陳則通　提綱十卷

宋李琪　王霸列國世紀編三卷,一本

宋黃仲炎　通說十二卷

宋張洽　集註十一卷

宋呂大圭　或問二十卷,四本　又　五論乙卷

宋家鉉翁　詳說三十卷

宋徐晉卿(秋田)　對類賦乙卷

元齊履謙　諸國統記六卷,乙本

元程端學　本義三十卷,九本　又　或問十卷,二本

元趙汸　集傳十五卷,四本　又　屬辭十五卷,四本　又　師
　說三卷,乙本　又　左氏傳補註十卷,乙本

元李廉　諸傳會通二十四卷,六本

元俞皋　集傳釋義大成十二卷。内載左、公、穀、胡、陳、張,張
　洽、陳止齋也。四本

元陳深　讀春秋編十二卷

明張以寧　春王正月考二卷

禮記

宋聶崇義　三禮圖二十卷

宋王與之(東岩)　周禮訂義八十卷,十六本

宋林希逸　考工記解二卷,二本

宋楊復　儀禮圖十七卷(附《儀禮旁通圖》共五本)

宋衛湜　集説一百六十卷,三十本

宋葉時(文唐)　禮經會元四卷

宋鄭伯謙(節卿)　太平經國之書十一卷,一本

宋傅崧卿　夏小正解四卷

元敖繼公　儀禮集説十七卷

元吳澄　儀禮逸經傳乙卷

元江克寬　經禮補逸九卷,一本

明成德　陳氏集説補正三十八卷,四本

孝經

唐玄宗　宋司馬宗　范祖禹　註解乙卷

元董鼎　孝經大義乙卷

元吳澄　定本乙卷

元朱申　句解乙卷

宋張栻　南軒論語解十卷,二本

宋蔡節(仲覺)　論語集説十卷,二本

孟子

宋張栻(宣公)　南軒孟子説七卷,三本

宋蔡模(覺軒)　集疏十四卷,二本

宋孫奭(宣公)　音義二卷

四書

宋趙順孫　纂疏二十六卷,九本

宋真德秀　集編二十六卷,四本

元胡文炳(云峯)　四書通二十六卷,八本

元張存中　通證六卷

元詹道傳　纂箋二十六卷，八本

元朱公遷　通旨六卷，二本

元□　辨疑十五卷，二本

元景星　學庸啓蒙乙卷，乙本

總經解

唐陸德明　經典釋文三十卷，八本，無孟子

宋劉敞　七經小傳三卷

宋鄭樵　六經奧論六卷

宋毛居正　六經正誤六卷

宋熊朋來　經說七卷

何異孫　十一經問對五卷

明蔣悌生　五經蠡測六卷

錫山尤氏九經《易》、《詩》、《禮記》、《孝經》、《書》、《春秋左傳》、《周禮》、《論》、《孟》)

宋楊申　六經圖六卷，乙冊。南吏部倣宋刻。

元熊朋來　五經說七卷，二冊。

元蔣悌生　五經蠡測六卷，二冊。

經義標準乙卷，抄本。

明蔡汝楠　說經劄記八卷，五冊。

明陳耀文　經典稽疑二卷，一冊。抄本。

明鄧元錫　五經繹(十五冊，《易》五卷，《詩》三卷，《春秋》一卷，《書》二卷，《礼》四卷。)

明陳禹謨　談經苑四十卷，二十四冊。

高兆　六經圖二冊。

鄭樵　六經奧論六卷，四本。

元詹道傳　四書纂箋《學》、《庸》不著卷數，兩本。《論》、《孟》共二十四卷。作二十六卷分訂七本。《例》稱用王魯齋句讀及箋典故音釋。魯齋句讀本用五色,非套板不可,故未入。

高麗板四書大全十六冊。

宋王柏 手校四書集註二十四冊,抄本。

金王若虛 四書辨疑乙卷。

四書辨疑十五卷,四冊。新刊板。

元板蕭鎰四書待問二十二卷,一冊。

元袁俊翁 四書疑節十二卷,二冊。抄本。

四書集成乙冊。

明張居正 四書經筵直解十五冊。

明王守誠 四書翼傳三義十六卷,十六冊。蒙引、淺說、存疑。

冉覲祖 四書玩註詳解四十一冊。

陳說① **四書說**十卷,二冊。

國之蒲 四書中解二十六卷,十六冊。抄本。

明蔡虛齋清(介夫) 四書蒙引十五卷,二十本。嘉靖中林希元次崖較政。

明許讚 五經四書題義乙卷。

林希元次崖 **四書存疑**十六卷,五本。先生參詳《蒙引》,錯綜宋明諸儒,旁及百家臆解。

已上從傳是樓查增

明陳紫峯 四書淺說十三卷,五本。

明顧夢麟(麟士) 四書說約二十卷,十六本。

宋韶 四書達說

---

① "說",舊抄本作"詵"。

傳是樓經部小學

元板五音篇十五卷,四册。

元劉鑑　經史正音切韻指南乙卷。

元周德清　中原音韻乙卷。

明章黼　直音篇七卷,七册。

明黄諫　從古正文

明蘭廷秀　韻略易通二卷,一册。

許宗魯　類古今韻五卷,一册。

郭一經　字學三正四卷,四册。

余信　集古韻考五卷,一册。

吳國緒　詩韻更言五卷,五册。

顧亭林先生　音學五書八册。　又　音論一册。

張自烈　增補字彙十二卷,十二册。

韻瑞指南二卷,一册。抄本。

元朱世傑　四元玉鑑三卷,三册。抄本。算數。

淳化閣帖十卷,十册。

宋歐陽修　集古録十卷,四册。

元吾衍　周秦刻石音釋乙卷。

元劉惟志　字學新書摘鈔乙卷。

抄鍾鼎篆韻序乙卷。

明初板陶九成　古今書史會要九卷,四册。

釋文三注三卷,周興嗣《千字文》、李翰《蒙求》、胡曾《詠史詩》,三册。

明陳選　小學集注六卷,二册。

明王崇□　小學撮要六卷,二册。

明劉節　聲律發蒙四卷,四冊。

焦竑　養正圖解乙卷,二冊。

明張泰華　對類統宗十九卷,六冊。

明李紀　對纂合璧二十卷,八冊。

傳是樓史部正史

二十一史

史記百三十卷,帝記十二、年表十卷、八書八卷、世家三十卷、列傳七十卷,三十冊。唐司馬貞補《三皇本紀》并註,《孝景本紀》缺,《孝武本紀》缺,《漢興已來將相名臣年表》缺,俱褚少孫補。《礼書》取《荀子·礼論》補。《樂書》取《樂記》補。《律書》褚少孫補。《曆書》褚少孫補。《三王世家》褚少孫補。《傅靳蒯成列傳三十八》,褚少孫補。《龜策列傳六十八》,褚少孫補。十二冊。

前漢書百卷,帝紀十二、年表八、志十、列傳七十。起高祖,終于王莽之誅,二百三十九年。二十冊。　顏師古注,百二十八卷,十六冊。

後漢書宋范曄著。百二十卷,帝紀十(内第乙卷、第十卷有上下卷)、志三十、列傳八十(内第十八、第二十、第三十、第五十、第六十四、第六十九、第七十、七十二等卷,悉有上下卷,爲卷實一百三十),二十冊。　又《後漢》唐章懷太子賢注,百三十卷,十六冊。

三國志晋陳壽撰。六十五卷,魏志三十、蜀志十五、吳志二十,十二冊。裴松之注。八冊,二套。

晋書唐房喬玄齡撰。百三十卷,紀十、志二十、列傳七十、載紀三十。二十冊。太宗文皇帝御撰。三十二本。

宋書(《述古》有"南"字。)沈約撰。一百卷,十本紀、三十志、六十列傳。二十冊。十六冊。三套。九行,十八字。

南齊書梁蕭子顯撰。六十卷,今亡其一,存五十九卷,八紀、十一志、四十列傳。八冊。

梁書唐姚思廉撰,五十六卷,六本紀、五十列傳。八冊。又六冊。

陳書思廉撰。三十六卷,六本紀、三十列傳。四冊。

魏書（後魏）北齊魏收撰。一百三十卷，百十四篇，帝紀十二（上下二，缺二）、列傳九十二（上下四，缺二十二，不全三）、志十（上下十，缺二）。《崇文總目》：“齊天保中，始詔收撰史，成一代大典，追敘魏先祖二十八帝，下終孝靜，作十二紀、九十二列傳、十志。析之，凡百三十篇。時論者言收所著不平，詔諸家子孫共加討論，訴者百有餘人，喧爲穢史。僕射楊愔等與收皆親，抑訴勿論。今紀缺二卷，傳缺二十二，又三卷不全，志闕《天象》二卷。齊亡之歲，收以此招發冢棄骨之禍，隋文帝命魏澹等更撰九十二卷，今皆不傳，而收書獨行。”《中興書目》謂所闕《太宗紀》以澹補之，闕志以太素書補之。二書既亡，惟此紀、志獨存，不知何據也。二十册。九行，十八字。

北齊書隋唐李百藥撰。五十卷，本紀八、四十二列傳。八册。又五册。高歡。

周書（後周）唐令狐德棻撰。五十卷，本紀八、列傳四十二。六册。

隋書唐魏徵等撰。八十五卷，五紀、志廿、①五十列傳。又詔李淳風等裒綴三十卷，十四册。又十册。

南史唐李延壽撰。八十卷，紀十、列傳七十。起宋盡陳，百七十年。二十册。又十二册。

北史撰同前人。百卷，紀十二、傳八十八。起魏盡隋，二百四十二年。十二册。又十六册。

新唐書宋曾公亮、歐陽修、宋祁等撰。二百十卷，紀十、志五十（有上下六）、表十五（上下七）、傳百五十。三十册。《崇文總目》：“唐韋述撰《唐書》百三十卷，至德乾元以後。史官于休烈、令狐峘復于紀志傳後隨篇增輯，而不加卷帙。今書百三十卷，其十六卷未詳撰人名氏。”石晉宰相劉昫等撰，因韋述舊史增損以成，爲帝紀二十、列傳百五十，繁略不均。校之實錄，多所闕漏。又是非失實，故仁宗時删改焉。《唐書》二百二十五卷，二百四十八篇，四十册，十行，二十二字。

五代史宋歐陽修永叔撰。七十四卷，本紀十二、家人傳八、梁臣傳三、唐臣傳五、晉漢周臣傳各一、死節死事各一、唐六臣一、義佽宦各一、雜傳十九、司天考二、職方考一、世家十二、十國年譜一、四夷三。皇朝永叔以薛居正史[《五代史》一百五十卷]繁猥失實，重加修定，藏于家。永叔歿後，朝廷聞之，取以付國子監刊行，國史稱其繼班固、劉向，人不以爲過，特恨其晉出帝論，以爲因濮園議而發云。徐元黨註。五册。

宋史元丞相脱脱撰。四百九十六卷，紀四十七、志百六十二、表三十二、列傳二百五十五。八十册。又六十册。

---

① “廿”，舊抄本作“卅”。

遼史脱脱撰。百十六卷，十册。本紀三十、志三十一、表八、傳四十六。八册。

金史脱脱撰。百三十五卷，二十册，紀十九、志三十九、表四、列傳七十三。十二册。

元史明宋濂等撰。二百十卷。紀四十七；志五十三，實五十八卷；表六，實八卷；列傳九十七，五十册。二十四册。

汲古閣十七史止《五代史》。内《唐書》係《舊唐書》。二百七十三卷。今二十一史内係《新唐書》。訂百六十本。

宋板史記百三十卷。裴駰集解，八書闕，用別本司馬貞索隱補。五十六册。**宋板小本史記**三十二册。　　**元板史記**五十册。　　**宋板史記**四十册。

史記評林三十六册。　　**葛板史記**十八册。

> ［錢遵王敏求記］云：“唐尊老子爲玄元皇帝，開元二十三年勅升于《史記》列傳之首，處伯夷上。予昔藏宋刻《史記》有四，而開元本亦其一焉。今此本乃集諸宋板共成一書，小大短長，各種咸備。李沂公取桐絲之精者，雜綴爲一琴，謂之百衲，予亦戲名此爲《百衲本史記》，以發同人一笑云。”

宋板後漢書九十卷。　　**補志**三十卷，四十册。

宋板熊方經進後漢書集補年表十卷，六册。

宋板晉書百三十卷。　　**楊正衡音義**三卷，三十册。

元歐陽玄　太平經國二百十二卷，即《宋史》。一百册，抄本，闕第十四册。

馬驌　繹史百六十卷，四十四册。又一部二十二册。　　**馬宛斯　繹史**百六十卷，爲部有五，曰：太古十卷，三代二十，春秋七十，戰國五十，外錄十卷。康熙九年刻。

司馬溫公　資治通鑑目錄三十卷，十六册。紫陽朱氏序曰：“先正溫國司馬文正公，受詔編集《資治通鑑》，既成，又撮其精要，剔爲《目錄》三十卷，併上之。”

治平《資治通鑑》：治平三年四月，命龍圖閣學士司馬光編歷代君臣事迹，欲上自戰國，下迄五季，正史之外，兼采他書，關係國家興衰，生民休戚，善可法、惡可戒者，依《左氏》體爲編年一書，名曰《通志》，凡八卷。英宗悦之，命續其書。以劉恕、趙君錫同修，賜名《資治通鑑》。凡二百九十四卷。上起戰國，下終五代，凡一千三百六十二年。又略舉事目，年經國緯，爲《目錄》三十卷。參考羣書，評其同異，俾歸一塗，爲《考略》三十卷。合三百五十四卷。周紀五，秦紀三，漢紀六十，魏紀十，晉紀四十，宋紀十六，齊紀十，梁紀二十二，陳紀十，隋紀八，唐紀八十一，後梁紀六，後唐紀八，後晉紀六，後漢紀四，後周紀五。天台胡三省音注，後附《通鑑釋文辨誤》十二卷。

增節標目音注精議資治通鑑百二十卷，五十冊。呂東萊集本。金泰和甲子平
　　陽張氏刊本。

資治通鑑前編二十五卷，十二冊。　　渭上南軒

朱子綱目五十九卷，七十冊。陳樫。末卷附。續編二十七卷。上接通
　　鑑綱目。始宋建隆庚甲，終元至正丁未，凡四〇八年。總二十七
　　卷，二十八冊。

資治通鑑綱目集説前編二卷。　　正編五十九卷，二十九冊。内府板。

呂祖謙　大事記通釋三卷。　　解題二卷，六冊。

宋板朱黻　三國六朝五代紀年總辨二十八卷，十冊。

宋板皇朝通鑑長編紀事本末百五十卷，四十套。不全。廬陵歐陽守道校。

宋板皇朝中興紀事本末七十六卷，十二冊。

元徐訖　續通鑑要言二十卷，十冊。舊抄本。

元劉時舉　續宋編年資治通鑑元板。十五卷，四冊。

元張光啓　資治通鑑節要續編三十卷，十五冊。元板。

明王禕　大事記續編七十七卷，十六冊。

明張時奉　續資治通鑑綱目廣義十七卷，六冊。

明丘濬　世史正綱三十二卷，十冊。

劉用章　通鑑節要續編三十卷，六冊。

明薛應旂　甲子會記五卷，四冊。

王宗沐　宋元資治通鑑六十四卷，十冊。

馮琦　宋史紀事本末二十八卷，十冊。張天如本百九卷，十六冊。

陳邦瞻　元史紀事本末六卷，二冊。張天如本二十七卷，四冊。

朱全古　綱鑑正業全書百二十卷，七十冊。抄本。

芮長恤　通鑑綱目分注拾遺四卷，二冊。

元滕賓　萬邦一覽集乙卷。抄本。

歷代帝王紀年纂要乙卷。抄。

夏允懷　年號大全乙卷。抄本。

宋倪思　班馬異同三十五卷,六册。　又　劉辰翁　班馬異同三十五卷,五册。

明許浩　宋史闡幽乙卷。　又　元史闡幽乙卷。

梁夢龍　史要編十卷,四册。

于慎行　讀史漫録十四卷,六册。

張大齡　晋唐指掌二卷,五册。

楊一奇　史論補五卷,二册。

錢棻　史尚四卷,二册。

彭而述　讀史續編八卷,二册。　又　讀史外編八卷。　又　宋史外編四卷,一册。

元胡一桂　十七史纂古今通要前集十七卷。　後集三卷,十册。[一册六十九頁]元板。　又四册,抄本　元板史纂通要後集三卷,六十九頁。前二卷宋,後一卷元,元董鼎季亨纂

元鄭鎮孫　直説通略十三卷,五册。

明王洙　史質百卷,十二册。

明蔡申　宋元通鑑節略二卷,二册。

明鄧元錫　史記略四卷,二册。

馮時可　南史伐山八卷,四册。

況叔祺　二史會編五卷,五册。

余文龍　史異編十七卷,四册。

姚舜牧　史綱要領二十六卷,六册。

沈天祥　史氏易求四册,抄本。

傳是樓雜史

元板唐吴兢　貞觀政要十卷,四册。

宋尹洙　五代春秋二卷,乙册。抄本。

五國故事二卷，一册。抄本。

宋曾鞏　隆平集二十卷，四册。

宋范祖禹　仁皇訓典六卷，二册。

宋板巾箱本漢唐事實十卷，六册。

宋三大臣彙志十九卷，四册。

宋李心傳　建炎以來朝野雜記甲集二十卷。　乙集二十卷，六册。
抄本。

宋章穎　南渡十將傳三册，抄本，不全。

宋岳珂　金陀粹編二十八卷。　續編三十卷，十二册。（前編六册。其孫岳珂編。岳鄂王武穆所著併事，當入宋人文集。前人編入雜史，不知何謂。）

元板宋季三朝政要六卷，一册。

宋葉隆禮　契丹國志二十七卷，〔敏求記〕隆禮書法謹嚴，筆力詳贍，洵有良史風，具載兩國誓書及南北通使禮物，盍深有慨於海上之盟，使讀者尋其意於言外耳。棄祖宗之宿好，結虎狼之新歡，自撤藩籬，孰當捍蔽青城之禍？詳其流毒，實有隱痛焉。存遼以障金，此則隆禮之志也。至夷契丹爲國，不史而志之，其尊本朝也至矣。予特表而出之。

宇文懋昭　大金國志四十卷，三册。〔敏求〕懋昭於端平元年表上所輯《大金國志》。懋竊祿金朝，爲淮西歸正人，宋改授承事郎、工部架閣。其所載誓書下直書差康王出質，且詳列北遷宗族等於獻俘，可謂無禮於其君至矣。敢於表上具書，而端平君臣竟漫置不省，何也？

元板趙居信蜀漢本末三卷，三册。

元蘇天爵　國朝名臣事略十五卷，四册。元板。

宋史道學傳四卷，一册。

宋列傳五册。

明程敏政　宋紀受終考三卷，一册。

明陳士元　荒史六卷，乙册。

古史通略乙卷，二册。

明魏顯國　歷代相傳百六十八卷，二十四册。

明劉廷元　宋名臣言行略十二卷，十二册。

明祁爾光　宋西事案二卷，二冊。

明程元初　季周傳十二卷，二冊。

明許重熙　邃古通略五卷，二冊。

吳任臣　十國春秋百十四卷，八冊。

通鑑本末紀要四十二本。

宋元紀事本末十六本。

明太祖本紀一本抄。

讀史舉要

矯亭存稿二本　續稿二本抄綿。

鄉校礼輯五本綿。

指掌編一本

輦下和鳴集

酌中志兩本抄。

屯田志六本綿紙抄。

典故紀聞六本綿。

詩地理考二本

傳是樓實錄補接穆宗。

明神宗實錄

明光宗實錄八卷，四冊。

明興獻帝實錄五十卷，二冊。

明顯宗實錄二十冊。

皇明實錄紀東宮事，一冊。

史館實錄乙卷。

永樂聖政記三冊。

世神兩朝

何喬遠　名山藏四十冊。

明劉振　識文録五十二冊,抄本。

邵相　皇明啓運録十卷,五冊,抄本。嘉靖時人。

涂山　明政統宗三十卷,十八冊。

明十六朝廣彙記二十八卷,二十四冊。

皇明傳信録七卷,二冊。

陳懿典　聖學紀要乙卷。　聖政紀要二卷,一冊。

項篤壽　聖朝路紀八卷,六冊。

周永春　皇明政紀纂要二卷,二冊。

明昭代紀略六卷,八冊。

談遷　國榷二十九冊,抄本。缺。

谷應泰　明史紀事本末八十卷,二十冊。

國史類編八冊。

鄧士龍　國朝典故百十卷,卅六冊。

徐學聚　國朝典彙二百卷,六十冊。

明訓録類編三十九卷,五冊。抄本。

成憲録十卷,二冊。

曹育賢　明類考二十二卷,四冊。

交泰録二卷,二冊。

宋存標　皇明都俞録十一卷,四冊。

張萱　西園聞見録百冊。抄本。

洪武録要二卷,二冊。

朱睦㰂　聖典二十四卷,八冊。

王象乾　開天玉律四卷,四冊。

何棟如　皇祖四大法十二卷,六冊。

明孝陵圖一冊。

楊學可　明氏實録一卷。明玉珍事。

奉天靖難紀_{四卷，一册。}

史仲彬　致身録_{乙卷。}

姜清　姜氏秘史_{乙卷。}

許有穀　皇明忠義存褒_{十一卷，一册。}

張朝瑞　遜國忠節録_{六卷，二册。}

朱國禎　遜國臣傳_{五卷，二册。}

陳仁錫　壬午書_{二卷，二册。}

惠宗本紀_{乙卷。}

景泰事迹_{一册。}

葉盛　水東日記_{四十卷，四册。}

萬敏　太倉州平海記事_{乙卷。}

明御製龍飛録_{一册。}

夏言　陵祀扈蹕録_{一卷。}

徐學謨　世廟識餘録_{二十六卷，四册。}

范守己　肅皇大謨_{四十六卷，三册。抄本。}　又　肅皇外史_{四十六卷，八}
　_{册。抄本。}

支大綸　永陵編年信史_{四卷。}　又　昭陵編年信史_{二卷，共二册。}

潞城紀略_{一册。}

項鼎鉉　名臣寧攘前編_{八册。}

許重熙　五朝注略_{十四卷，四册。}

陳□□　左陛紀略_{十四册，抄本。官右春坊右諭德，兼翰林院侍講。萬曆朝記注。}

萬曆□綸録要_{六册，①一册。}

申時行　召對録_{乙卷。}

蔡毅中　皇明祖訓節略注疏_{二卷，一册。}

瞿九思　萬曆武功録

---

　①　“册”，舊抄本作“卷”。

李化龍　平播全書十五卷，十五冊。

諸葛元聲　兩朝平攘錄五卷，三冊。

萬曆辛亥京察紀事本末八冊。

吳玄　吾徵錄三卷。　節略三卷，五冊。

楊惟休　泰昌日錄乙卷。

蔡士順　同時尚論錄十六卷，六冊。　又　傃庵野抄十卷，五冊。起天啓辛酉，止戊辰九月。廷陛旨疏併召對錄。

金日升　頌天臚筆二十四卷，十七冊。

天啓邸抄四冊，抄本。

劉若愚　酌中志二十三卷，二冊。　勺中志餘乙冊。

王在晉　三朝遼事實錄十七卷，十冊。

金日升　太平洪業

茅元儀　范陽乙丙紀事乙冊。　又　掌記六卷。

崇禎典禮記一冊。

陳夢璧　東事紀略乙卷，記登州變事。

蔣德璟　慇書

李清　三垣筆記二冊。

吳偉業　綏寇紀略十二卷，三冊。

流寇紀略一冊。

夏允彝　幸存錄一冊。

中興頌治三卷，二冊。

南都七略一冊。

蜀難叙略一冊。記華陽知縣沈雲祚死難事。

李光璧　汴圍實錄乙卷。記壬午年開封府事。

行朝錄三卷，一冊。抄本。

楊山松　孤兒籲天錄十六卷，四冊。

袁裒　金聲玉振集二十冊。

明太祖　周顛仙傳

天潢玉牒

宋濂　洪武聖政記

張紞　機務抄黃

劉辰　國初事蹟

陸深　平元錄

黃諫　帝王紀年

禮賢錄

北平錄

平蜀記

葉盛　水東日記

王鏊　震澤紀聞

王錡　寓圃雜紀

薛瑄　讀書錄

崔銑　易大象說

崔銑　小爾雅

李夢陽　空同子

何景明　大復論

馬文升　西征石城記

馬文升　撫安東記

馬文升　哈密記

王瓊　西番事蹟

六詔紀聞

馮世雍　呂梁洪志

伍餘福　三吳水利論

海道經

革除遺事

崔銑　松窗寱言

刑賞録

祝允明　蘇材小纂

岳正　蒙泉雜言

祝允明　浮物

祝允明　讀書筆記

顧璘　國寶新編

平漢録

尹直　北征事蹟

金幼孜　前北征録

金幼孜　後北征録

楊榮　後北征記

許誥　平番始末

朱紈　茂邊紀事

崔旦　海運編

吳寬　平吳録

王瓊　北虜事蹟

蔡羽　太藪外史

唐順之　廣右戰功

萬表　海寇議

沈節甫　國朝紀録彙編二百十六卷，五十八册。

王世貞　弇山堂別集一百卷，二十册。　又　史乘考誤七卷。　又董
　復表彙次　弇州史料前集三十卷。　又　後集七十卷，二十册。

黄景昉　國史唯疑十二卷，二册。抄本。

國朝遺事三册。

明雜史十册。

明野史彙八册。

明雜紀一册。

明紀略八册。

戒勅功臣鐵榜一卷。

黃金　開國功臣録三十一卷，十册。

鄭汝璧　功臣封爵考八卷，七册，缺一册。

開國功臣年表一卷。

孝文以來功伐封者年表乙卷。

外戚恩澤封者年表乙卷。

李贄(卓吾)　藏書六十八卷(辨論東周訖元君臣)　又　**續藏書**二十七卷(辨論明朝君臣)，共三十册。

焦竑　國史獻徵録百二十卷，百二十册。缺二册。續集三十七卷，十册。

瞿汝説　皇明臣略纂聞十二卷，六册。

林之盛　應諡名臣考十二卷，四册。

范景文　國朝大臣譜十六卷，十六册。缺一册。

聖朝名世列傳四册。

熙朝名世實録十册。

明史遺亡乙卷。

明史斷略乙卷。

故明論三册。

補史部典故《大唐六典》見《職官》。

宋趙升　朝野類要五卷，一册。抄本。

元王士點(東平人，字繼志。)　**禁扁**五卷，一册。抄本。虞集，歐陽玄《序》。

明唐瑤　歷代志略

明歷代臣鑒三十七卷，五册。內府板。

孫承恩　鑒古韻語乙卷。

徐學聚　歷朝璫鑑四卷,乙册。

張世則　貂璫史鑑四卷,二册。

鄒泉　古今經世格要二十八卷,四册。

喬懋敬　古今廉鑑八卷,四册。

應撝謙　教養全書四十一卷,十八册。抄本。

宋板寶祐四年登科錄一册。

王圻　謚法通考十八卷,十六册。

明宗藩永鑒五卷,五册。

明諸王會要乙卷,抄本。

國朝典章八册。

條例備考二十四卷,二十四册。

宗藩條例二卷。

諸司職掌三册。内府板。

馮應京　皇明經世實用編二十八卷,十册。

歷科進士登科錄　又　歷科會試錄共一百三十册。

歷科登科題名記

歷科貢舉考起洪武,終隆武丙戌。十六册,缺第乙册。

歷科履歷十五册,缺第十四册。

十六科履歷四册。

山東進士題名錄乙卷。

福城鄉進士題名記乙卷。

正德八年河南鄉試序齒錄一卷。

張弘凝道　科名盛事錄七卷,一册。

張燧　經世挈要十七卷,五册。

方孔昭　全邊記略十二卷,八册。

徐日久　五邊典則二十四卷,十二册。

皇明政要綱目四册。

三省礦防考二卷,二册。

鄭汝璧　皇明臣謚類抄二卷,一册。

郭良翰　皇明謚紀類編二十五卷,五册。

嘉靖祀典考十七卷,五册。抄本。

吳道南　河渠志二卷,一册。

兵部會議揭帖一册。

廬州府軍民賦役册三卷,一册。

明王在晋　通漕類編九卷,三册。

食貨補

宋張掄　紹興古器評二卷,二册。

明周憲王　救荒本艸三卷,四册。

席書　漕舡志乙卷。

楊守謙　屯田議乙卷。

方日乾　屯田事宜五卷,乙卷。

馬應龍　鹽法要覽續編十四卷,四册。

鹽法疏稿一册,抄本。

徐光啓　農政全書六十卷,十二册。

傅浚　鐵冶志一册南安人,正德間督遵化鐵廠時所輯。

時令

馮應京　月令廣義二十四卷。　圖說乙卷,七册。

陳堦　編日新書十二卷,十二册。

職官

大明官制

明品級考

雷礼　列卿年表百三十九卷，十册。

黃佐朝　翰林記二十卷，二册。

新史部職掌八册。

徐大相　銓曹儀注五卷，乙册。

驗封清吏司實撥科職掌一卷。

户部雜册九册。

武選司邦政條例二册。

王廷相　申明憲綱録乙卷。

何出光　蘭臺法鑒録二十三卷，十二册。

傅漢臣　風紀輯覽四卷，四册。

蕭彦　掖垣人鑑二十九卷，四册。

黃允元　鴻臚寺儀注四卷，一册。

李日宣　太常寺續紀二十一卷，四册。

文武官員品級俸給乙卷。

本朝中樞政考四册。

補法令

明王恭毅公駁稿二卷，一册。

明范永鑾刊　大明律例三十卷，六册。

明爲孜　大明律集説附例十卷，六册。

明共貞録乙卷。

明鄭世威　陝西審録揭帖乙卷。

明呂公實政録七卷，十册。

大公集一册。

大清律六册。

刑部現行則例一册。

傳是樓史部傳記

明宋濂　浦陽人物記二卷。

明鄭瑄　唐忠臣録三卷，一册。正統時新安人。

明王承裕　李衛公通纂三卷。

明王世貞　蘇長公外紀十二卷。

明范明泰　米襄陽志林十三卷，遺集附，二册。

古今人表（補班固所著，自三代至元。）二册。抄本。

明耿定向　先進遺風二卷，二册。

明馮時可　寶善編二卷，二册。

明沈應奎　名臣言行録新編三十四卷，四册。

明王兆雲　詞林人物考十二卷，十二册。集一代能文之士。

明過庭訓　分省人物考百十五卷，四十八册。

明吳伯與　内閣名臣事略十六卷，十六册。

明陳鳳　訴慕編二卷，一册。

明郭良翰　歷代忠義彙編廿六卷，八册。

明呂維祺　節孝忠義集四卷，四册。

明郭凝之　孝友傳八卷，二册。

東吳名賢記二册。

明褚亨奭　濠南人物纂一卷。抄。

明劉鳳　續吳録二卷，二册。

明王煥如　蘇學景賢錄乙卷。

明文震孟　姑蘇名賢小紀二卷,一冊。

明吳亮　毘陵人品記七卷,二冊。

山東名宦鄉賢錄乙卷。

賴良鳴　吉州人物紀略二十六卷,十冊。

明方鵬　續觀感錄十二卷,一冊。

明朱當㴐　二老世行錄乙卷。

皇明三儒言行錄六冊。

明唐龍二忠錄二卷,紀王偉吳雲死節事,一冊。

明卓發之氏遺書二卷,卓敬,一冊。

明楊文敏公年譜四卷,二冊。

明盧演　翁明英　方正學年譜一卷,一冊。

明夏忠靖公遺事乙卷,乙冊。

明陳瑞甫　陳洽忠節錄二卷,乙冊。

明梁格　薛文清公事行錄四卷,二冊。

明章玄應　章恭毅公年譜乙卷,一冊。

明商正論　商文毅公年譜乙卷。

明項德貞　項襄公年譜五卷。　實紀四卷。　遺稿一卷,十冊。

明項華芳　項襄毅公實紀續補四卷,一冊。

明李恭敏公墓志乙卷,乙冊。

明屈伸傳芳錄乙卷。

明邵曾一　吳道成　邵文莊公年譜二卷,二冊。

唐漁石小漁二傳乙冊。

王陽明先生年譜二卷。　遺事二卷。

明吳太宰鵬年譜二卷,二冊。

明方矯亭鵬年譜二卷。

明黃秉石　海忠介公傳二卷。秉石高淳人。

明孫燧　忠烈編乙卷。

明雲間馮氏　世濟忠孝録乙卷。馮恩父子。

榮哀録六卷，乙冊。

明王文肅公榮哀録乙卷。

明丁清惠公榮哀録四冊。

明黃忠端公正氣録乙冊。

明李遜之　李忠毅公年譜乙卷。　**年譜外編**□卷，二冊。

明吳裕中年譜墓表輓詩三卷，三冊。

明參議潘礎閣公行狀乙冊。

陸圻　吉水府君行略乙卷。

明鄭琅　潞州四貞傳乙卷。

補史部地輿

夢粱録[傳是]一卷。[敏求]二十卷。注云：“往予讀南濠文，見其跋吳自牧《夢粱
録》，凡臨安時序、土俗、坊宇、遊戲之事，罔不畢載，蓋繼元老《夢華》而作者。私心竊
慕之，而末由覯其書。斧季從葦下還，解裝出書二百餘集，邀予往視，皆秘本也。因
笑曰：‘僕頃遊南昌，空橐抵里，途次作得詩三十餘首，每詑于人，此行可爲壯游矣。
彼餼竽牘，問苞苴，纍纍若者，誠不以易我奚囊中物也。子今搜奇覓異，捆載而還，
視予幾句窮涂酸語，所得不已遼乎？’斧季嘆曰：‘浪跡兩年，未嘗遇一真好書人。歸
而求之于子，有餘師矣。當悉索以供繕寫，毋煩借書一瓻，但視世之夢夢粥粥，假
牧兒之盍，乞鄰女之光者，我兩人好尚之異同，爲何如耶？’予因次弟借歸，自春
徂秋，十鈔五六。《夢粱》其一焉。嗟嗟！近代藏書家，推章丘李氏，金陵焦氏；
王孫，則西亭之萬卷堂，汴亡後，竹居文史，盡隨怒濤去矣。灰劫之餘，未知金陵
圖籍，猶有存焉否。今斧季所購，乃中麓秘藏之物，予不敢忘所自，遂牽連書之如
此。”（似牧齋文）

明羅洪先　輿地圖二冊，抄本。

明陸應陽　廣輿記二十四卷，四冊。

輿圖備考十六冊。

明張爵　出像京師五城坊巷衚衕集十卷,十冊。抄本。

雄乘二冊。

元張鉉　金陵新志十五卷,十二冊。元板。

明管一德　常熟縣文獻志十六卷,八冊。

陳觀衡　東平紀略二卷,二冊。

祥符縣纂修實錄劄記四卷,四冊。

河南肇域記乙卷。

明夏時　湖山百咏乙卷。

西河志類鈔二卷,二冊。

楚記乙冊。

明李春芳等　承天大志四十卷,六冊。

明劉□　四鎮三關志十卷,八冊,外闕二冊。

太喜松馬四路形勢山險邊圖乙冊。

松籌彙錄二卷,乙冊。

明王瓊　漕河圖志八卷,二冊。

明治河通考二冊。

明王寵　東泉志四卷,乙冊。

明陳□　徐州洪志十卷,二冊。

明范淶　兩浙海防類考續編十卷,十二冊。

兩浙海防考二卷。

明胡永成　香泉志乙卷。

七星巖志

明張應登　湯陰精忠廟志十卷,六冊。

明焦竑　關公祠志九卷,二冊。

明袁繼咸　三立祠名賢傳五卷,二冊。

明吳士奇　鷺州書院三祀志十二卷,五冊。

東野志四卷，二册。

嵩陽書院一册。

明馬歡　瀛涯勝覽乙卷（附宋杜綰雲林石譜乙卷），一册。抄本。

明董越　朝鮮賦乙卷，一册。

明龔用卿　使朝鮮録二卷，一册。

朝鮮傳疏乙卷。

朝鮮□略六卷，六册。

明楊守謙　諸夷考一卷。

九種夷風乙卷。

李仙根　安南使事紀要四卷，一册。

萬卷堂目

太倉文略四卷，二册。明太倉陸之裘編。之裘，陸容文量之孫，所著有《南門仲子集》。

[附]行水金鑑百七十五卷。首《序》、《例》、《目》，外黃河圖十五頁，淮八，漢水江水圖共二十一頁，濟水圖共八頁，運河圖卅三頁半，太湖圖、清江浦圖、衛河圖共五頁半，通共九十一頁，分訂卅六。黃河水一卷至六十卷，淮水六十一至七十，漢水、江水七十一至八十，濟水八十一至八十五，作兩套。運河水八十六至一五五。兩河總説，一五六至一七三。官司、夫役、河道錢數、隄防彙考，一七四。閘壩涵洞彙考、漕規漕運，一七五卷。

傳是樓史部氏族

元板氏族大全十卷，四册。

宋板陳思　小字録乙卷。

明王文翰　尚古類氏集十二卷，十二册。

明帝后紀略一冊。

明袁□　皇系賢録三卷,一冊。

毓慶勳懿集一冊,不全。

葉氏家乘一冊。

錫山談氏族譜六卷,一冊。

吳興郡姚氏譜一冊。

山陰劉孝子辨真録一冊。

仁和邵氏麐鳳世系乙卷。

閭氏本支録一冊。

王瑞國子彥　琅玡王氏家乘略二卷。

傳是樓史部書目

宋王應麐　漢藝文志考證十卷,四冊。抄本。

傳是樓子部

明余有丁　諸子全書十冊。

明陸可教　諸子玄言十八卷。

諸子彙編二十七卷,二十七冊。

二十九子品彙釋評二十卷,十冊。

明穆文熙　諸家儁語八卷,六冊。

明張榜　羣言液三冊。

孔叢子七卷,二冊。孔子八世孫鮒,字子魚,論集仲尼、子思、子上、子高、子順之言,及己之事,凡二十一篇,爲六卷,名《孔叢子》,言有善而叢聚之也。漢孝武朝太常孔臧,又以其所爲賦與書謂之《連叢》上下篇,爲一卷,附于末。嘉祐三年,宋咸注成表進。此則空居閣藏本,從至正二年元人所鈔録出者也。(《敏求記》)

續顏氏家訓七卷。半是宋槧本之絶佳者,半是宋本舊鈔。《經籍志》云:“左朝請大夫李正公撰。”《顏氏家訓》流俗本止二卷,不知何時爲妄庸子所殽亂,遂令舉世罕觀原書。近代刊行典籍,大都率意劘改,俾古人心髓面目,晦昧沉錮于千載之下,良可恨也。嗟乎! 秦火之後,書亡有二,其毒甚于祖龍之炬。一則宋時之經解,逞私説,憑臆見,專門理學,人自名家,漢唐以來諸大儒之訓詁註疏,一概漫置不省,經學幾幾

乎滅熄矣。一則明朝之帖括,自制義之業盛行,士子專攻此以取榮名利禄,五經旁訓
之外,何從又有九經、十三經,而況四庫書籍乎? 三百年來,士大夫劃肚無書,撑腸少
字,皆制義誤之,可爲痛哭者也。是書爲宋人名筆所録,淳熙七年,嘉興沈揆取閩本、
蜀本互爲參定,又從天台故參知政事謝公所校。五代和凝本辨析精當,復列考證二
十三條爲一卷。沈君學識不凡,讐勘此書,當時稱爲善本。兼之繕寫精妙,古香襲
人,置之几案間,真奇寶也。

宋黄晞　聲隅子歔欷瑣微論二卷,二册。元板。

宋王觀國　學林十卷,五册。抄本。

宋王應麟　困學紀聞二十卷,十册。

明宋濂　龍門子凝道記①二卷,一册。

明潘府　顔子世家乙卷。

明崔銑　松窗寱言乙卷。

明鄭善夫　鄭子漫言二卷,一册。

明黄佐　庸言十二卷,三册。

明喬可聘　讀書劄記四卷,二册。

古今格言類編六卷,六册。

王陛　世法周行十八卷,四册。

朱董祥　經史緒言二卷。　**經史辨疑**乙卷,二册。抄本。

李澄　懿行篇六卷。

宋周子　太極通書集録綱領乙卷。

朱子　註解周子書乙卷。

明蔡清　太極圖書解乙册。

二程全書五十一卷,十册。河南新刻本。

宋板河南程氏外書十二卷,四册。

宋張栻　二程先生傳道粹言十卷,二册。

明吕柟　二程子抄釋十卷,二册。

---

①　“龍”,舊抄本無此字。

宋張載語録三卷,一册。

明張志澤　西銘通一卷。

元鍾過　皇極經世書類要十卷,二册,元板,少後五卷。

明余本　皇極經世書釋義四卷,四册。　**又　觀物外篇釋義**三卷,
三册。

明黃畿　皇極經世書傳八卷,四册。

道南三書(龜山、延平、豫章)一册

朱子　五子近思録十四卷,四册。

宋葉采　近思録集解十四卷,二册。

元黃瑞節　朱子成書一册,不全。

朱子遺書十一册。石門呂氏刊。

明高攀龍　朱子節要十四卷,一册。

宋呂祖謙　東萊先生雜說三卷,一册。抄本。

宋真德秀　心經政要經二卷,二册。

明胡居仁　胡子粹言三卷,一册。

性理大全七十卷,二十八册。

性理大方七十卷,二十四册,少第七卷、十三卷。

明薛瑄　讀書録十卷。　**續録**十卷,共十册。　**又　粹言**三卷,一册。

明程敏政　道一編五卷,一册。

明韓邦奇　性理三解八卷,四册。

明湛若水　明論十卷,一册。

明許讚　聖訓演三卷,一册。

明何塘　陰陽管見乙卷。　**樂律管見**乙卷。　**儒學管見**乙卷,一册。

明徐問　讀書劄記八卷,二册。　**又　續紀**乙册。

明盧鼎　讀書分年日程節要乙卷,一册。

明金賁亨　道南録五卷,二册。

明曹邦輔　論性淵源乙卷。抄本。

明殷士儋　川上精舍識仁會約乙冊。

明呂坤　呻吟語摘二卷,二冊。

明顧憲成　小心齋劄記十八卷。　又　證性編乙卷。　又　擬學小記八卷,二冊。

明吳道通　甘棠書院錄乙冊。

明董遵道　諸儒講義二卷,二冊。

明姚舜牧　性理指歸二十八卷,四冊。

明高攀龍　就正錄講義乙冊。

明詹維　性理綜要二十二卷,二十冊。

明顧樞　西疇日鈔乙卷,二冊。

明蘇文韓　性理節要八卷,四冊。

明趙仲全　道學正宗錄十八卷,十冊。

明曾漢　理學緒論二卷,乙冊。

明孫奇逢　理學宗傳二十六卷,十冊。

魏裔介　論性書二卷,二冊。　又　聖學知統錄二卷。　鑑語經世編二十七卷,十五冊。

孫承澤　五先生學約十四卷,二冊。

張能鱗　儒宗理要四十卷,十冊。

耿介　理學要旨乙卷。

洪琮　馮子從吾節要十四卷,一冊。

顧亭林先生　下學指南乙卷。

應撝謙　性理大中二十八卷,十二冊。

熊賜履　學統五十六卷。　又　下學堂劄記二卷。　又　閑道錄三卷,乙冊。

秦雲爽　紫陽大指八卷,二冊。

秦松岱　願學齋贅錄四種,五冊。

竇克勤　理學正宗十五卷,四冊。　又　尋樂堂家規乙卷。　泌陽

學條規_{乙卷,一冊。}

張夏　雒閩淵源録_{十七卷,六冊。}

宋胡寅　崇正辨_{三卷,三冊。}

明章聖皇太后女訓_{乙冊。}

文公政訓西山政訓_{二卷,一冊。}

朱子　增損呂氏鄉約_{乙卷。}

明陳大賓　鄉約集成_{乙卷。}

明谷□　□□□孝均社三約^①_{乙卷。}

五倫書_{六十二卷,十六冊。}

明余文憲　同倫類訓_{三卷,乙冊。}

明徐三重　家則_{乙卷。}　**野志**_{乙卷,一冊。}

明楊兆坊　楊氏塾訓_{六卷,乙冊。}

宋禮節要_{乙卷。}　**附律條輯略**_{乙卷,一冊,不全。}

傳是樓子部雜家

漢王充　論衡_{三十卷,六冊。}

漢應劭　風俗通_{二卷,二冊。}

宋板沈作喆寓簡_{十卷,三冊。}

宋林逋　省心録_{《宋文公真西山政訓》附。}

宋洪邁　容齋隨筆_{十六卷。}　**續筆**_{十六卷。}　**三筆**_{十六卷。}　**四筆**_{十六}
_{卷。}　**五筆**_{十卷,共九冊。}

宋程大昌　演繁露_{十六卷。}　**續集**_{六卷,六冊。}

宋倪思　經鉏堂雜志_{八卷,八冊。宋板三冊。}

元板古今源流至論_{前集十卷,後集十卷,別集十卷,續集十卷,八冊。}

---

①　"□□□",舊抄本作"□□"。

明仁孝皇后　勸善書十四卷，十四册。

明王達　筆疇乙卷。

明李蘇　見物五卷，二册。

明何孟春　餘冬序錄六十五卷，四册。

明劉□翰　名義通考乙卷。

明周祈　名義考六册。

明周循　管涔子九卷。

明張萱　疑燿七卷，四册。

明黃景昉　古今明堂記六卷，六册。

明王世貞　觚不觚錄乙卷，兩種，共一册。

龔在升　三才彙編六卷，二册。

古今逸史四十八册。

劉思敬　徹膳八編《韵寄》二卷，《存微》二卷，共四册。

陳仁錫　八編類纂丘濬《大學衍義補》，唐順之《右編》、《左編》、《稗編》，章潢《圖書編》，鄧元錫《函史編》，馮應《經世實用編》，馮琦《經濟類編》。

唐荊川五編　左編一百二十四卷。　　**右編　文編**六十四卷。　　**武編**十卷。　　**稗編**一百二十卷。

漢魏叢書（未見前《志》者略補幾人）

越絕書

新語陸賈。

說苑劉向。

新序劉向。

白虎通班固。

潛夫論王符。

忠經馬融。

天禄閣外史黄憲（此書係明人王逢偽托）

昌言仲長統。

獨斷蔡邕。

中論徐幹。

申鑒荀悦。

人物志劉劭。

汲冢周書

抱朴子

文心雕龍梁劉勰。

新論北齊劉晝。

中説隋王通。

元經薛收。

唐宋叢書（内未見前《志》者十之二三，用以補録）

潛虚宋司馬光序，性圖、氣圖、體圖。

詩小序衛卜商。

集語永嘉薛據纂。

經外雜抄宋魏了翁撰。

創業起居注唐温大雅。

國史補唐李肇撰。

歲華紀麗注唐韓鄂。

聞見近録宋王鞏。

春明退朝録上、中、下三卷，宋常山宋敏求。

大業雜記南宋劉義慶。

燕翼貽謀録五卷，宋晉陽林。

佛國記晉釋法顯。

吳地記_{唐陸廣微。}

譚子化書六卷

枕中書_{晉葛洪。}

道德指歸論_{漢嚴遵撰。}

靖康緗素雜記_{十卷，宋黃朝英著。}

捫虱新話_{四卷，宋福州陳善。}

詩式五卷_{唐抒山釋皎然。}

佩觿_{上下卷，唐郭忠恕。}

香譜_{宋洪芻。}

雲林石譜_{上、中、下卷，宋杜綰。}

畫鑒_{宋湯垕。}

貞觀公私畫史_{唐裴孝源。}

益州名畫錄_{上、中、下卷，宋江夏黃休復。}

洞天錄_{宋趙希鵠，清錄、紙錄、墨錄、筆錄、研錄、書錄、帖錄、畫錄、琴錄。}

津逮秘書

第一集

子貢詩傳

子夏　詩序

申氏　詩說

韓詩外傳

陸氏　草木蟲魚疏

王氏　詩考

王氏　詩地理考

鄭氏　爾雅注

第二集
京氏易傳
關氏易傳
蘇氏易傳
焦氏　易林
李氏　易解
陸氏　易釋文
王氏　周易略例
衛氏　元包經數
郭氏　周易舉正
麻衣道者　正易心法
第三集
通鑑地理通釋
通鑑闕疑
小學紺珠
齊民要術
急就篇
漢制考
第四集
四十二章經
丸經
握奇經
星經
忠經
周髀算經（《數術紀遺》附）
宅經
參同契
道德指歸論

元女經

胎息經

葬經《《經翼》附）

耒耜經

五木經

女孝經

墨經

第五集

全唐詩話

六一詩話

滄浪詩話

紫薇詩話

石林詩話

后山詩話

彥周詩話

中山詩話

竹坡詩話

文正公詩話

第六集

法書要録

東觀餘論

廣川書跋

宣和畫譜

金石録

墨池編

第七集

圖畫聞見志

歷代名畫記

古畫品録

續畫品録

宣和畫譜

圖繪寶鑑

後畫品録

續畫品

畫繼

畫史

第八集

詩品

二十四詩話

風騷旨格

芥隱筆記

冷齋夜話

西溪叢話

益都方物志

捫蝨新話

歲華紀麗

玉蘂辨證

桯史

泉志

第九集

酉陽雜俎

續酉陽雜俎

誠齋雜記

甘澤謠

本事詩

五色線

却掃編

劇談録

嫏環記

輟耕録

第十集

洛陽伽藍記

洛陽名園記

真靈位業圖

東京夢華録

西京雜記

佛國記

創業起居注

老學庵筆記

漢雜事秘辛

玉堂雜記

焚椒録

國史補

第十一集

搜神記

後搜神記

冥通記

稽神録

異苑

録異記

第十二集
東坡題跋
山谷題跋
无咎題跋
宛邱題跋
淮海題跋
鶴山題跋
放翁題跋
姑溪題跋
石門題跋
西山題跋
第十三集
六一題跋
南豐題跋
水心題跋
益公題跋
後村題跋
止齋題跋
魏公題跋
晦菴題跋
容齋題跋
海岳題跋
第十四集
樂府古題要解
癸辛雜識前集　癸辛雜識後集　癸辛雜識續集　癸辛雜識別
　　集　揮塵前録　揮塵後録　揮塵三録　揮塵餘話
紹興古器評

第十五集
夢溪筆談
湘山埜録
春渚紀聞
齊東埜語
邵氏聞見録　聞見後録
茅亭客話
錦帶書
貴耳録
避暑録話

汲古閣未刻秘書九種

張九成　孟子傳二十九卷。
阮逸　胡瑗　皇祐新樂記三卷。
張時舉　小學五書一卷。
夏竦　古文四聲韵五卷。
蘇天爵　兩漢詔令二十三卷。
王存　九域志十卷。
吾衍　學古編一卷。
盛熙明　書法考八卷。
釋適之　金壺記三卷。

元人杂著廿四種

王鶚　汝南遺事二卷。
保八　周易原旨六卷。

陶宗儀　草莽私乘一卷。

劉祈　歸潛志十四卷。

元好問　續夷堅志四卷。

鄭元祐　遂昌雜錄二卷。

吾衍　閒居錄一卷。

鮮于樞　困學齋雜錄一卷。

孔齊　至正靜齋直記二十四卷。

楊瑀　山居新語四卷。

鍾嗣成　錄鬼簿二卷。

熊太古　冀越集記一卷。

盛如梓　老學叢談三卷。

陶宗儀　古刻叢鈔一卷。

周致中　贏虫錄一卷。

潘昂霄　金石例十卷。

劉壎　隱居通義三十一卷。

李冶　敬齋古今黈八卷。

李翀　日聞錄一卷。

王士點　禁扁五卷。

郭翼　履雪齋筆記一卷。

王惲　玉堂嘉話八卷。

白珽　湛淵靜語二卷。

黃溍　日損齋筆記一卷。

尤玘　萬柳溪邊舊話一卷。

高德基　平江紀事

韋居安　梅磵詩話三卷。

曹寅揚州詩局叢書十二種

史虚白　釣磯立談_{四卷}。

鍾嗣成　録鬼簿_{二卷}。

王灼　糖霜譜_{一卷}。

王士點　禁扁_{五卷}。

黃晞顔　梅苑_{十卷}。

耐得翁　都城紀勝_{一卷}。

朱長文　琴史_{六卷}。

高似孫　硯箋_{四卷}。

晁説之　墨經_{一卷}。

孫紹遠　聲畫録_{八卷}。

盛熙明　書法考_{八卷}。

劉克莊　千家詩選_{二十二卷}。

盧見曾雅雨堂藏書十二種

李鼎祚　李氏易傳_{十七卷}。

鄭玄　註周易_{十卷}。

陸德明　易釋文_{一卷}。

鄭玄　註尚書大傳_{三卷}。

盧辯　註大戴禮記_{十三卷}。

鄭玄　注易乾鑿度_{二卷}。

高誘　註戰國策_{三十三卷}。

顏師古　匡謬正俗_{八卷}。

封演　封氏聞見記_{十卷}。

王定保　唐摭言_{十五卷}。

孫光憲　北夢瑣言_{三十卷}。

龐元英　文昌雜録_{六卷}。

附鄭司農集

傳是樓小説部補

宋板王子年拾遺記_{十卷，二册}。

唐劉餗　大唐新語_{十三卷，一册。抄本}。　又　唐小説_{乙卷，附《月河所}
聞》，共乙册，抄本。

大唐傳載摘勝_{乙卷，一册。抄本}。

南唐史虚白　釣磯玄談_{乙卷，一册。抄本}。

宋梅堯臣　碧雲騢_{乙卷}。

宋施清臣　東洲几上語_{乙卷}。　枕上語_{乙卷}。

耆舊續聞_{十卷，三種，共乙册。抄本}。

朱彧　萍洲可談_{乙卷，二種，共乙册}。

宋孔平仲　珩璜新論_{乙卷，述古三卷}。　又　談苑_{四卷}。

宋耐得翁　灌畦暇語_{乙卷，一册。抄本}。

宋僧曉瑩　羅湖野録_{四卷，乙册}。

宋□□　南窗紀談_{乙卷，與《松窗雜録》同帙}。

宋施彦執　北窗炙輠録_{二卷，一册。抄本}。

宋朱翌　猗覺寮雜記_{二卷，一册。抄。洪邁《序》云：“右上、下兩卷，凡四百卅五}
則，故紫薇舍人桐鄉朱先生所記也。”黄俞邵《徵刻書目》云三卷，謬矣。”

宋劉昌詩　蘆浦筆記_{十卷，一册。抄}。

宋周煇　清波雜志_{十二卷}。

宋荆溪吳氏　林下偶談_{四卷，乙册}。

元盛汝梓　老學叢談三卷，一冊。抄。

元陸友　米海岳遺事乙卷。

元龍輔　女紅餘志二卷。

林坤　誠齋雜記二卷，二種，共一冊。

明瞿佑　剪燈叢話二卷。

李楨　剪燈餘話三卷。

邵景詹　剪燈因話二卷，三種，共六冊。

明曹安　讕言長語二卷。

明王鏊　震澤長語二卷，乙冊。

明□祥　文苑四賢傳乙卷。

明陸文裕公　儼山外集四十卷，四冊。

明何良俊　四友齋叢說三十卷，六冊。

焦竑　楊升庵集百卷，十二冊。又二十四冊。

明張合　宙載名言六卷，三冊。

明李濂　汴京勾異記八卷，一冊。抄。

明王圻　稗史彙編百七十五卷，六十四冊。

明李開先　詩禪

明劉世偉　厭次瑣語乙卷。

明蔣以儀　西臺漫記六卷，二冊。

明王同軌　耳談類增五十四卷，十冊。

明于慎行　筆麈十八卷，四冊。

明伍袁萃　彈園雜志四冊。

明賀燦然　漫錄評正九卷。　畸集五卷。　多集六卷，共四冊。

明朱國禎　湧幢小品卅二卷，六冊。

明郭化蘇　米譚史廣四卷，四冊。又五卷，五冊。

明曹司直　劍吹樓筆記四卷，二冊。

明毛調元　鏡古錄八卷，八冊。

明徐三重　采芹錄四卷。　牅景錄二卷。　讀史餘言二卷。　蘭
芳錄乙卷，共七冊。

明吳震亨　讀書雜錄二卷，乙冊。

明陳禹謨　說儲八卷。　二集八卷，共四冊。

明徐廣　二俠傳二十卷，二冊。

明劉萬春　守官漫錄五卷，五冊。

明林茂槐　說類六十二卷，十冊。

明鄭瑄　昨非庵日纂二十六卷，四冊。

明馮班　鈍吟雜錄六卷，一冊。

梁維樞　玉劍尊聞十卷，五冊。

胡夏客　谷水談林一冊。

張怡　玉光劍氣集原注六卷，不全。

顧亭林先生　日知錄明末人。八卷，二冊，抄。

陳元綽　竹素辨謁乙卷。

綠窗女史十四卷，五冊。

綠窗叢四卷，二冊。

正續百川學海卅二冊。

宋人小說百四十四卷。

明人小說百九卷，宋明二種，共八十冊。

明高承埏　稽古堂雜鈔共十一冊。（劉賓客《嘉話錄》一卷，牛僧孺《玄怪錄》十
一卷，劉餗《隋唐嘉話》一卷，李復言《續玄怪錄》二卷，李濬《松窗雜錄》乙卷，錢希白
《南部新書》，上官融《友會叢談》三卷，高德基《平江紀事》乙卷，馮贄《雲仙散錄》十
卷，費袞《梁谿漫志》十卷，伊世珍《嫏嬛記》三卷，耐得翁《灌畦暇語》一卷，唐梅彪《石
藥爾雅》二卷，明陳繼儒《續偃曝餘談》乙卷，《墨畦》乙卷，康駢《劇談錄》二卷，袁弘道
《關遊曆》乙卷。）

絳雲樓小説部

張茂先　博物志

李冗　獨異志

玉泉子《蕘竹目》："《玉泉子聞見真録》，乙册。"

宋劉義慶　幽明録

宋劉敬叔　異苑

唐臨本冥報録

齊王琰　冥祥録

唐人　玄中記一卷。

牛僧孺　幽怪録

甘澤謡唐袁郊爲祠部郎中。書成於咸通戊子，寔懿宗政元之九年，春雨中臥病所撰，
　　故以名其書。凡九事，魏先生、素娥、陶峴、嬾殘、聶隱娘、弔驨、圓觀、紅線、許雲封。
　　附東坡删改《圓澤傳》，公自跋。共一卷。

李石　續博物志

燈下閒談二卷。

東坡志林十卷。

孔氏雜説

王氏談録

干寶　搜神記

陸勳　集異志

司馬温公瑣語乙卷。

范公稱　過庭録

李昌齡雜志

張平仲　談苑《述古目》："孔平仲《談苑》六卷。"

張讀　宣室志

丞相魏公談訓

蜀杜光庭　録異記

四朝聞見録

高似孫　緯略_{四卷。}

沈存中　夢溪筆談補録　補筆談

續梁溪漫志

吳虎臣　能改齋漫録○端臨《經籍》："《漫録》十三卷，太常寺主簿臨川吳曾虎臣
撰。"其卷數差謬，何耶？十八卷。

宋王楙　野客叢書_{三十卷，六冊。}

玉峯先生　脚氣集

陳藏一話腴集

宋刻寓簡

芥隱信筆_{龔芥隱，一冊。}

叢蘭識遺

嘉祐雜志

青波雜志_{周煇，乙冊。}

楓窗小牘

楊彦齡筆録_{乙卷。}

施君美　別釋常談《蒙竹》："《龔頤正續常談》六冊。"

雲齋廣録_{李獻明，十卷。《經籍》刻"雲"爲"容"，或誤也。又見《述古目》。}

漁樵閒話

玉堂嘉話

清談録

稽神録

宋魯應龍　閒窗括異志_{一作張師正。}

就日録_{耐得翁，乙冊。}

睽車志_{乙冊，郭彖。}

肯綮録

南墅閒居録《述古目》:"王大有《南野閒居録》乙卷。"

周公謹　澄懷録

東坡居士　艾子雜説_{乙卷。}

元遺山　續夷堅志

研北雜志_{乙卷。}此書籤題云:"陸宅之輯,谷陽繕寫,柘湖手校。"宅之名友,元統元年索居吳下,追録所欲言者,取段柯古之語名之。明年書成,而序于卷終。谷陽不知何人,筆法蒼勁,洵爲名家。柘湖則何柘湖也。卷首有"檇李藥師"圖記,項曾刊之,此其原本也。

志雅堂雜抄

石澗　書齋夜話　庶齋夜話

樂郊私語

雲山雜志　雲山夜話

精騎集

困學紀聞_{十册。}

山房隨筆

歷代小史_{九册。}

吾子行　閒居録

演繁露_{六册。}程大昌《演繁露》二十卷,《續》五卷。

湛淵静語

孫奕　示兒編《履齋示兒編》二十二卷。潘方凱得此於金陵焦氏,請李本寧爲之序而刊行之,嘉惠後學,甚盛心也。間以此本讐校。《字説》云:"《書·盤庚》翼奉傳作《般庚》。"後闕文六條,而潘刻聯去。兼之行歁差殊,不循舊格,深可惋惜。季昭辨伊尹放太甲于桐,放當作教,古隸相近,遂從而誤耳,潛溪稱其言爲有識,勾曲張天雨取此説書於伊尹古像後,豈非知言者哉?

道命録

補妒記

鬼董狐

困學齋雜録

錢氏私志

懶真子

異聞總録

搜采異聞録

隨隱漫録

魏鶴山　讀書雜抄　經外雜抄

樂善録李伯崇，乙册。

蠡海録

應菴　任意録

丁晉公談録

欒城先生遺言

水東日記四册，卅八卷。

陶朱新録乙卷，馬純。

江湖奇文類記八册。

天寶藏書

虞初志《續齊諧記》、《集異記》、《離魂記》、《虬髯客傳》、《柳毅傳》、《紅線傳》、《長恨傳並歌》、《韋安道傳》、《周秦行記》、《枕中記》、《南柯記》、《嵩岳嫁女記》、《廣陵妖亂志》、《崔少玄傳》、《南岳魏夫人傳》、《無雙傳》、《謝少娥傳》、《楊娼傳》、《李娃傳》、《鶯鶯傳》、《霍小玉傳》、《柳氏傳》、《非烟傳》、《高力士傳》、《東城老父傳》、《古鏡記》、《冥音録》、《任氏傳》、《蔣氏傳》、《東陽夜怪録》、《白猿傳》，共八卷，明湯若士評選。

續虞初志《杜牧傳》、《王遠傳》、《雷民傳》、《紫花黎傳》、《月支使者傳》、《李蕃傳》、《薛弘機傳》、《聶隱娘傳》、《蘭陵老人傳》、《裴越客傳》、《崔玄微傳》、《薛靈芸傳》、《劉積中傳》、《獨孤遐叔傳》、《賈人妻傳》、《許漢陽傳》、《劉景復傳》、《東方朔傳》、《歐陽詹傳》、《一行傳》、《崔汾傳》、《陶峴傳》、《許雲封傳》、《崑崙奴傳》、《韋皋傳》、《裴沆傳》、《松滋縣士人傳》、《翾鳳傳》、《張和傳》、《却要傳》、《韋斌傳》、《吕生傳》，共四卷，前人評，正、續兩册。

匏齋雜録

秦酉陽手鈔小說二十種

四十家小説二十册。

<h1 style="text-align:center">錢遵王述古堂小説部_{附《敏求記·雜家》}</h1>

東方朔　十洲記乙卷。

開河記乙卷。

世說新語三種宋刻凡三家，劉辰翁批點。元板分八卷。間嘗論晉尚清談，臨川王
　　變史家爲説家，撮略一代人物於清言之中，使千載而下，如聞謦欬，如覩須眉。孔平
　　仲倣而續之，真東家矉矣。又嘗論説詩至嚴滄浪而詩亡，此書亦云。

段安節　樂府雜録乙卷。

五色線集三卷。《津逮秘刻》上下卷，云：“考《中興館閣書目》稱不知作者，摭百家雜
　　事，所載多異蹟，雖不逮《容齋五筆》，跡迥出《雲仙》諸册矣。勿與《碧雲騢》共置，則
　　幸甚。”

李上友　近事會元五卷，上友退寓鍾陵，尋近史及小説雜記之類，凡五百事，分五
　　卷。唐史所失記者，亦多載之。

南窗記談乙卷。見前《晁邁紀談》十五卷。

漫堂隨筆乙卷。

真率紀事乙卷。

雜纂三卷。

邵伯溫　聞見録二十卷。　**又　後録**三十卷。伯溫爲童子時，侍康節先生，
　　得盡閱天下士。垂老著其所聞見于篇，其子博次第之，續購《後録》。經前人勘對，惜
　　前《録》無善本校也。

王銍　嘿記十卷，王性之撰。其事多耳目未及，世行類書中大半刪去，校此乃知也。

吕氏遺書乙卷。

魏鶴山　師友雅言乙卷。

羅璧　識遺十卷。内有《孔子生卒歲月辨》云：“當從《左》、《穀》。”方山吴岫題，云
　　“考據精，論斷審”，即此一則可槩見矣。《敏求》述之甚詳，兹不悉録。

碧雞漫志五卷，王灼晦叔。客寄成都碧雞坊之妙勝院，追記詞曲所由起也。《敏

求》云。

王明清　玉照新志五卷。明清得一玉照於永嘉鮑子正，又獲米南宮書玉照二字，揭之寓舍，因名其所著書曰《玉照新志》。李元叔長民上廣汴都賦於裕陵，由此進用。其全篇備載於此，佗書未之見也。

學齋佔畢四卷。唐末進士張曙宴巴州郡樓，坐中作《擊甌賦》，極精工，樓以此顯名，後人遂命之曰"擊甌"。而此賦獨不傳，《英華》、《文粹》俱失載。今全錄此。警句如"董雙成青璅鸞饑，喙開珠網；穆天子紅韁馬解，踏破瓊田"，非唐後人所能道。曙又有《鄂郊賦》，敘長安亂離，亦《哀江南》、《悲甘陵》之比，今不可得見矣。郭因曰："學齋先生學紫陽者。紫陽之誨人曰：'學、問、思、辨，四者皆所以窮理。'先生此書，蓋庶幾近之矣。"

俞文豹　吹劍錄乙卷。

自號錄乙卷，錢塘徐光溥輯。宋時名公鉅卿騷人墨客之號。孫明道六十六歲時手鈔，老而好學，真炳燭之明也。

周公謹密　雲煙過眼錄乙卷。其《錄》云："焦達卿有吳彩鸞《切韵》一卷，其書一先爲二十三先、二十四仙。相傳彩鸞《韵》散落人間者甚多，予從延陵季氏曾覩其真蹟，一先仍作一先，與達卿所藏者異。逐葉翻看，展轉至末，仍合爲乙卷。張邦基《墨莊漫錄》云旋風葉者即此，真曠代之奇寶。因悟古人玉變金題之義，《唐六典》所以有熟紙裝潢匠之別也。自北宋刊本書行世，而裝潢之技絶矣。予幸遇此《韵》，得覩唐詩卷帙舊觀。今季氏零替，此卷不知歸之何人，世無有賞鑒其裝潢者，惜哉！"

唐人小說

李綽　尚書故實
李德裕　柳氏舊聞
杜荀鶴　松窗雜記
韓偓　金鸞密記
柳宗元　龍城錄
柳公權　舊聞記
李翱　卓異記
李濬　摭異記

張鷟　朝野僉載

尉遲偓　中朝故事

尉遲樞　南楚新聞

劉崇遠　金華雜編

蘇鶚　杜陽雜篇

張固　幽閒鼓吹

韋絢　賓客嘉話

劉餗　隋唐嘉話

馮翊　桂苑叢談

牛僧孺　周秦行紀

白行簡　三夢記

羅隱　廣寧妖亂志

柳珵　常侍言旨

任繁　夢游錄

闕名　迷樓記

薛用弱　集異記

鄭還古　博異志

闕名　海山記

王惲　幽怪錄

李復言　續幽怪錄

張鷟　耳目記

李隱　瀟湘錄

鍾輅　前定錄

王仁裕　開元遺事

李泌　明皇十七事

樂史　楊太真外傳

陳鴻　長恨歌

曹鄴　梅妃傳

亡名氏　李林甫外傳

陳鴻　東城父老傳

郭湜　高力士傳

李繁　李鄴侯外傳

闕名　開河記

段成式　劍俠傳

［已上編録家，四十二峽］

白居易　香山九老會

于義方　黑心符

釋靈澈　治病藥

李德裕　平泉艸木記

劉恂　嶺表録異

李翱　來南録

段公路　北户録

陸廣微　吳地記

馮贄　烟花記

張泌　粧樓記

崔令欽　教坊記

孫棨　北里志

孟啓　本事記

盧鴻　終南艸堂十志

杜光庭　洞天福地記

羅虬　比紅兒詩

李商隱　雜纂

亡名氏　嘯志

陸羽　茶經

蘇廙　十六湯品

張又新　煎茶水記

皇甫嵩　醉鄉日月

韋巨源　食譜

羅虬　花九錫

司空圖　詩品

歐陽詢　書法

王維　學畫秘訣

李嗣真　續畫品録

裴孝源　公私畫史

陸龜蒙　侍兒小名録　又　錦裙記　又　耒耜經

李翺　五木經

段安節　樂府雜録

南卓　羯鼓録

王保定　摭言

韋瑞符　故物記

侯寧極　藥名譜

朱揆　諧噱録

段成式　肉攫部　又　金剛經鳩異

蘇頲　壠上記

馮贄　記事珠

陸勳　志怪録

于逖　聞奇録　又　靈應録

顧非熊　妙女傳

雍陶　稽神録

于鄴　揚州夢

杜牧之　杜秋傳

薛瑩　龍女傳

李朝威　龍女傳

羅鄴　蔣子文傳

鄭還古　杜子春傳

許棠　奇男子傳

張説　虬髯客傳

薛調①　劉無雙傳

蔣陽　霍小玉傳

馮延巳　墨崑崙傳

宋若昭　牛應貞傳

楊巨源　紅線傳

許堯祖　章臺柳傳

元稹　會真記

孫顗　申宗傳

［已上瑣記家］

宋人小説

錢世昭　錢氏私志

錢惟演　家王故事

陸游　家世舊聞

錢惟演　玉堂逢辰録

王闢之　澠水燕談録

魯應龍　括異志

周密　紹熙行禮記

趙彦衛　御塞行程

黃休復　茅亭客話

畢仲詢　幕府燕閒錄

秦再思　洛中記異

王明清　熙豐日曆

陳隨隱　上壽拜舞記

蔡京　太清樓侍宴記

周密　幸張府節略

陳隨隱　從駕記

趙彦衛　東巡記

歐陽元　腰車記

何先　異聞記

張仲文　白獺髓

俞文豹　清夜錄

費袞　梁溪漫志

洪芻　暘谷漫錄

何薳　春渚紀聞

朱弁　曲洧舊聞

王明清　撫青雜說

釋文瑩　玉壺清話

無名氏　儒林公議

上官融　友會談叢

董弅　閒燕常談

岳珂　桯史

王銍　默記

龐元英　談藪

蔡絛　談叢

王陶　談淵

陳郁　話腴

張端義　貴耳録

魏泰　東軒筆録

馬純　陶朱新録

張師正　倦游雜録

孫宗鑑　東皋雜録

陳晦　行都紀事

王惲　彭蠡記

方回　虛谷閒抄

高文虎　蓼花洲閒録

僧贊寧　傳載略

李略　該聞録

錢希白　洞微志

丁用晦　芝田録

宋元　噆嗑集

俞文豹　吹劍録

梅堯臣　碧雲荎

王明清　投轄録

沈括　忘懷録

洪邁　對雨篇

吕居仁　軒渠録

康駢　劇談録

廉宣　清尊録

康譽之　昨夢録

邢居實　拊掌録

蘇軾　調謔篇　又　艾子雜説　仇池筆記

郭象　睽車志

葉夢得　玉澗雜書　又　石林燕語　岩下放言　避暑録話

陸游　避暑漫抄

俞琰　席上腐談

張世南　宦游紀聞

賈似道　悦生隨抄

馬永卿　嬾真子録

周遵道　豹隱紀談

李之彦　東谷所見

亡名氏　讀書偶見

周密　齊東野語

景煥　野人閒談

姚亮　西溪叢談

錢康功　植杖閒談

王暐　道山清話

方岳　深雪偶談

顧文薦　船窗夜話

蔣津　葦航紀談

張淏　雲谷雜紀

許觀　東齋記事

錢功　澹山雜録

黃鑑　楊文公談苑

陸游　老學庵筆記

程榮　三柳軒雜識

莊綽　雞肋編

方勺　泊宅編

劉跂　暇日記

温革　隱窟雜志

陳直　韋居聽輿

孫穆　雞林類事

邢凱　坦齋通編

楊伯嵒　億乘

趙崇絢　雞肋

何光遠　鑑戒録

亡名氏　釋常談

龔頤正　續釋常談

[已上編録家]

宋周必大　庚寅奏事録

張淏　艮岳記

謝翱　西臺慟哭記

歐陽修　于役志

張敦頤　六朝事蹟

于肇　錢塘瑣記

耐得翁　古杭夢游

張邦基　汴都平康

洪遴　侍兒小名録　又　王銍　又　温豫　又　張邦基

周密　思陵書圖記

僧居月　琴曲譜録

沈括　本朝茶法

熊蕃　宣和北苑貢茶録

無名氏　北苑別録

黃儒　品茶録

蔡襄　茶録

張能臣　酒名記

陳達叟　蔬食譜

沈括　藥議

張翊　花經

慧日禪師　禪本艸

胡錡　耕祿稿

毛勝　水族加恩簿

陳櫟　感應經

向孟　土牛經

蘇軾　物類相感志

王鈺　雜纂録　又　蘇軾　蘇轍　游仙夢記

蔡襄　龍壽丹記

沈括　惠民藥局記

洪邁　鬼國記　又　續記

洪芻　海外怪洋記

楊朏　閩海蟲毒記

洪邁　福州猴王神記　又　鳴鶴山記

何薳　韓奉議鸚哥傳

謝良　中山狼傳

［已上瑣記］

傳是樓子部兵家

武經總要《前集》二十卷,《後集》二十卷,十册。抄本。

宋戴溪　將鑑博議十卷,二册。元板。

伍子胥　隱遯訣　韜鈐秘要乙卷。　兵機便覽　武經總目共四册。

明馮靖　保生管見乙卷。

明康天爵　司兵便録乙卷。

明陳天策註　孫武子二卷，一册。

軍門直指十册，抄本。

策寶精華四卷，五册。抄本。

講武全書兵占部二十四卷，十二册，《天文樞要》、《天文主管》、《玉曆祥異賦》、《占候測天賦》、《天帝親機雲氣占候天象篇》、《玉曆通政經》、《太白陰經》、《焦氏易林》、《靈棋經》、《神光經》、《神易數》、《大六壬兵帳鉤玄》、《奇門遯甲》、《大六壬開雲觀月經》、《太乙廟算》。

大六壬兵占纂要六卷，六册。

八門克應奇門九星二册。

大六壬出兵妙訣　神課發微　六壬兵機章　六壬兵帳賦　六壬九天心照龍骨經　六壬神術玉櫃經　六壬節要已上八種，十一册。抄本。

奇門九星虎鈐經二册。

大同鎮戰車營操法乙卷。

明龍正　合變圖説乙卷。

明劉敏寬删定　何東序　武庫益智録五卷，五册。

明劉宣化　三國策十二卷，八册。

明趙伸　籌邊録一册。

明趙士禎　神器譜五卷，三册。

明茅元儀　武備志二百四十卷，八十册，闕二十五册。

明董承詔類纂輯　戚繼光練兵書十八卷，六册。

明曹飛　籌兵三卷，四册。

明黄道周　廣名將傳二十卷，五册。

鄧廷羅　兵鏡（《孫子集註》乙卷、《兵鏡備考》十三卷、《兵鏡或問》二卷）十六册。

傳是樓子部天文曆數

明王應遴　乾象圖二卷。　　又　**中星圖**一卷。

湯若望　渾天儀説五卷，五册。

南懷仁　靈臺儀象志十六卷，十四册，外缺一册。

乙巳略例十五卷，二册。抄本。

天元玉曆祥異賦五册。抄本。

天元玉曆祥異圖七卷，二册。

觀象玩占十卷，十册。抄本。

物象通占十卷，二册。抄本。

天地人三鏡書三卷，一册。

明鄭世子　曆學新説二册。　　**聖壽萬年曆**二卷。　　**律曆融通**四卷。

　　萬年通考三卷。

新法曆九十七册。

徐發　天元曆理四卷，六册。　　又　**長曆**八卷，二册。

傳是樓子部五行

元陸森　玉靈聚義五卷，一册。抄本。

遁甲煙波釣叟歌一卷，二册。

奇門五種龜四卷，三册。

太乙曆年甲子一卷。　　**太乙歲占**三卷。　　**太乙月占**一卷。　　**太乙日占**一卷。　　**太乙時占**二卷。已上五種共八册。

太乙歲局陽遁陰遁四卷。

太乙顯微焔鑒二卷，一册。抄本。

太乙月日時局四卷，抄本。

太乙三才寶鑑十八卷，十冊。抄本。

神課金口訣六卷，二冊。

大定神數十冊。

河圖真數七卷，六冊。抄本。

筮筴理數日抄二十卷，十二冊。

沙滌秘書一卷。抄本。

宋黃渙　上官拜命玉曆大全一冊。抄本。

宋周湄　彈冠必用集一卷。

三元要論一卷，二種，共一冊。

明熊宗立　通書大全三十卷，十六冊。

陰陽捷經一卷，五冊。

明萬民英　三命會通十四冊。

麻衣易髓二卷。抄本。

明袁忠徹　古今識鑒八卷。　附　人象賦一卷，一冊。

地理至寶經一卷。

原陵秘葬十卷，一冊。抄本。

明周繼　陽宅真訣三卷。　陽宅神搜經一卷。　鑿井圖一卷。玄空煙火活法　宅寶經一卷。　八宅四書四卷，六種，共四冊。

傳是樓子部醫家

宋何大任　太醫局諸科傳義格一卷。

金劉元素　玄機原病式一卷。

明左仲舒　經驗痘疹方一卷。

明寧明鳳　痘疹良方一卷。

三十六種風一卷。

宋王碩　易簡方論一卷。

宋吳禔　聖濟經解義五卷,四冊。抄本。

宋許補之　傷寒奧論三卷。

宋崇寧看詳太醫局醫局生赴試所習經書篇目格一卷。

河間先生十八劑一卷。

元朱彥修　治病心要一卷。

丹溪先生衣缽一卷,已上共四冊。

宋板本草集方三冊。

金劉元素　宣明論方十五卷,四冊。

元趙大中　風科本草一卷。

本草元流一卷,二種,共一冊。抄本。去《本草衍義》,共一套。

元尚從善　傷寒紀元妙用集十卷,六冊,抄本。

元羅謙甫　衛生寶鑑二十四卷,四冊。

金匱鉤玄二冊,不全。

家塾事親四卷,一冊。

朱石　櫻寧生傳一冊。

明陶華　傷寒瑣言一卷。

傷寒必用運氣全書一冊。

明方廣　丹溪心法附餘二十四卷,十六冊。

明王宗顯　醫方捷經四卷,一冊。

萬氏積善堂經驗方一卷,一冊。

藥譜引一卷。

明李時珍　本草綱目五十二卷,三十六冊。

明吳祿　食品集二卷,一冊。

明陳文珍　痘疹真訣二卷,二冊。

明萬全　痘疹心要十二卷。　又　痘疹格致要論十二卷,共六冊。

明繆聞雍　廣筆記二冊。

羣方集録一冊。

朱泰來　急救須知三冊。

高麗許俊　東醫寶鑑共二十五冊。高麗紙板。

明羅彦周　醫宗粹言十四卷，八冊。

傳是樓子部藝術

明宗室希宣　大音　篆辭秘譜二卷，一冊。

劉□　太古遺音二卷，一冊。

臞仙　爛柯經①一卷。

明李開先　中麓畫品一卷。

明陸鑼　印範六卷，六冊。

元朱河　除紅譜一卷。

歷代名臣法帖第二（諸家古法帖五）

漢張芝書

晉侍中郗愔書

蒼頡書

陳永陽王陳伯智書

吳青州刺史皇象書

後漢崔子玉書

晉司徒王弼書

梁高帝書

---

① "爛"，舊抄本作"欄"。

梁簡文帝書

晉丞相王道書

宋明帝書

東晉文孝王武帝書

元帝書

西晉宣帝書

梁尚書王筠書

梁特進沈詩

梁交州刺史阮研書

晉黃門郎衛恆書

晉太傅陳郡謝安書

晉丞相桓溫

晉尚書令衛瓘

晉中書郎郗超書

晉丞相張華

梁武帝書

晉侍中王虞書

散騎常侍謝萬

唐秘書少監虞世南

唐率更令歐陽詢

中書令褚遂良

晉中書令王冷

東晉簡文帝書

晉太宰高平郗鑒書

齊高帝書

東晉明帝書

東晉康帝書

隋僧智果書

陳朝陳達書

梁蕭思話

蕭子雲

征南將軍蕭

唐薄紹之

晉王獻之

陳釋智永

唐東宮長史陸來之

唐尚書郎薛稷

唐洛州刺史徐嶠之書

唐諫議大夫褚庭誨

唐李邕

唐諫議大夫柳公權

秦丞相李斯書

東晉哀帝書

唐太宗書

唐高宗書

晉丞相王敦

夏禹魯司寇仲尼書

史籀書

陳長沙王陳叔懷書

傳是樓類家

元板[宋]嚴毅押韵淵海二十卷，十册。

[宋]高承　事物紀原集類十卷，四册。

汲古閣　津逮秘書計十五集,百六十八册。

[元]陶宗儀　説郛百二十卷,百二十册。　　**續**四十六卷,四十六册。

續百川學海二十九册。　　**廣**二十九册。

釋文三注三卷(梁周興嗣《千字文》、唐李翰《蒙求》、唐胡曾《咏史詩》),三册。

[明]劉葉　古今事類通考十卷,六册。葉字芝華,饒州人。

[明]吕純如　學古適用編九十一卷,卅二册。

[明]汪文啓　故事詳解三卷,二册。

[明]陳仁錫　經世八編類纂二百八十五卷,百二十册。《左編》、《右編》、《文編》、《武編》、《函史》上下編)、《經濟類編》一百卷(《大学衍義補編》)、《國書編》一百二十七卷、《稗編》一百廿卷(《經世寔用編》)

[明]劉維詔　大千生鑑六卷,六册。

金碧故事十卷,二册。

五寶故事十四卷,二册。

山堂考索全目　宋代章如愚俊卿著

前集六十六卷(六經、諸子、百家、諸經、諸史、聖翰、書目、文章、礼、礼器、樂、律吕、曆數、天文、地理)。

後集六十五卷(官制、官、士、兵、民、財、賦税、財用、刑)。

續集五十六卷(經籍、諸史、文章、翰墨、律曆、律、五行、礼樂、封建、官制、兵制、財用、輿地、君道、臣道、聖賢)。

別集二十五卷(圖書、經籍、諸史、礼樂、曆、人臣、士、財用、兵、夷狄、邊防)。

鄭樵通志略目(此《通志・略》内之二十略也)

氏族略六卷。

六書略五卷。

七音略二卷。

天文略二卷。

地理略一卷。

都邑略一卷。

礼略四卷。

謚略一卷。

器服略二卷。

樂略二卷。

職官略七卷。

選舉略二卷。

刑法略一卷。

食貨略二卷。

藝文略八卷。

校讎略一卷。

圖譜略一卷。

金石略一卷。

災祥略一卷。

昆蟲草木略二卷。

馬貴與端臨　文獻通考田賦、錢幣、戶口、職役、征榷、市糴、土貢、國用、選舉、學校、職官、郊祀、宗廟、禮、樂、兵、刑、經籍、帝系、封建、象緯、物異、輿地、四裔。先生宋相國廷鸞子，義不仕元，隱居著書。此書目凡二十有四，一目中各有小目。

傳是樓集部別集

漢董仲舒集一卷。

宋板宋鮑照集二冊。

宋板陶淵明集十卷，八冊。

梁簡文帝集一卷。

周庾開府集一卷。

唐許敬宗集一卷。

唐駱賓王文集十卷，一冊。

唐陳伯玉集二冊。

唐陳子昂詩集二卷,一冊。

唐四傑詩集王勃、盧照鄰。少二家,二冊。

唐張九齡　曲江集十二卷,二冊。

唐張説　燕公集二十五卷。

唐王昌齡集三卷,一冊。

宋板高常侍集十卷,二冊。

宋板王右丞集十卷,二冊。

元板劉須溪校　王右丞集六卷,一冊。

宋板蔡夢弼杜工部草堂詩箋五十卷。　詩話二卷。　趙子櫟詩年
　譜一卷　魯訔　詩年譜一卷,二十冊。

元板千家註分類杜詩二十五卷,二十七冊。

宋板門類集註杜詩二十五卷,八冊。

宋板黃希黃鶴補注杜詩三十六卷,二十冊。

朱鶴齡　注杜工部集二十三卷,八冊。

杜律虞注一卷,二冊。

篆杜律一卷。

宋板韓昌黎文集四十卷。　外集十卷。　遺文一卷,十八冊。

宋板韓文公集四十卷。　外集十卷。

宋板新刊昌黎先生文集四十卷　外集十卷,十冊。　又大紙本二十冊。

抄韓文一冊。

柳宗元　河東先生文集四十三卷。　外集二卷。　別集二卷。　附
　錄一卷。

元板柳宗元文集三十卷,六冊。

宋板柳宗元集四十三卷。　別集二卷。　外集二卷。

宋板孟東野詩集十卷,三冊。　孟東野集十卷。

唐張籍　司業集八卷,二冊。

唐李翺　習之集十八卷,二冊。

唐李賀詩四卷(姚文燮燮註),二册。

唐李德裕集三十四卷,四册。

唐盧仝集一卷。

宋板唐杜樊川別集一卷。　續別集三卷,一册。

唐孫可之集十卷。

宋板唐陸龜蒙笠澤叢書四卷。　補遺一卷,五册。

唐李義山詩集三卷,朱崔齡箋註。

唐薛能　許昌詩集十卷,一册。

唐吳融　英華歌詩三卷,一册。

唐韓偓　翰林集一卷。

香奩集三卷,一册。

中唐十二家詩集十三册。

百家唐詩十一册。

唐玄宗

李嶠

顏真卿

王勃

宋之問

杜審言

朱慶餘

李頎

嚴武

崔曙

祖詠

李端

崔顥

李遠

于武林

司馬礼

武元衡

張祐

陳子昂

李咸用

耿湋

馬戴

秦系

嚴維

于鄴

王周

張賾

許琳

林寬

殷文珪

鄭巢

皎然

齊己

李昌符

張喬

伍喬

無可

章孝標

百家唐詩,共百餘人。補見有虞世南、許敬宗、李百藥、楊師道、董思恭、楊炯、盧照鄰、駱
　　賓王、喬知之、沈佺期、蘇頲、張説、張九齡、盧僎、李頎、孟浩然、王昌齡、常建、郎士
　　元、皇甫冉、皇甫曾、司空曙、顧況、戎昱、李益、于鵠、戴叔倫、權德輿、羊士諤、馬戴、

呂溫、張籍、包佶、包何、李賀、李嘉祐、劉滄、盧仝、周賀、喻鳧、項斯、曹鄴、李洞、李山甫、劉駕、劉乂、章孝標、于濆、魚玄機、羅虬比紅、劉兼、姚鵠、羅鄴、林寬、周曇、劉威、殷文珪、劉廷之、韓翃，又有僧皎然、靈一、貫休、齊己，屬太宗文皇帝爲之首。其有品之低者，若崔塗與邵謁、蘇拯、呂溫、李建勳、儲嗣宗、章碣、秦韜、王周、曹松、無可、尚顏清塞等詩。

唐二孟詩三册。

李詩絕句一卷。

宋板南唐徐鉉騎省文集三十卷，十册。

宋柳開河東先生集十六卷，吳文定叢書堂抄本，三册。

宋魏野〔編者案：《宋史藝文志》："魏野《草堂集》二卷，又《鉅鹿東觀集》十卷。"〕

宋楊億〔編者案：《宋史藝文志》有楊億《蓬山集》五十四卷，又《武夷新編》二十卷等。〕

宋張詠　乖崖集十一卷，二册。

宋石介〔編者案：《宋史藝文志》："《石介集》二十卷。"〕

宋范仲淹集八册。

宋韓琦　安陽集十册。　**又　韓魏公集**三十八卷，十册。

宋蔡襄詩集四卷。

宋文潞公集四册。

宋蘇舜欽　滄浪集

宋劉敞〔編者案：《宋史藝文志》："《劉敞集》七十五卷。"〕

宋歐陽修　文粹

宋趙抃〔編者案：《宋史藝文志》："趙抃《南臺諫垣集》二卷，又《清獻盡言集》二卷。"〕

宋司馬溫公　傳家集八十卷。

宋王安石　臨川集一百卷，十册。宋板。　**又**二十册。　**又**二十册。

宋板蘇明允嘉祐集十五卷，四册。

宋板三蘇文集八十七卷，八册。

宋蘇文忠公全集三十册。　**東坡集**四十卷。　**後集**二十卷。　**奏議**十五卷。　**内制集**十卷。　**樂語**一卷。　**外制集**三卷。　**應詔集**十卷。　**續集**十二卷。　**王宗稷東坡年譜**一卷。　**宋板東坡集**十册。

宋板王狀元集注分類東坡詩二十冊。

三蘇選要四卷。

宋王令逢原文集二十卷，四冊。抄本。

宋徐積　節孝集三十一卷，三冊。

宋板曾南豐文粹十卷。

宋板周濂溪集十二卷，十一冊。

宋板邵雍伊川擊壤集十八卷，八冊。　又　擊壤集十卷，四冊。

宋板黃庭堅豫章先生集三十卷。　別集三十卷，二十四套。

元板任淵選黃太史精華録八卷，四冊。

宋張耒［編者案：《宋史藝文志》：“《張耒集》七十卷。”］

宋晁補之　濟北文粹二十卷。

元板陳師道後山先生集三十卷，舊校，十二冊。

宋范祖禹集五十五卷，十二冊。抄本。

宋韓維　南陽集十卷，抄本，五冊。

宋范純仁　忠宣公集十卷，六冊。

宋韋驤　錢唐集十卷，六冊。

宋馮山　馮太師集三十卷，一冊。抄本，十三卷以後缺。

宋彭汝礪［編者案：《宋史藝文志》：“彭汝礪《鄱陽集》四十卷。”］

宋板楊杰　無爲集十五卷，四冊。

宋李之儀　姑溪集五十卷。　後集二十卷，六冊。抄本。

宋鄒浩　道鄉集四十卷，六冊。

宋晁氏三先生集二冊。

宋晁説之　嵩山集二十卷，七冊。抄本。

宋板眉山唐先生文集二十卷，四冊。

宋郭祥正　青山集五卷，二冊。

宋韓駒　陵陽集四卷。

宋蘇籀　雙谿集十五卷。

宋楊時　龜山集四十二卷。

宋陳淵［編者案：《宋史藝文志》有《陳淵集》二十六卷。］

宋羅從彥　豫章文集十七卷，二冊。

宋劉翬　屏山集二十卷，四冊。

宋李綱　忠定公集三十二卷，五冊。

宋歐陽澈　飄然集六卷，二冊。

宋汪藻　浮溪文粹十五卷，二冊。

宋孫覿　鴻慶集十四卷，五冊。

宋李祖堯　注內簡尺牘十卷，二冊。

宋板陳簡齋詩集十三卷，竹坡胡穉仲孺箋註四冊。

宋沈與求　龜溪集十二卷，四冊。

宋張綱　華陽集四十卷，四冊。

歐陽文忠公集　居士集五十卷(古詩九卷，賦、雜文合一卷，經旨、辨合一卷，神道碑銘四卷，律詩五卷，論或問二卷，詔册一卷，墓表二卷，墓志銘十二卷，記二卷，通進司上書乙卷，與人書乙卷，祭文二卷，行狀一卷，序四卷，準詔言事乙卷，策問乙卷。) 外集二十五卷(樂府古詩共四卷，律詩三卷，古賦、辭、頌、贊合乙卷，經旨乙卷，記乙卷，書四卷，歐陽氏圖譜乙卷，論、辨合乙卷，神道碑、墓志銘二卷，序二卷，策問、謚議、祭文共乙卷，硯譜、牡丹記合乙卷，雜文乙卷，論、策合乙卷，敕、制合三卷，近體賦、官題詩合乙卷，問答三卷。) 內制集八卷。 表奏書啓四六七卷。 奏議十八卷。 雜箸述十九卷(奏艸共五卷，崇文總目叙釋乙，歸田錄二，濮議四卷，于役志乙，詩話乙，筆説乙，長短句三，試筆乙。) 集古錄跋尾十卷，止五代。 書簡十卷。 附錄六卷(通共一百五十二卷，附錄在外。)

傳是樓元人

元李俊民　莊靖遺稿十卷，二冊，抄本。

元岑安卿　栲栳山人詩一卷。

元黃鎮成　秋聲集四卷。

元王翰　友石山人遺稿二卷，一册。

元李日華　草閣詩集七卷，一册。

元僧妙聲　東臯錄五卷，二册，明初板。

　　　　　　　補就所見增補，欲求備元人也。

皇元風雅傅説卿、孫存吾詮次時賢詩，六卷，虞伯生序，二册。《後集》六卷，謝升孫
　　序，二册。名已見前集者，悉不再錄。

伯顔丞相

史紫薇

盧疎齋

許魯齋

李道復

張野夫

鮮于伯機

程雪樓

郝天挺

劉夢吉

貫酸齋

張仲疇

虞道園

元明善

趙子昂

閻靜軒

交趾王

劉御史

何理問

吳宗師

馮海粟

李伯宗

陳濟淵

龍麟洲

徐參政

梁宣慰

張天師

滕玉霄

吳艸廬

柳道傳

馬伯庸

杜竹處

安竹齋

文子方

袁伯長

楊仲弘

何吾山

吳敬庭

楊鵬翼

劉須溪

明普彥

歐陽圭齋元功。

杜清碧

李竹所

劉時中

李長源

陳自堂

劉立雪

劉養吾

羅磵谷

黃南卿

劉雲山

趙平閑

張周卿

王性存

趙季文

揭曼碩

孫伯善

湯子文

申屠致遠

羅滄洲

周石原

趙心遠

胡尊生

連伯正

宋本

胡古愚

高若鳳

許獻臣

倪中豈

范德機

張息堂

孫用復

黃河清

劉明叟

張叔暘

趙蒙齋

倪若水

孫存吾

甘東溪

薩天錫

林彥栗

胡斗南

宋梅洞

梁隆吉

李誠泉

彭容庵

何頤貞

李源道

夏果齋

陳仲山

龔子敬

李古澹

吳漢儀

仇仁近

黃子肅

張希孟

楊達可

鄧彧之

蕭南軒

陳魚村

張嗣良

陳晉齋

凌虛谷

趙茂原

吳仁傑

陳敬翁

陸文圭

易炎正

何太虛

甘虛庭

高孤雲

應居仁

聶古柏

葉友竹

先一初

[已上前集,二册]

鄧善之

王繼學

馬昂夫(達魯花赤)

段惟德

張冰溪

段天祐

吳養浩

上官伯圭

周鈞山

盧彥威

王儀伯

曹子貞

李齊賢

錢雪界

李兩山

祝直清

祝元美

李仲公

梁彥中

王秋江

王子東

楊厚巖

黃伯玉

吳宜甫_{文誼。}

張伯遠

蔡舜謨

方景山

夏誠中

王虛白

康秋山

蔡九思

吳遜齋_{文讓。}

姚江邨

白仁壽

方寒巖

薛宗海

范藥莊

黄晉卿

倪元鎮

戴祖禹

李鶴田

趙青山

歐陽伯恭

王蘭思

黄松瀑

鄧牧心

胡石塘

李坦之

陳剛中

劉起潛

吳正傳

于介翁

田師孟

楊季

舒元易

黄君瑞

于仲元

張南皋

康里巎巎

張一無

危琴樂

陳小庭

況肩吾

朱本初

周德可

陳敬齋

偰世南

王玄翰

高況梅

葉天趣_{孟明。}

薛玄卿

包肥川_{淮。}

查廣居

危太樸

鄭汝和

韓中村

劉恭叔

章養吾

葉千林

許存我

（已上四卷）

高新甫

王倫徒

太乙子_{即天師。}

詹厚齋

朱訥生

李進齋

李絅齋

呂元卿

林仁山

夏_{一作真}**紫清**

王士點

謝岬池

彭孟圭一作老。

程登庸

吳月彎

（已上四愛題詠，已下梅野詩序）

真山民

揭希韋

謝南窗

周老山

周梅邊

周幕溪

傅東郊

劉叔遠

孛术魯翀

江學庭

許伯昭

黃樸齋

曾德厚

周溪邊

黃誠性

黃季嬴

熊嵋谷

理伯容

甘恪

劉孟曄

張小山

拜帖穆爾

郭君彦

員怡然

鄧德良

王尚志

施性初

陳是若

劉夢羲

章伯亮

趙田僑

張鳴善

楊性可

李宗冽

徐天逸

傅謙則

熊勿軒

毛靜可

陳野雲

林德晴一作暘。

羅梅我

張奎翁

涂雪坡

危希尹

吳西墅

羅太瘦

陳復齋以仁。

潘心月

趙芝室

劉艸窗

李孟陽

涂竹逸

鄭元晉

（已下十雪題咏）

李艸牕

葉水村

陳應江

李蒙齋

鄭溥

劉南金

（又附濟南王《十臺懷古詩》。楊烈，字子承，太原人。）

嚴春山

袁安道

王劍川

陳天霱

孫平齋

補元人文集係所見即增，不次先後也。

金李俊民　莊靖遺稿十卷，二册。

岑安卿　栲栳山人詩乙卷。

黃鎮成　秋聲集四卷，一册。

李日華　艸閣詩集七卷，一册。

王翰　友石山人藁一卷，[《敏求》]潮州路總管王用父，別號友石山人，元亡，浮海
　　之閩，居永福山中，黃冠服十年。有荐之者，聞命下即引決。今讀其自決詩，忠義之

氣凜然,吁! 可敬也。子偶,編類遺稿。偶字孟楊,詳見《附録》。

僧妙聲　東皋録五卷,二册。明初板。

程鉅夫　雪樓集五十卷。

倪瓚(元鎮)　雲林先生稿六卷,六册。又清閟閣十二卷,二册。

陳基　夷白齋稿三十五卷,外集乙卷,三册。[《敏求》]弘治己卯,張習廣搜敬初詩文,勒成十二卷刊之,志其後云:"先生文集名《夷白》者三十四卷,留吳下士大夫家,秘不傳。蓋當時原書難覯,故所刻不全。君子惜焉。此從其稿本摹寫者,稿本舊藏葉林宗家。林宗嘗出晊,予摩抄賞玩,移日不休,予語林宗敬初《過虞山詩》,悼張楚公之亡,指斥太祖,不少遜避。戴良編題此集,亦稱我吳王淮張之得士心如此,非一時群雄所可企及,因相與浩嘆而罷。"

王逢(原吉)　席帽山人梧溪詩七卷,五册。[《敏求》]先君留心國初史事,訪求王逢、陳基等集,不遺餘力。然惟絳雲樓有諸,牧翁秘不肯出,末由得覿。先君歾,予於劍映齋藏書中覯得《梧溪集》前二卷,是洪武年間刊本,如獲拱璧,恨無從補録其全。越十餘年,復與梁溪顧修遠借得後五卷鈔本,亟命侍史繕寫成完書。閱時泣下漬紙,痛先君之未及見也。原吉志不忘元故君舊國之思,纏綿惻愴,《初學集》跋語極詳,又不待予言贅也。

劉永之(仲修)　山陰先生集詩六卷,文二卷,一册。(或入明人類)

丁鶴年　海巢集三卷,乙册。本西域人,附見從兄吉雅謨、次兄愛理沙、表兄吳惟善等詩,係元人,非明人也。《經籍志》入明人文集。

袁華(子英)　耕學齋稿□卷,乙册。仕洪武初,爲郡學訓導,稱能詩。

吕誠(敬夫)　來鶴亭稿(分來崔艸堂、番禺、既白、竹洲、歸田等稿)不次卷,一册。元崑山州之東倉人,今隸太倉,與郭羲仲、陸良貴唱和。鐵崖題其詩曰:"蘇支邑凡六,獨崑山多才子,魁出者往往稱袁吕,子英敬夫也。屢聘不赴,卒老于鄉。"

陳高　不繫舟漁集十六卷,二册。

鮑恂(仲孚)　西溪漫稿□卷,□册。元乙亥進士,洪武中年八十。與全詮張長年,並以明經召備顧問,力辭放還。爲人尊重不狎,而學行名天下。崇德人。

朱希晦　雲松巢詩二卷。洪武初不受官,有先代遺民之風。樂清人。

舒頔(道原)　華陽貞素齋集七卷,□册。父弘,字彥洪,號白雲先生。洪武初交章初聘,高臥不出,齋名貞素,學者稱貞素先生。

吳訥(克敏)　西隱詩集五卷,□册。吳萬户休寧人,忠于元。《萬卷堂目》:"吳訥《思庵集》十一卷，又《續集》十卷。共三册。"

戈鎬（仲京）　鳳臺集□卷。鎮江人。洪武初徵入京口，隱居不仕。

鄧定（子靜）　耕隱集二卷。閩縣人。洪武中徵不起，萬曆間八代孫原岳刻
其集。

劉渙（字彥亨，號石田）　□集□卷。世家頜陽，至正間薦爲三茅書院山長，
道梗不赴。子續，孫師、邵皆有才名。

殷奎（孝章）　婁曲叢稿□卷。崑山人，洪武初卒，門人私謚文懿先生。弟璧字
孝連。文懿有《道學統系圖》、《家祭儀》、《崑山志》、《咸陽志》、《關中名勝》、《陝西圖
經》。

秦約（文仲）　□□集□卷。崑山人，宋秦觀之後，孝友先生玉之子。至德間爲
教授，入國初，拜禮侍，以親老辭。

瞿智（惠夫）　□□集□卷。父晟迁，崑山人，至正間官教諭。

陸仁（良貴）　□□集□卷。崑山人，館閣諸公皆重之，稱陸河南。

馬麐（公振）　醉漁艸堂集□卷，崑山之東倉人。元季避兵松江之南，幽閒自
娛，爲鐵崖推重。

張著（仲明）　濛溪先生集王秋潤稱其詩文雜著五百餘篇，襄陽人。

貢禮部師泰（泰父）　翫齋集十卷，拾遺乙卷，序文、年譜別爲乙卷。少遊草廬
吳先生門，有《友迁》、《東軒》二集。青陽余闕、新安程文爲序之。天順間，會稽沈性
合爲此集，門人謝肅、趙贄序之。**[附]元貢禮部師泰玩齋集（序共二十
六頁，年譜五頁）序　第二序　第三趙贄序　第四錢用壬序
謝肅序　王禕序　余闕序　卷一（二十二頁，多闕誤）一頁**
後六行悅，八行惝。　**五頁**五行涊　**六頁**一行補"無盡時"三字，又二行補
"滋"字，又十行補"闥"字。　**七頁**六行俟、八行簡誤。　**八頁**後二行任改住。
　十一頁後五行胏、顤。　**十五頁**八行錢，又後三行傲、纏。　**十六頁**三
行竅，又後三行汪。　**十七頁**四行知、蔟，六行千金。　**十八頁**一行無"又"
字，皆誤。　**二十一頁**九行素、索通。　**二十二頁**五行妹、姝。　**卷二**
（十六頁）八頁後十行苀。　**九頁**後八行大。　**十一頁**後十行由。
　十二頁四行荀，又五行趺。　**十三頁**十行撇，後一行刻、晤。　**十六頁**後

三行舡。　**卷三(十頁)四頁**後一行目。　　**五頁　六頁**並闕。　　**卷四(闕)**

劉因(靜修)　**先生文集**二十二卷。元板十三行，二十一字，二百十三頁，李謙序。《丁亥集》五卷，附《樵庵詩遺文》、《六遺詩》、《六拾遺》七卷，共二十四卷。大字。

戴表元(帥初)　**剡原集**二十八卷。奉化州人，仕元爲信州教授，至元大德間東南文章大家皆歸之。明宋學士景濂先生爲之序云："黃文獻公潛，於宋季辭章之士，樂道之而弗已者，唯剡原戴先生爲然。"入《元史・儒學傳》。

元處士張庸　**全歸惟中詩集**七卷，二冊。烏斯道《序》。

吳郡顧俠君選元人目

金元好問(裕之)　**遺山先生集**太原秀容人，金興定三年進士，翰林知制誥。金亡不仕。集四十卷，八冊。七歲能詩，有神童之目。年十四，從陵川郝天挺學。

金李俊民(用章)　**莊靜先生集**十卷，李仲紳、王特升序之，別號鶴鳴老人，澤州人，金承安中進士，應奉翰林，元世祖賜諡莊靜。

劉因(夢吉)　**靜修集**保定容城人，至元十九年徵拜右贊善。元刻二十二卷，十三行，二十一字者，共二百十三頁，李謙序之。又有《丁亥集》，係前明翻刻，附《樵庵詩遺文》、《六遺詩》、《六拾遺》七卷，共二十四卷。大字。

方回(萬里)桐江集　別號虛谷，徽州歙縣人，宋景定壬戌登第，仕元爲建德路總管。

牟巘(獻之)　**陵陽集**湖州人，宋進士，官至大理少卿，元初教授陵陽州，以上元簿致仕。

戴表元(帥初)　**剡源集**一字曾伯，宋進士，慶元奉化人，元大德八年薦除信州教授，至元大德間，東南文章大家皆歸之，學士宋景濂先生爲之序。二十八卷，二冊。

黃庚(星甫)　**月屋漫稿**天台人。四卷，一冊，山人。

方夔(時佐)　**富山嬾稿**淳安人，隱富山授徒，學者稱富山先生。明正統間周瑄爲序，集八卷。

宋能銤(去非)　**勿軒集**號勿軒，又號退齋，宋咸淳十年進士。宋亡不仕，建陽人。明成化初六世孫斌刻，八卷，乙冊。

宋陳深(子微)　寧極齋稿平江人，別號清全，宋亡不仕。子植，字叔方。

袁易(通甫)　靜春堂集長洲人，署石洞書院山長，龔璛、郭麟孫、湯彌昌序之。
子泰，字仲長。《靜春堂集》四卷。

尹廷高(仲明)　玉井樵唱正續稿遂昌人，別號六峯，永嘉教授。

蕭國寶（君玉)　輝山存稿山陰人，家吳江，號輝山。明崇禎間刻，僅二十
餘首。

耶律楚材(晉卿)　湛然居士集遼東丹王八世孫，金尚書右丞履之子，元太宗
朝拜中書令，追封廣寧王，謚文正。萬松野老行秀爲序，十四卷。金迂齋跋。《湛然
居士》世無刻本，内弟歸安蜀檢先世遺書，得此集于亂帙中，蓋有太僕公震川先生所
藏手澤存焉。余從借抄，共十四卷。按澹園焦先生《國史經籍志》，有《移剌楚材》及
《耶律楚材》二集，一列于元十二卷，一列于金三十五卷。今閲是集，詩文中多自署漆
水楚材晉卿，似即一人。當時或有兩集，澹園遂疑爲兩人，誤列兩朝耳。《元史》列
傳："楚材字晉卿，遼東丹王突欲八世孫。父履，以學行事金世宗，終尚書左丞。楚材
三歲而孤，母楊氏教之學。及長，博極羣書，旁通天文、地理、律曆、術數，及釋、老、
醫、卜之説。下筆爲文，若宿構者。仕爲左右司員外郎。元太祖定燕，聞其名，召見
之，處之左右，呼爲吾圖撒合里，而不名。"楚材美髯冉，吾圖蓋華言長須人也。歷仕
太祖、太宗三十餘年，累官至中書令。年五十五，終于位。至順元年贈經國議制寅亮
佐運功臣太師上柱國，追封廣寧王，謚文正。戊午秋九月上澣識。移剌、耶律是一人
無疑。集見金元者，先生仕金爲左右司仕，元追封至廣寧，其《移剌集》三十五卷，或
作于金世，仕元後諱不傳耳，讀公贈遼西孛郡王詩亦信。若焦氏《經籍志》，卷秩都不
多憑，故有十二卷、十四卷之譌。但公既仕元，例入元人，不當復見金也。余言然否，
識者正之。雍正三年十月記。

劉秉忠(仲晦)　藏春集邢州人，元世祖至元元年拜光禄大夫太保參領中書省
事，詔以翰林學士竇默女妻之，謚文正。弟秉恕，字長卿。一作十卷，一作二十二卷。
今集詩四卷，樂府、附録各一卷，共乙册。

郝經(伯常)　陵川集祖天挺，澤之陵川人，元世祖以經爲侍讀學士，充國信，使
人宋，爲賈似道拘儀真十六年，謚文忠。集三十九卷，八册。

許衡(仲平)　魯齋集河内人，與姚樞、竇默同隱蘇門。世祖朝集賢大學士兼祭
酒，謚文正。集六卷。

王惲(仲謀)　秋澗大全集衛州汲縣人，至元二十九年擢翰林學士，謚文定。
集百卷，二十册。雍正甲辰抄郝陵川甫畢，即借王逸陶《秋澗大全》續抄。閲卷首咨

文，當刻亦在郝奉使後。今抄成，次第適符，若有數焉，亦一奇也。第逸陶所藏，繕寫
既精美矣，而不無闕頁。聞蓮涇王先生藏有元刻舊本，將借校完焉。俾後之閱我抄
者，無不全之歎，亦一可喜事也。

程鉅夫（文海）　雪樓集又號遠齋，自徽州家建昌，元世祖拜御史。奉詔求賢，
薦趙孟頫等二十餘人。武宗朝進翰林學士承旨，謚文憲。集五十卷，一作三十卷。

吳澄（幼清）　艸廬先生集五十二卷，二十冊。撫州崇仁人。程鉅夫薦，徵至
京，歷仕至英宗。初拜翰林學士，謚文正。孫當，字伯尚。

元淮（國泉）　金困吟乙卷。別號水鏡，臨川人。徙邵武，至元初以軍功顯閩中，
官至溧陽路總管。

趙孟頫（子昂）　松雪齋集宋秦王德芳之後，五世祖秀王子偁實生。孝宗賜第
于湖州，故爲湖州人。世祖朝程鉅夫薦入爲學士，延祐中拜翰林承旨。子雍字仲穆，
子奕字仲光。集二卷，四本。又十卷，外集二卷，二本。

袁桷（伯長）　清容居士集五十卷，十本。大德初程文海薦爲翰林檢閱官，累
進翰林待制，至治元年遷侍講學士，謚文清。慶元人。

馬祖常（伯庸）　石田渠詩五卷，文十卷，附錄乙卷，四冊。世爲雍古部，居靖州
之天山，其高祖錫里吉思，當金季，爲鳳翔兵馬判官，子孫因號馬氏。曾祖月合，乃從
南伐留汴，後徙光州。祖常七歲知學，延祐初貢舉法行，鄉、會皆第一，廷試第二人，
應奉翰林。擢御史，劾柄臣鐵木迭兒，迭兒死，乃除翰林待制，遷禮部尚書、浙東廉
訪。蘇天爵請刻于朝。名石田者，以所居有石田山房也。

貢奎（仲章）　雲林詩集六卷，附錄一卷，二冊。寧國路宣城人，延祐初以儒學
提舉，入爲翰林待制。泰定中拜集賢直學士，謚文靖。子師泰，有《玩齋詩文集》拾壹
卷。先生有《雲林小薥》、《聽雪齋紀》、《青山謾吟》、《倦游集豫稿》、《上元新錄》、《南
州紀行》，凡百二十卷，悉藏在秘府。

張養浩（希孟）　雲莊類薥濟南人，官至陝西行臺中丞，謚文忠，別號雲莊。孛
木魯翀作《序》。

曹伯啓（士開）　漢泉漫稿十卷，子復亨編。濟寧碭山人，少從學于李文正公
謙，歷官至陝西諸道行臺御史中丞，謚文貞。

許有壬（可用）　圭塘小稿共六卷，二冊。彰德路湯陰人，暢師文薦入翰林，歷
仕七朝，歷官至中書左丞。歐陽元功序其集，有《至正集》百卷。其弟有孚輯其詩爲
《圭塘小稿》，序之曰："《至正集》卷帙浩繁，以猶子楨起遣南行，倉卒不及收拾，有孚
爲輯《小稿》，併平生倡酬、紀行諸作，爲別集，以傳于世。"又有《圭塘欵乃集》。《小

稿》三卷，《續集》一卷，《附錄》一卷，《別集》上、下兩卷，共二册。

蒲道源（得之）　閒居叢稿二十六卷，四册。別號順齋，眉州人。徙家興元，延
祐間提學陝西。

安熙（敬仲）　默菴集門人蘇天爵序之。真定槀城人，處士，至大四年卒。

宋陳櫟（壽翁）　定宇集詩一卷。徽之休寧人。宋亡，科舉廢，發憤著《四書發
明傳纂疏》、《禮記集義》等書。延祐開科，有司強之中選，不赴禮部，教授于家。臨川
吳澄亟稱之。

胡炳文（仲虎）　雲峯文集十卷，一册。徽之，婺源人，至大間爲蘭溪學正。元
統初卒，諡文通，有文集二十卷。

虞集（伯生）　道園學古錄五十卷，□册。有《續集》。蜀郡人，寓臨川崇仁，以
契家子從艸盧先生游，歷官至奎章閣學士，諡文靖，世稱虞、楊、范、揭。

楊載（仲弘）　仲弘集四卷，一册。建之，浦城人，徙于杭。年四十不仕，賈國英
數薦于朝，以布衣召爲翰林國史編修官。延祐初登進士，終寧國路總管推官。

范梈（亨父）　德機集十二卷，揭曼碩《序》。一字德機。臨江清江人，家貧，蚤
孤，刻苦爲文章，人罕知者。年三十六，賣卜燕市，薦爲左衛教授，遷翰林編修官，以
母喪哀毀卒，人稱文白先生。所著有《燕然稿》、《東方稿》、《海康稿》、《豫章稿》、《候
官稿》、《江夏稿》、《百丈稿》，總十二卷。

揭傒斯　秋宜集龍興富州人，幼貧，刻苦讀書，程鉅夫、盧摯先後爲憲長，皆重之。
鉅夫妻以從妹。延祐初薦授翰林國史院編修官，天曆初進侍講學士，諡文安。

黃溍（晉卿）　日損齋稿三十三卷，筆記一卷。婺州義烏人，延祐進士。至順初
馬祖常薦入翰林，至正七年升侍講學士，諡文獻。與虞集、揭傒斯、柳貫號"儒林四
傑"。合而觀之，待制之才雄健，而侍講之思峻潔。一時才士如王褘、宋濂輩，並出
黃、柳之門，而匯爲一代文章之盛，殆亦氣運使然者矣。《學士集》十卷，八册。

柳貫（道傳）　待制集四十卷。浦江人，大德間爲教諭，至正初翰林，升侍講學
士，私諡文肅。少受經于仁山金履祥，既而從鄉先生方鳳、粵謝翱、括吳思齊諸前輩
游。乃復裹糧出與紫陽方回、南陽仇遠、淮陰龔開、句章戴表元、永康胡之純長孺兄
弟，益咨叩其所未至。及至京師，爲吳文正公澄所器賞，門人宋濂、戴良，類輯其詩文
爲四十卷。又二十卷，六册。

歐陽玄（原功）　圭齋集十六卷，二册。潭州瀏陽人，歷官四十餘年，三任成均，
兩爲祭酒，六入翰林，三拜承旨，屢主文衡，兩知貢舉，及讀卷官。當四海混一，文物
方盛，凡宗廟朝廷，雄文大册，播告萬方，制誥多出其手。金繒上尊之賜，迨無虛歲。

海内名山大川，釋老之宫，王公貴人墓隧之石，得其文辭以爲榮。宋景濂《序》云：“公之文自擢第以來，多至一百餘册，藏瀏陽里第，盡燬于兵，此則在燕所録，自辛卯至丁酉七年間所作耳。然則當元季之亂，名公鉅卿之文，其厄于兵燹而不得傳者，又可勝道哉。”

薩都剌（天錫）　雁門詩集八卷，一册。

本答失蠻氏，祖父以勳留鎮代，遂爲雁門人。薩都剌，華言濟善也。登泰定丁卯進士。干文傳《序》。又徐興公曰：“薩集成化乙巳兖州守關中趙蘭刻於郡齋，得仁和沈文進家藏本。弘治癸亥東昌守雁門李舉又刻之。今二本互有異全，竝傳于世。一題曰《雁門集》，一題曰《薩天錫集》。”然《雁門》所載如《車簇簇行》，《元文類》作馬祖常。又《石田集》中《凌波曲》，《元音》作無名氏，《乾坤清氣》作李溉之。《舞姬脱鞾吟》，歐陽元功有和李溉之之韵，當不誤也。又如“明日城東看杏花”一首，見虞伯生《在朝稿》。“歲云莫矣”三章，兩本並載。而偶武孟“乾坤清氣”作張仲舉。武孟元末人，必有所見，今悉爲改正。他如《次韵送虞先生入蜀》一首，亦見《石田集》，而諸選本俱作薩天錫。《山中懷友》及《和吴贊府齋中十咏》，見《黄晉卿集》，而胡元瑞《詩藪》所稱天錫詩，有“故廬南雪下，短褐北風前”之句。徐興公《序》亦引及此語，似各有所據，未可盡以爲誤也。至如盧希韓之《半擔薩集》，出于後人掇拾之餘，所當亟爲改正。《凌波曲》、《鶴骨笛》之誤入龍子高，此在《元音》本屬無名氏，而潘曹選本失于考較，牽連而誤及之耳。按錢牧齋《列朝詩集》稱慶元方氏盛時，招延天下文士，天錫與林彬、朱右輩皆往依焉。今其集中並無浙東往還之作，又干壽道《雁門集序》，謂有七言律巧題百首，今亦不存。乃知昔人卷帙，散逸已多。補綴蒐羅，更有混淆錯出之弊，故略因所見而釐正之。

宋无（子虚）　嘑噏集　翠寒集　鯨背集晋陵人，遷吴逸士，至正庚辰年

八十一。

陳旅（衆仲）　安雅堂集十四卷，□册。

興化莆田人，薦除國子助教，至正元年遷國子監丞。

張翥（仲舉）　蛻庵集晋寧人。

受業李俟庵，又學于仇山村遠，累官至河南行省平章政事，翰林承旨致仕。

貢師泰（泰甫）　玩齋集十卷，拾遺詩文一卷。

天順間會稽沈性序先生集云：“宣城泰父集十有二卷，詩賦、序記、傳説、箴銘、贊頌、問辯、題跋、碑銘、誌表、雜著，共六百五十三首。又有序文、年譜，別爲一卷。共四册。貢奎，仲章之子，艸廬吴先生之門人，中浙江郷試，判太和州，薦入翰林，拜御史。至正十四年擢吏侍，尋拜尚書。張士誠據吴，避海上，卒于海寧。集有《友迁》、《玩齋》、《奧嶐》、《東軒》、《閩南》諸稿，門人劉中、朱鏹總題曰《玩齋》。”

迺賢　金臺集賢字易之。西北部落，散處内地，稱南陽人，歸浙東，爲東湖書院山
長，薦授翰林編修。歐陽元功序其集。

陳樵（居采）　鹿皮子集四卷，乙册。婺州東陽人，隱居淵谷，自號鹿皮子。

謝宗可　咏物詩二卷，一册。金陵人。

吳萊（立夫）　淵穎集浦江人，集賢學士直方之子。門人胡翰《序》。其子士謂所
哀，次其遺文爲十二卷。其門生學士宋濂等私謚曰淵穎先生。與黄侍講溍、柳待制
貫，同出方韶甫之門。

吳師道（正傳）　禮部集二十卷，六册。婺州蘭溪人，至治元年進士，累官至禮
部侍郎。與同郡黄晋卿、柳道傳友善。吳立夫與爲同宗，尤所推重。

周權（衡之）　此山集四卷，乙册。別號此山，處州人，徵士。

李士瞻（彦聞）　經濟集南陽徙漢上，至正初大都路進士，仕至翰林學士承旨。
遺文五卷。子守成，後名延興，至正丁酉進士，官翰林檢討，洪武間嘗典邑校，有《一
山文集》傳于世。皆其曾孫伸所編。吉安知府張廷璽，又嘗合彦聞父子詩文爲《濟美
集》云。

朱德潤　存復齋集字澤民，吳人，仁宗召爲編修，授鎮東行省儒學提舉，蜀郡虞伯
生嘗曰：“澤民文章典雅，惜以畫事掩其名。自兹以往，澤民其豐於文而嗇于畫可
也。”蓋諷之云。集十卷，有續集。

陳泰（志同）　所安遺集乙卷。長沙茶陵人，別號所安，延祐初舉于鄉，官龍
泉簿。

杜本（伯原）　清江碧嶂集乙卷。臨江清江人，元丞相忽剌木見其《救荒策》奇
之。文宗徵之，辭不赴。

方瀾（叔淵）　叔淵遺稿莆陽人，隱居吳中，至元己卯卒。

許謙（益之）　白雲先生集四卷，金華人。受業于仁山金履祥，從學者千餘人，
獨不授以科舉之文，曰：“此義利所由分也。”所著有《讀四書叢説》、《讀書傳叢説》、
《詩名物鈔》、《觀史治忽幾微》若干卷行于世，謂文公之學傳于黄勉齋、魯齋、王柏，又
師友于北山何基、仁山金氏，學于魯齋。而及登何氏之門後，學溯源追本，以三先生
爲文公適派，而白雲實任其傳，建四賢書院以祠之。

李存（字明遠，一字仲公）　俟庵集三十卷，四册。饒之安仁人，通醫術。延
祐開科，一試不第，即決計隱居。與祝蕃遠、舒元易、吳尊先志同行合，號“江東四先
生”。集刻于永樂三年，國子祭酒徐旭《序》之。牧齋《列朝詩集》稱爲洪武中卒，

誤也。

趙偕（子永）　竇峯集宋魏王廷美之後，六世孫文華刻其詩，多陳腐語。

岑安卿（靜能）　栲栳山人集餘姚人。與李著作季和、危學士太樸友善。

洪希文（汝質）　續軒渠集乃翁宋貢士岩虎，有集曰《軒渠》。莆田人。

袁士元（彥章）　書林外集袁珙柳莊之父，德祐忠臣鏞之孫。危太樸薦爲平江路學教授，擢翰林國史院檢閱官。自號菊村學者，集七卷，太樸序之。慶元鄞縣人。

張端（希尹）　溝南漫存稿江陰人，樞密都事。子宣，與修《元史》。

泰不華　顧北集字兼善，家台州。至治改元進士第一，順帝初擢禮部尚書。十二年三月，方國珍襲台州澄江，九戰死之，諡忠介。

余闕（廷心）　青陽集六卷，二冊。李祁序之。一字天心，合肥人，元統癸酉進士第二，至正十三年起闕爲付使僉都元帥事，守安慶陳友諒。十八年正月死難，諡忠宣。有《附錄》。

王翰（用文）　友石山人遺稿□卷，一冊。靈武人。陳有定據閩表，授潮州路總管。子偁，永樂中檢討。

鄭玉（子美）　師山集文八卷，遺文五卷，附錄一卷，二冊。一名《餘力稿》。歙縣人，至正十四年徵士。明太祖下徽州，自經死。

李祁（一初）　雲陽集十卷，別號希蘧，茶陵州人，東陽族祖也。登元統元年李齊榜第二，退隱永新。明兵至，被傷不仕。

陳高（子上）　不繫舟漁集溫州平陽人，至正十四年進士，授慶元路錄事。明初眉山蘇伯衡訪其詩文，詮次成帙，題曰《子上存稿》，十六卷，二本。

盧琦（希韓）　圭峯集元陳誠中所編，明萬曆初邑人朱一龍、三山董應舉序而刻之。琦別號立齋，泉之惠安人，至正二年進士，知平陽州。其集中詩大半見《薩天錫集》，又間見陳眾仲同寬甫作，兵燹後誤之。

黃鎮成（元鎮）　秋聲集十卷，□冊。新安鄭潛序之。邵武人，至正間隱居不仕，學者號存齋先生。四卷，一冊。

胡天游（乘龍）　傲軒吟稿別號松竹主人。岳之，平江人，元季處士也。

鄭元祐（德明）　僑吳集處州遂昌人，僑居于吳，至正間擢江浙儒學提舉。謝徽序之。

周伯琦（伯溫）　近光集又有《扈從詩》及《六書正譌》、《說文字原》。別號雪坡貞逸，饒州人，至正十七年假參知政事。招諭平江張士誠，拜江浙行省左丞，留平江者十餘年。張氏亡，尋卒。

陳基（敬初）　夷白齋集

補明人文集<small>隨得隨增，不次前後。</small>

杜瓊（用嘉）　東原集<small>詩、文各乙卷，又補遺一卷，共一冊。王文恪鏊爲之序。吳縣之樂圃里人也，私諡淵孝先生。與陳醒庵孟賢、邢量用理友善，終身不娶，足不越里門，吳中布衣高隱王仲光賓、韓公望奕後繼踵者。</small>

王賓（仲光）　光庵集<small>□卷，一冊。高士，長洲人。平生不娶，事母極孝，與韓奕先生、姚廣孝同時。</small>

侯助教復（祖望）　觀光集<small>仕永樂中，有《觀光》、《鷄肋》、《病鶴巢》、《採芹》等集。共十卷，乙冊，國初板。</small>

劉珏（廷美）　完庵集<small>上、下共二卷，一冊。吳寬原博、王濟之鏊序之，與倡和者徐武功、沈侗軒、沈白石等。宣德中山西僉事。完庵，歸田時自號也。</small>

張泰（亨父）　滄洲集<small>□卷，三冊。太倉人，天順進士，官翰林修撰。</small>

陸鉽（鼎儀）　春雨堂稿<small>詩□卷，文□卷。崑山人，與陸文量容、張滄州泰稱"婁東三鳳"。</small>

陸完（全卿）　水村集<small>二十卷。長洲人，成化進士，官少保。今郡中收藏只一卷，疑其贋。</small>

張簡（仲簡）　白楊山樵□

藍仁（靜之）　藍山詩<small>□卷，□冊。元末杜清碧隱居武夷，仁與其弟智往師焉，授以四明任松卿詩法。智以應薦起家，芊城陳璉序靜之詩集，謂應詔官憲僉，誤也。</small>

謝徽（玄懿）　蘭庭集<small>十七卷，八冊。長洲甫里人，洪武初官翰林，與修《元史》。首賦，二至五卷詩，中文，十二詞，十六、十七又詩。另有摘稿詩三卷。余詮、盧熊序之。</small>

居節（士貞）　牧豕集<small>□卷。嘉靖吳郡人。</small>

鮑恂（仲孚）　西溪漫稿<small>入元人。</small>

錢榖（叔寶）　□□□<small>□卷。吳人，有《續吳都文粹》。</small>

董紀（良史）　［西郊］［笑端］集□卷。上海人，詞翰俱佳，洪武初官僉事。

王彝（常宗）　三近齋集□卷。父官崑任教授，遂遷嘉定，自號蝸蜒子，以布衣召修《元史》。

孫作（大雅）　滄螺集六卷。江陰人，一字次和，國初人。著書十二篇，號東家子。

周啓（孟啓）　詠萊稿□卷。貴溪人，少從張孟循、夏柏承學，仕洪武間。

朱弘祖（彦昌）　東皋耕叟詩□卷。臨川人，饒僩伯恭爲之序。

朱應辰（文奎）　漱芳集三卷。洪武初教諭。

盧熊（公武）　□□集□卷。崑山人，父觀，有學行，門人私謚夷孝先生。熊于元季爲吳縣教授，仕洪武。初有《説文字源章句》、《鹿門隱書》、《蘇州兗州志》、《孔顏世系譜》。弟熙，字公暨，以薦起。子彭祖，字長嬰，永樂初禮部文事。

郭翼（義仲）　□□集□卷。崑山人。楊維楨序其詩曰："今之詩合吾之論者，斤斤三、四人：虞公集、李公孝先、陳公樵也。竊繼其緒餘者，亦斤斤三、四人：天台項煜、姑胥陳謙、永嘉鄭東、崑人郭翼也。"洪武初徵爲學官。

烏斯道（繼善）　春艸齊集詩五卷，文五卷，附錄乙卷。慈溪人，學文于夢堂噩公，國初以薦起。二册。

習嘉言（尋樂）先生集二十卷，永樂進士。新喻人。

黎擴（大量）　鳴學集十四卷，二本，内有補遺。臨川人，用薦爲蘇州府府學教授，與杜東園友善。天順間刻本，錢溥爲之序。

丙集

張修撰泰，字亨父，太倉人，天順進士，有《滄洲詩集》□卷，三册

陸太常鉞，字鼎儀，崑山人，天順癸未會試第一，有《春雨堂稿》。

　與陸文量容、張亨父爲"婁東三鳳"

倪尚書謙，字克讓，江寧人，正統進士，謚文僖

謝少傅遷，字子喬，餘姚人，成化狀元，謚文正

梁少師儲，字叔厚，順德人，成化會試第一，謚文康，有《鬱洲集》

劉少傅忠，字司直，陳留人，成化進士，謚文肅

賈少師宏，字子充，鉛山人，成化進士，謚文憲

楊少師廷和，字介夫，成化進士，謚文忠

毛少保紀，字維之，掖縣人，成化進士，謚文簡

林宮保俊，字待用，莆田人，成化進士，謚貞肅

喬少保宇，字希大，樂平人，成化進士，謚莊簡

王尚書鴻儒，字懋學，南陽人，成化進士，謚文莊

陸少保完，字全卿，長洲人，成化進士，有《水村集》二十卷

周宮□用，字行之，吳江人，弘治進士，謚忠肅

劉侍郎玉，字咸栗，萬安人，弘治進士，謚端敏，楊慎選定其集
　　三卷

李少卿甡，字應禎，更字貞伯，長洲人

文溫州林，字宗儒，長洲人，成化進士。父洪，字公大，宗儒居
　　鄉，與楊君讓、李貞伯、沈啓南善，而其子徵明與唐寅、徐禎
　　卿游

呂太常㷆，字秉之，嘉興人，文懿公原之子，有《九栢集》

王山人佐，字仁甫，自號古直老人，洪武間有王洽事佐字彥舉、
　　龍居士瑄字克溫，宜春人，襲父職，遂爲南京人。子霓，字致
　　仁，弘治進士。克溫著作甚富，有《鴻泥集》、《燕居集》

魏縣丞時敏，莆田人，有《竹溪詩稿》

孫訓導冕，字文中，德化人，有《北通備遺稿》

錢布衣百川，字東之，無錫人，有《寒齋狂稿》

劉處士英，字邦彥，錢塘人，景弘間人

黃郡博雲，字應龍，崑山人，有《丹岩文集》

陳布衣蒙，字允德，常熟人，正統間人，集名《泛雪》

郁少卿穆，字玄敬，吳縣人，弘治己未進士

邢處士參，字麗文

朱處士存理，字性甫，長洲人，集《鐵網珊瑚》、《野航漫録》、《經
　子鉤玄》、《吴郡獻徵録》、《名物寓言》、《鶴岑隨筆》，所著有
　《野航詩集》。正德間人

朱處士凱，字堯民，與朱性甫同稱“兩朱先生”

李僉事濂，字川甫，祥符人，正德進士

鄭郎中善夫，字繼之，閩縣人，弘治進士，《少谷山人集》十卷

史癡翁忠，字廷直，金陵人也。善畫，友沈石田

明周憲王　誠齋集三卷，一册。

明林弼　梅雪齋續集五卷，一册。抄本。

明林右　□□□

明曾王　二翰林集一册。

明梁潛　泊庵先生文集十六卷。

明劉溥　草窗集二卷，四册。見《皇元風雅後集》。

明黄金　東遊集一册。

明朱一元　太白山人集一册。

明傅汝舟　丁戊山人集十二卷，一册。弘治間丁戊山人，字木虚，一名舟，一曰
　磊老，侯官人，鄭繼之門人。

明谷繼宗歲稿一卷。

明汪文盛　白泉家稿一卷。

明周廣　玉巖集九卷，二册。

明□□□　山齋集六册。

明楊成　莊簡公集四卷。

明周怡　訥溪集十一册。

明邵經邦　弘藝録三十卷，六册。

明楊鑑　秋泉集二卷，一册。

明唐鵬　雲卿集一卷。

明張鐸　海岱集一卷。

明錢薇（懋垣） 承啟堂集十冊。

劉仁山集二冊。

明王廷倧 雁湖子四卷，泰州人，一冊。

明羅汝芳 近溪集十三冊。

明趙統 驪山集十冊。

明□□□ 超然樓集十二冊。

明徐桂 徐茂吳詩集十三卷，四冊。

明陳所蘊 竹素堂稿十四卷。

明孫七政 滄浪生孫齊之集六冊。

明張元凱 伐檀集二冊。

明曹司直 劍吹樓集十卷，四冊。

明朱謀瑋 枳園近稿九卷，二冊。

明沈一貫 喙鳴集十七卷。 又 詩集十八卷。

明潘士藻 闇然堂集五冊，少一冊。

明何喬遠 萬曆後集八冊，四冊。

明方學漸 桐川集四十冊。 心學宗四卷。 邇訓二十卷。 崇本堂稿二十二卷。 崇本堂詩續二卷。 別稿一卷。 桐川會言十二卷。 桐川錄四卷。 孝經繹一卷。 性善繹一卷。 百八錄一卷。 方氏祠規一卷。 桐彝三卷。 桐彝續二卷。 二解一卷。 七論一卷。 東遊紀三卷。 南遊紀一卷。 北遊紀一卷。 先正編一卷。 崇實會約一卷。 庸言一卷。 方子一言二卷。 歸去吟一卷。 明善先生行略一卷。

明周伯耕 虞精集八卷

明王家屏 復宿山房集四十卷，二十冊。

明葉向高 蒼霞草三十卷。 蒼霞續草二十二卷。 蒼霞餘草十四卷。 蒼霞詩草八卷。 綸扉奏草三十卷。 續奏草十四卷。 綸扉尺牘十卷，共四十四冊。

明楊守勤　寧澹齋詩集_{八卷。}　文集_{十二卷，十冊。}

明高攀龍　高子遺書_{十二卷，十冊。}

明孫承宗　高陽集_{二十卷，十二冊。}

明藍田　侍御集_{十卷，五冊。}

明畢懋康　管涔集_{二卷，一冊。}

明王象春　濟南百咏_{一卷。}

明陳懋仁　陳憲節外集_{六冊。}

明高出　孩之集_{十一卷，三冊。}

明張瑞圖　白毫庵集_{四卷。}

明蔣德璟　敬日草_{十冊。}

明孔貞運　敬事草_{五卷，三冊。}　又　行餘草_{十卷。}

明倪元璐　鴻寶集_{十卷，六冊。}

明蔡道憲　江門先生悔後集_{二冊。}

明沈寅　真隱軒初稿_{八冊。}

明田觀光　□□_{二卷，一冊。}

雲隱堂集_{十二冊。}　塔影園近稿_{五冊。}　易水稿_{一冊。}　龍岡集
　　_{一冊。}

明黃淳耀　陶庵集_{八卷，四冊。}

張元載　乙未稿_{一冊。}　江行漫稿_{一卷，一冊。}

明徐庸用理　湖海耆英集_{十卷，選永樂至正統四朝詩。}

阮大鋮　詠懷堂戊寅年詩_{二卷，徐揚先序，刊本。}

錢謙益　初學集_{一百十卷。}　又　有學集_{五十卷，十二冊。}又_{十冊。}

吳偉業　梅村集_{四十卷，八冊。}

宋之繩　載石堂詩稿_{二卷，二冊。}

王崇簡　青箱堂文集_{十二卷，六冊。}　又　詩集_{六冊。}

白胤謙　念園存稿_{六卷，二冊。}

姚文然　端恪公全集_{八冊。}

曹溶　臥筼集一册。

閻爾梅　白耷山人集十卷，四册。　又　詩十册。

馮溥　住山堂詩集十卷，四册。

王熙　心遠堂詩集四册。

熊伯龍　學士集三卷，三册。

周體觀　晴鶴堂詩鈔十六卷，四册。

曹□　宗伯詩集四册。

侯方域　壯悔堂文集十卷，三册。

黄宗羲　南雷文案十卷，二册。　又　吾悔集四卷，一册。

屈大均　翁山詩外十五卷，一册。

陳恭尹　獨漉堂稿二册。

梁佩蘭　六瑩堂詩集一册。

錢澄之　田間集十卷，一册。

魏□①　伯子文集五册。

魏禧　叔子文集十三册。

魏禮　季子文集五册。

朱彝尊　竹垞文類二册。

胡夏客　谷水文集二十二卷，四册。

唐夢賚　志壑堂集二十四卷，十二册。

陳維崧　儷體集二册。

吳兆騫　秋笳集一册。

汪鈍翁　堯峯文鈔

---

① 此處空格，當係"際瑞"二字。

傳是樓集部總集

倣宋板**六臣文選**六十卷，六十册。

明張鳳翼　文選纂註十二卷，六册。

明閔赤如　文選瀹註三十卷，八册。

宋板**高似孫　文苑英華摘句**與《文苑英華辨證》共十二册。

宋板**文海驪珠**四十卷，十二册。

宋板**聖宋文海**三卷，不全。

宋板**東萊先生古文關鍵**二十卷，建安蔡文之注，四册。

宋板**東萊集注觀瀾文選丙集**八卷，二册。

宋板**古文狐白裘**二十卷，四册。

宋板**精騎集**一册。

宋板**東澗精絕古今文選**四卷，二册。　　**又　妙絕古今**三卷，三册。

宋板**新編古今獻壽文集**十二卷，二册。

鄭氏　麟溪集二十二卷，詩十卷，文十二卷，二册。抄本。

明茅坤　八大家文鈔

文翰類編三册，抄本，不全。

明郎灝　菽贊三卷，三册。

明唐順之（荊川）　文編六十四卷，二十册。

明高舉　名文薈選十六卷，十六册。

八代文抄九十册。

明張時徹　皇明文範八十八卷，四十册。

明慎蒙　皇明文則大成二十二卷，二十二册。

明張士瀹　國朝文纂五十卷，二十册。

明何喬遠　皇明文徵七十四卷，二十册。

明陳仁錫（明卿）　古文奇賞二十二卷。　　**又　續**三十四卷，兩種，共四十八册。

黄宗羲　明文案四十八卷,四十八册。

明周鍾　二十一史文選百卷,九十六册。

明張溥(天如)訂　漢魏百三名家[漢九人]賈長沙誼、董膠西仲舒、褚先生少孫、東方朔、司馬長卿相如、王諫議褒、楊子雲雄、劉中壘向、劉子駿歆。[東漢十一人]馮曲陽衍、班蘭臺固、張河間衡、李蘭臺尤、馬季長融、荀侍中悦、王叔師逸、孔少府融、諸葛丞相亮、崔亭伯駰、蔡中郎伯喈。[魏十二人]魏武操、文帝丕、陳思王、陳記室琳、王侍中粲、阮元瑜瑀、劉公幹楨、應德璉瑒、應休璉璩、阮嗣宗籍、嵇中散康、鍾司徒會。[晉二十二人]杜征南預、荀公曾勖、傅鶉觚玄、張司空華、孫馮翊楚、摯太常虞、束廣微晳、夏侯常侍湛、傅中丞咸、潘太常尼、潘黃門岳、陸士衡機、陸士龍雲、成公子綏、張孟陽載、張景陽協、劉越石琨、郭弘農璞、王右軍羲之、王大令獻之、孫廷尉綽、陶淵明。[宋八人]何衡陽承天、傅元禄亮、謝康樂靈運、顏光禄延之、鮑明遠昭、袁陽源淑、謝惠連、謝光禄莊。[齊六人]蕭子良(竟陵王)、王文憲儉、王寧朔融、謝宣城朓、張長史融、張詹事稚圭。[梁十九人]武帝蕭衍、簡文帝綱、元帝繹、梁昭明蕭統、江醴陵淹、沈休文約、陶貞白弘景、丘司空遲、任彦升昉、王右丞僧孺、陸太常倕、劉户曹孝標、王詹事筠、劉秘書孝綽、劉豫章潛、劉中庶孝儀、庾度支肩吾、何記室遜、吳朝請均。[陳五人]俊圭叔寶、徐僕射陵、沈侍中炯、江令君總、張散騎正見。[北魏二人]高允公允、温侍讀子升。[北齊二人]邢特進邵、魏特進收。[北周二人]王司空褒、庾開府信。[隋五人]煬帝廣、羅武陽思道、李懷州中弘、牛奇章弘、薛司隸道衡。共百三人。

明葛鼐　古文正集一編十卷,十五册。　**又　二編**十四册。　**又**葛板**二十名家**虞道園、范忠宣、王梅谿、李德裕、朱陸、杜樊川、李旴江、楊龜山、顏魯公、鄒道鄉、陸宣公、兩程、真西山、張宛丘、范文正、黃山谷、文信國、劉靜修、司馬温公、韓忠獻。

明馮有翼　秦漢文章十二卷,四册。

秦漢文歸十七册。

林雲銘　古文析義十四卷,七册。

張汝瑚　明八大家文選□卷,□册。八套。

錢肅潤　文瀫初編二十卷,十册。

孫執升(琮)　山曉閣古文全集　又　六種《左傳》、《國語》、《史記》、《公》、《穀》、《國策》、兩《漢》。　**又　八家**又唐文一卷,宋文一卷。　**昭明**

文選　　張天如史論　　左傳博議　　山曉閣明文選　　續明文選

三賢集劉靜修四卷、楊椒山三卷、孫鍾元四卷（俱保定人），共十二冊。

汪氏家集六冊。

宋人選中軍論三卷，三冊。

宋板**四六**十冊。

明王志堅　　四六法海十二卷，十二冊。

明傅振商　　秦藻幽勝録十二卷，十二冊。

明張邦翼　　嶺南文獻三十二卷，三十二冊。

善權寺集　　古今文録十卷，一冊。

木蘭集乙冊。孝烈將軍木蘭女事。

陳徐陵　　玉臺新詠十卷，二冊。

唐人選唐詩令孤楚《御覽詩》乙卷、芮挺章《國秀集》三卷、高仲武《中興間氣集》二卷、《搜玉小集》乙卷、元結《篋中集》乙卷、殷璠《河嶽英靈集》三卷、姚合《極玄集》二卷、韋縠《才調集》十卷。

六朝詩集

宋郭茂倩　　樂府詩百卷，八冊。

宋板**萬寶詩山**①三十八卷，十二冊。

宋板**詩選正宗後集**二十卷，四冊。

明何景明　　古樂府二卷，乙冊。

明竇惟遠　　參玄集八卷，八冊。抄本。

明蔡汝楠　　律初集四卷，乙冊。

明李攀龍　　唐詩選七卷，四冊。

明臧懋循　　古詩所五十六卷，十一冊。　　又　唐詩所四十七卷，十一冊。

明陸時雍　　詩鏡九十卷（古詩三十六卷、唐詩五十四卷）。二十四卷。

明唐汝詢　　唐詩解五十卷，八冊。

---

① "寶"，舊抄本作"板"。

明胡震亨　唐音統籤四籤七卷、乙籤七十九卷、丙籤六十四卷、丁籤□卷、戊籤□卷,餘闕。

季振宜　彙集全唐詩七百十七卷,百七十二冊,抄本。[按季滄葦《書目》有《唐百家詩》三十二本,又《百家詩抄本》三十本,《唐名家詩集》十八本。抄。]

顧貞觀　納蘭性德　唐詩删六十九冊,抄本。

范良　詩苑天聲八冊(《朝堂集》七卷、《應制集》四卷、《館課集》六卷、《歷代樂章》二卷、《應試詩》三卷)。

宋元詩選宋二十六家、元三十五家,十冊,抄本。

明夏之鼎　崇禎八大家詩選二十四冊。

四體宮詞四卷,一冊。宋徽宗、唐王建、明瞿佑、蜀花蕊夫人。

宋孫紹遠　聲畫集八卷,二冊。抄本。

清餘三卉詩集僧本《牡丹集》乙卷、王達善《梅花百咏集》乙卷、左録《菊花百咏》乙卷。

李杲　甬上耆舊詩三十卷,十冊。

魯藩當㳽　壽英會詩圖乙卷。

明楊循吉　七人聯句詩紀乙卷。

明方豪　養餘録乙卷。

明朱袞　雪壺堂倡和集三卷,一冊。

輿音録二卷,一冊。

明盧雍　良會集乙卷。

逸雋一卷。

明李而進　美具録乙冊。

皇清詩選十二卷,十二冊。

清詩初集十二卷,六冊。

蓬萊閣詩集乙冊。

太白樓集六卷,一冊。

明張時徹　天池寺集九卷,二冊。

東林寺集七卷,二冊。

月塘集<small>乙卷</small>。

檇李詩乘<small>四卷，二冊</small>。

錢牧齋　列朝詩　乾集<small>上下兩卷，四十餘頁</small>。　甲前集<small>十一卷，第八有下</small>
卷。　甲集<small>二十二卷，第四分上、中、下，第五卷分上、下，每於卷後間有補人補詩</small>
乙集<small>八卷</small>。　丙集<small>十六卷</small>。　丁集<small>十六卷，十三有上、下卷</small>。　閏集
六卷。　牧齋選詩，自居《明史》，書見自序，蓋親筆也。

傳是樓集部詔誥章奏

明程開祐　籌遼碩畫<small>四十六卷，二十三冊</small>。

崇禎紀疏<small>九卷，三冊</small>。

熙朝奏議<small>五卷，四冊</small>。

明叢蘭　經略錄<small>三卷，三冊</small>。

明楊一清　制府經略三疏<small>一卷</small>。

明樊繼祖　建築疏稿<small>一卷</small>。

明曾銑　勘定城錄<small>四卷，四冊</small>。

明王忬　思質奏議<small>十二冊</small>。

明唐文襄公奏議<small>五卷，五冊</small>。

明舒化　繼峯諫疏<small>二卷，一冊</small>。

明徐都憲奏議<small>五卷，二冊</small>。

明邵庶　楚削餘編<small>四卷，四冊</small>。

明王錫爵　請儲瀝疏<small>二卷，二冊</small>。

明葉向高　綸扉奏草<small>三十卷</small>。　又　綸扉續草<small>十四卷</small>。　又　綸
扉尺牘<small>十卷</small>。　青瑣奏章<small>一冊</small>。

明蔡奕琛　司銓疏草<small>四卷，二冊</small>。

明何光顯　中興大歷三獻<small>三卷</small>。　兼三錄<small>五卷，共七冊</small>。

明金光辰　中丞集<small>二冊</small>。

張晉彥　蓁居封事二卷,三册。

皇清奏議典略十二册。

張鳳翼　樞政録十卷,十册。

傳是樓集部文史

明王行　墓銘舉例四卷,乙册。

明曾鼎　文式三卷,一册。正統間廬陵人。

明陳懋仁　文章緣起注乙卷。　續一卷,一册。

元板諸家詩話許彥周、石林、竹坡、吕東萊、庚溪,三册。

元蔡正孫　詩林廣記四卷,四册。

宋胡仔　苕溪漁隱叢話前集六十卷。　後集四十卷,八册。抄本。

明李本緯　古今詩話纂六卷,三册。

傳是樓集部詞曲

宋辛棄疾(稼軒)　長短句十二卷,二册。

元張可久　小山小令二卷,二册。

元喬吉　喬夢符小令乙卷。

樂府群珠十册,抄本。

明李開先　改定元賢傳奇八册。　又　園林午夢乙册。　又　臥
病江皋乙册。　又　寶劍記二册。　又　詞謔乙册。　又　市
井艷詞乙册。　又　鄭聲乙册。抄本。

明夏言　桂州詞乙卷。

東白堂詞選十卷,六册。

浙西六家詞十卷,二册。

孫默　十七家詞鈔吳偉業《梅村詞》、龔鼎孳《香嚴詞》、梁清標《棠村詞》、王士禄

《炊聞詞》、宋琬《二鄉亭詞》、曹爾堪《南溪詞》、尤侗《百末詞》、王士禎《衍波詞》、彭孫遹《延露詞》、陳維崧《烏絲詞》、鄒祗謨《麗農詞》、黃永《溪南詞》、陸求可《月湄詞》、董以寧《蓉渡詞》、陳世祥《合影詞》、董俞《玉鳧詞》、程康莊《衍愚詞》。

聶先曾王孫　名家詞鈔前集吳偉業《梅村詞》、龔鼎孳《香嚴詞》、曹溶《寓言集》、李元鼎《文江酬倡》、鄭俠如《休園詞》、宋琬《二鄉亭詞》、王庭《秋間詞》、曹爾堪《南溪詞》、王士正《衍波詞》、尤侗《百末詞》、丁澎《扶荔詞》、李天馥《容齋詞》、彭孫遹《金粟詞》、陳維崧《迦陵詞》、龔翔麟《紅藕莊詞》、朱彝尊《江湖載酒集》、董俞《玉鳧詞》、徐喈鳳《蔭綠詞》、嚴繩孫《秋水詞》、顧貞觀《彈指詞》、陸次雲《玉山詞》、徐釚《菊莊詞》、陳玉璂《耕煙詞》、沈爾燝《月圓詞》、王晫《峽流詞》、孫枝蔚《溉堂詞》、魏學渠《青城詞》、王頊齡《螺舟綺語》、毛際可《映竹軒詞》、汪懋麟《錦瑟詞》、吳綺《藝香詞》、江尚質《澄暉詞》、馮瑞棣《華堂詞》、成德《飲水詞》、佟世南《東白詞》、趙吉士《萬青閣詞》、張淵《懿月聽軒詞》、余懷《秋雪詞》、唐夢賚《志壑堂詞》、曹垂璨《竹香亭詞》、周綸《柯齋詞》、華胥《畫餘譜》、林雲銘《吳山殼音》、姜垚《柯亭詞》、汪鶴孫《蔗閣詞》、吳之登《粵遊詞》、葉尋源《玉壺詞》、趙維烈《蘭舫詞》、邵錫榮《探西詞》、徐允喆《響泉詞》、張錫懌《嘯閣餘聲》、汪森《碧巢詞》、沈雄《柳塘詞》、呂師濂《守齋詞》、呂洪烈《藥菴詞》、鄭熙績《蘗樓詞》、王九齡《松溪詞》、陳見龍《藕花詞》、江士式《夢花詞》、周稚廉《容居詞》。

後集梁清標《棠村詞》、宋犖《楓香詞》、吳興祚《留村詞》、高士奇《蔬香詞》、何采《南硯詞》、丁煒《紫雲詞》、秦松齡《微雲詞》、徐惺《橫江詞》、毛奇齡《當樓詞》、顧景星《白茅堂詞》、宋俊《岸舫詞》、陸菜《雅坪山房詞》、曹貞吉《珂雪詞》、王士祿《炊聞詞》、華長發《滄江草》、狄億《綺霞詞》、徐瑤《雙溪泛月詞》、徐來《一曲灘詞》、曹亮武《南耕詞》、王允持《陶村詞》、龔勝《玉仿橘詞》、馮雲驤《寒山詞》、李孚青《稻香樓詞》、何鼎《香草詞》、路傳經《曠觀樓詞》、徐璣《湖山詞》、何思《玉艷詞》、楊通佺《竹西詞》、李良年《秋錦山房詞》、沈皡《日柘西精舍詞》、李符《耒邊詞》、沈岸登《黑蜨齋詞》、周金然《南浦詞》、高層《雲改蠱齋詞》、吳秉仁《播聞詞》、董元愷《蒼梧詞》、江皋《染香詞》、范鑽《四香樓詞》、孫致彌《海泝詞》、曹寅《荔軒詞》、曹鼎曾《清輝詞》、王輅《萬卷山房詞》、郭士璟《句雲閣詞》、萬樹《香瞻詞》、顧岱《澹雪詞》、吳秉鈞《課鵲詞》、史惟圓《蜨菴詞》、吳棠禎《吹香詞》、高騫《羅裙譜》、陳大成《影樹樓詞》、曹炯曾《採韻詞》、陳魯得《栩園詞》、何五雲《紅橋詞》、陳履端《蠶餘詞》、侯文燿《鶴間詞》、沈季友《紅豆詞》、蔣景祁《罨畫溪詞》、余蘭碩《團扇詞》、魯超《謙菴詞》、周清原《浣初詞》、張潮《花影詞》、張純修《語石軒詞》、鄒宏志《邀月詞》。

　　此書無書名，亦無作者名氏，審其字蹟，爲宋賓王、謝浦泰所寫也。卷端賓王題云"雍正元年夏，從金星輞借鈔焦先生《國史經籍志》訖，適錢子柱西見遺《菉竹堂》、《絳雲樓書目》兩種，檢閱之頃，多焦《志》所無，因啓增補之思。翻案頭諸家藏目，以玉峯健菴先生傳是樓本爲首。取焦《志》之所無者而增廣之，互相校勘，訂正卷册，其次補諸家目，雖互有焦氏所無，然同於徐本者則不録"云云。則此乃賓王《國史經籍志補》薰本也。《傳是樓書目》外，所採更有《讀書敏求記》，而《菉竹》、《絳雲》兩目，則未之及，尚是未定薰也。所記目覩書，則詳其板本行款，不同焦氏之鈔撮傅會。今世行《傳是樓目》，率闕別集，此本別據顧俠君《元詩選》補元人集。明初人集，則以目覩者補之。漢、魏、唐、宋、明季人集，爲謝浦泰所補。是賓王所見，亦非足本也。謝氏名星纏，太倉人，州志有傳。與賓王至好。予所見兩人鈔本，常互相校跋，想見氣求聲應之樂。第八葉有楊晉印記，晉字子鶴，常熟人，王石谷入室弟子。此書曾入其畫篋。又有夾籤云："乾隆丁卯歲十月朔後十日爲余生日"，則不能定其爲何人手筆矣。庚申十一月下旬，無錫孫毓修跋尾。（按原本下有"孫印毓修"、"小緑天藏書"、"毓修私印"三印章。）

二十五史藝文經籍志考補萃編總目